COLLECTION
FOLIO/ESSAIS

Henry Corbin

Histoire de la philosophie islamique

Gallimard

Philosophe-orientaliste, historien des religions, Henry Corbin (1903-1978) a bouleversé par son œuvre magistrale notre connaissance de la philosophie islamique. Son œuvre ne fut pas d'érudition pure, mais réussit au contraire à mettre le savoir le plus étendu au service de l'interprétation philosophique.

En 1935, ayant été détaché par la Bibliothèque nationale à l'Institut français de Berlin, il en rapporte la première traduction française de Heidegger. Chargé de mission en Turquie (1939), puis en Iran (1945), il fonde le Département d'iranologie de l'Institut français à Téhéran, avant de succéder à Louis Massignon (1954) comme titulaire de la chaire d'islamisme à l'École pratique des hautes études (Ve Section, Sciences religieuses).

Par ses éditions de textes en arabe et en persan, publiées dans la collection « Bibliothèque iranienne », il a révélé aux Iraniens eux-mêmes les principaux auteurs de leur poésie mystique et de leur philosophie. De même, par des traductions de ces textes, il a permis aux lecteurs français de découvrir la richesse de cette pensée.

Dans l'œuvre qu'il nous laisse, les grands thèmes de la vision doctrinale et mystique de la philosophie islamique nous sont exposés à travers de nombreux rapprochements comparatifs et en étroite affinité avec les courants les plus profonds de la philosophie occidentale.

Parmi ses principaux écrits, où s'affirme sa méthode qui consiste en une phénoménologie-herméneutique, il faut citer *Avicenne et le récit visionnaire* (1954), *L'imagination créatrice dans le soufisme d'Ibn 'Arabî* (1958) et le monumental *En Islam iranien : Aspects spirituels et philosophiques* (1971). Le lecteur trouvera son autobiographie, qui est son dernier écrit, ainsi qu'une bibliographie complète, dans le numéro spécial des *Cahiers de l'Herne* consacré à Henry Corbin en 1981.

Pour cette nouvelle édition, seuls la bibliographie et l'index ont été complétés. La première partie reproduit le texte paru dans la collection « Idées ». La seconde partie est la version brève préparée par l'auteur pour le volume de la Pléiade (*Histoire de la philosophie,* III). L'intention de Henry Corbin avait été de développer avec le concours du professeur S.J. Ashtiyânî la seconde partie.

Première partie

DES ORIGINES JUSQU'À LA MORT D'AVERROËS (595/1198)

Avec la collaboration de
Seyyed Hosseïn Nasr et Osman Yahya

AVANT-PROPOS

Quelques lignes sont nécessaires pour expliquer l'intitulation et la structure de la présente étude, pour laquelle nous n'avions guère de devanciers qui nous aient frayé la voie.

1. *Tout d'abord nous parlons de « philosophie islamique » et non pas, comme l'usage en prévalut longtemps depuis le Moyen Age, de « philosophie arabe ». Le prophète de l'Islam était, certes, un Arabe d'Arabie; l'arabe littéral est la langue de la Révélation qorânique, la langue liturgique de la Prière, la langue et l'outil conceptuel qui furent utilisés par des Arabes comme par des non-Arabes, pour édifier l'une des littératures les plus abondantes du monde, celle où s'exprime la culture islamique. Cependant, le sens des désignations ethniques évolue avec les siècles. De nos jours le terme « arabe » réfère, dans l'usage courant comme dans l'usage officiel, à un concept ethnique, national et politique précis, avec lequel ne coïncident ni le concept religieux « Islam » ni les limites de son univers. Les peuples arabes ou arabisés ne sont même qu'une fraction minoritaire dans la totalité du monde islamique. L'œcuménicité du concept religieux « Islam » ne peut être ni transférée ni restreinte aux limites d'un concept ethnique ou national, profane. C'est une évidence qui*

va de soi pour quiconque a vécu en pays d'Islam non arabe.

Certes, on a pu et l'on pourrait faire valoir que la désignation de « philosophie arabe » est à entendre simplement d'une philosophie écrite en langue arabe, c'est-à-dire en cet arabe littéral qui, de nos jours encore, est le lien liturgique aussi bien entre les membres non arabes de la Communauté islamique qu'entre les fractions de la nation arabe, particularisée chacune par son arabe dialectal. Malheureusement, cette définition « linguistique » est inadéquate et manque son propos. Si on l'acceptait, on ne saurait plus où classer des penseurs iraniens tels que le philosophe ismaélien Nâsir-e Khosraw (XIe siècle) ou Afzaloddîn Kâshânî (XIIIe siècle), élève de Nasîroddîn Tûsî, dont toutes les œuvres sont intégralement écrites en langue persane, sans parler de tous ceux qui, depuis Avicenne et Sohravardî jusqu'à Mîr Dâmâd (XVIIe siècle), Hâdî Sabzavârî (XIXe siècle) et nos contemporains, ont écrit tantôt en persan, tantôt en arabe littéral. La langue persane n'a jamais cessé de jouer, elle aussi, son rôle de langue de culture (voire de « langue liturgique » chez les Ismaéliens du Pamir, par exemple). Aussi bien, s'il est vrai que certains traités de Descartes, Spinoza, Kant, Hegel, sont écrits en latin, leurs auteurs ne sont pas pour autant des philosophes « latins » ou « romains ».

Pour désigner le monde de pensée dont il va être traité dans les pages qui suivent, il faut donc une désignation qui soit assez large pour sauvegarder l'œcuménicité spirituelle du concept « Islam », et qui, du même coup, maintienne le concept « arabe » à la hauteur de l'horizon prophétique auquel il fit son apparition dans l'histoire avec la Révélation qorânique. Sans préjuger des opinions ou de l'« orthodoxie » mettant en question la qualité « musulmane » de tel ou tel de nos philosophes, nous parlerons de « philosophie islamique », comme de la philosophie dont l'essor et les modalités sont liés essentiellement au fait religieux et spirituel Islam, *et qui est là pour attester que l'Islam ne trouve son expression ni adéquate ni décisive, comme on l'a dit abusivement, dans le seul droit canonique* (fiqh).

2. *Il s'ensuit que le concept de philosophie islamique ne peut être limité au schéma longtemps traditionnel dans nos manuels d'histoire de la philosophie, ne retenant que quelques grands noms, ceux des penseurs de l'Islam qui avaient été connus en traduction latine par notre Scolastique médiévale. Certes, les traductions d'œuvres arabes en latin, à Tolède et en Sicile, furent un épisode culturel d'une importance majeure, mais il est radicalement insuffisant pour suggérer une orientation d'ensemble qui permette de saisir le sens et le développement de la méditation philosophique en Islam. Il est radicalement faux que celle-ci ait été close avec la mort d'Averroës* (1198). *Quant à ce qui s'est trouvé clos lors de celle-ci, on tentera de le suggérer plus loin, à la fin de la 1re partie de la présente étude. Traduite en latin, l'œuvre du philosophe de Cordoue a donné en Occident l'averroïsme, lequel submergea ce que l'on a appelé l'« avicennisme latin ». En Orient, nommément en Iran, l'averroïsme passa inaperçu, et la critique de la philosophie par Ghazâlî ne fut jamais regardée comme ayant mis fin à la tradition inaugurée par Avicenne.*

3. *La signification et la perpétuation de la méditation philosophique en Islam ne se peuvent vraiment comprendre qu'à la condition de ne point prétendre y retrouver, à tout prix, l'équivalent exact de ce que nous appelons en propre, en Occident, depuis quelques siècles « philosophie ». Même les termes de* falsafa *et* faylasûf, *résultant de la transcription des termes grecs en arabe, et rapportés aux péripatéticiens et néoplatoniciens des premiers siècles de l'Islam, n'équivalent pas*

exactement à nos concepts de « philosophie » et de « philosophe ». La distinction nettement tranchée entre « philosophie » et « théologie » remonte, en Occident, à la Scolastique médiévale. Elle présuppose une « sécularisation » dont l'idée ne pouvait venir en Islam, pour la première raison que l'Islam n'a pas connu le phénomène Eglise, avec ses implications et ses conséquences.

Comme on le précisera dans les pages qui suivent, le terme hikmat est l'équivalent du grec sophia ; le terme hikmat ilâhîya est l'équivalent littéral du grec theosophia. La métaphysique est désignée en général comme traitant des Ilâhîyât, les Divinalia. Le terme de 'ilm ilâhî (scientia divina) ne peut ni ne doit se traduire par celui de « théodicée ». L'idée que les historiens musulmans (dc Shahrastânî, au XIIe siècle, jusqu'à Qotboddîn Ashkevârî, au XVIIe siècle) se font des « Sages grecs », c'est que la sagesse de ces derniers provenait, elle aussi, de la « Niche aux lumières de la prophétie ». C'est pourquoi, si l'on se contente de transposer en Islam la question des rapports entre la philosophie et la religion, telle qu'elle est posée traditionnellement en Occident, on pose la question en porte à faux, parce que l'on ne retient qu'une partie de la situation. La philosophie a, certes, connu en Islam plus d'une situation difficile; les difficultés n'étaient pas les mêmes qu'en chrétienté. Là où la recherche philosophique (tahqîq) fut « chez elle » en Islam, ce fut là où l'on réfléchit sur le fait fondamental de la prophétie et de la Révélation prophétique, avec les problèmes et la situation herméneutiques que ce fait fondamental implique. La philosophie prend alors la forme d'une « philosophie prophétique ». C'est pourquoi nous avons donné la place initiale, dans la présente étude, à la philosophie prophétique du shî'isme sous ses deux formes principales : l'Imâmisme duodécimain et l'Ismaélisme. Les recherches récentes concernant l'un et l'autre n'ont *encore été condensées en aucune étude de ce genre. Nous n'avons pas demandé nos informations aux « hérésiographes ». Nous sommes allés aux sources mêmes.*

Corollairement, on ne pourrait exposer ce qu'il en fut de la hikmat *en Islam, sans traiter de la mystique, c'est-à-dire du soufisme sous ses différents aspects, tant ceux de son expérience spirituelle que ceux de sa théosophie spéculative, laquelle a ses racines dans l'ésotérisme shî'ite. Comme on le verra, l'effort d'un Sohravardî, et à sa suite celui de toute l'école des* Ishrâqîyûn*, a été de conjoindre la recherche philosophique et la réalisation spirituelle personnelle. En Islam tout particulièrement, histoire de la philosophie et histoire de la spiritualité demeurent inséparables.*

4. *Nous étions astreints, pour la présente étude, à d'étroites limites. Il nous a été impossible de donner à l'exposé de certains problèmes, chez certains penseurs, toute l'étendue qui aurait été nécessaire. Cependant, comme il s'agit le plus souvent de doctrines très peu connues, sinon entièrement inconnues, et les pages suivantes s'adressant au philosophe tout court, non pas seulement à l'Orientaliste, nous ne pouvions nous contenter d'allusions ni nous limiter à de simples notices de dictionnaire. Nous croyons avoir dit le minimum nécessaire.*

Bien entendu, le schéma habituel qui partage l'histoire de la philosophie, comme l'histoire en général, en trois périodes dénommées Antiquité, Moyen Age, Temps modernes, ne pourrait être rapporté à la périodisation de l'histoire de la philosophie islamique que par un artifice verbal. Il serait aussi inopérant de dire que le Moyen Age a continué jusqu'à nos jours, car la notion même de Moyen Age présuppose une vision de l'histoire thématisée à partir d'une certaine situation. Il y a des indices plus sérieux et plus durables pour carac-

tériser un « type de pensée » que les simples références chronologiques, et il y a en Islam certains types de pensée différenciés qui persistent depuis les origines jusqu'à nos jours. Aussi bien le souci de périodisation chez nos penseurs islamiques s'est-il concrétisé en un schéma qui leur est propre (et qui n'est pas étranger à leur représentation des cycles de la prophétie). Qotboddîn Ashkevârî, par exemple, partage son histoire des penseurs et des spirituels en trois grands cycles : les penseurs antérieurs à l'Islam; les penseurs de l'Islam sunnite; les penseurs de l'Islam shî'ite.

A notre tour, nous ne pouvons les faire entrer de force dans le schéma d'une périodisation rapportée de l'extérieur. Nous distinguerons les trois grandes périodes suivantes :

a) *Une première période nous conduit depuis les origines jusqu'à la mort d'Averroës* (595/1198). *Sous certains de ses aspects, cette période est celle qui a été la moins mal connue jusqu'ici. On précisera, en arrivant à son terme, pourquoi s'est imposé le choix de cette délimitation. Avec Averroës quelque chose s'est terminé en Islam occidental. A la même époque, avec Sohravardî et Ibn 'Arabî, commence quelque chose qui en Orient allait se perpétuer jusqu'à nos jours.*

Déjà pour cette période, il nous a fallu mettre ici en lumière plusieurs aspects qui ne sont apparus qu'au cours des vingt dernières années de recherches. Mais les limites qui nous étaient imposées, et le minimum au-dessous duquel ne pouvait cependant descendre un exposé philosophique cohérent, ont fait que nous n'avons pu dépasser ici le terme de cette première période, constituant la première partie de la présente étude.

b) *Une seconde période s'étend sur les trois siècles qui précédèrent la Renaissance safavide en Iran. Elle* est principalement marquée par ce qu'il convient d'appeler la « métaphysique du soufisme » : la croissance de l'école d'Ibn 'Arabî et de l'école issue de Najm Kobrâ, la rejonction du soufisme d'une part avec le shî'isme duodécimain, d'autre part avec l'Ismaélisme réformé, postérieurement à la ruine d'Alamût par les Mongols (1256).

c) Troisième période. Alors que l'on considère que partout ailleurs en Islam, depuis Averroës, la recherche philosophique est réduite au silence (ce qui motiva le jugement sommaire dénoncé plus haut), voici qu'au XVIe siècle, avec la Renaissance safavide, s'affirme en Iran un prodigieux essor de pensée et de penseurs, dont les effets se perpétueront, à travers la période qâjare, jusqu'à nos jours. Il y aura lieu d'analyser les raisons pour lesquelles le phénomène se produit précisément en Iran et en milieu shî'ite. A leur lumière, comme à celle d'autres écoles plus récemment écloses ailleurs en Islam, il y aura lieu de s'interroger sur le prochain avenir.

Inévitablement la première partie de l'étude que l'on peut lire ici réfère déjà à plusieurs des penseurs de la seconde et de la troisième période. Aussi bien, comment préciser, par exemple, ce qui fait l'essence de la pensée shî'ite, telle que l'expose l'enseignement des Imâms du shî'isme pendant les trois premiers siècles de l'hégire, sans tenir compte des philosophes qui plus tard ont commenté cet enseignement ? L'étude détaillée de ces penseurs de la seconde et de la troisième période viendra dans la seconde partie de cette étude.

Deux chers amis, l'un Iranien shî'ite, l'autre Arabe sunnite de Syrie, nous ont aidé à mener à bien cette première partie, en nous fournissant pour plusieurs paragraphes de nos huit chapitres un précieux matériel qui a été mis ici en commun. Ce sont M. Seyyed Hoseïn Nasr, professeur à la Faculté des Lettres de l'Université de Téhéran, et M. Osman Yahya, chargé de *recherches au C. N. R. S. Il y a entre nous trois une profonde communauté de vue sur ce qui fait l'essence de l'Islam spirituel; les pages qui suivent pensent en être le reflet.*

Téhéran
novembre 1962

Henry Corbin,
Directeur d'études à l'Ecole
des Hautes Etudes (Sorbonne),
Directeur du Dép[t] d'Iranologie
de l'Institut franco-iranien (Téhéran).

TRANSCRIPTIONS

Les nécessités typographiques nous ont contraint de renoncer aux caractères munis de signes diacritiques pour transcrire certaines consonnes de l'écriture arabe ou persane. Le *'ayn* et le *hamza* sont représentés indifféremment par la simple apostrophe. Nous nous en excusons auprès des philosophes orientalistes, que ces simplifications inéluctables ne gêneront d'ailleurs pas outre mesure. Pour le lecteur non orientaliste observons ceci : le *h* représente toujours une aspiration qu'il est nécessaire de marquer. Le *ch* représente le français *tch.* Le *j* doit se prononcer *dj.* Le *kh* équivaut au *ch* allemand aspiré ou à la *jota* espagnole. Le *s* est toujours dur (= *ss*). L'accent circonflexe sur les voyelles représente la *scriptio plena*; le *û* a toujours le son *ou* en français; le *e* a le son du é français.

Lorsqu'un nom propre n'est pas précédé de l'article arabe *al,* c'est que l'on suit l'usage persan (il n'y a pas d'article en persan). Les noms en *a* (*at*) ont été transcrits conformément à la prononciation et à l'orthographe des mots arabes de ce type passés en persan, par exemple : *hikmat, nobowwat, walâyat,* etc., afin de ne pas avoir à changer de transcription selon que l'on réfère à un contexte arabe ou à un contexte persan.

Le mot *Imâm* se prononce *imâme.* On ne doit pas le confondre avec le mot *îmân* (la foi).

Nous avons conservé la transcription du mot *Qorân.* Toutes

les références *qorâniques* sont données d'après le type d'édition qui a cours en Iran (numérotation des versets concordant avec l'édition Flügel). Les dates sont d'abord données en années de l'ère de l'Hégire, suivies de l'année correspondante dans l'ère chrétienne.

I

Les sources de la méditation philosophique en Islam

1. *L'exégèse spirituelle du Qorân.*

1. C'est une assertion assez courante en Occident, qu'il n'y a rien de mystique ni de philosophique dans le Qorân, et que philosophes et mystiques ne lui doivent rien. La question ne sera pas ici de discuter ce que les Occidentaux trouvent ou ne trouvent pas dans le Qorân, mais de savoir ce que les Musulmans y ont trouvé en fait.

La philosophie islamique se présente avant tout comme l'œuvre de penseurs appartenant à une communauté religieuse caractérisée par l'expression qorânique *Ahl al-Kitâb* : un peuple possédant un Livre saint, c'est-à-dire un peuple dont la religion est fondée sur un livre « descendu du Ciel », un Livre révélé à un prophète et qui lui a été enseigné par ce prophète. Les « peuples du Livre », ce sont en propre les Juifs, les Chrétiens, les Musulmans (les Zoroastriens, grâce à l'Avesta, ont plus ou moins bénéficié du privilège; ceux que l'on a appelés les « Sabéens de Harran » ont été moins heureux).

Toutes ces communautés ont en commun un problème, lequel leur est posé par le phénomène religieux fondamental qui leur est commun : le phénomène du Livre saint, règle de vie en ce monde et guide au-delà de ce monde. La tâche première et dernière est de comprendre le *sens vrai* de ce Livre. Mais le mode de comprendre est conditionné par le mode d'être de celui qui comprend; réciproquement, tout le comportement intérieur du croyant dérive de son mode de comprendre. La situation vécue est essentiellement une *situation herméneutique,* c'est-à-dire la situation où pour le croyant éclôt le *sens vrai,* lequel du même coup rend son existence vraie. Cette vérité du sens, corrélative de la vérité de l'être, vérité qui est réelle, réalité qui est vraie, c'est tout cela qui s'exprime dans un des termes-clefs du vocabulaire philosophique : le mot *haqîqat.*

Ce terme de *haqîqat* désigne, entre autres fonctions multiples, le *sens vrai* des Révélations divines, c'est-à-dire le sens qui, en étant la *vérité,* en est l'*essence,* et par conséquent en est le *sens spirituel.* D'où l'on peut dire que le phénomène du « Livre saint révélé » implique une anthropologie propre, voire un type de culture spirituelle déterminée, et partant aussi postule, en même temps qu'il stimule et oriente, un certain type de philosophie. Il y a quelque chose de commun dans les problèmes que la recherche du *sens vrai* en tant que *sens spirituel* a posés respectivement, en Chrétienté et en Islam, à l'herméneutique de la Bible et à l'herméneutique du Qorân. Mais il y a aussi de profondes différences. Analogies et différences seraient à analyser et à exprimer en termes de structure.

Indiquer comme but l'atteinte du sens spirituel, cela sous-entend qu'il y ait un sens qui n'est pas le sens spirituel, et qu'entre celui-ci et celui qui ne l'est pas, il y a peut-être toute une gradation, conduisant même à une pluralité de sens spirituels. Tout dépend donc de l'acte initial de la conscience qui projette la perspective, avec les lois qui demeureront celles de cette perspective. Cet acte, par lequel la conscience se révèle à soi-même cette perspective herméneutique, lui révèle simultanément le monde qu'elle a à organiser et à hiérarchiser. De ce point de vue, le phénomène du Livre saint à suscité des structures correspondantes en Chrétienté et en Islam; en revanche, dans la mesure où diffère le mode d'approche du *sens vrai,* les situations et les difficultés diffèrent de part et d'autre.

2. La première indication à relever, c'est l'absence, en Islam, du phénomène Eglise. Pas plus qu'il n'y a, en Islam, un clergé détenteur des « moyens de grâce », il n'y a de magistère dogmatique, ni autorité pontificale, ni Concile définissant des dogmes. Dès le IIe siècle en Chrétienté, avec la répression du mouvement montaniste, le magistère dogmatique de l'Eglise s'est substitué à l'inspiration prophétique, et d'une manière générale à la liberté d'une herméneutique spirituelle. D'autre part, l'éclosion et l'essor de la conscience chrétienne annoncent essentiellement l'éveil et la croissance de la *conscience historique.* La pensée chrétienne est centrée sur le fait advenu de l'an 1 de l'ère chrétienne; l'Incarnation divine marque l'entrée de Dieu dans l'histoire. En conséquence, ce que la conscience religieuse thématisera avec une attention croissante, c'est le sens *historique,* identifié avec le sens littéral, le vrai sens des Ecritures.

On verra se développer, certes, la célèbre théorie des *quatre sens,* laquelle a pour formule classique : *littera* (*sensus historicus*) *gesta docet; quid credas, allegoria; moralis, quid agas; quid speras, anagogia.* Cependant il faut beaucoup de courage aujourd'hui pour infirmer les conclusions déduites d'évidences archéologiques et historiques, au nom d'une interprétation spirituelle. La question, à peine indiquée ici, est complexe. Il y aurait à se demander dans quelle mesure le phénomène Eglise, du moins dans ses formes officielles, peut être solidaire de la prédominance du sens littéral et historique. Et solidaire de cette prédominance, la décadence conduisant à la confusion du symbole et de l'allégorie, comme si la recherche du sens spirituel était de l'allégorisme, alors qu'il s'agit de tout autre chose. L'allégorie est inoffensive; le sens spirituel peut être révolutionnaire. Aussi est-ce dans les formations spirituelles en marge des Eglises que s'est perpétuée et renouvelée l'herméneutique spirituelle. Il y a quelque chose de commun dans la manière dont un Boehme ou un Swedenborg comprennent la Genèse, l'Exode ou l'Apocalypse, et la manière dont les Shî'ites, ismaéliens et duodécimains, ou bien les théosophes soufis de l'école d'Ibn 'Arabî comprennent le Qorân et le *corpus* des traditions qui l'explicitent. Ce quelque chose de commun, c'est une perspective où s'étagent plusieurs plans d'univers, une pluralité de mondes *symbolisant* les uns avec les autres.

La conscience religieuse de l'Islam est centrée non pas sur un fait de l'histoire, mais sur un fait de la *métahistoire* (ce qui veut dire non pas post-historique, mais trans-historique). Ce fait primordial, antérieur au temps de notre histoire empirique, c'est l'interrogation divine posée aux Esprits des humains préexistant au monde terrestre : « Ne suis-je pas votre Seigneur ? » (Qorân, 7/171). L'acclamation d'allégresse qui répondit à cette question conclut un pacte éternel de fidélité, et c'est la fidélité à ce pacte que, de période en période, sont venus rappeler aux hommes tous les prophètes; leur succession forme le « cycle de la prophétie ». De ce qu'ont énoncé les prophètes, résulte la lettre des religions positives : la Loi divine, la *sharî'at.* La question est alors celle-ci : y a-t-il à en rester à cette apparence littérale ? (Les philosophes n'auraient alors plus rien à faire ici.) Ou bien s'agit-il de comprendre le *sens vrai,* le sens spirituel, la *haqîqat ?*

Le célèbre philosophe Nâsir-e Khosraw (Ve/XIe s.), une des grandes figures de l'Ismaélisme iranien, énonce au mieux en quelques lignes ce dont il s'agit : « La religion positive (la *sharî'at*) est l'aspect exotérique de l'Idée (la *haqîqat*), et l'Idée est l'aspect ésotérique de la religion positive... La religion positive est le symbole (*mithâl*); l'Idée est le symbolisé (*mamthûl*). L'exotérique est en perpétuelle fluctuation avec les cycles et périodes du monde; l'ésotérique est une Energie divine qui n'est pas soumise au devenir. »

3. La *haqîqat* ne peut être, comme telle, définie à la manière des dogmes par un Magistère. Mais elle requiert des Guides, des Initiateurs qui y conduisent. Or, la prophétie est close; il n'y aura plus de prophète. La question se pose alors : comment l'histoire religieuse de l'humanité continue-t-elle *après* le « Sceau des prophètes » ? Question et réponse constituent essentiellement le phénomène religieux de l'Islam *shî'ite,* lequel est fondé sur la prophétologie s'amplifiant en une imâmologie. C'est pourquoi nous commencerons par insister dans la présente étude sur la « philosophie prophétique » du *shî'isme.* Elle a parmi ses prémisses la polarité de la *sharî'at* et de la *haqîqat*; elle a pour mission la persistance et la sauvegarde du sens spirituel des Révélations divines, c'est-à-dire le sens caché, ésotérique. De cette sauvegarde dépend l'existence d'un Islam spirituel. Sinon l'Islam succombera, avec ses variantes propres, au processus qui en Chrétienté laïcisa les systèmes théologiques en idéologies sociales et politiques, laïcisa le messianisme théologique, par exemple, en messianisme social.

Il est certain que la menace en Islam se présente dans des conditions différentes. Il a manqué jusqu'ici de philosophes pour les analyser en profondeur. On a presque totalement négligé le facteur shî'ite, alors que le sort de la philosophie en Islam, et corollairement la signification du soufisme, ne peuvent être médités indépendamment de la signification du shî'isme. Du côté du shî'isme ismaélien, la Gnose islamique, avec ses grands thèmes et son lexique, était déjà constituée avant que fût né le philosophe Avicenne.

La pensée philosophique en Islam n'ayant pas eu à affronter les problèmes issus de ce que nous appelons la « conscience historique », se meut par un double mouvement : de progression depuis l'Origine (*mabda'*) et de retour à l'Origine (*ma'âd*), dans la dimension *verticale.* Les formes sont pensées dans l'espace plutôt que dans le temps. Nos penseurs ne voient pas le monde en « évolution » dans un sens rectiligne horizontal, mais en ascension; le passé n'est pas derrière nous, mais « sous nos pieds ». C'est sur cet axe que s'échelonnent *les sens* des Révélations divines, sens qui correspondent à des hiérarchies spirituelles, à des niveaux d'univers s'ouvrant dès le seuil de la métahistoire. La pensée s'y meut librement, sans avoir à compter avec les interdits d'un magistère dogmatique. En revanche, ce qu'il lui faut affronter, c'est la *sharî'at,* dans le cas où celle-ci refuse la *haqîqat.* C'est le refus de ces perspectives ascendantes qui caractérise les littéralistes de la religion légalitaires, les docteurs de la Loi.

Mais ce ne sont pas les philosophes qui ont ouvert le drame. Celui-ci commence au lendemain même de la mort du Prophète. Tout l'enseignement des Imâms du shî'isme, venu jusqu'à nous en un *corpus* massif, nous permet d'en suivre les traces, et de comprendre comment et pourquoi ce fut en milieu shî'ite, au XVIe siècle, dans l'Iran safavide, que la philosophie devait connaître une magnifique renaissance.

Aussi bien, tout au long des siècles, les idées directrices de la prophétologie shî'ite ne cessent-elles d'être présentes. Bien des thèmes en procèdent : l'affirmation de l'identité de l'Ange de la Connaissance (*'Aql fa''âl,* l'Intelligence agente) et de l'Ange de la Révélation (*Rûh al-Qods,* l'Esprit-Saint, Ange Gabriel); le thème de la connaissance prophétique dans la gnoséologie de Fârâbî et d'Avicenne; l'idée que la sagesse des Sages grecs provenait, elle aussi, de la « Niche aux lumières de la prophétie »; l'idée même de cette *hikmat ilâhîya* qui est étymologiquement *theosophia,* non pas exactement philosophie ni théologie, au sens que nous donnons à ces mots. Précisément, la séparation de la théologie et de la philosophie, qui remonte en Occident à la Scolastique latine, est le premier indice de cette « laïcisation métaphysique » qui entraîne la dualité du croire et du savoir, à la limite l'idée de la « double vérité » professée, sinon par Averroës, du moins par un certain averroïsme; mais cet averroïsme s'isole justement de la philosophie prophétique de l'Islam. C'est pourquoi il s'épuise en lui-même, et c'est pourquoi l'on a si longtemps considéré qu'il était le dernier mot de la philosophie islamique, alors qu'il n'en fut qu'une impasse, un épisode ignoré des penseurs de l'Islam oriental.

4. Limitons-nous ici à quelques textes où l'enseignement des Imâms du shî'isme nous permet de comprendre comment herméneutique qorânique et méditation philosophique étaient appelées à se « substantier » l'une l'autre. Il y a, par exemple, cette déclaration du VIe Imâm, Ja'far Sâdiq (ob. 148/765) : « Le Livre de Dieu comprend quatre choses : il y a l'expression énoncée (*'ibârat*); il y a la portée allusive (*ishârat*); il y a les sens occultes, relatifs au monde suprasensible (*latâ'if*); il y a les hautes doctrines spirituelles (*haqâ'iq*). L'expression littérale est pour le commun des fidèles (*'awâmm*). La portée allusive concerne l'élite (*khawâss*). Les significations occultes appartiennent aux Amis de Dieu (*Awliyâ*, cf. ci-dessous). Les hautes doctrines spirituelles appartiennent aux prophètes (*anbiyâ*, plur. de *nabî*). » Ou, selon une autre explication : l'énoncé littéral s'adresse à l'audition; l'allusion s'adresse à la compréhension spirituelle; les significations occultes sont pour la vision contemplative; les hautes doctrines concernent la réalisation de l'Islam spirituel intégral.

Ces propos font écho à celui du Ier Imâm, 'Alî ibn Abî Tâlib (ob. 40/661) : « Il n'est point de verset qorânique qui n'ait quatre sens : l'exotérique (*zâhir*), l'ésotérique (*bâtin*), la limite (*hadd*), le projet divin (*mottala'*). L'exotérique est pour la récitation orale; l'ésotérique est pour la compréhension intérieure; la limite, ce sont les énoncés statuant le licite et l'illicite; le projet divin, c'est ce que Dieu se propose de réaliser dans l'homme par chaque verset. »

Ces quatre sens équivalent en nombre à ceux que définissait la formule latine rappelée plus haut. Pourtant l'on pressent déjà quelque chose d'autre : la différenciation des sens est en fonction d'une hiérarchie spirituelle entre les hommes, dont les degrés sont déterminés par leurs capacités intérieures. L'Imâm Ja'far fait encore allusion à sept modalités de la « descente » (révélation) du Qorân, puis définit *neuf* modes de lecture et de compréhension possibles du texte qorânique. Cet ésotérisme n'est donc nullement une construction tardive, puisqu'il est essentiel déjà à l'enseignement des Imâms, lequel en est même la source.

En accord avec le Ier Imâm, l'un des plus célèbres compagnons du Prophète, 'Abdollah ibn 'Abbâs, s'écria un jour au milieu d'un grand nombre d'hommes groupés sur le mont 'Arafat (à 12 milles de La Mekke), et en faisant allusion au verset qorânique 65/12 (relatif à la création des Sept Cieux et des Sept Terres) : « O hommes ! si je commentais devant vous ce verset, tel que je l'ai entendu commenter par le Prophète lui-même, vous me lapideriez. » Ce propos typifie parfaitement la situation de l'Islam ésotérique à l'égard de l'Islam légalitaire et littéraliste. C'est ce que fera mieux comprendre l'exposé de la prophétologie shî'ite donné plus loin.

Car c'est au Prophète lui-même que remonte le *hadîth*, la tradition, qui est pour ainsi dire la charte de tous les Esotéristes : « Le Qorân a une apparence extérieure et une profondeur cachée, un sens exotérique et un sens ésotérique; à son tour ce sens ésotérique recèle un sens ésotérique (cette profondeur a une profondeur, à l'image des Sphères célestes emboîtées les unes dans les autres); ainsi de suite, jusqu'à sept sens ésotériques (sept profondeurs de profondeur cachée). Ce *hadîth* est fondamental pour le shî'isme, comme il le sera ensuite pour le soufisme; chercher à l'expliciter, c'est mettre en cause toute la doctrine shî'ite. Le *ta'lîm,* la fonction initiatrice dont est investi l'Imâm, ne peut pas être comparé au magistère de l'autorité ecclésiastique dans le christianisme. L'Imâm, comme « homme de Dieu », est un inspiré; le *ta'lîm* se rapporte essentiellement aux *haqâ'iq* (pluriel de *haqîqat*), c'est-à-dire à l'ésotérique (*bâtin*). Finalement c'est la parousie du Douzième Imâm (le Mahdî, l'Imâm caché, l'Imâm attendu) qui, à la fin de notre Aiôn, apportera la pleine révélation de l'ésotérique de toutes les Révélations divines.

5. L'idée de l'ésotérique qui est à l'origine même du shî'isme et en est constitutive, fructifie en dehors des milieux proprement shî'ites (on verra que plus d'un problème est ainsi posé). Elle fructifie chez les mystiques, les *soufis,* et elle fructifie chez les philosophes. L'intériorisation mystique tendra à revivre, dans l'articulation du texte qorânique, le mystère de son Enonciation originelle. Mais ce n'est point là une innovation du soufisme. Il suffit de se référer au cas exemplaire de l'Imâm Ja'far dont, certain jour, les disciples avaient respecté le long silence extatique prolongeant la Prière canonique (*salât*). « Je n'ai pas cessé de répéter ce verset, dit l'Imâm, jusqu'à ce que je l'entendisse de celui-là même (l'Ange) qui le prononça pour le Prophète. »

Il faut donc dire que le plus ancien commentaire spirituel du Qorân est constitué par les enseignements donnés par les Imâms du shî'isme, au cours de leurs entretiens avec leurs disciples. Ce sont les principes de leur herméneutique spirituelle qui ont été recueillis par les soufis. Les textes du Ier et du VIe Imâm rapportés ci-dessus sont insérés en bonne place dans la préface du grand commentaire mystique où Rûzbehân Baqlî de Shîrâz (ob. 606/1209) recueille, outre les témoignages de sa méditation personnelle, ceux de ses prédécesseurs (Jonayd, Solamî, etc.). Au VIe/XIIe siècle, Rashîdoddîn Maybodî (ob. 520/1126) compose un monumental commentaire comprenant le *tafsîr* et le *ta'wîl* mystique (en persan). Avec le commentaire (les *Ta'wîlât*) composé par un insigne représentant de l'école d'Ibn 'Arabî, 'Abdorrazzâq Kâshânî, ce sont là trois des plus célèbres commentaires *'irfânî*, c'est-à-dire explicitant la *gnose mystique* du Qorân.

Au *hadîth* des « sept sens ésotériques » est consacré tout un opuscule malheureusement anonyme (daté de 731/1331) montrant que ces sept sens correspondent aux degrés selon lesquels se répartissent les Spirituels, parce que chacun de ces niveaux de signification correspond à un mode d'être, à un état intérieur. C'est en fonction de ces sept sens correspondant à sept degrés spirituels, que Semnânî (ob. 736/1336) organise son propre commentaire.

Il y a plus. Sans commenter la totalité du Qorân, de nombreux philosophes et mystiques ont médité la *haqîqat* d'une sourate, voire d'un verset privilégié (le verset de la Lumière, le verset du Trône, etc.). L'ensemble forme une littérature considérable. C'est ainsi qu'Avicenne a écrit un *Tafsîr* de plusieurs versets. Citons, à titre d'exemple, le début de son commentaire de la sourate 113 (l'avant-dernière du Qorân) : « Je prends refuge auprès de Celui qui fait éclater l'aurore (verset 1). C'est-à-dire : auprès de celui qui fait éclater la ténèbre du non-être par la lumière de l'être, et qui est le Principe primordial, l'Etre nécessaire par soi-même. Et cela (cet éclatement de lumière), comme inhérent à sa bonté absolue, est en son ipséité même par intention première. Le premier des Etres qui émanent de lui (la première Intelligence) est son Emanation. Le Mal n'existe pas en elle, hormis ce qui se trouve occulté sous l'expansion de la lumière du Premier Etre, c'est-à-dire cette opacité qui est inhérente à la quiddité qui procède de son essence. » Ces quelques lignes suffiraient à montrer comment et pourquoi l'exégèse spirituelle du Qorân doit figurer parmi les sources de la méditation philosophique en Islam.

On ne peut citer ici que quelques autres exemples typiques (l'inventaire des *Tafsîr* philosophiques et mystiques reste à faire). Dans l'œuvre monumentale de Mollâ Sadrâ de Shîrâz (ob. 1050/1640) figure un *Tafsîr* de gnose shî'ite qui, tout en ne traitant que de quelques sourates du Qorân, ne comprend pas moins de sept cents pages in-folio. Son contemporain, Sayyed Ahmad 'Alawî, élève comme lui de Mîr Dâmâd, compose un *Tafsîr* philosophique en persan (encore manuscrit). Abû'l-Hasan 'Amilî Ispahânî (ob. 1138/1726) compose une somme de *ta'wîl* (*Mirât al-Anwar,* Le Miroir aux lumières), véritables prolégomènes à toute herméneutique du Qorân selon la gnose shî'ite. L'école shaykhie a également produit un bon nombre de commentaires *'irfânî* de sourates et versets pris isolément. Il faut également citer le grand commentaire composé de nos jours en Iran par le shaykh Mohammad Hosayn Tabâtabâ'î.

Au début du XIXe siècle, un autre théosophe shî'ite, Ja'far Kashfî, se préoccupe de situer la fonction et la tâche de l'herméneutique spirituelle. Notre auteur expose que l'herméneutique générale comprend trois degrés : le *tafsîr,* le *ta'wîl,* le *tafhîm.* Le *tafsîr,* au sens strict du mot, est l'exégèse littérale de la lettre; il a pour pivot les sciences islamiques canoniques. Le *ta'wîl* (étymologiquement « reconduire », « ramener » une chose à son origine, à son *asl* ou archétype) est une science qui a pour pivot une direction spirituelle et une inspiration divine. C'est encore le degré des philosophes moyennement avancés. Enfin le *tafhîm* (littéralement « faire comprendre », l'herméneutique supérieure) est une science qui a pour pivot un acte de *Comprendre* par Dieu, et une inspiration (*ilhâm*) dont Dieu est à la fois le sujet, l'objet et la fin, ou la source, l'organe et le but. C'est le suprême degré de la philosophie. Car notre auteur (et l'intérêt est là) hiérarchise les écoles de philosophie en fonction de ces degrés du Comprendre, tels que les situe l'herméneutique spirituelle du Qorân. La science du *tafsîr* ne comporte pas de philosophie; par rapport à la *haqîqat,* elle correspond à la philosophie des Péripatéticiens. La science du *ta'wîl,* c'est la philosophie des Stoïciens (*hikmat al-Rawâq*), parce que c'est une science de derrière le Voile (*hijâb, rawâq,* στοά ; toute une recherche reste à faire concernant l'idée que l'on se fait en Islam de la philosophie stoïcienne). La science du *tafhîm,* ou herméneutique transcendante, c'est la « science orientale » (*hikmat al-Ishrâq* ou *hikmat mashriqîya*), c'est-à-dire celle de Sohravardî et de Mollâ Sadrâ Shîrâzî.

6. Déjà l'opuscule anonyme cité ci-dessus (§ 5) nous aide à pénétrer la mise en œuvre de cette herméneutique, dont les règles furent formulées, dès l'origine, par les Imâms du shî'isme. Il se pose ces questions : que représente le texte révélé dans une langue déterminée et à un moment déterminé, par rapport à la vérité éternelle qu'il énonce ? Et comment se représenter le processus de cette Révélation ?

Le contexte dans lequel le théosophe mystique (le philosophe *'irfânî*) se pose ces questions permet de pressentir comment peut lui apparaître la controverse tumultueuse, soulevée par la doctrine des Mo'tazilites, qui agita la communauté islamique au IIIe/IXe siècle : le Qorân est-il créé ou incréé ? Pour les théologiens mo'tazilites, le Qorân est créé (cf. *infra* III B, 2). En 833 A.D. le khalife Ma'mûn imposa cette doctrine; il s'ensuivit une période de vexations pénibles qu'auront à subir les « orthodoxes », jusqu'à ce que, une quinzaine d'années plus tard, le khalife Motawakkil renversât la situation au profit de ces derniers. Pour le théosophe mystique, il s'agit d'un faux problème ou d'un problème mal posé; les deux termes de l'alternative – créé ou incréé – ne visent pas le même plan de réalité, tout dépend de l'aptitude à concevoir le vrai rapport entre l'un et l'autre : Parole de Dieu et parole humaine. Malheureusement, ni le pouvoir officiel en prenant parti dans un sens ou dans l'autre, ni les théologiens dialectiques engagés dans l'affaire, ne disposaient de l'armature philosophique suffisante pour surmonter le problème. Tout l'effort du grand théologien Abû'l-Hasan al-Ash'arî s'achève sur un recours à la foi « sans demander comment ».

Si peu à l'aise soit-il avec les théologiens du *Kalâm* (cf. encore ci-dessous chap. III) le philosophe *'irfânî* ne l'est pas davantage avec le philosophe ou le critique occidental. Lorsque celui-ci veut le convaincre de renoncer à l'*herméneutique* spirituelle au profit de la *critique* historique, il veut en fait l'attirer sur un terrain qui n'est pas le sien, lui imposer une perspective qui résulte, certes, des prémisses d'une philosophie occidentale moderne, mais qui sont étrangères à la sienne. Prenons deux préoccupations typiques. L'une, par exemple, cherchant à comprendre le Prophète par son milieu, son éducation, la forme de son génie. L'autre, celle de la philosophie succombant à son histoire : comment la vérité est-elle historique, et comment l'histoire est-elle vérité ?

A la première préoccupation le philosophe *'irfânî* oppose essentiellement la gnoséologie de sa prophétologie, pour rendre compte du passage du Verbe divin à son articulation humaine. L'herméneutique *'irfânî* cherche à comprendre le cas des prophètes, celui du Prophète de l'Islam en particulier, en méditant la modalité du lien du prophète non pas avec « son temps », mais avec la Source éternelle d'où émane son message, la Révélation dont il énonce le texte. A la seconde préoccupation, le dilemme où s'enferme l'historicisme, le philosophe *'irfânî* oppose cette considération que l'essence éternelle, la *haqîqat* du Qorân, c'est le Logos ou Verbe divin (*Kalâm al-Haqq*) qui permane avec et par l'Ipséité divine et qui en est indissociable, sans commencement ni fin dans l'éternité.

Sans doute, objectera-t-on que dans ce cas il n'y a plus que des événements éternels. Mais que devient alors la notion d'événement ? Comment entendre sans absurdité les gestes et propos rapportés d'Abraham et de Moïse, par exemple, avant qu'Abraham et Moïse aient participé à l'existence ? Notre même auteur répond que ce genre d'objection repose sur un mode de représentation totalement illusoire. De même Semnânî, son contemporain, distingue techniquement (en se fondant sur le verset qorânique 41/53) entre le *zamân âfâqî,* le temps du monde objectif, temps quantitatif, homogène et continu de l'histoire extérieure, et le *zamân anfosî,* temps intérieur de l'âme, temps qualitatif pur. L'*avant* et l'*après* n'ont plus du tout la même signification, selon qu'on les réfère à l'un ou l'autre de ces temps; il y a des événements qui sont parfaitement *réels,* sans avoir la réalité des événements de l'histoire empirique. De même encore, Sayyed Ahmad 'Alawî (XIe/XVIIe siècle) déjà nommé (§ 5), faisant face au même problème, en arrive à la perception d'une structure éternelle, où à l'ordre de succession des formes se substitue l'ordre de leur simultanéité. Le temps devient espace. Nos penseurs perçoivent de préférence les formes dans l'espace plutôt que dans le temps.

7. Les considérations qui précèdent mettent en lumière la technique du *Comprendre* que postule l'exégèse du *sens spirituel,* celle que connote par excellence le terme de *ta'wîl.* Les Shî'ites en général, plus particulièrement encore les Ismaéliens, devaient être naturellement, dès l'origine, les grands maîtres en *ta'wîl.* Plus on accordera que la démarche du *ta'wîl* est insolite pour nos habitudes de pensée courantes, plus elle exige

notre attention. Elle n'a rien d'artificiel, si on la considère dans le schéma du monde qui est le sien.

Le mot *ta'wîl* forme avec le mot *tanzîl* un couple de termes et de notions complémentaires et contrastantes. *Tanzîl* désigne en propre la religion positive, la lettre de la Révélation dictée par l'Ange au Prophète. C'est *faire descendre* cette Révélation depuis le monde supérieur. *Ta'wîl,* c'est inversement *faire revenir,* reconduire à l'origine, par conséquent revenir au sens vrai et originel d'un écrit. « C'est *faire parvenir* une chose à son origine. Celui qui pratique le *ta'wîl* est donc quelqu'un qui *détourne* l'énoncé de son apparence extérieure (exotérique, *zâhir*) et le fait *retourner* à sa vérité, sa *haqîqat* » (cf. *Kalâm-e Pîr*). Tel est le *ta'wîl* comme exégèse spirituelle intérieure, ou comme exégèse symbolique, ésotérique, etc. Sous l'idée de l'exégèse se fait jour celle du Guide (l'*exégète,* l'Imâm pour le shî'isme), et sous l'idée de l'*exegesis* transparaît celle d'un *exode,* d'une « sortie d'Egypte », qui est un exode hors de la métaphore et de la servitude de la lettre, hors de l'*exil* et de l'*Occident* de l'apparence exotérique vers l'*Orient* de l'idée originelle et cachée.

Pour la gnose ismaélienne, l'accomplissement du *ta'wîl* est inséparable d'une nouvelle naissance spirituelle (*wilâdat rûhânîya*). L'exégèse des textes ne va pas sans l'*exegesis* de l'âme. Elle en désigne encore la mise en pratique comme science de la Balance (*mîzân*). De ce point de vue, la méthode alchimique de Jâbir ibn Hayyân n'est qu'un cas d'application du *ta'wîl* : occulter l'apparent, manifester l'occulté (cf. infra IV, 2). D'autres couples de termes forment les mots clefs du lexique. *Majâz* est la figure, la métaphore, tandis que *haqîqat* est la vérité qui est réelle, la réalité qui est vraie. Ce n'est donc pas le sens spirituel à dégager qui est métaphore; c'est la *lettre* elle-même qui est la métaphore de l'Idée. *Zâhir* est l'exotérique (τὰ ἔξω), l'apparent, l'évidence littérale, la Loi, le texte matériel du Qorân. *Bâtin* est le caché, l'ésotérique (τὰ ἔσω). Le texte de Nâsir-e Khosraw cité ci-dessus formule excellemment cette polarité.

Bref, dans les trois couples de termes suivants (qu'il vaut mieux se rappeler en arabe, parce qu'ils comportent toujours plusieurs équivalents en français), *sharî'at* est avec *haqîqat, zâhir* avec *bâtin, tanzîl* avec *ta'wîl,* dans le rapport du symbole avec le symbolisé. Cette rigoureuse correspondance doit nous garantir contre la malheureuse confusion du symbole et de l'allégorie, que l'on dénonçait déjà ici au début. L'allégorie est une figuration plus ou moins artificielle de généralités et d'abstractions qui sont parfaitement connaissables et exprimables par d'autres voies. Le symbole est l'unique expression possible du symbolisé, c'est-à-dire du signifié *avec lequel* il symbolise. Il n'est jamais déchiffré une fois pour toutes. La perception symbolique opère une transmutation des données immédiates (sensibles, littérales); elle les rend transparentes. Faute de la transparence ainsi réalisée, il est impossible de passer d'un plan à un autre. Réciproquement, sans une pluralité d'univers s'échelonnant en perspective ascendante, l'exégèse symbolique périt, faute de fonction et de sens. On y a fait allusion plus haut. Cette exégèse présuppose donc une théosophie où les mondes symbolisent les uns avec les autres : les univers suprasensibles et spirituels, le macrocosme ou *Homo maximus* (*Insân Kabîr*), le microcosme. Ce n'est pas seulement la théosophie ismaélienne mais Mollâ Sadrâ et son école qui ont admirablement développé cette philosophie des « formes symboliques ».

Il faut encore ajouter ceci. La démarche de pensée qu'accomplit le *ta'wîl,* le mode de perception qu'il présuppose, correspondent à un type général de philosophie et de culture spirituelle. Le *ta'wîl* met en œuvre la conscience imaginative, dont nous verrons les philosophes *Ishrâqîyûn,* Mollâ Sadrâ notamment, démontrer avec force la fonction privilégiée et la valeur noétique. Ce n'est pas seulement le Qorân, comme ailleurs la Bible, qui nous met devant ce fait irréductible : que pour tant et tant de lecteurs méditant le Qorân ou la Bible, le texte comporte d'autres sens que ce qui est écrit en apparence. Il n'y a pas là une construction artificielle de l'esprit, mais une aperception initiale, aussi irréductible que celle d'un son ou d'une couleur. Dans le même cas se trouve une très grande partie de la littérature persane, épopées mystiques et poésies lyriques, à commencer par les récits symboliques de Sohravardî, qui lui-même amplifiait l'exemple donné par Avicenne. Le « Jasmin des Fidèles d'amour » de Rûzbehân de Shîrâz atteste d'un bout à l'autre la perception du sens prophétique de la beauté des êtres, en opérant spontanément un *ta'wîl* fondamental et continu des formes sensibles. Quiconque a compris Rûzbehân, et compris que le symbole n'est pas l'allégorie, ne s'étonnera plus si tant de lecteurs iraniens entendent, par exemple, dans les poèmes de son grand compatriote, Hâfez de Shîrâz, un sens mystique.

Si brèves soient-elles, ces considérations, en situant le niveau auquel le texte qorânique est compris, peuvent faire pressentir ce que le Qorân apporte à la méditation philosophique en Islam. Si enfin les versets qorâniques peuvent aussi bien intervenir dans une démonstration philosophique, c'est parce que la gnoséologie rentre elle-même dans la prophétologie (cf. *infra* chap. II), et parce que cette « laïcisation métaphysique » qui, en Occident, a ses racines jusque dans la Scolastique latine, ne s'est pas produite en Islam.

Maintenant, si la qualité « prophétique » de cette philosophie est alimentée par cette source, son armature hérite de tout un passé auquel elle donnera une vie nouvelle et un développement original, et dont les œuvres essentielles lui furent transmises par le travail de plusieurs générations de traducteurs.

2. *Les traductions.*

Il s'agit ici d'un phénomène culturel d'une importance capitale. On peut le définir comme ayant été l'assimilation par l'Islam, nouveau foyer de vie spirituelle de l'humanité, de tout l'apport des cultures qui l'avaient précédé à l'est et à l'ouest. Un circuit grandiose se dessine : l'Islam reçoit l'héritage grec (comprenant aussi bien les œuvres authentiques que les pseudépigraphes), et cet héritage il le transmettra à l'Occident au XIIe siècle, grâce au travail de l'école des traducteurs de Tolède. L'ampleur et les conséquences de ces traductions du grec en syriaque, du syriaque en arabe, de l'arabe en latin sont à comparer avec celles des traductions du canon bouddhique mahayaniste du sanskrit en chinois, ou avec celles des traductions du sanskrit en persan aux XVIe et XVIIe siècles, sous l'impulsion de la réforme généreuse de Shâh Akbar.

Il y a lieu de distinguer deux foyers de travail. 1) Il y a d'une part l'œuvre propre des Syriens, c'est-à-dire le travail s'accomplissant parmi les populations araméennes de l'ouest et du sud de l'Empire iranien sassanide. Le travail porte principalement sur la philosophie et la médecine. Mais en outre les positions assumées par les Nestoriens aussi bien en christologie qu'en exégèse (l'influence d'Origène sur l'édole d'Edesse) ne peuvent être ignorées, par exemple, dans un exposé des problèmes de l'imâmologie shî'ite. 2) Il y a ce que l'on peut appeler la tradition gréco-orientale, au nord et à l'est de l'Empire sassanide, et dont les travaux portent principalement sur l'alchimie, l'astronomie, la philosophie et les sciences de la Nature, y compris les « sciences secrètes » faisant corps avec cette *Weltanschauung.*

1. Pour comprendre le rôle qu'ont assumé les Syriens comme initiateurs des philosophes musulmans à la philosophie grecque, il faut avoir au moins brièvement présentes à l'esprit l'histoire et les vicissitudes de la culture de langue syriaque.

La célèbre « école des Perses » à Edesse fut fondée au moment où l'empereur Jovien cédait aux Perses la ville de Nisibe (où avec le nom de Probus apparaît celui du premier traducteur d'œuvres philosophiques grecques en syriaque). En 489, l'empereur byzantin Zénon ferme l'école à cause de ses tendances nestoriennes. Maîtres et élèves restés fidèles au nestorianisme prirent refuge à Nisibe où ils fondèrent une nouvelle école, qui fut principalement un centre de philosophie et de théologie. En outre, dans le sud de l'Empire iranien, le souverain sassanide Khosraw Anûsh-Ravân (521-579) fonda à Gondé-Shâhpour une école dont les maîtres furent en grande partie des Syriens (c'est de Gondé-Shâhpour que, plus tard, le khalife Mansûr fit venir le médecin Georges Bakht-Yeshû). Si l'on tient compte qu'en 529 Justinien ferma l'école d'Athènes, et que sept des derniers philosophes néoplatoniciens prirent refuge en Iran, on a déjà un certain nombre des composantes de la situation philosophique et théologique du monde oriental à la veille de l'Hégire (622).

Le grand nom qui domine cette période est celui de Sergius de Rash 'Ayna (ob. à Constantinople en 536), dont l'activité fut intense. Outre un certain nombre d'œuvres personnelles, ce prêtre nestorien traduisit en syriaque une bonne partie des œuvres de Galien et des œuvres logiques d'Aristote. D'autre part, chez les écrivains syriaques monophysites (jacobites) de cette époque, il faut retenir les noms de Bûd (traducteur en syriaque, de « Kalilah et Dimnah ») et Ahûdemmeh (ob. 575), puis les noms de Sévère Sebokht (ob. 667), Jacques d'Edesse (*circa* 633-708), Georges, « évêque des Arabes » (ob. 724). Ce qui retenait principalement l'intérêt des écrivains et traducteurs syriaques, c'était, outre la Logique (Paul le Perse dédia un traité de Logique au souverain sassanide Khosraw Anûsh-Ravân), les recueils d'aphorismes disposés à la manière d'une histoire de la philosophie. Dans leur préoccupation de la doctrine platonicienne de l'âme, les Sages grecs, Platon notamment, se confondaient pour eux avec les figures de moines orientaux. Ce ne fut sans doute pas sans influence sur l'idée que l'on se faisait en Islam des « prophètes grecs » (cf. déjà ci-dessus, I, 1 § 3), à savoir que les Sages grecs tenaient, eux aussi, leur inspiration de la « Niche aux lumières de la prophétie ».

A la lumière de ces traductions gréco-syriaques, la grande entreprise de traductions formée dès le début du IIIe siècle de l'Hégire, apparaît moins comme une innovation, que comme la continuation plus ample et plus méthodique d'un travail poursuivi antérieurement sous les mêmes préoccupations. Aussi bien, dès avant l'Islam, la péninsule arabe comptait-elle un grand nombre de médecins nestoriens, presque tous sortis de Gondé-Shâhpour.

Baghdâd avait été fondée en 148/765. En 217/832, le khalife al-Ma'mûn fonda la « Maison de la sagesse » (*Bayt al-hikma*) dont il confia la direction à Yahyâ ibn Mâsûyeh (ob. 243/857), lequel eut pour successeur son élève, le célèbre et prolifique Honayn ibn Ishaq (194/809-260/873), né à Héra, d'une famille appartenant à la tribu arabe chrétienne des 'Ibâd. Honayn est sans doute le plus célèbre traducteur d'ouvrages grecs en syriaque et en arabe; il convient de mentionner à côté du sien le nom de son fils, Ishaq ibn Honayn (ob. 910), et celui de son neveu, Hobaysh ibn al-Hasan. Il y eut une véritable officine de traductions, avec une équipe traduisant ou adaptant le plus souvent du syriaque en arabe, beaucoup plus rarement du grec directement en arabe. Toute la terminologie technique de la théologie et de la philosophie en arabe s'élabora ainsi, au cours du IIIe/IXe siècle. Il ne faut pas oublier cependant que mots et concepts vivront ensuite de leur vie propre en arabe. Se cramponner au dictionnaire grec pour traduire le lexique des penseurs plus tardifs, qui eux ne savaient pas le grec, peut conduire à des méprises.

D'autres noms de traducteurs à mentionner : Yahyâ ibn Batrîq (début du IXe siècle); 'Abdol-Masîh b. 'Abdillah b. Nâ'ima al-Himsî (c'est-à-dire d'Emèse, première moitié du IXe siècle), collaborateur du philosophe al-Kindî (ci-dessous V, 1), et traducteur de la *Sophistique* et de la *Physique* d'Aristote, ainsi que de la célèbre *Théologie* dite d'Aristote; le grand nom de Qostâ ibn Lûqâ (né vers 820, mort très âgé vers 912), originaire de Ba'albek, l'Héliopolis grecque en Syrie, de descendance grecque et chrétienne melkite. Philosophe et médecin, physicien et mathématicien, Qosta traduisit, entre autres, les commentaires d'Alexandre d'Aphrodise et de Jean Philopon sur la *Physique* d'Aristote, partiellement les commentaires sur le traité *De generatione et corruptione,* le traité *De placitis philosophorum* du Pseudo-Plutarque. Parmi ses ouvrages personnels, son traité sur la *Différence entre l'âme et l'esprit* est particulièrement connu, ainsi que quelques traités sur les sciences occultes, où ses explications ressemblent curieusement à celles des psychothérapeutes de nos jours.

Mentionnons encore, au Xe siècle, Abû Bishr Matta al-Qannay (ob. 940), le philosophe chrétien Yahyâ ibn 'Adî (ob. 974), son élève Abû Khayr ibn al-Khammâr (né en 942). Mais il faut encore mentionner tout spécialement l'importance de l'école des « Sabéens de Harran », établis dans le voisinage d'Edesse. Le Pseudo-Majrîtî abonde en indications précieuses sur leur religion astrale. Ils faisaient remonter leur ascendance spirituelle (comme plus tard Sohravardî) à Hermès et à Agathodaimôn. Leurs doctrines se présentent comme associant l'ancienne religion astrale chaldéenne, les études mathématiques et astronomiques, la spiritualité néopythagoricienne et néoplatonicienne. Ils comptèrent des traducteurs très actifs, du VIIIe au Xe siècle. Le nom le plus célèbre est celui de Thâbit ibn Qorra (826-904), grand dévot de la religion astrale, excellent auteur et traducteur d'ouvrages de mathématiques et d'astronomie.

Il nous est impossible d'entrer ici dans le détail de ces traductions : celles qui ne sont plus que des titres (mentionnés, par exemple, dans la grande bibliographie d'Ibn al-Nadîm, au Xe siècle), celles qui sont encore en manuscrits, celles qui ont été éditées. D'une manière générale, le travail des traducteurs a concerné l'ensemble du *corpus* des œuvres d'Aristote, y compris certains commentaires, d'Alexandre d'Aphrodise et de Themistius (l'opposition des deux commentateurs est bien connue des philosophes en Islam. Mollâ Sadrâ y insiste. Le *Livre lambda de la Métaphysique* eut également toute son importance pour la théorie de la pluralité des Moteurs célestes). Dire ce qui a été réellement connu du Platon authentique ne peut être discuté ici, mais on mentionnera dès maintenant que le philosophe al-Fârâbî (*infra* V, 2) a donné un remarquable exposé de la philosophie de Platon, caractérisant successivement chacun des dialogues (cf. bibliographie). Il applique une méthode analogue à l'exposé de la philosophie d'Aristote.

Ce qu'il faut souligner, c'est l'influence considérable qu'ont exercée certains ouvrages pseudépigraphes. Il y a, en premier lieu, la célèbre *Théologie* dite d'Aristote qui est, on le sait, une paraphrase des trois dernières *Ennéades* de Plotin, fondée peut-être sur une version syriaque qui remonterait au VIe siècle, époque où le néoplatonisme florissait chez les Nestoriens comme à la cour des Sassanides (à cette même époque appartiendrait le *corpus* des écrits attribués à Denis l'Aréopagite). Cet ouvrage, qui est à la base du néoplatonisme en Islam, explique, chez tant de philosophes, la volonté de montrer l'accord entre Aristote et Platon. Pourtant, plusieurs ont exprimé des doutes sur son attribution, à commencer par Avicenne (*infra* V, 4), dans ses « Notes » qui ont subsisté, lesquelles donnent également des indications précises sur ce qu'aurait été sa « philosophie orientale » (éditées par A. Badawî, avec quelques commentaires et traités d'Alexandre d'Aphrodise et de Themistius, Le Caire, 1947). Dans le célèbre passage de l'*Ennéade* IV, 8, 1 (« Souvent, m'éveillant à moi-même... »), les philosophes mystiques ont retrouvé aussi bien le type de l'assomption céleste (*mi'râj*) du Prophète, reproduite à son tour par l'expérience des soufis, que le type de la vision qui vient couronner l'effort du Sage divin, l'Etranger, le Solitaire. Cette « confession extatique » des *Ennéades,* Sohravardî la rapporte à Platon lui-même. L'influence en est sensible chez Mîr Dâmâd (ob. 1041/1631). Qâzî Sa'îd Qommî (XVIIe siècle), en Iran, consacre encore un commentaire à la *Théologie* d'Aristote (cf. 2e partie).

Le *Liber de Pomo,* où Aristote mourant assume devant ses disciples l'enseignement de Socrate dans le *Phédon,* eut également une grande fortune (cf. la version persane de Afzaloddîn Kâshânî, élève de Nasîroddîn Tûsî au XIIIe siècle; cf. 2e partie). Enfin il faut encore mentionner un livre attribué également à Aristote le *Livre sur le Bien pur* (traduit en latin au XIIe siècle, par Gérard de Crémone, sous le titre de *Liber de causis* ou *Liber Aristotelis de expositione bonitatis purae*). C'est en fait un extrait de l'*Elementatio theologica* du néoplatonicien Proclus (édité également par A. Badawî, avec d'autres textes : *De æternitate mundi, Quæstiones naturales, Liber Quartorum* (*Livre des tétralogies*), ouvrage alchimique attribué à Platon, Le Caire, 1955).

Impossible de mentionner ici les pseudo-Platon, pseudo-Plutarque, pseudo-Ptolémée, pseudo-Pythagore, qui furent les sources d'une vaste littérature concernant l'alchimie, l'astrologie, les propriétés naturelles. Pour s'y orienter, il convient de se reporter aux travaux de Julius Ruska et de Paul Kraus (cf. encore *infra* chap. IV).

2. C'est à Julius Ruska précisément que revient le mérite d'avoir dénoncé une conception unilatérale des choses, longtemps prévalente. Car si les Syriens furent les principaux médiateurs en philosophie et en médecine, ils ne furent pas les seuls médiateurs; il n'y eut pas seulement un courant allant de la Mésopotamie vers la Perse. Il ne faut pas oublier l'influence que les savants perses (iraniens) eurent, déjà avant eux, à la cour des Abbassides, nommément pour l'astronomie et l'astrologie. De même l'existence de nombreux termes techniques iraniens (par exemple *nûshâder,* ammoniaque) montre que très probablement, c'est dans les centres de tradition gréco-orientale de l'Iran qu'il faut chercher les intermédiaires entre l'alchimie grecque et celle de Jâbir ibn Hayyân.

Nawbakht l'Iranien et Mash'allah le Juif assumèrent les premières responsabilités de l'école de Baghdâd avec Ibn Mâsûyeh. Abû Sahl ibn Nawbakht fut le directeur de la bibliothèque de Baghdâd sous Harûn al-Rashîd, et le traducteur d'œuvres astrologiques du pehlevi en arabe. Tout ce chapitre des traductions du pehlevi (ou moyen-iranien) en arabe est d'une très grande importance (les œuvres astrologiques du babylonien Teukros et du romain Vettius Valens avaient été traduites en pehlevi). L'un des plus célèbres traducteurs fut ici Ibn Moqaffa, Iranien passé du zoroastrisme à l'Islam. Sont à mentionner un grand nombre de savants originaires du Tabarestan, du Khorassan, bref de l'Iran nord-oriental et de ce que l'on appelle l'« Iran extérieur », en Asie centrale : 'Omar ibn Farrokhan Tabarî (ami du Barmakide Yahya); Fazl ibn Sahl de Sarakhsh (au sud de Merv); Mohammad ibn

Mûsâ Khwârezmî, père de l'algèbre dite « arabe » (son traité d'algèbre date de 820 environ), mais aussi loin d'être un « arabe » que Khiva est loin de La Mekke (La Mecque); Khâlid Marwarrûdî; Habash Mervazî (c'est-à-dire de Merv); Ahmad Fergânî (*Alfraganus* des Latins au Moyen Age) était de la Fergane (Haut-Yaxarte); Abû Mash'ar Balkhî (*Albumasar* des Latins), était de la Bactriane.

Avec Bactres et la Bactriane précisément, l'on évoque l'action des Barmakides (Barmécides) qui détermina la poussée de l'iranisme à la cour des Abbassides, et l'avènement de cette famille iranienne à la tête des affaires du khalifat (752-804). Le nom de leur ancêtre, le *Barmak,* désignait la dignité héréditaire du grand prêtre dans le temple bouddhiste de Nawbahâr (sanskrit *nova vihâra,* « neuf-moutier »), à Balkh, dont la légende fit ensuite un Temple du Feu. Tout ce que Balkh, la « mère des cités » avait reçu, au cours des temps, de culture grecque, bouddhique, zoroastrienne, manichéenne, chrétienne nestorienne, y survivait (détruite, elle fut reconstruite en 726 par le Barmak). Bref, mathématiques et astronomie, astrologie et alchimie, médecine et minéralogie, et avec ces sciences toute une littérature pseudépigraphique, eurent leurs foyers dans les villes jalonnant la grande route de l'Orient, suivie jadis par Alexandre.

Comme on l'a indiqué ci-dessus, la présence de maints termes techniques iraniens oblige à en chercher les origines dans les territoires iraniens du nord-est, antérieurement à toute pénétration de l'Islam. De ces villes, depuis le milieu du VIIIe siècle, astronomes et astrologues, médecins et alchimistes, se mirent en marche vers le nouveau foyer de vie spirituelle créé par l'Islam. Et le phénomène s'explique. Toutes ces sciences (alchimie, astrologie) faisaient corps avec une *Weltanschauung* que l'orthodoxie chrétienne de la Grande Eglise ne pouvait chercher qu'à détruire. Les conditions étaient autres en Orient que dans l'Empire romain (d'Orient ou d'Occident). Plus on progressait vers l'est, plus cette influence de la Grande Eglise s'affaiblissait (d'où, en revanche, l'accueil fait aux Nestoriens). Ce qui s'est joué alors, c'est le sort de toute une culture, celle que Spengler désignait comme « culture magique », en y ajoutant malencontreusement la qualification d'« arabe », totalement inadéquate à ce qu'il s'agit d'englober. Malheureusement, comme le déplorait Ruska, l'horizon de notre philologie classique s'est arrêté à une frontière linguistique, sans discerner ce qu'il y avait en commun de part et d'autre.

Cette remarque précisément nous amène à discerner qu'une fois évoquées les traductions des philosophes grecs par les Syriens et constaté l'apport scientifique des Iraniens du nord est, il manque encore quelque chose. Il faut ajouter ce qui est à désigner sous le nom de *Gnose.* Il y a quelque chose de commun entre gnose chrétienne de langue grecque, gnose juive, gnose islamique, celle du shî'isme et de l'ismaélisme. Plus encore, nous connaissons maintenant des traces précises de gnose chrétienne et de gnose manichéenne dans la gnose ismaélique. Il convient enfin de ne pas omettre la persistance de doctrines théosophiques de l'ancienne Perse zoroastrienne. Intégrées à la structure de la philosophie *ishrâqî* par le génie de Sohravardî (*infra* chap. VII), elles n'en disparaîtront plus jusqu'à nos jours.

Tout cela nous permet d'envisager sous un jour nouveau la situation de la philosophie islamique. En fait, si l'Islam n'était que la pure religion légalitaire de la *sharî'at,* les philosophes n'y auraient pas leur place et y seraient en porte à faux. C'est ce qu'au cours des siècles, ils n'ont pas manqué d'éprouver, dans leurs difficultés avec les docteurs de la Loi. En revanche, si l'Islam intégral n'est pas la simple religion légalitaire et exotérique, mais le dévoilement, la pénétration et la mise en acte d'une réalité cachée, ésotérique (*bâtin*), alors la situation de la philosophie et du philosophe prend un tout autre sens. On l'a à peine envisagée jusqu'ici sous cet aspect. Pourtant, c'est bien à la version ismaélienne du shî'isme, gnose originelle de l'Islam par excellence, que l'on doit, dans une exégèse du célèbre « *hadîth* de la tombe », une définition adéquate du rôle de la philosophie dans cette situation : elle est la tombe où il faut que meure la théologie pour ressusciter en une *theosophia,* sagesse divine (*hikmat ilâhîya*), une gnose (*'irfân*).

Pour comprendre les conditions qui permirent à la gnose de se perpétuer en Islam, il faut en revenir à ce que l'on a indiqué dans le paragraphe précédent, concernant l'absence, en Islam, du phénomène Eglise, d'une institution telle que les Conciles. Ce que connaissent ici les « gnostiques », c'est la fidélité aux « hommes de Dieu », aux Imâms (les « Guides »). C'est pourquoi il est nécessaire que figure, d'abord ici, pour la première fois peut-être dans le schéma d'une histoire de la philosophie islamique, un exposé de cette « philosophie prophétique » qui est la forme très originale et la fructification spontanée de la conscience islamique.

Un tel exposé ne peut être morcelé. Nous donnerons donc ici une esquisse d'ensemble du shî'isme sous ses deux formes principales. Et parce que nous ne pouvons mieux demander qu'à des penseurs shî'ites (Haydar Amolî, Mîr Dâmâd, Mollâ Sadrâ, etc.) d'éclaircir les propos doctrinaux des saints Imâms, notre exposé doit incorporer des éléments qui vont du Ier siècle jusqu'au XIe siècle de l'Hégire. Mais ce déploiement historique ne fait qu'approfondir le problème d'essence posé dès l'origine.

II

Le shî'isme et la philosophie prophétique

Observations préliminaires.

Les indications esquissées précédemment, concernant le *ta'wîl* du Qorân comme source de méditation philosophique, suggéraient déjà qu'il serait incomplet de réduire le schéma de la vie spéculative et de la vie spirituelle en Islam, aux philosophes hellénisants (*falâsifa*), aux théologiens du *Kalâm* sunnite, aux Soufis. Il est remarquable que dans les exposés généraux concernant la philosophie islamique, l'on n'ait pour ainsi dire jamais pris en considération le rôle et l'importance décisive de la pensée shî'ite pour l'essor de la pensée philosophique en Islam. Il y a même eu, du côté des Orientalistes, certaines réticences ou préventions confinant parfois à l'hostilité, en parfait accord d'ailleurs avec l'ignorance professée en Islam sunnite à l'égard des vrais problèmes du shî'isme. Il n'est plus possible maintenant d'invoquer la difficulté d'accès aux textes. Voici déjà une trentaine d'années que l'on a commencé de publier quelques grands traités ismaéliens. De son côté l'édition iranienne a multiplié les impressions des grands textes shî'ites duodécimains. La situation appelle quelques observations préliminaires.

1. Faute d'aborder l'étude de la théologie et de la philosophie du shî'isme par les grands textes qui s'étendent depuis les traditions des Imâms jusqu'aux commentaires qui en ont été donnés au cours des siècles, on s'est complu à des explications politiques et sociales, lesquelles ne s'attachent qu'à l'histoire extérieure, et aboutissent à dériver et à déduire causalement d'autre

chose le phénomène *religieux* shî'ite, bref à le réduire à autre chose. Or, que l'on accumule toutes les circonstances extérieures que l'on voudra, leur somme ou leur produit ne donneront jamais le phénomène religieux initial (le *Urphaenomen*), aussi irréductible que la perception d'un son ou d'une couleur. La première et dernière explication du shî'isme demeure la conscience shî'ite elle-même, son sentiment et sa perception du monde. Les textes remontant aux Imâms eux-mêmes nous la montrent essentiellement constituée par le souci d'atteindre le *vrai sens* des Révélations divines, parce que de cette *vérité* dépend en fin de compte la vérité de l'existence humaine : le sens de ses origines et de ses destinées futures. Si la question de ce Comprendre s'est posée dès les origines de l'Islam, c'est cela même le fait spirituel shî'ite. Il s'agit donc de dégager les grands thèmes de méditation philosophique produits par la conscience religieuse shî'ite.

2. L'Islam est une religion prophétique; on a rappelé, dans les pages précédentes, la caractéristique d'une « communauté du Livre » (*ahl al-Kitâb*), le phénomène du Livre saint. La pensée est essentiellement orientée tout d'abord sur le Dieu qui se révèle dans ce Livre par le message de l'Ange dicté au prophète qui le reçoit : l'unité et la transcendance de ce Dieu (*tawhîd*). Tous, philosophes et mystiques, se sont fixés sur ce thème jusqu'au vertige. En second lieu la pensée est orientée sur la personne qui reçoit et transmet ce message, en bref les conditions que cette réception présuppose. Toute méditation sur ces données propres conduit à une théologie et à une prophétologie, à une anthropologie et à une gnoséologie qui n'ont point leurs équivalents ailleurs. Il est certain que l'outillage conceptuel, fourni par les traductions des philosophes grecs en arabe (*supra,* I, 2), a influé sur la tournure prise par cette méditation. Mais il ne s'agit là que d'un phénomène partiel. Les ressources de la langue arabe

développent des problèmes imprévus dans les textes grecs. On n'oubliera pas que certaines grandes œuvres ismaéliennes, celle d'Abû Ya'qûb Sejestânî, par exemple, sont bien antérieures à Avicenne. Toute la dialectique du *tawhîd* (la double négativité) aussi bien que les problèmes concernant la prophétologie y sont issus de données propres, sans avoir eu de modèle grec. Corollairement, on retiendra que la prophétologie et la « théorie de la connaissance » prophétique couronnent la gnoséologie des plus grands philosophes dits hellénisants, les *falâsifa,* tels qu'al-Fârâbî et Avicenne.

3. La pensée shî'ite a précisément alimenté, dès l'origine, la philosophie de type prophétique correspondant à une religion prophétique. Une philosophie prophétique postule une pensée qui ne se laisse enclore ni par le passé historique, ni par la lettre qui en fixe l'enseignement sous forme de dogmes, ni par l'horizon que délimitent les ressources et les lois de la Logique rationnelle. La pensée shî'ite est orientée par l'attente, non pas de la révélation d'une nouvelle *sharî'at,* mais de la Manifestation *plénière* de tous les sens cachés ou sens spirituels des Révélations divines. L'attente de cette Manifestation est typifiée dans l'attente de la parousie de l'« Imâm caché » (l'« Imâm de ce temps », présentement caché, selon le shî'isme duodécimain). Au cycle de la prophétie désormais close, a succédé un nouveau cycle, le cycle de la *walâyat,* dont cette parousie sera le dénouement. Une philosophie prophétique est essentiellement eschatologique.

On pourrait repérer les lignes de force de la pensée shî'ite sous les deux désignations suivantes : 1° le *bâtin* ou l'ésotérique. 2° la *walâyat,* dont le sens apparaîtra ci-après.

4. Il faut tirer toutes les conséquences de l'option originelle décisive, déjà signalée (I, 1), devant le dilemme suivant : la religion islamique se limite-t-elle à son interprétation légaliste et judiciaire, à la religion de

la loi, à l'exotérique (*zâhir*) ? Là où il a été répondu par l'affirmative, il n'y a plus guère lieu de parler de philosophie. Ou bien ce *zâhir,* cet exotérique, dont on prétend se suffire pour régler les comportements de la vie pratique, n'est-il pas l'enveloppe d'autre chose, le *bâtin,* l'intérieur, l'ésotérique ? Si oui, tout le sens du comportement pratique se trouve modifié, parce que la lettre de la religion positive, la *sharî'at,* n'a son sens que dans la *haqîqat,* la réalité spirituelle, laquelle est le sens ésotérique des Révélations divines. Or, ce sens ésotérique n'est pas quelque chose que l'on peut construire à l'aide de la Logique, à grands coups de syllogismes. Ce n'est pas non plus de la dialectique défensive comme celle du *Kalâm,* car on ne réfute pas les symboles. Le sens caché ne peut être transmis qu'à la façon d'une science qui est héritage spirituel (*'ilm irthî*). C'est cet héritage spirituel que représente l'énorme *corpus* contenant l'enseignement traditionnel des Imâms du shî'isme comme « héritiers » des prophètes (26 tomes en 14 vol. in-folio, dans l'édition de Majlisî). Lorsque les Shî'ites emploient, comme les Sunnites, le mot *sunna* (tradition), il est entendu que pour eux cette *sunna* englobe cet enseignement intégral des Imâms.

Chacun des Imâms a été tour à tour le « Mainteneur du Livre » (*Qayyim al-Qorân*), explicitant et transmettant à ses disciples le sens caché des Révélations. Cet enseignement est à la source de l'ésotérisme en Islam, et il est paradoxal que l'on ait pu traiter de cet ésotérisme en faisant abstraction du shî'isme. C'est un paradoxe qui a son pendant en Islam. En Islam sunnite, certes, mais peut-être la responsabilité première en incombe-t-elle dans la minorité shî'ite, à ceux qui ont affecté d'ignorer ou de négliger l'enseignement ésotérique des Imâms, quitte à mutiler le shî'isme lui-même et à justifier les tentatives de ne le considérer que comme un cinquième rite à côté des quatre grands rites juridiques de l'Islam sunnite. Un des aspects pathétiques du shî'isme est, tout au long des siècles, le combat mené par ceux qui ont assumé, avec l'enseignement des Imâms, l'intégralité du shî'isme, tels Haydar Amolî, Mollâ Sadrâ Shîrâzî, toute l'école shaykhie, et combien de shaykhs éminents de nos jours (cf. spécialement la 2e partie de la présente étude).

5. Le cycle de la prophétie est clos; Mohammad a été le « Sceau des prophètes » (*Khâtim al-anbiyâ'*), le dernier de ceux qui, avant lui, avaient apporté une *sharî'at* nouvelle à l'humanité (Adam, Noé, Abraham, Moïse, Jésus). Mais, pour le shî'isme, le terme final de la prophétie (*nobowwat*) a été le terme initial d'un nouveau cycle, le cycle de la *walâyat* et de l'Imâmat. En d'autres termes, la prophétologie trouve son complément nécessaire dans l'imâmologie, dont la *walâyat* est l'expression la plus directe. Il s'agit là d'un terme dont il est difficile de rendre par un mot unique tout ce qu'il connote. Il figure abondamment et dès l'origine dans l'enseignement des Imâms eux-mêmes. Nos textes répètent le plus souvent : « La *walâyat* est l'ésotérique de la prophétie (*bâtin al-nobowwat*). » En fait, le mot veut dire « amitié, protection ». Les *Awliyâ Allâh* (en persan *Dûstân-e Khodâ*) ce sont les « Amis de Dieu » (et les « Aimés de Dieu »); au sens strict, ce sont les prophètes et les Imâms, comme élite de l'humanité à qui l'inspiration divine révèle les secrets divins. L'« amitié » dont Dieu les favorise fait d'eux les *Guides* spirituels de l'humanité. C'est en répondant par sa propre dévotion d'ami à leur égard, que chacun de leurs adeptes, guidé par eux, arrive à la connaissance de soi et participe à leur *walâyat*. L'idée de *walâyat* suggère donc essentiellement la direction initiatique de l'Imâm, initiant aux mystères de la doctrine; elle englobe, de part et d'autre, l'idée de connaissance (*ma'rifat*) et l'idée d'amour (*mahabbat*), une connaissance qui est par elle-même une connaissance salvifi-

que. Sous cet aspect, le shî'isme est bien la *gnose* de l'Islam.

Le cycle de la *walâyat* (nous emploierons désormais ce terme complexe sans le traduire) est donc le cycle de l'Imâm succédant au Prophète, c'est-à-dire du *bâtin* succédant au *zâhir,* de la *haqîqat* succédant à la *sharî'at.* Il ne s'agit point là d'un magistère dogmatique (pour le shî'isme duodécimain l'Imâm est actuellement invisible). Plutôt que de succession, il vaudrait d'ailleurs mieux parler de la simultanéité de la *sharî'at* et de la *haqîqat,* celle-ci s'ajoutant désormais à la première. Car le clivage entre les branches du shî'isme va précisément se produire là. Selon que l'on conserve l'équilibre entre la *sharî'at* et la *haqîqat,* la prophétie et l'imâmat, sans dissocier le *bâtin* du *zâhir,* on a la forme du shî'isme duodécimain, et dans une certaine mesure celle de l'Ismaélisme fâtimide; si le *bâtin* l'emporte au point d'effacer le *zâhir,* et qu'en conséquence l'Imâmat prenne la préséance sur la prophétie, on a l'Ismaélisme réformé d'Alamût. Mais si le *bâtin* sans *zâhir,* avec ses conséquences, est la forme de l'ultra-shî'isme, en revanche le *zâhir* sans *bâtin* est la mutilation de l'Islam intégral, par un littéralisme qui rejette l'héritage transmis par le Prophète aux Imâms, héritage qui est le *bâtin.*

Ainsi donc le *bâtin,* l'ésotérique, comme contenu de la connaissance, la *walâyat* comme configurant le type de spiritualité qui postule cette connaissance, se conjuguent pour donner dans le shî'isme la gnose de l'Islam, ce que l'on désigne en persan comme *'irfân-e shî'î,* la gnose ou la théosophie shî'ite. Les analogies de rapport se proposent : le *zâhir* est au *bâtin* comme la religion littérale (*sharî'at*) est à la religion spirituelle (*haqîqat*), comme la prophétie (*nobowwat*) est à la *walâyat.* On a souvent traduit ce mot par « sainteté », et le mot *walî* par « saint ». Ces termes ont un sens canonique précis lorsqu'on les prononce en Occident; il n'y a aucun avantage à provoquer des confusions et à dissimuler ce qu'il y a d'original de part et d'autre. Mieux vaut parler, comme nous venons de le proposer, du cycle de la *walâyat* comme du cycle de l'Initiation spirituelle, et des *Awliyâ Allâh* comme des « Amis de Dieu » ou des « hommes de Dieu ». Aucune histoire de la philosophie islamique ne pourra désormais passer ces questions sous silence. Elles n'ont pas été traitées par le *Kalâm* sunnite (*infra,* chap. III) à son origine; elles dépassaient ses moyens. Elles ne proviennent pas du programme de la philosophie grecque. En revanche, bien des textes remontant aux Imâms révèlent certaines affinités et certains recroisements avec la Gnose antique. Si l'on prend ainsi, dès leur origine, l'éclosion des thèmes de la prophétologie et de l'imâmologie, on ne s'étonnera pas de les retrouver chez les *falâsifa,* et surtout on ne prétendra pas les dissocier de leur pensée philosophique, sous prétexte que ces thèmes ne rentrent pas dans le programme de la nôtre.

6. Le développement des études ismaéliennes, les recherches récentes sur Haydar Amolî, théologien shî'ite du soufisme (VIIIe/XIVe s.), conduisent à poser d'une manière nouvelle la question des rapports du shî'isme et du soufisme, question d'importance, car elle commande la perspective d'ensemble de la spiritualité islamique. Le soufisme est par excellence l'effort d'intériorisation de la Révélation qorânique, la rupture avec la religion purement légalitaire, le propos de revivre l'expérience intime du Prophète en la nuit du *Mî'râj*; au terme, une expérimentation des conditions du *tawhîd* conduisant à la conscience que Dieu seul peut énoncer lui-même, par les lèvres de son fidèle, le mystère de son unité. Comme dépassement de l'interprétation purement judiciaire de la *sharî'at,* comme assomption du *bâtin,* il semblerait que shî'isme et soufisme fussent deux désignations d'une même chose. En fait, il y eut des soufis shî'ites dès l'origine : le groupe de

Koufa, où un shî'ite du nom de 'Abdak fut même le premier à porter le nom de soufi. Et puis, nous voyons s'exprimer dans les propos de quelques Imâms, une réprobation sévère à l'égard des soufis.

Il y a lieu de se demander ce qui s'est passé. Il serait tout à fait inopérant d'opposer la « gnose » shî'ite, comme soi-disant théorique, à l'expérience mystique des soufis. La notion de *walâyat* formulée par les Imâms eux-mêmes infirmerait cette opposition. Pourtant l'on a réussi ce tour de force de faire un usage pratique du nom et de la chose, sans référer à ses origines. Il y a plus. Il n'y a peut-être pas un seul thème de l'ésotérisme islamique qui n'ait été mentionné ou amorcé par les Imâms du shî'isme (entretiens, leçons, prônes). C'est à ce point que de nombreuses pages d'Ibn 'Arabî peuvent être lues comme ayant été écrites par un auteur shî'ite. Cela n'empêche pas, il est vrai, que tout en étant parfaitement enseignée chez lui quant à son concept, la *walâyat* s'y trouve coupée de ses origines et de ses supports. C'est une question que l'un des plus notoires disciples shî'ites d'Ibn 'Arabî, Haydar Amolî (VIIIe/XIVe s.), a traitée à fond.

Il restera peut-être encore longtemps difficile (tant de textes ont été perdus) de dire « ce qui s'est passé ». Déjà Tor Andreæ s'était avisé que la prophétologie, dans la théosophie du soufisme, apparaissait comme un transfert à la seule personne du Prophète, des thèmes fondés en propre par l'imâmologie, celle-ci ayant été éliminée avec tout ce qui pouvait froisser le sentiment sunnite (cf. ci-dessous A, 3 et 4, pour le *status quæstionis*). La notion de la personne qui est le Pôle (*Qotb*) et le Pôle des Pôles, dans le soufisme, pas plus que la notion de *walâyat* ne peuvent renier leurs origines shî'ites. Et la spontanéité avec laquelle l'Ismaélisme après la chute d'Alamût (comme il en avait été auparavant pour les Ismaéliens de Syrie) prend le « manteau » du soufisme, serait inexplicable sans une communauté d'origine.

Si nous constatons dans le soufisme sunnite l'élimination du shî'isme originel, faut-il aller chercher très loin les raisons de la réprobation exprimée par les Imâms à son égard ? D'autre part, et en fait, les traces d'un soufisme shî'ite ne se perdent pas; il s'agit même d'un soufisme ayant conscience d'être le vrai shî'isme, – depuis Sa'doddîn Hamûyeh au XIIIe siècle jusqu'à nos jours, en Iran. Mais en même temps aussi nous voyons se développer et se préciser les traits de spirituels shî'ites qui professent une gnose (*'irfân*) dont le lexique technique est celui du soufisme, et qui pourtant n'appartiennent pas à une *tarîqat* ou congrégation soufie. C'est le cas d'un Haydar Amolî, d'un Mîr Dâmâd, d'un Mollâ Sadrâ Shîrâzî et de tant d'autres, jusqu'à l'école shaykhie tout entière. C'est un type de spiritualité qui se développe depuis l'*Ishrâq* de Sohravardî, conjuguant l'ascèse spirituelle intérieure et l'éducation philosophique rigoureuse.

Les reproches exprimés dans le shî'isme à l'égard du soufisme visent tantôt l'organisation de la *tarîqat* et le rôle du shaykh comme usurpant celui de l'Imâm invisible, tantôt un pieux agnosticisme favorisant l'ignorance paresseuse autant que le libertinage moral, etc. Comme d'autre part, ces mêmes spirituels, gardiens de la gnose shî'ite (*irfân-e shî'î*), sont eux-mêmes en butte aux attaques des docteurs de la Loi, lesquels veulent réduire la théologie à des questions de jurisprudence, on peut pressentir la complexité de la situation. Celle-ci devait être signalée dès maintenant; il y aura lieu d'y revenir spécialement dans la 2e partie. Le combat spirituel mené par le shî'isme minoritaire pour l'Islam spirituel, et avec lui aussi, même si c'est en ordre dispersé, par les *falâsifa* et les soufis, contre la religion littéraliste de la Loi, est une constante qui domine toute l'histoire de la philosophie islamique. L'enjeu en est la sauvegarde du spirituel contre tous les périls de socialisation.

7. Maintenant, la nécessité d'exposer en quelques pages les phases et l'exégèse de ce combat nous oblige à une condensation extrême. Rappelons que le mot *shî'isme* (de l'arabe *shî'a,* groupe des adeptes) désigne l'ensemble de ceux qui se rallient à l'idée de l'Imâmat, en la personne de 'Alî ibn Abî Tâlib (cousin et gendre du prophète par sa fille Fâtima) et de ses successeurs, comme inaugurant le cycle de la *walâyat* succédant au cycle de la prophétie (le shî'isme est la religion officielle de l'Iran depuis bientôt cinq siècles). Le mot *Imâm* (ne pas confondre avec le mot *îmân,* qui veut dire foi) désigne celui qui se tient ou marche en avant. C'est le *guide.* Il désigne couramment celui qui « guide » les gestes de la prière, à la mosquée; il est employé en bien des cas pour désigner un chef d'école (Platon, par exemple, comme « Imâm des philosophes »). Mais du point de vue shî'ite, il ne s'agit là que d'un usage métaphorique. En propre et au sens strict, le terme ne s'applique qu'à ceux des membres de la Maison du Prophète (*ahl al-bayt*) désignés comme les « impeccables »; pour les shî'ites duodécimains, ce sont les « Quatorze Très-Purs » (*ma'sûm*), c'est-à-dire le Prophète, Fâtima sa fille, et les Douze Imâms (cf. *infra* A, 4).

On ne peut mentionner ici que les doctrines des deux principales branches du shî'isme : le shî'isme duodécimain ou « imâmisme » tout court, et le shî'isme septimanien ou Ismaélisme. De part et d'autre le nombre exprime un symbolisme parfaitement conscient. Tandis que l'imâmologie duodécimaine symbolise avec le Ciel des *douze* constellations zodiacales (comme avec les *douze* sources jaillies du rocher frappé par le bâton de Moïse), l'imâmologie septimanienne de l'Ismaélisme symbolise avec les sept Cieux planétaires et leurs astres mobiles. Il exprime donc un rythme constant : chacun des six grands prophètes a eu ses *douze* Imâms, homologues les uns aux autres (cf. *infra* A, 5); la gnose ismaélienne reporte le nombre *douze* sur les *hojjat* de l'Imâm. Pour l'imâmisme duodécimain, le « plérôme des Douze » est maintenant achevé. Le dernier d'entre eux fut et reste le Douzième Imâm, l'Imâm de ce temps (*sâhib al-zamân*); c'est l'Imâm « caché aux sens, mais présent au cœur », présent à la fois au passé et au futur. On verra que l'idée de l'« Imâm caché » exprime, par excellence, la religion du guide personnel invisible.

Jusqu'au VIe Imâm, Ja'far al-Sâdiq (ob. 148/765), shî'ites duodécimains et ismaéliens vénèrent la même lignée imâmique. Or, c'est principalement, outre ce qui est rapporté du Ier Imâm, autour de l'enseignement des IVe, Ve et VIe Imâms ('Alî Zaynol-'Abidîn ob. 95/714, Mohammad Bâqir ob. 115/733, Ja'far Sâdiq ob. 148/765) que se sont constitués les grands thèmes de la gnose shî'ite. L'étude des origines du shî'isme ne peut donc dissocier les deux branches l'une de l'autre. La cause prochaine de leur séparation fut le décès prématuré du jeune Imâm Ismâ'îl, déjà investi par son père, Ja'far Sâdiq. Les adeptes enthousiastes qui, groupés autour d'Ismâ'îl, tendaient à accentuer ce que l'on a appelé l'ultra-shî'isme, se rallièrent à son jeune fils, Mohammad ibn Ismâ'îl. Du nom de leur Imâm, ils furent appelés Ismaéliens. D'autres, en revanche, se rallièrent au nouvel Imâm investi par l'Imâm Ja'far, c'est-à-dire à Mûsâ Kâzem, frère d'Ismâ'îl, comme VIIe Imâm. D'Imâm en Imâm, ils reportèrent leur obédience jusqu'au XIIe Imâm, Mohammad al-Mahdî, fils de l'Imâm Hasan 'Askarî, mystérieusement disparu le jour même où décédait son jeune père (cf. *infra*, A, 7). Ce sont les shî'ites duodécimains.

A. LE SHÎ'ISME DUODÉCIMAIN

1. *Périodes et sources.*

Il ne peut être question ici d'établir un synchronisme entre les œuvres qui illustrent la pensée se développant dans les deux branches principales du shî'isme : imâmisme duodécimain et ismaélisme septimanien. Aussi bien, vu l'état des recherches, l'heure n'en est pas encore venue. Tandis que l'ismaélisme connut dès le début du IVe/Xe siècle, avec 'Obaydallah al-Mahdî (296/909-322/933), fondateur de la dynastie fâtimide en Egypte, un de ces triomphes dans l'ordre temporel dont les conséquences peuvent être fatales pour une doctrine spirituelle, le shî'isme duodécimain a traversé de siècle en siècle, jusqu'à l'avènement des Safavides en Iran, au XVIe siècle, les épreuves, les vicissitudes et les persécutions d'une minorité religieuse. Mais cette minorité a survécu, grâce à sa conscience irrémissible d'être le témoin du vrai Islam, fidèle à l'enseignement des saints Imâms « dépositaires du secret de l'Envoyé de Dieu ». L'enseignement intégral des Imâms forme un *corpus* massif, la Somme à laquelle a puisé la pensée shî'ite, de siècle en siècle, comme pensée éclose de la religion prophétique elle-même, non pas le fruit d'un rapport extérieur. Et c'est pourquoi il importe de la situer à un rang privilégié dans l'ensemble que l'on désigne comme « philosophie islamique ». On comprend ainsi que plusieurs générations de théologiens shî'ites aient été occupées à recueillir la masse des traditions des Imâms, à les constituer en un *corpus,* à fixer les règles garantissant la validité des « chaînes de transmission » (*isnâd*).

Quatre grandes périodes peuvent être distinguées :

1) La première période est celle des saints Imâms et de leurs disciples et familiers, dont plusieurs déjà, tel Hishâm ibn al-Hakam, jeune adepte passionné du VIe Imâm, avaient composé des recueils de leurs enseignements, outre leurs œuvres personnelles. Cette période va jusqu'à la date qui marque la « grande Occultation » (*al-ghaybat al-kobrâ*) du XIIe Imâm (329/940). Cette date est en même temps celle du décès de son dernier *nâ'ib* ou représentant, 'Alî al-Samarrî, qui avait reçu de l'Imâm lui-même l'ordre de ne point se désigner de successeur. Cette même année fut celle de la mort du grand théologien Mohammad ibn Ya'qûb Kolaynî qui, de Ray (Raghès) près de Téhéran, s'était rendu à Baghdâd, où pendant vingt ans il travailla à recueillir aux sources mêmes les milliers de traditions (*hadîth* et *akhbâr*) qui constituent le plus ancien *corpus* méthodique des traditions shî'ites (éd. de Téhéran 1955, en huit vol. gr. in-8°). Plusieurs autres noms seraient à nommer ici, dont celui de Abû Ja'far Qommî (ob. 290/903), familier du XIe Imâm, Hasan 'Askarî.

2) Une seconde période s'étend depuis la « grande Occultation » du XIIe Imâm jusqu'à Nasîroddîn Tûsî (ob. 672/1273), philosophe et théologien shî'ite, mathématicien et astronome, contemporain de la première invasion mongole. Cette période est principalement marquée par l'élaboration des grandes Sommes de traditions shî'ites duodécimaines dues à Ibn Bâbûyeh de Qomm (surnommé Shaykh Sadûq, ob. 381/991), un des plus grands noms des théologiens shî'ites de l'époque, auteur de quelque 300 ouvrages; Shaykh Mofîd (ob. 413/1022), auteur également très prolifique;

Mohammad b. Hasan Tûsî (ob. 460/1067); Qotboddîn Sa'îd Râvendî (ob. 573/1177). C'est également l'époque des deux frères, Sayyed Sharîf Razî (ob. 406/1015) et Sayyed Mortazâ 'Alam al-Hodâ (ob. 436/1044), descendants du VIIe Imâm, Mûsâ Kâzem, et élèves de Shaykh Mofîd, tous deux auteurs de nombreux traités imâmites. Le premier est principalement connu comme compilateur de *Nahj al-Balâgha* (cf. *infra*). C'est encore l'époque de Fazl Tabarsî (ob. 548/1153 ou 552/1157), auteur d'un célèbre et monumental *Tafsîr* shî'ite (commentaire qorânique); Ibn Shahr-Ashûb (588/1192); Yahyâ ibn Batrîq (600/1204); Sayyed Razîoddîn 'Alî b. Tâ'ûs (ob. 664/1266), tous auteurs d'importants ouvrages d'imâmologie. Beaucoup d'autres noms seraient à nommer pour cette période qui vit, d'autre part, l'éclosion des grands traités systématiques ismaéliens (cf. *infra* B), et celles des philosophes dits hellénisants, d'al-Kindî à Sohravardî (587/1191). Avec l'œuvre de Nasîr Tûsî achève de se constituer la philosophie shî'ite, dont la première ébauche systématique avait été donnée par Abû Ishaq Nawbakhtî (vers 350/961), dans un livre que devait commenter plus tard en détail 'Allâmeh Hillî (ob. 726/1326), élève de Nasîr Tûsî. Déjà les dates outrepassent ici la limite fixée à la 1re partie de la présente étude, avec la mort d'Averroës (1198). Les indications suivantes compléteront cependant le schéma d'ensemble que l'on ne peut morceler.

3) Une troisième période s'étend depuis Nasîr Tûsî jusqu'à la Renaissance safavide en Iran, qui vit éclore l'école d'Ispahan avec Mîr Dâmâd (1041/1631) et ses élèves. C'est une période extrêmement féconde qui justement prépare cette Renaissance. D'une part, il y a la continuation de l'école de Nasîr Tûsî, avec de grands noms tels que 'Allâmeh Hillî, Afzal Kâshânî. D'autre part, il se produit une convergence extraordinaire. D'un côté Ibn 'Arabî (ob. 638/1240) émigre d'Andalousie en Orient. D'un autre côté les disciples de Najm

Kobrâ refluent d'Asie centrale en Iran et en Anatolie, devant la poussée mongole. La rencontre de ces deux écoles détermina un grand essor de la *métaphysique du soufisme.* Sa'doddîn Hamûyeh ou Hamûyî (650/1252), disciple de Najm Kobrâ et correspondant d'Ibn 'Arabî, est la grande figure du soufisme shî'ite duodécimain à l'époque. Son disciple 'Azîz Nasafî diffuse ses œuvres. 'Alâoddawleh Semnânî (736/1336) sera un des grands maîtres de l'exégèse « intériorise ». Dans la personne de Sadroddîn Qonyawî se rencontrent l'influence d'Ibn 'Arabî et celle de Nasîr Tûsî. Le problème de la *walâyat* (*infra* A, 3 ss.) est abondamment discuté; il reconduit aux sources de la gnose shî'ite, telles que les remet en lumière un penseur shî'ite de premier plan, Haydar Amolî (VIIIe/XIVe s.). Autre convergence remarquable en effet : tandis que du côté ismaélien, la chute d'Alamût détermine une « rentrée » de l'Ismaélisme dans le soufisme, du côté shî'ite duodécimain il y a, au cours de cette période, une tendance dans le même sens. Haydar Amolî déploie un grand effort pour reconduire le shî'isme et le soufisme l'un à l'autre; il esquisse une histoire critique de la philosophie et de la théologie en Islam au nom de la théosophie mystique. Disciple d'Ibn 'Arabî qu'il admire et qu'il commente, il s'en sépare sur un point essentiel (cf. *infra*). Il est contemporain de Rajab Borsî (dont l'œuvre essentielle pour la gnose shî'ite est de 774/1372). On conjoindra ici les noms du grand shaykh soufî Shâh Ni'matollâh Walî (ob. 834/1431), auteur prolifique; deux disciples shî'ites d'Ibn 'Arabî, Sâ'inoddîn Torkeh Ispahânî (830/1427), et Moh. ibn Abî Jomhûr Ahsâ'î (vers 901/1495); Moh. Shamsoddîn Lâhîjî (ob. 918/1512), commentateur du célèbre mystique d'Azerbaidjan, Mahmûd Shabestarî (ob. 720/1320, à l'âge de 33 ans).

4) La quatrième période annoncée ci-dessus comme celle de la Renaissance safavide et de l'école d'Ispahan avec Mîr Dâmâd (1041/1631), Mollâ Sadrâ Shîrâzî

(1050/1640), leurs élèves et les élèves de leurs élèves (Ahmad 'Alawî, Mohsen Fayz, 'Abdorrazzâq Lâhîjî, Qâzî Sa'îd Qommî, etc.), est un phénomène sans parallèle ailleurs en Islam, où l'on considère que la philosophie est close depuis Averroës. Ces grands penseurs de l'époque éprouvent comme étant le trésor de la conscience shî'ite l'unité indissoluble de *pistis* et *gnôsis*, de la révélation prophétique et de l'intelligence philosophique qui en approfondit le sens ésotérique. L'œuvre monumentale de Mollâ Sadrâ comprend un commentaire inappréciable du *corpus* des traditions shî'ites de Kolaynî. Plusieurs autres l'imitent, entre autres le grand théologien Majlisî, compilateur de l'énorme *Bihâr al-anwâr* (l'Océan des lumières) déjà signalé, sans sympathie pour les philosophes, mais le plus souvent philosophe malgré lui. Les œuvres seront mentionnées avec leurs auteurs dans la 3e partie de cette étude. Elles nous conduisent jusqu'à l'époque qâjare, pendant laquelle éclôt l'importante école shaykhie à la suite de Shaykh Ahmad Ahsâ'î (ob. 1241/1826), et finalement jusqu'à nos jours où se dessine, autour de l'œuvre de Mollâ Sadrâ, une renaissance de la philosophie traditionnelle.

Nous avons cité plus haut comme une compilation qui fut l'œuvre de Sharîf Râzî (406/1015), l'ouvrage intitulé *Nahj al-Balâgha* (titre que l'on traduit couramment par « le chemin de l'éloquence », mais où il faut entendre l'idée d'efficacité, de maturité). Il s'agit du recueil considérable des *Logia* du Ier Imâm, 'Alî ibn Abî Tâlib (prônes, entretiens, lettres, etc.). Après le Qorân et les *hadîth* du Prophète c'est l'ouvrage le plus important non seulement pour la vie religieuse du shî'isme en général mais pour sa pensée philosophique. Le *Nahj al-Balâgha* peut en effet être considéré comme l'une des sources les plus importantes des doctrines professées par les penseurs shî'ites, notamment ceux de la quatrième période. Son influence s'est fait sentir de plusieurs manières : coordination logique des termes, déduction de conclusions correctes, création de certains termes techniques en arabe qui sont ainsi entrés dans la langue littéraire et philosophique, avec leur richesse et leur beauté, indépendamment des traductions de textes grecs en arabe. Certains problèmes philosophiques fondamentaux, posés par les *Logia* de l'Imâm 'Alî, prendront toute leur ampleur chez Mollâ Sadrâ et dans son école. Si l'on se réfère aux entretiens de l'Imâm avec son disciple Komayl ibn Ziyâd, celui où il répond à la question : « Qu'est-ce que la vérité ? » (*haqîqat*), celui où il décrit la succession ésotérique des Sages en ce monde, etc., on trouve dans ces pages un type de pensée très caractéristique.

La philosophie shî'ite prend par là sa physionomie propre, car c'est toute une métaphysique que nos penseurs ont tirée de ce livre, en considérant que les *Logia* de l'Imâm forment un cycle complet de philosophie. Certains doutes ont été émis contre l'authenticité de quelques parties de cette compilation. L'ensemble est en tout cas de haute époque, et pour en comprendre le contenu, le plus sûr est de l'entendre phénoménologiquement, c'est-à-dire tel que son intention le propose : quel que soit celui qui tient la plume, c'est bien l'Imâm qui parle. D'où son influence.

On peut regretter que l'étude philosophique de ce livre ait été négligée jusqu'ici en Occident. Car à l'étudier avec soin, et à travers les amplifications progressives de ses commentateurs (ils ont été nombreux, tant shî'ites que sunnites : Maytham Bahrânî, Ibn al-Hadîd, Kho'yî, etc., ainsi que les traducteurs en persan), et si l'on conjoint ce livre aux *Logia* de tous les autres Imâms, on comprendra pourquoi la pensée philosophique devait prendre un essor et des développements nouveaux dans le monde shî'ite, à une époque où depuis longtemps la philosophie avait cessé d'être une école vivante dans le monde de l'Islam sunnite.

Tout cela dit à très grands traits, il résulte que le point de départ de la méditation philosophique du shî'isme est, avec le Qorân, l'ensemble du *corpus* des traditions des Imâms. Tout effort tendant à exposer la philosophie prophétique éclose de cette méditation devra prendre son point de départ à la même source. Deux principes normatifs : 1) il serait inopérant de procéder du dehors à la critique historique des « chaînes de transmission »; souvent cette critique y perd ses droits. La seule méthode féconde est de procéder en phénoménologue : prendre la totalité de ces traditions, vivantes depuis des siècles, telles que la conscience shî'ite s'y montre à elle-même son objet. 2) Pas de meilleure voie pour systématiser le petit nombre de thèmes pris ici en considération afin de dégager la philosophie prophétique, que de suivre ceux des auteurs shî'ites qui les ont eux-mêmes commentés. Nous obtenons ainsi une brève esquisse d'ensemble, sans vain historicisme (dont l'idée n'est pas même soupçonnée de nos penseurs). Nous suivrons ici principalement les commentaires de Mollâ Sadrâ Shîrâzî, de Mîr Dâmâd, ainsi que les pages très denses de Haydar Amolî. Les textes des Imâms, explicités par ces commentaires, nous permettent d'entrevoir l'essence du *shî'isme,* et c'est là le problème qui nous est posé.

2. *L'ésotérisme.*

1. Que le shî'isme, en son essence, soit l'ésotérisme de l'Islam, c'est la constatation qui découle des textes mêmes, avant tout de l'enseignement des Imâms. Il y a, par exemple, le sens donné au verset qorânique 33/72 : « Nous avons proposé le dépôt de nos secrets (*al-amâna*) aux Cieux, à la Terre et aux montagnes; tous ont refusé de l'assumer, tous ont tremblé de le recevoir. Mais l'homme accepta de s'en charger; c'est un violent

et un inconscient. » Le sens de ce verset grandiose, qui fonde pour la pensée islamique le thème *De dignitate hominis,* ne fait pas de doute pour les commentateurs shî'ites. Le verset fait allusion aux « secrets divins », à l'ésotérique de la prophétie que les saints Imâms ont transmis à leurs adeptes. Cette exégèse peut en appeler à une déclaration expresse du VIe Imâm, affirmant que le sens de ce verset, c'est la *walâyat* dont l'Imâm est la source. Et les exégètes shî'ites (de Haydar Amolî à Mollâ Fathollah, au siècle dernier) s'attachent à montrer que la violence et l'inconscience de l'homme ne tournent nullement ici à son blâme, mais à sa louange, car il fallait un acte de sublime folie pour assumer ce dépôt divin. Tant que l'homme, symbolisé en Adam, ignore qu'il y a de l'*autre* que Dieu, il a la force de porter le redoutable fardeau. Dès qu'il cède à la conscience qu'il y a de l'*autre* que Dieu, il trahit le dépôt : ou bien il le rejette et le livre aux indignes, ou tout simplement il en nie l'existence. Dans le second cas, il réduit tout à la lettre apparente. Dans le premier cas, il enfreint cette « discipline de l'arcane » (*taqîyeh, ketmân*) ordonnée par les Imâms, conformément à la prescription : « Dieu vous ordonne de restituer à ceux à qui ils appartiennent, les dépôts confiés » (4/61). Ce qui veut dire : Dieu vous ordonne de ne transmettre qu'à celui qui en est digne, celui qui est un « héritier », le dépôt divin de la gnose. Toute la notion d'une science qui est héritage spirituel (*'ilm irthî,* ci-dessous A, 4) est déjà indiquée là.

C'est la raison pour laquelle le Ve Imâm, Mohammad Bâqir, déclarait (et chaque Imâm l'a répété après lui) : « Notre cause est difficile; elle impose un rude effort; seuls peuvent l'assumer un Ange du plus haut rang, un prophète envoyé (*nabî morsal*) ou un adepte fidèle dont Dieu aura éprouvé le cœur pour la foi. » Le VIe Imâm, Ja'far Sâdiq, précisait encore : « Notre cause est un secret (*sirr*) dans un secret, le secret de quelque chose qui reste voilé, un secret que seul un autre secret peut enseigner; c'est un secret sur un secret qui est voilé par un secret. » Ou encore : « Notre cause est la vérité et la vérité de la vérité (*haqq al-haqq*); c'est l'exotérique, et c'est l'ésotérique de l'exotérique, et c'est l'ésotérique de l'ésotérique. C'est le secret, et le secret de quelque chose qui reste voilé, un secret qui se suffit d'un secret. » La portée de ces déclarations, quelques vers d'un poème du VIe Imâm, 'Alî Zaynol-'Abidîn (ob. 95/714), l'annonçaient déjà : « De ma Connaissance je cache les joyaux – De peur qu'un ignorant, voyant la vérité, ne nous écrase... O Seigneur! Si je divulguais une perle de ma gnose – On me dirait : tu es donc un adorateur des idoles ? – Et il y aurait des musulmans pour trouver licite que l'on versât mon sang ! – Ils trouvent abominable ce qu'on leur présente de plus beau. »

2. On pourrait multiplier les citations de semblables propos. Ils témoignent admirablement de l'*ethos* du shî'isme, de sa conscience d'être l'ésotérisme de l'Islam, et il est impossible, historiquement, de remonter plus haut que l'enseignement des Imâms, pour atteindre aux sources de l'Islam ésotérique. D'où, les Shî'ites au sens vrai, ce sont ceux qui assument les secrets des Imâms. En revanche, tous ceux qui ont prétendu ou prétendent limiter l'enseignement des Imâms à l'exotérique, à des questions de droit et de rituel, ceux-là mutilent ce qui fait l'essence du shî'isme. L'affirmation de l'ésotérique ne signifie pas l'abolition pure et simple de la *sharî'at*, de la lettre et de l'exotérique (*zâhir*); elle veut dire que, privée de la réalité spirituelle (*haqîqat*) et de l'ésotérique (*bâtin*), la religion positive est opacité et servitude; elle n'est plus qu'un catalogue de dogmes ou un catéchisme, au lieu de rester ouverte à l'éclosion de significations nouvelles et imprévisibles.

D'où, selon un propos du Ier Imâm, il y a en gros trois groupes d'hommes : 1) Il y a le *'âlim rabbânî*, le *theosophos* par excellence, à savoir le Prophète et les saints Imâms. 2) Il y a ceux qui s'ouvrent à l'enseignement de leur doctrine de salut (*tarîqat al-najât*) et tentent d'y ouvrir les autres. De génération en génération, ils n'ont jamais été qu'une minorité. 3) Il y a la masse de ceux qui restent fermés à cet enseignement. « Nous (les Imâms) sommes les Sages qui instruisons; nos shî'ites sont les enseignés par nous. Le reste, hélas! c'est l'écume roulée par le torrent. » L'ésotérisme se meut autour de deux foyers de la *sharî'at* et de la *haqîqat,* de la religion de la Loi, religion sociale, et de la religion mystique, celle qui se guide sur le sens spirituel de la Révélation qorânique. C'est pourquoi il implique par essence une prophétologie et une imâmologie.

3. *La prophétologie.*

1. Les données les plus anciennes pour l'établissement de la prophétologie islamique sont contenues dans l'enseignement des Imâms. Vu ce qui la motive, on peut dire que le milieu shî'ite était en propre le milieu où la prophétologie était appelée à éclore, à être méditée, à se développer. Or, plus que toute autre forme de pensée qui se soit fait place en Islam, c'est une « philosophie prophétique » qui correspond par essence au sentiment d'une religion prophétique, parce que la « science divine » est incommunicable; ce n'est pas une « science » au sens ordinaire du mot, il n'appartient qu'à un prophète de la communiquer. Les conditions de cette communication, celles de la fructification de son contenu après que la prophétie est close, forment l'objet propre d'une philosophie prophétique. L'idée en fait corps avec l'idée même du shî'isme, et c'est pourquoi celui-ci ne saurait plus être absent d'une histoire de la philosophie islamique.

Un premier fait à observer est le parallélisme remarquable entre la doctrine du *'aql* (l'intellect, l'intelligence, le *Noûs*) chez les philosophes avicenniens, et la doctrine de l'Esprit (*Rûh*) dans les textes shî'ites émanant des Imâms. Il s'ensuit que le premier chapitre d'une philosophie prophétique, dont le thème est la nécessité des prophètes, procède de part et d'autre de considérations convergentes. Comme l'énonce un *hadîth* du VIe Imâm, enregistré par Ibn Bâbûyeh, cinq Esprits, ou plutôt cinq degrés ou états de l'Esprit, sont constitutifs de l'homme; au sommet il y a l'Esprit de la foi (*îmân*) et l'Esprit-Saint. Les cinq ne sont actualisés dans leur totalité que pour les prophètes, les Envoyés et les Imâms; chez les vrais croyants, il y en a quatre; chez les autres hommes, il y en a trois.

Parallèlement les philosophes, d'Avicenne à Mollâ Sadrâ, considérant les cinq états de l'intellect, de l'intellect « matériel » ou en puissance jusqu'à l'*intellectus sanctus,* admettent que l'intellect n'existe chez la majorité des hommes qu'à l'état de puissance; les conditions qui lui permettent de devenir intellect en acte ne sont réunies que chez un petit nombre. Dès lors, comment une multitude d'hommes livrés à leurs impulsions inférieures serait-elle à même de se constituer en une communauté observant une même loi ? Pour Bîrûnî, la loi naturelle est la loi de la jungle; l'antagonisme entre les humains ne peut être surmonté que par une Loi divine, énoncée par un prophète, un Envoyé divin. Or, ces considérations pessimistes de Bîrûnî et d'Avicenne ne font que reproduire à peu près littéralement l'enseignement des Imâms, tels que nous le fait connaître Kolaynî en tête du *Kitâb al-Hojjat.*

2. Cependant la prophétologie shî'ite ne procède nullement d'une simple sociologie positive; c'est le destin spirituel de l'homme qui est engagé. La thèse shî'ite niant (contre les Karramiyens et les Ash'arites) la possibilité de *voir* Dieu en ce monde et dans l'au-delà, est solidaire du développement, chez les Imâms eux-

mêmes, d'une science du cœur, d'une connaissance par le cœur (*ma'rifat qalbîya*) qui, englobant toutes les puissances rationnelles et suprarationnelles, esquisse déjà la gnoséologie propre à une philosophie prophétique. D'une part alors, la nécessité de la prophétie signifie la nécessité qu'il y ait de ces hommes inspirés, des surhumains dont on ira jusqu'à dire, sans que cela implique l'idée d'une Incarnation, « homme divin ou seigneur divin sous forme humaine » (*insân rabbânî, rabb insânî*). D'autre part la prophétologie shî'ite se différenciera nettement des écoles primitives de la pensée islamique sunnite. Les Ash'arites (*infra* III, C) rejetant toute idée de *tartîb,* c'est-à-dire toute structure hiérarchisée du monde avec des causes médiatrices, ruinaient le fondement même de la prophétie. De leur côté, les Mo'tazilites extrémistes (Râwendî) faisaient cette objection : ou bien la prophétie est d'accord avec la raison ou bien elle ne l'est pas. Dans le premier cas, elle est superflue; dans le second cas elle est à rejeter. Le rationalisme mo'tazilite ne pouvait pressentir le niveau d'être et de conscience où son dilemme se trouve volatilisé.

Ce médiateur dont la prophétologie shî'ite montre la nécessité, est désigné techniquement par le terme de *Hojjat* (la *preuve,* le garant de Dieu pour les hommes). Cependant l'idée et la fonction débordent les limites d'une époque; la présence du *Hojjat* doit être continue, même s'il s'agit d'une présence invisible, ignorée de la masse des hommes. Si donc le terme est appliqué au Prophète, il l'est ensuite, et même plus particulièrement, aux Imâms (dans la hiérarchie de l'Ismaélisme d'Alamût le *Hojjat* devient en quelque sorte un double spirituel de l'Imâm, cf. *infra* B, II). L'idée du *Hojjat* implique donc déjà l'indissociabilité de la prophétologie et de l'imâmologie; et parce qu'elle déborde les temps, elle s'origine à une réalité métaphysique dont la vision nous reconduit au thème gnostique de l'*Anthropos* céleste.

3. Un enseignement de l'Imâm Ja'far énonce : « La Forme humaine est le suprême témoignage par lequel Dieu atteste sa Création. Elle est le *Livre* qu'il a écrit de sa main. Elle est le *Temple* qu'il a édifié par sa sagesse. Elle est le rassemblement des Formes de tous les univers. Elle est le compendium des connaissances écloses de la *Tabula secreta* (*Lawh mahfûz*). Elle est le témoin visible répondant pour tout l'invisible (*ghayb*). Elle est la garante, la preuve contre tout négateur. Elle est la Voie droite jetée entre le paradis et l'enfer. »

Tel est le thème que la prophétologie shî'ite a explicité. Cette Forme humaine en sa gloire prééternelle est appelée l'Adam au sens vrai et réel (*Adam Haqîqî*), *Homo maximus* (*Insân kabîr*), Esprit suprême, Première Intelligence, Calame suprême, Khalife suprême, Pôle des Pôles. Cet *Anthropos* céleste est investi et détenteur de la prophétie éternelle (*nobowwat bâqiya*), de la prophétie primordiale essentielle (*n. aslîya haqîqîya*), celle qui éclôt, dès avant les temps, dans le Plérôme céleste. Aussi est-il la *Haqîqat mohammadîya,* la Réalité mohammadienne éternelle, la Lumière de gloire mohammadienne, le Logos mohammadien. C'est à lui que le Prophète fait allusion, lorsqu'il dit : « Dieu créa Adam (l'*Anthropos*) à l'image de sa propre Forme. » Et c'est comme étant l'épiphanie terrestre (*mazhar*) de cet *Anthropos,* que le Prophète énonce à la Ire personne : « La première chose que Dieu créa fut ma Lumière » (ou l'Intelligence, ou le Calame, ou l'Esprit). Et c'est ce qu'il a voulu signifier en disant : « J'étais déjà un prophète, alors qu'Adam (l'Adam terrestre) était encore entre l'eau et l'argile » (c'est-à-dire non encore formé).

Maintenant, cette Réalité prophétique éternelle est une bi-unité. Elle a deux « dimensions » : extérieure ou exotérique, intérieure ou ésotérique. La *walâyat,* c'est précisément l'ésotérique de cette prophétie (*nobowwat*) éternelle; elle est la réalisation de toutes ses perfections selon l'ésotérique, dès avant les temps, et leur perpétuation dans les siècles des siècles. De même que la « dimension » exotérique eut sa manifestation terrestre finale en la personne du prophète Mohammad, de même il fallait que sa « dimension » ésotérique eut son épiphanie terrestre. Elle l'eut en la personne de celui qui de tous les humains fut le plus proche du Prophète : 'Alî ibn Abî Tâlib, le Ier Imâm. D'où celui-ci put dire en écho à la sentence ci-dessus : « J'étais déjà un *walî,* alors qu'Adam (l'Adam terrestre) était encore entre l'eau et l'argile. »

Entre la personne du Prophète et celle de l'Imâm il y a, avant leur parenté terrestre, un rapport spirituel (*nisbat ma'nawîya*) fondée en leur préexistence même : « Moi et 'Alî, nous sommes une seule et même Lumière. » « Je fus avec 'Alî une seule et même lumière quatorze mille ans avant que Dieu eût créé l'Adam terrestre. » Puis, dans ce même *hadîth,* le Prophète suggère comment cette Lumière unique progressa de génération en génération de prophètes, pour se scinder en deux semences et se manifester en leurs deux personnes; alors il conclut, en s'adressant à l'Imâm : « Si je ne craignais qu'un groupe de ma communauté commette à ton égard l'excès que les Chrétiens ont commis à l'égard de Jésus, je dirais à ton sujet quelque chose qui ferait que tu ne passerais plus près d'un groupe, sans que l'on recueillît la poussière de tes pas pour y chercher un remède. Mais il suffit que tu sois une partie de moi-même, et moi une partie de toi-même. Sera héritier de moi-même celui qui héritera de toi, car tu es par rapport à moi comme Aaron par rapport à Moïse, avec cette différence qu'après moi il n'y aura plus de prophète. » Il y a enfin cette déclaration d'une portée décisive : « 'Alî a été missionné *secrètement* avec chaque prophète; avec moi il a été missionné à découvert. » Cette dernière déclaration ajoute aux précédentes toute la précision souhaitable. L'Imâmat mohammadien, comme ésotérisme de l'Islam, est *eo ipso* l'ésotérisme de toutes les religions prophétiques antérieures.

4. Par les très brèves indications données ici, s'éclaire le travail des penseurs shî'ites sur les catégories de la prophétie et de la *walâyat.* Il y a une prophétie absolue (*n. motlaqa*), commune ou générale, et il y a une prophétie restreinte ou particulière (*moqayyada*). La première est celle qui est propre à la Réalité mohammadienne absolue, intégrale et primordiale, de la prééternité à la postéternité. La seconde est constituée par les réalités partielles de la première, c'est-à-dire les épiphanies particulières de la prophétie qu'ont été tour à tour les Nabîs ou prophètes dont le Prophète de l'Islam fut le Sceau, étant par là même l'épiphanie de la *Haqîqat mohammadîya.* De même pour la *walâyat* qui est l'ésotérique de la prophétie éternelle : il y a une *walâyat* absolue et générale, et il y a une *walâyat* restreinte et particulière. De même que la prophétie respective de chacun des prophètes est une réalité et épiphanie partielle (*mazhar*) de la prophétie absolue, de même la *walâyat* de tous les *Awliyâ* (les Amis de Dieu, les hommes de Dieu) est chaque fois une réalité et épiphanie partielle de la *walâyat* absolue dont le Sceau est le Ier Imâm, tandis que le sceau de la *walâyat* mohammadienne est le Mahdî, le XIIe Imâm (l'Imâm caché). L'imâmat mohammadien, c'est-à-dire le plérôme des Douze, est ainsi le Sceau (*khâtim*) de la *walâyat.* L'ensemble des Nabîs est envers le Sceau de la prophétie dans le même rapport que lui-même envers le Sceau des *Awliyâ.*

On comprend ainsi que l'essence (*haqîqat*) du Sceau des prophètes et celle du Sceau des *Awliyâ* soit une seule et même essence, considérée quant à l'exotérique (la prophétie) et quant à l'ésotérique (la *walâyat*). La situation présente est celle-ci. Tout le monde en Islam professe unanimement que le cycle de la prophétie a été clos avec Mohammad, le Sceau des prophètes. Mais pour le shî'isme, avec la clôture du cycle de la prophétie a commencé le cycle de la *walâyat,* celui de l'Initiation spirituelle. En fait, on le précisera plus loin, ce qui selon les auteurs shî'ites a été clos, c'est la « prophétie législatrice ». Quant à la prophétie tout court, elle désigne l'état spirituel de ceux qui, avant l'Islam, s'appelaient *Nabîs,* mais que l'on désigne désormais comme les *Awliyâ*; le nom a changé, la chose demeure. Là est la vision caractéristique de l'Islam shî'ite, en qui fermente ainsi l'attente d'un avenir auquel il demeure ouvert. Cette conception repose sur une classification des prophètes, elle-même fondée sur la gnoséologie prophétique enseignée par les Imâms eux-mêmes (*infra* A, 5). Elle détermine d'autre part un ordre de préséance entre *Walî, Nabî* et *Rasûl,* dont la compréhension diffère selon le shî'isme duodécimain et selon l'Ismaélisme.

On distingue en effet, quant à la *nobowwat,* une *nobowwat al-ta'rîf,* prophétie enseignante, « gnostique », et une *nobowwat al-tashrî',* prophétie législatrice. Cette dernière est en propre la *risâlat,* la mission prophétique du *Rasûl* ou Envoyé, dont la mission est d'énoncer pour les hommes la *sharî'at,* la Loi divine, le « Livre céleste descendu en son cœur ». Il y a eu de nombreux Nabîs envoyés (*Nabî morsal*), tandis que la série des grands prophètes qui ont eu mission d'énoncer une *sharî'at* se limite aux *ulû'l-'azm* (les hommes de la décision), au nombre de six : Adam, Noé, Abraham, Moïse, Jésus, Mohammad, – ou au nombre de sept, dans certaines traditions, en comptant David et son psautier.

5. La situation déterminée par cette prophétologie s'exprime, par excellence, dans la définition du rapport entre la *walâyat,* la prophétie (*nobowwat*) et la mission d'Envoyé (*risâlat*), et corollairement, entre la per-

sonne du *walî,* celle du prophète et celle de l'Envoyé. Si l'on figure les trois concepts par trois cercles concentriques, la *walâyat* est représentée par le cercle central, parce qu'elle est l'ésotérique de la prophétie; celle-ci est représentée par le cercle médian, comme étant l'ésotérique ou l'« intérieur » de la mission d'Envoyé, laquelle est représentée par le cercle extérieur. Tout *Rasûl* est également *Nabî* et *walî.* Tout *Nabî* est également *walî.* Le *walî* peut être *walî* sans plus. Il s'ensuit paradoxalement que l'ordre de préséance entre les qualifications est inverse de l'ordre de préséance entre les personnes. Nos auteurs l'expliquent de la façon suivante.

La *walâyat,* parce qu'elle est le cœur et l'ésotérique, est plus éminente que l'apparence exotérique, parce que celle-ci a besoin de celle-là : de même que la mission d'Envoyé présuppose l'état spirituel du Nabî, à son tour celui-ci présuppose la *walâyat.* Plus une chose est proche des réalités intérieures, plus elle se suffit à soi-même et plus est grande sa proximité de Dieu, laquelle dépend des réalités intérieures d'un être. Il s'ensuit donc que la *walâyat,* la qualité d'Ami de Dieu, initié et initiateur spirituel, est plus éminente que la qualité de *Nabî,* et celle-ci plus éminente que la qualité d'Envoyé (extériorité croissante). Ou, comme nos auteurs le répètent : la *risâlat* est comme l'écorce, la *nobowwat* est comme l'amande, la *walâyat* est comme l'huile de cette amande. En d'autres termes : la mission d'Envoyé, sans l'état de Nabî, serait comme la *sharî'at,* la religion positive, privée de la *tarîqat,* la voie mystique, comme l'exotérique sans l'ésotérique, comme l'écorce vide sans l'amande. Et l'état de Nabî sans la *walâyat* serait comme la voie mystique (*tarîqat*) privée de la réalisation spirituelle (*haqîqat*), comme l'ésotérique sans l'ésotérique de l'ésotérique (*bâtin al-bâtin*), comme l'amande sans l'huile. Nous retrouverons en gnoséologie (*infra* A, 5) un rapport analogue entre les notions de *wahy, ilhâm,* et *kashf.*

Cependant, lorsqu'ils affirment ainsi la supériorité de la *walâyat,* les shî'ites duodécimains n'entendent pas que la personne du *walî* tout court soit supérieure à celle du Nabî et de l'Envoyé, mais que, des trois qualités considérées dans une même personne, celle du Prophète de l'Islam, c'est la *walâyat* qui a la prééminence, parce qu'elle est la source, le fondement et l'appui des deux autres. D'où le paradoxe apparent : bien que la *walâyat* ait la prééminence, concrètement c'est le prophète-Envoyé qui a la préséance, parce qu'il cumule les trois qualités, il est *walî-nabî-rasûl.* L'on observera, avec Haydar Amolî, que c'est là, sur ce point, que se séparent le shî'isme duodécimain et l'Ismaélisme, plus exactement l'Ismaélisme réformé d'Alamût, qui ne faisait peut-être que retrouver l'intention profonde du shî'isme primitif. Comme on le verra plus loin (B, II) la position ismaélienne d'Alamût n'avait pas moins de rigueur : puisque la *walâyat* est supérieure à la qualité de prophète-envoyé, puisque la *walâyat* de l'Imâm est ordonnée à l'ésotérique, tandis que la prophétie de l'Envoyé (le législateur) est ordonnée à l'exotérique, enfin puisque l'ésotérique a la prééminence sur l'exotérique, il faut conclure à la préséance fondamentale de l'Imâm sur le prophète, et à l'indépendance de l'ésotérique à l'égard de l'exotérique. En revanche la position shî'ite duodécimaine (malgré l'inclination toujours latente dans le shî'isme à professer la préséance de l'Imâm) s'est efforcée de garder l'équilibre; tout exotérique qui ne s'appuie pas sur un ésotérique est en fait infidélité (*kofr*), mais, en revanche, tout ésotérique qui ne maintient pas simultanément l'existence de l'exotérique est libertinage. On le voit : selon que l'on adopte la thèse imâmite ou la thèse ismaélienne, le rapport de la prophétologie et de l'imâmologie inverse son sens.

4. *L'imâmologie.*

1. L'idée de l'Imâm est postulée par le double aspect de la « Réalité mohammadienne éternelle » décrite ci-dessus (A, 3), et impliquant, entre autres, qu'au cycle de la prophétie succède le cycle de la *walâyat.* Le premier thème sur lequel insistent longuement les propos des Imâms, c'est la nécessité, postérieurement au Prophète énonciateur, d'un « Mainteneur du Livre » (*Qayyim al-Qorân*). Ce thème donne lieu à des dialogues très animés dans l'entourage des Imâms, voire à des discussions avec certains Mo'tazilites (*infra* III), où se distingue, parmi les protagonistes, le jeune Hishâm ibn al-Hakam, disciple favori du VIe Imâm. La thèse que l'on oppose aux adversaires est que le texte du Qorân à lui seul ne suffit pas, car il a des sens cachés, des profondeurs ésotériques, des contradictions apparentes. Ce n'est pas un livre dont la science puisse être assumée par la philosophie commune. Il faut « reconduire » (*ta'wîl*) le texte au plan où son sens est vrai. Ce n'est pas l'affaire de la dialectique, du *Kalâm*; on ne construit pas ce *sens vrai* à coups de syllogismes. Il faut un homme qui soit à la fois un héritier spirituel et un inspiré, qui possède l'ésotérique (*bâtin*) et l'exotérique (*zâhir*). C'est lui le *Hojjat* de Dieu, le Mainteneur du Livre, l'Imâm ou le Guide. L'effort de la pensée s'appliquera donc à considérer ce qui fait l'essence de l'Imâm en la personne des Douze Imâms.

Mollâ Sadrâ, commentant les textes des Imâms sur ce point, en énonce les présuppositions philosophiques : ce qui n'a pas de cause (ce qui est *ab-imo*) ne peut être connu; l'essence n'en peut être définie; aucune preuve n'en peut être donnée à partir de quelque chose d'autre, car *Il* est soi-même la preuve. On ne peut connaître Dieu que par Dieu, non pas *à partir* du créaturel, comme le font les théologiens du *Kalâm,* ni à partir de l'être contingent comme le font les philosophes (les *falâsifa*). Il n'est possible d'atteindre aux hautes connaissances que par révélation divine (*wahy*) ou inspiration (*ilhâm*). Postérieurement au Prophète qui fut le *Hojjat* de Dieu, il est impossible que la Terre reste vide d'un *Hojjat,* garant de Dieu, répondant pour lui devant les hommes, pour que ceux-ci s'approchent de lui. Il peut être reconnu publiquement, ou au contraire être ignoré de la masse, voilé par un mode d'existence *incognito.* Il est le Guide indispensable pour les sens cachés du Livre, lesquels requièrent une lumière divine, une vision intérieure, une audition spirituelle. L'imâmologie est un postulat essentiel de la philosophie prophétique. La première question est celle-ci : qui, après le Prophète, pouvait revendiquer la qualité de « Mainteneur du Livre » ?

2. Les témoignages sont unanimes. Un des plus célèbres Compagnons du Prophète, 'Abdollah ibn 'Abbâs, rapporte l'impression profonde éprouvée par tous ceux qui entendaient 'Alî commenter la *Fâtiha* (la Ire sourate du Qorân). Et il y a ce témoignage du Ier Imâm lui-même : « Pas un verset du Qorân n'est descendu sur (n'a été révélé à) l'Envoyé de Dieu, sans qu'ensuite il ne me le dictât et ne me le fît réciter. Je l'écrivais de ma main, et il m'en enseignait le *tafsîr* (l'explication littérale) et le *ta'wîl* (l'exégèse spirituelle), le *nâsikh* (verset abrogeant) et le *mansûkh* (verset abrogé), le *mohkam* et le *motashâbih* (le ferme et l'ambigu), le particulier et le général. Et il priait Dieu d'agrandir ma compréhension et ma mémoire. Ensuite il posait sa main sur ma poitrine et demandait à Dieu de remplir mon *cœur* de connaissance et de compréhension, de jugement et de lumière. »

Précisément, c'est encore au motif du *cœur* que recourent nos textes pour faire comprendre la fonction de l'Imâm : il est pour la communauté spirituelle ce que le *cœur* est pour l'organisme humain. La comparaison servira elle-même d'appui pour l'intériorisation de l'imâmologie. Lorsque Mollâ Sadrâ, par exemple, parle de « cette réalité célestielle (*malakûtî*) qui est l'Imâmat dans l'homme », il indique par là même comment l'imâmologie fructifie en expérience mystique. Aussi bien est-ce au *cœur* de ses shî'ites qu'est présent l'Imâm caché, jusqu'au jour de la Résurrection. On indiquera plus loin la signification profonde de la *ghaybat* (occultation de l'Imâm), cet *incognito* divin qui est essentiel à une philosophie prophétique, parce qu'il préserve le divin de devenir un *objet,* comme il le préserve de toute socialisation. L'autorité de l'Imâm est tout autre chose que le magistère dogmatique régissant une Eglise. Les Imâms ont initié au sens caché des Révélations; eux-mêmes héritiers, ils ont disposé de l'héritage en faveur de ceux qui étaient aptes à le recevoir. Une notion fondamentale de la gnoséologie est celle de *'ilm irthî,* une science qui est héritage spirituel. C'est pourquoi le shî'isme n'est pas ce qu'il est convenu d'appeler une « religion d'autorité », au sens d'une Eglise. En fait, les Imâms ont rempli leur mission terrestre; ils ne sont plus matériellement en ce monde. Leur présence continue est une présence suprasensible; aussi est-elle une « autorité spirituelle » au sens vrai du mot. Leur enseignement subsiste et il est le fondement de toute l'herméneutique du Livre.

Le premier d'entre eux, le Ier Imâm, est qualifié comme fondement de l'Imâmat. Mais la représentation shî'ite ne peut en dissocier les *onze* autres Figures qui forment ensemble le plérôme de l'Imâmat, parce que la loi du nombre *douze,* chiffre symbolique d'une totalité, est constant à toutes les périodes du cycle de la prophétie (on a rappelé ci-dessus quelques homologations : les douze signes du zodiaque, les douze sources jaillies du rocher frappé par le bâton de Moïse; le rapport avec les douze mois de l'année est en consonance avec les anciennes théologies de l'*Aiôn*). Chacun des grands prophètes, énonciateurs d'une *sharî'at,* a eu ses douze Imâms. Le Prophète a dit lui-même : « Que Dieu prenne soin après moi de 'Alî et des *Awsiyâ* (héritiers) de ma postérité (les onze), car ils sont les Guides. Dieu leur a donné ma compréhension et ma science, ce qui veut dire qu'ils ont même rang que moi, quant à ce qui est d'être digne de ma succession et de l'Imâmat. » Comme le dit Haydar Amolî : « Tous les Imâms sont une seule et même Lumière (*nûr*), une seule et même Essence (*haqîqat,* οὐσία), exemplifiée en douze personnes. Tout ce qui s'applique à l'un d'entre eux s'applique également à chacun des autres. »

3. Cette conception se fonde sur toute une métaphysique de l'imâmologie qui a pris des développements considérables, d'une part dans la théosophie ismaélienne, et d'autre part au sein du shî'isme duodécimain, particulièrement dans l'école shaykhie. Les prémisses en sont fournies par les textes mêmes des Imâms. Pour en comprendre la portée, il faut se rappeler également que si l'imâmologie s'est trouvée placée devant les mêmes problèmes que la christologie, ce fut toujours pour incliner à des solutions qui, rejetées par le christianisme officiel, se rapprochent pour autant des conceptions gnostiques. Quand est envisagé le rapport de *lâhût* (divinité) et *nâsût* (humanité) dans la personne des Imâms, il ne s'agit jamais de quelque chose comme d'une union hypostatique des deux natures. Les Imâms sont des épiphanies divines, des théophanies. Le lexique technique (*zohûr, mazhar*) réfère toujours à la comparaison avec le phénomène du miroir : l'image qui se montre dans le miroir n'est pas incarnée dans (ni immanente à) la substance du miroir. Ainsi compris comme épiphanies divines, rien de moins ni de plus, les Imâms sont les Noms de Dieu, et comme tels ils préservent du double péril de *tashbîh* (anthropomorphisme) et de *ta'tîl* (agnosticisme). Leur préexistence comme Plérôme d'êtres de lumière est déjà affirmée par

le VIe Imâm : « Dieu nous a créés de la Lumière de sa sublimité, et de l'argile (de notre lumière) il a créé les Esprits de nos shî'ites. » C'est pourquoi leurs noms étaient écrits en lettres flamboyantes sur la mystérieuse Tablette d'émeraude en possession de Fâtima, origine de leur lignée (on se rappellera ici la *Tabula smaragdina* dans l'hermétisme).

Les qualifications que reçoivent les Imâms ne se comprennent en effet que si on les considère comme des Figures de lumière, entités précosmiques. Ces qualifications ont été affirmées par eux-mêmes au temps de leur épiphanie terrestre. Kolaynî en a recueilli un bon nombre dans sa volumineuse compilation. C'est ainsi que les phases du célèbre verset de la Lumière (Qorân 24/35) sont rapportées respectivement aux Quatorze Très-Purs (le Prophète, Fâtima, les Douze Imâms). Ils sont les seuls « immaculés » (*ma'sûm*), préservés et immunisés de toute souillure. Le Ve Imâm déclare : « La lumière de l'Imâm dans le *cœur* des croyants est plus éclatante que le soleil qui répand la lumière du jour. » Les Imâms sont en effet ceux qui illuminent le cœur des croyants, tandis que ceux à qui Dieu voile cette lumière sont des cœurs enténébrés. Ils sont les piliers de la Terre, les Signes (*'alamât*) que Dieu mentionne dans son Livre, ceux à qui fut donnée la sagesse infuse. Ils sont les khalifes de Dieu sur sa Terre, les Seuils par lesquels on pénètre vers lui, les Elus et les héritiers des prophètes. Le Qorân guide vers les Imâms (comme figures théophaniques, les Imâms ne sont plus seulement les guides du sens caché, ils sont eux-mêmes ce sens ésotérique). Ils sont la mine de la gnose, l'arbre de la prophétie, le lieu de la visitation des Anges, héritiers de la connaissance les uns des autres. En eux est la totalité des livres « descendus » (révélés) de Dieu. Ils connaissent le Nom suprême de Dieu. Ils sont l'équivalent de l'arche d'alliance chez les Israélites. C'est à leur descente sur terre que fait allusion la descente de l'Esprit et des Anges en la Nuit du Destin (sourate 97). Ils savent toutes les connaissances « apportées » par les Anges aux prophètes et aux Envoyés. Leur connaissance embrasse la totalité des temps. Ils sont des *mohaddathûn* (« ceux à qui parlent les Anges », cf. *infra* A, 5). Parce qu'ils sont la lumière du cœur des croyants, la célèbre maxime énonçant que « celui qui se connaît soi-même, connaît son seigneur » veut dire : « celui-là connaît son Imâm » (c'est-à-dire la Face de Dieu pour lui). Inversement, celui qui meurt sans connaître son Imâm, meurt de la mort des inconscients, c'est-à-dire sans se connaître soi-même.

4. Ces affirmations ont leur point culminant dans le célèbre « Prône de la grande Déclaration » (*Khotbat al-Bayân*), attribué au Ier Imâm, mais dans lequel s'exprime un Imâm éternel : « Je suis le Signe du Très-Puissant. Je suis la gnose des mystères. Je suis le Seuil des Seuils. Je suis le familier des éclats de la Majesté divine. Je suis le Premier et le Dernier, le Manifesté et le Caché. Je suis la Face de Dieu. Je suis le miroir de Dieu, le Calame suprême, la *Tabula secreta.* Je suis celui qui, dans l'Evangile, est appelé Elie. Je suis celui qui détient le secret de l'Envoyé de Dieu. » Et le prône se poursuit par le martèlement de soixante-dix affirmations aussi extraordinaires. Quelle qu'en soit l'époque (beaucoup plus ancienne, en tout cas, que l'ont cru certains critiques), cette *Khotba* nous montre la fructification, en imâmologie shî'ite, du thème gnostique de l'*Anthropos* céleste ou de la « Réalité mohammadienne éternelle ». Les affirmations des Imâms se comprennent parfaitement par ce que nous avons dit précédemment de celle-ci. Parce que « leur *walâyat* est l'ésotérique de la prophétie », ils sont enfin la clef de tous les sigles qorâniques, c'est-à-dire des lettres mystérieuses inscrites en tête ou en titre de certaines sourates du Qorân.

Et puisqu'ils sont tous une même Essence, une même

Lumière, ce qui est dit de l'Imâm en général se rapporte à chacun des Douze. Tels qu'ils apparaissent sur le plan de l'histoire, ils se succèdent ainsi : I. 'Alî, Emir des croyants (ob. 40/661). II. al-Hasan al-Mojtabâ (49/669). III. al-Hosayn Sayyed al-shohadâ' (61/680). IV. 'Alî Zaynol-'Abidîn (95/714). V. Mohammad Bâqir (115/733). VI. Ja'far al-Sâdiq (148/765). VII. Mûsâ al-Kâzim (183/799). VIII. 'Alî Rezâ (203/818). IX. Mohammad Javâd al-Taqî (220/835). X. 'Alî al-Naqî (254/868). XI. al-Hasan al-'Askarî (260/874). XII. Mohammad al-Mahdî, *al-Qâ'im, al-Hojjat.* Tous ont répété qu'ils étaient les héritiers des connaissances de l'Envoyé de Dieu et de tous les prophètes antérieurs. Le sens de cette qualité d'héritier, la gnoséologie va nous le montrer. Ce qui précède nous permet déjà de ruiner un préjugé ou malentendu. Jamais l'ascendance charnelle remontant au Prophète n'a suffi à faire un Imâm (il y faut en outre *nass* et *'ismat,* l'investiture et l'impeccabilité). Ce n'est pas de leur parenté terrestre avec le Prophète, sans plus, que résulte leur imâmat. Il faut plutôt dire inversement, que c'est leur parenté terrestre qui résulte et est le signe de leur unité plérômatique avec le Prophète.

5. D'autre part, il y a lieu de constater brièvement ici que la notion de *walâyat* a si bien ses origines dans le shî'isme même, qu'elle en apparaît indissociable. Elle en fut pourtant dissociée, et c'est là toute l'histoire du soufisme non shî'ite dont, on l'a dit, les origines ne sont pas encore parfaitement élucidées. La *walâyat* perd alors son support, sa source et sa cohérence; on transfère au Prophète ce qui se rapportait à l'Imâm. Une fois la *walâyat* ainsi déracinée de l'imâmologie, une autre conséquence grave se produira. Passeront pour héritiers des prophètes et du Prophète les « quatre imâms » fondateurs des quatre rites juridiques (hanbalite, hanéfite, malékite, shafi'ite) de l'Islam sunnite. Le lien organique, la bipolarité de la *sharî'at* et de la

haqîqat, se trouvait rompu, et par là même consolidée la religion légalitaire, l'interprétation purement juridique de l'Islam. On peut saisir là, à sa source, un phénomène de laïcisation et de socialisation tout à fait caractéristique. Le *bâtin* isolé du *zâhir,* voire rejeté, c'est aussi toute la situation des philosophes et des mystiques qui se trouvait en porte à faux, engagée dans une voie de plus en plus « compromettante ». De ce phénomène, non analysé jusqu'ici, donne une parfaite idée la protestation de tous ceux des Shî'ites (Haydar Amolî en tête) qui, comprenant fort bien la cause première de la réduction de l'Islam à une religion purement légalitaire, dénient aux « quatre imâms » la qualité d'héritiers du Prophète. Pour la première raison que leur science, étant tout exotérique, n'a nullement la nature d'une science qui est héritage spirituel (*'ilm irthî*). Pour la seconde raison que la *walayât* fait précisément des Imâms les héritiers du *bâtin.* La gnoséologie shî'ite nous permet de comprendre l'enjeu et la gravité de la situation.

5. *La gnoséologie.*

1. Il y a un lien essentiel entre la gnoséologie d'une philosophie prophétique et le phénomène du Livre saint « descendu du Ciel ». Pour une réflexion philosophique s'exerçant au sein d'une communauté de *ahl al-Kitâb,* le thème de l'inspiration prophétique doit être un thème privilégié. La philosophie prophétique éclose en Islam shî'ite y trouve sa tonalité propre, en même temps que son orientation diffère profondément de l'orientation de la philosophie chrétienne, centrée sur le fait de l'Incarnation comme entrée du divin dans l'histoire et la chronologie. Les rapports du croire et du savoir, de la théologie et de la philosophie, ne seront pas conçus identiquement de part et d'autre. Ici, la

gnoséologie s'attachera à la connaissance suprasensible; elle en instaurera les catégories en fonction de la connaissance prophétique, et en fonction de la hiérarchie des personnes que détermine le rapport, décrit ci-dessus, entre la *nobowwat* et la *walâyat.* Certes, la dialectique rationnelle des *Motakallimûn* était sans ressource pour cette philosophie prophétique. Ceux qui l'assumèrent furent les *hokamâ' ilâhîyûn,* littéralement, nous l'avons vu, les *theosophoi.*

Les *hadîth* qui, dans le *corpus* de Kolaynî, nous transmettent particulièrement la doctrine gnoséologique des Ve, VIe et VIIe Imâms, posent une classification des degrés de la connaissance et des personnes prophétiques en fonction des degrés de la médiation de l'Ange. Ce lien entre la gnoséologie et l'angélologie permettra aux philosophes (*falâsifa*) d'identifier l'Ange de la Connaissance et l'Ange de la Révélation. Mais ce serait complètement se méprendre que de voir dans cette identification du *'Aql* (Intelligence) et du *Rûh* (Esprit), Νοῦς et Πνεῦμα, une rationalisation de l'Esprit. La notion de *'Aql* (*intellectus, intelligentia*) n'est pas celle de la *ratio* (on peut même dire que c'est l'angélologie, solidaire de la gnoséologie et de la cosmologie avicenniennes, qui entraînera l'échec de l'avicennisme latin au XIIe siècle, parce que la Scolastique latine prenait alors une tout autre direction). En outre, il faut souligner que la classification des prophètes et des modes de connaissance qui leur correspondent a pour source l'enseignement des Imâms, et qu'il nous est impossible d'atteindre une source plus ancienne.

2. Quatre catégories sont énumérées, décrites et expliquées par les Imâms. 1) Il y a le prophète ou Nabî qui n'est prophète que pour lui-même. Il ne lui incombe pas de proclamer le message qu'il a reçu de Dieu, parce que c'est un message tout personnel. C'est en quelque sorte une prophétie « intransitive » qui ne franchit pas les limites de sa personne. Il n'est

« envoyé » que pour lui-même. 2) Il y a le Nabî qui a des visions et entend la voix de l'Ange *en songe,* mais ne voit pas l'Ange à l'état de veille, et n'est également envoyé vers personne (on cite comme exemple le cas de Loth). 3) A ces deux catégories de Nabîs tout court s'ajoute celle du prophète qui a la vision ou la perception de la voix de l'Ange non seulement en songe, mais à l'état de *veille.* Il peut être envoyé vers un groupe plus ou moins nombreux (on cite comme exemple le cas de Jonas). C'est le cas du *nabî morsal,* prophète envoyé, avec lequel nous n'avons encore affaire qu'à la *nobowwat al-ta'rîf,* prophétie enseignante, notifiante. 4) Dans la catégorie des prophètes-envoyés se distingue la catégorie des six (ou sept) grands prophètes (Adam, Noé, Abraham, Moïse, David, Jésus, Mohammad), Envoyés avec la mission (*risâlat*) d'énoncer une *sharî'at,* une Loi divine nouvelle, abrogeant la précédente; c'est en propre la *nobowwat al-tashrî'* ou prophétie législatrice (*supra* A, 3). Il est enfin précisé que la *risâlat* ne peut advenir qu'à un Nabî dont la qualité de prophète, la *nobowwat,* a atteint sa maturité, de même que la *nobowwat* n'advient qu'à celui dont la *walâyat* s'est pleinement développée. Il y a comme une initiation divine progressive.

Deux remarques s'imposent d'emblée. La première concerne l'intervention ici même de la notion de *walâyat.* En ce qui concerne les deux premières catégories de Nabîs, tous nos commentateurs nous informent que leur cas est tout simplement celui des *Awliyâ*; ce sont des « hommes de Dieu » possédant des connaissances qu'ils n'ont pas eu à acquérir de l'extérieur (*iktisâb*) par un enseignement humain. Cependant ils n'ont pas la vision de ce qui en est la cause, à savoir la vision de l'Ange qui « projette » ces connaissances dans leur cœur. Mais l'on nous donne une précision capitale : le mot *walî* (Ami et Aimé de Dieu) ne fut employé pour aucun des *Awliyâ* des périodes de la prophétie antérieures à la mission du prophète de l'Islam. Ils étaient dénommés simplement *Anbiyâ'* (pluriel de *nabî*), des prophètes (que l'on pense ici aux *Beni ha-Nebi'im* de la Bible). Depuis l'Islam, on ne peut plus employer le terme *Nabî,* on dit *Awliyâ.* Mais entre la *walâyat* et la prophétie simple (celle que n'accompagne pas la mission de révéler une *sharî'at*), il n'y a de différence que dans l'emploi du mot, non pas quant à l'idée ni à la signification. Gnoséologiquement, le cas des anciens Nabîs est exactement celui des Imâms; ils ont la perception auditive de l'Ange en songe (les *mohaddathûn,* « ceux à qui parlent les Anges »). Cette position est d'une importance décisive. Elle fonde toute l'idée shî'ite du cycle de la *walâyat* succédant au cycle de la prophétie. Elle rend possible, parce que seule la « prophétie législatrice » est close, la continuation, sous le nom de *walâyat,* d'une « prophétie ésotérique » (*nobowwat bâtinîya*), c'est-à-dire la continuation de la *hiérohistoire* (*infra* A, 6).

Une seconde remarque est celle-ci : les catégories de la gnoséologie prophétique sont établies en fonction de la médiation visible, audible ou invisible de l'Ange, c'est-à-dire en fonction de la conscience que peut en prendre le sujet. La mission de l'Envoyé implique la vision de l'Ange à l'état de veille (vision dont la modalité sera expliquée par un mode de perception différent de la perception sensible). C'est elle que l'on désigne en propre comme *wahy* (communication divine). Pour les autres catégories on parle de *ilhâm* (inspiration), comportant différents degrés, et de *kashf,* dévoilement mystique. Un *hadîth* énonce que « l'Imâm entend la voix de l'Ange, mais n'en a pas la vision, ni en songe ni à l'état de veille ».

3. Ces différents modes de connaissance supérieure, de *hiérognose,* ont longuement retenu l'attention de nos auteurs. Leur sens ne s'entend qu'à la condition de les rattacher à l'ensemble de la prophétologie. Lorsque

le Prophète lui-même célèbre le cas exemplaire de 'Alî, capable entre tous les Compagnons de progresser vers Dieu par la force de son *'aql* (intelligence) à la quête des Connaissances, il s'agit d'une notion prophétique du *'aql,* dont la prédominance eût changé du tout au tout les conditions de la philosophie en Islam. Celle-ci, en faisant reconnaître le lien qu'elle établissait entre la médiation de l'Ange et l'illumination par l'Intelligence, eût été « chez elle ». A la limite, nous l'avons dit, la gnoséologie des philosophes rejoint la gnoséologie prophétique, en identifiant *'Aql fa''âl* (l'Intelligence agente) avec l'Esprit-Saint, Gabriel, Ange de la Révélation.

C'est pourquoi on mutilerait un aperçu de la théosophie shî'ite, si l'on n'indiquait pas brièvement comment nos penseurs ont, dans leurs commentaires, développé la gnoséologie instaurée par les Imâms. Mollâ Sadrâ est ici le grand maître. La doctrine élaborée par lui en marge du texte des Imâms présente toute connaissance vraie comme étant une épiphanie ou une théophanie. C'est que le *cœur* (l'organe subtil de lumière, *latîfa nûrânîya,* support de l'intelligence) a, par disposition foncière, capacité d'accueillir la réalité spirituelle (les *haqâ'iq*) de tous les cognoscibles. Cependant les connaissances qui s'épiphanisent (*tajallî*) à lui de derrière le voile du mystère (le suprasensible, le *ghayb*), peuvent avoir pour source les *données* de la *sharî'at* (*'ilm shar'î*), et elles peuvent être une science spirituelle (*'ilm 'aqlî*) s'originant directement au Donateur des données. Cette science *'aqlî* peut être innée, *a priori* (*matbû',* dans le terminologie du Ier Imâm), c'est la connaissance des premiers principes, – ou bien elle peut être acquise. Si elle est acquise, elle peut l'être par l'effort, l'observation, les inférences (*istibsâr, i'tibâr*), c'est la science des philosophes sans plus; ou bien elle peut assaillir le cœur, comme projetée inopinément en lui; c'est ce que l'on appelle *ilhâm* (inspiration). Pour celle-ci, il faut distinguer le cas où elle se produit sans que l'homme voie la cause qui la « projette » en lui (l'Ange), c'est l'inspiration des Imâms, des *Awliyâ* en général; et le cas où l'homme a la vision directe de la cause, c'est le cas de la communication divine (*wahy*) par l'Ange au prophète. Cette gnoséologie englobe donc à la fois, comme différences graduelles d'une même Manifestation, la connaissance des philosophes, celle des inspirés, celle des prophètes.

4. L'idée de la connaissance comme étant une épiphanie dont l'organe de perception a son siège dans le cœur, conduit à établir deux séries parallèles dont les termes respectifs sont homologues. Du côté de la vision extérieure (*basar al-zâhir*), il y a l'œil, la faculté de la vue, la perception (*idrâk*), le soleil. Du côté de la vision intérieure (*basîrat al-bâtin*) il y a le cœur (*qalb*), l'intelligence (*'aql*), la connaissance (*'ilm*), l'Ange (l'Esprit-Saint, l'Intelligence agente). Sans l'illumination du soleil, l'œil ne peut voir. Sans l'illumination de l'Ange-Intelligence, l'intellect humain ne peut connaître (la théorie avicennienne s'intègre ici à la gnoséologie prophétique). On donne à cet Ange-Intelligence le nom de Calame (*Qalam*), parce qu'il est la cause intermédiaire entre Dieu et l'homme pour l'actualisation de la connaissance dans le cœur, comme le calame (la plume) est intermédiaire entre l'écrivain et le papier sur lequel il écrit ou dessine. Il n'y a donc pas à passer de l'ordre sensible à l'ordre suprasensible, en se demandant si le passage est légitime. Il n'y a pas non plus abstraction à partir du sensible. Il s'agit de deux aspects, à deux plans différents, d'un même processus. Ainsi se trouve fondée l'idée d'une perception ou connaissance par le *cœur* (*ma'rifat qalbîya*), formulée en premier lieu et expressément par les Imâms, et à laquelle fait allusion le verset qorânique (53/11, dans le contexte évoquant la première vision du Prophète) : « Le cœur ne dément pas ce qu'il a vu. » Ou encore :

« Ce ne sont pas leurs yeux qui sont aveugles, ce sont leurs cœurs, dans leurs poitrines, qui sont aveugles » (22/45).

Parce qu'il s'agit d'une même Manifestation à des degrés différents d'éminence, par la voie des sens ou par une autre voie, Manifestation dont la limite est la vision de l'Ange « projetant » les connaissances dans le cœur à l'état de veille, en une vision *semblable* à celle des yeux, on peut dire que selon le schéma de la gnoséologie prophétique, le philosophe ne voit pas l'Ange, mais intellige par lui, dans la mesure de son effort. Les *Awliyâ,* les Imâms, l'entendent, par audition spirituelle. Les prophètes le voient. La comparaison constante, chez Mollâ Sadrâ comme chez les autres, réfère au phénomène des miroirs. Il y a un voile entre le miroir du cœur et la *Tabula secreta* (*Lawh mahfûz*) où toutes les choses sont empreintes. L'épiphanie des connaissances depuis le miroir de la *Tabula secreta* dans cet autre miroir qui est le cœur, est comme le réfléchissement de l'image d'un miroir dans un autre miroir qui lui fait face. Le voile qui s'interpose entre deux miroirs s'enlève, tantôt parce qu'on l'écarte de la main (les philosophes s'y efforcent), tantôt parce que le vent se met à souffler. « De même il arrive que souffle la brise des grâces divines; alors le voile est levé devant l'œil du cœur (*'ayn al-qalb*). »

Quelques lignes de Mollâ Sadrâ récapitulent au mieux : « Ainsi la connaissance par inspiration (*ilhâm,* celle des Nabîs, des *Awliyâ*) ne se distingue de celle qui est acquise par l'effort (*iktisâb,* celle des philosophes) ni dans la réalité même du Connaître, ni dans son siège (le cœur), ni dans sa cause (l'Ange, le Calame, Gabriel, l'Esprit-Saint, l'Intelligence agente), mais elle s'en distingue quant à la cessation du voile, sans que cela dépende du choix de l'homme. De même la communication divine au prophète (*wahy*) ne se distingue de l'inspiration (*ilhâm*) par rien de tout cela, mais uniquement quant à la *vision* de l'Ange qui confère la connaissance. Car les connaissances ne sont actualisées dans nos cœurs, de par Dieu, que par l'intermédiaire des Anges, comme le dit ce verset qorânique : Il n'est pas donné à l'homme que Dieu lui parle, sinon par une communication de derrière un voile, ou bien Il envoie un Ange » (42/50-51).

5. A la gnoséologie prophétique ressortit donc aussi bien ce qui est du domaine habituel du philosophe que tout ce qui concerne la hiérognose : les modes de connaissance supérieure, perceptions du suprasensible, aperceptions visionnaires. Mollâ Sadrâ, explicitant les postulats de cette gnoséologie, fait apparaître entre celle-ci et celle de l'*Ishrâq* (*infra,* chap. VII) une convergence essentielle, en ce sens que l'authentification des visions prophétiques et des perceptions du suprasensible postule que l'on reconnaisse, entre la perception sensible et l'intellection pure de l'intelligible, une tierce faculté de connaissance. Telle est la raison de l'importance reconnue à la conscience imaginative et à la perception imaginative comme organe de perception d'un monde qui lui est propre, le *mundus imaginalis* (*'âlam al-mithâl*), en même temps qu'à l'encontre de la tendance générale des philosophes, on en fait une faculté psycho-spirituelle pure, indépendante de l'organisme physique périssable. Il y aura lieu d'y revenir à propos de Sohravardî et de Mollâ Sadrâ. Pour le moment relevons le fait que c'est la prophétologie des Imâms qui implique la nécessité de la triade des univers (sensible, imaginatif, intelligible) en correspondance avec la triade de l'anthropologie (corps, âme, esprit).

La démonstration apportée sur ce point puise sa force dans la thèse affirmant que la réalité de n'importe quel acte de connaissance est en fait très différente de ce que croit le savant purement exotériste. Même, en effet, dans le cas de la perception normale de l'objet sensible extérieur, on ne peut dire que l'âme ait la vision d'une forme qui serait dans la matière extérieure. Ce n'est pas cela la perception sensible; ce n'est pas une telle forme qui en est l'objet. Son objet, ce sont en fait les formes que l'âme voit avec l'œil de la conscience imaginative. Les formes à l'extérieur sont causes de l'apparition d'une forme qui « symbolise avec elles » (*momâthalat, tamaththol*) pour la conscience imaginative. L'objet perçu par la voie des sens, c'est en réalité cette forme symbolisante. En fait, que la production de la forme symbolisante pour la conscience imaginative soit occasionnée de l'*extérieur,* et que l'on s'y *exhausse* à partir des organes des sens, ou bien qu'elle se produise de l'*intérieur* et que l'on y *descende* à partir des cognoscibles spirituels, en mettant en œuvre l'Imagination pour les rendre présents, – dans tous les cas où se produit cette forme dans la conscience imaginative, elle est objet réel de vision (*moshâhada*). Il y a pourtant une différence : dans le premier cas, parce que l'apparence extérieure (*zâhir*) peut ne pas concorder avec l'intérieur (*bâtin*), il peut y avoir une erreur. Dans le second cas, il ne peut y en avoir. La forme-*image* éclose de la contemplation dirigée sur le suprasensible et de l'illumination du monde du *Malakût* « imite » parfaitement les choses divines.

Ainsi la gnoséologie prophétique est conduite à une théorie de la connaissance imaginative et des formes symboliques. Corollairement, Mollâ Sadrâ développe une psycho-physiologie mystique (montrant le rôle du *pneuma vital,* le *rûh haywânî*) qui, développant les critères déjà indiqués par les Imâms, permet de discerner les cas de suggestion démoniaque et, en général, ce que nous appellerions aujourd'hui schizophrénie. Les trois ordres de perceptions propres au *walî,* au *nabî,* au *rasûl* sont homologués respectivement aux trois membres de la triade esprit, âme, corps. Le prophète de l'Islam réunit les trois perfections. Il est impossible, malheureusement, de donner ici une idée de la richesse de cet enseignement. Il affermit les notions de vision spirituelle (*rû'yat 'aqlîya*), d'audition spirituelle (*samâ' 'aqlî, samâ' hissî bâtinî,* audition sensible intérieure), le *cœur* possédant, lui aussi, les cinq sens d'une sensibilité métaphysique. C'est celle-ci qui perçoit le *taklîm* et le *tahdîth* (l'entretien) de l'Ange ou Esprit-Saint, invisible aux sens physiques. Et c'est là même le *ta'lîm bâtinî,* l'enseignement ou initiation ésotérique au sens propre du terme, c'est-à-dire absolument personnel, sans médiation d'aucune collectivité ni magistère, et qui est aussi la source de ce que l'on appelle *hadîth qodsî* : un *récit inspiré* du monde spirituel et dans lequel Dieu parle à la 1re personne. L'ensemble de ces *hadîth qodsî* constitue un trésor unique de la spiritualité islamique. Mais il est impossible de reconnaître leur « autorité », sinon par cette gnoséologie dont on indique ici les sources. Enfin, c'est cette gnoséologie qui explique la continuation, jusqu'au jour de la Résurrection, de cette « prophétie secrète, ésotérique » (*nobowwat bâtinîya*) dont la Terre des hommes ne pourrait être privée sans périr. Car seule une *hiérohistoire* détient le secret d'une philosophie prophétique qui n'est pas une dialectique de l'Esprit, mais une épiphanie de l'Esprit-Saint.

6. Dès lors prend son sens et sa force le contraste établi entre les « sciences officielles » acquises de l'extérieur par l'effort et par un enseignement humain (*'olûm kasbîya rasmîya*) et les « connaissances au sens vrai » reçues par héritage spirituel (*'olûm irthîya haqîqîya*), obtenues graduellement ou d'un seul coup par un enseignement divin. Haydar Amolî est de ceux qui ont le plus insisté sur ce thème, et montré pourquoi les sciences de la seconde catégorie pouvaient fructifier indépendamment des premières, mais non point celles-ci sans celles-là. Ce ne sont pas tellement les philosophes, les *falâsifa,* qui sont visés, car en une impressionnante récapitulation de la situation philosophique

en Islam, Haydar Amolî recueille de multiples témoignages, ceux de Kamâl Kâshânî, Sadr Torkeh Ispahânî, les deux Bahrânî, Afzal Kâshânî, Nasîr Tûsî, Ghazâlî, jusqu'à celui d'Avicenne. En effet Avicenne affirme que nous connaissons seulement les propriétés, les inhérents et les accidents des choses, non point leur essence (*haqîqat*); même lorsque nous disons du Premier Etre que son existence est nécessaire, c'est encore là une propriété inhérente mais non pas son essence. Bref tous les philosophes invoqués sont d'accord pour reconnaître que la dialectique spéculative ne mène pas jusqu'à la connaissance de soi-même, c'est-à-dire la connaissance de l'âme et de son essence. Cette critique shî'ite de la philosophie est avant tout une critique constructive. Certes, Haydar Amolî est plus sévère à l'égard des représentants de la théologie dialectique (*Kalâm*) en Islam. Les pieux Ash'arites aussi bien que les Mo'tazilites rationalistes (*infra* chap. III), entrechoquant leurs thèses et antithèses, n'échappent pas à leur propre contradiction ni à un agnosticisme de fait. Mais ceux qui sont principalement visés, lorsque Haydar dénonce l'impuissance des « sciences officielles », ce sont tous ceux qui réduisent la pensée en Islam aux questions juridiques, à la science du *fiqh,* qu'ils soient shî'ites ou sunnites, surtout s'ils sont shî'ites, car alors ils portent la responsabilité de cet état de choses.

Seuls, ceux que l'on appelle les *Ilâhîyûn,* les Sages de Dieu, les « théosophes », ont eu et auront part à l'héritage de cette connaissance dont les modes ont été décrits comme *wahy, ilhâm, kashf.* Ce qui diversifie cette science comme héritage spirituel, à l'égard de la connaissance acquise de l'extérieur, c'est qu'elle est connaissance de l'âme, c'est-à-dire connaissance de soi-même, et que la part d'« héritage » grandit en proportion du développement spirituel, non point par la seule acquisition de connaissances techniques. La connaissance par *wahy* est close (avec la clôture de la

« prophétie législatrice »); la voie de la connaissance par *ilhâm* et *kashf* reste ouverte (où que l'on rencontre cette proposition, sa teneur shî'ite subsiste). La connaissance désignée comme *kashf,* dévoilement mystique, peut être purement mentale (*ma'nawî*), et elle peut aussi percevoir une forme imaginative (*kashf sûrî*). Un *hadîth* nous suggère au mieux ce que signifie la science qui est connaissance de soi. La théologie shî'ite, nous l'avons dit (*supra* A, 3), exclut, à l'encontre d'autres écoles, toute possibilité humaine de « voir Dieu », et cette thèse est conforme à la réponse de Dieu à Moïse (« Tu ne me verras pas », Qorân, 7/139). Cependant, dans le *hadîth* de la vision, le Prophète atteste : « J'ai vu mon Dieu sous la plus belle des formes. » A la question qui se trouve ainsi posée, le VIIIe Imâm, 'Alî Rezâ (ob. 203/818) fit une réponse qui prélude à ce qu'ont médité les spirituels. Mieux que le Buisson ardent, la forme humaine, étant à l'image divine, est apte à être le lieu épiphanique, le *mazhar* divin. En réalité, Mohammad ne vit que la forme de sa propre âme, laquelle était la plus belle des formes, puisqu'elle était précisément celle de la « Réalité mohammadienne éternelle », l'Anthropos céleste – dont l'Imâm est l'ésotérique. Toute vision de Dieu est celle de sa Forme humaine. D'emblée on saisit la portée, ici, de la devise déjà rappelée : « Celui qui se connaît soi-même (*nafsaho,* son âme), connaît son Seigneur », c'est-à-dire son Imâm, dont le corollaire est que « mourir sans connaître son Imâm, c'est mourir de la mort des inconscients ». Le Prophète a pu dire : « Vous verrez votre Seigneur comme vous voyez la Lune une nuit de pleine lune. » Et le Ier Imâm de dire, dans un propos où l'on perçoit une nette réminiscence évangélique : « Celui qui m'a vu, a vu Dieu. » Un de ses entretiens avec son disciple Komayl se termine sur ces mots : « Une lumière se lève à l'aurore de la prééternité; elle resplendit sur les temples du *tawhîd.* »

7. Lors donc que l'on parle des connaissances *irthîya* (reçues à la façon dont un héritier reçoit l'héritage qui est à lui), il s'agit de savoir à qui s'appliquent des sentences du Prophète telles que celles-ci : « Les savants sont les héritiers des prophètes. » « Les savants de ma communauté sont les homologues des prophètes d'Israël. » « L'encre des savants est plus précieuse que le sang des martyrs. » D'emblée, Haydar Amolî exclut tous les savants exotéristes, toute interprétation qui ferait, par exemple, des « quatre imâms », fondateurs des quatre grands rites juridiques sunnites, des héritiers des prophètes (*supra* A, 4). Aussi bien n'y ont-ils pas prétendu, et leur science reste tout entière du type de la « science acquise de l'extérieur » (qu'elle emploie ou non le syllogisme). Les connaissances *irthîya* présupposent une affiliation spirituelle (*nisbat ma'nawîya*) dont le cas de Salmân le Perse reste le prototype, parce qu'il lui fut dit : « Tu fais partie de nous, les membres de la Maison du Prophète » (*anta minnâ ahl al-bayt*). Cette Maison, dit notre auteur, ce n'est pas la famille extérieure comprenant les épouses et les enfants, mais « la famille de la Connaissance, de la gnose et de la sagesse » (*bayt al-'ilm wa'l-ma'rifat wa'l-hikmat*). C'est cette Maison prophétique qui, dès l'origine, est constituée par les Douze Imâms; ils sont ensemble (avant même leur apparition terrestre) le fondement de la relation et de l'affiliation. Car, ainsi que nous l'avons relevé précédemment, à l'encontre de ceux qui ont reproché au shî'isme duodécimain de fonder son imâmologie sur une descendance charnelle, ce n'est nullement celle-ci qui suffit à fonder l'imâmat des Imâms. Le VIe Imâm a répété : « Ma *walâyat* à l'égard de l'Emir des croyants (le Ier Imâm) est plus précieuse que mon lien de descendance charnelle avec lui (*wilâdatî min-ho*). » Comme nous l'avons vu, le plérôme des Douze préexiste à leur épiphanie terrestre, leur consan-

guinité ou parenté terrestre est le *signe* de leur *walâyat,* elle n'en est pas le fondement.

C'est pourquoi ce sont eux les transmetteurs de la connaissance qui est « héritage prophétique », et c'est par cette transmission que continuera, nous l'avons vu, jusqu'au jour de la Résurrection, cette « prophétie ésotérique » qui est la *walâyat.* Analysant la première des sentences citées ci-dessus, Haydar Amolî met en garde contre le piège de la tournure arabe. Il traduit : les savants, ce sont ceux qui sont les héritiers des prophètes. Réciproquement : ceux qui ne sont pas héritiers, ne sont pas des savants. La qualité d'héritier fait que le bien reçu n'est pas acquis de l'extérieur; c'est le dépôt qui nous revient. Certes, entrer en possession de ce dépôt peut demander de l'effort (*ijtihâd*) et de l'entraînement spirituel. Mais que l'on ne s'y trompe pas. Il en va comme d'un trésor enfoui sous la terre, qu'un père aurait laissé à son héritier. L'effort dégage l'obstacle; il ne produit pas le trésor. « De même, conclut notre auteur, le *Verus Adam* (*Adam haqîqî*) a laissé derrière lui, *sous la terre de leur cœur,* les trésors des théosophies. Et c'est là le sens de ce verset qorânique : S'ils savaient méditer la Torah et l'Evangile, et les livres que le Seigneur leur a envoyés, ils goûteraient aussi bien ce qui est au-dessus d'eux que ce qui est sous leurs pas (5/70). » Nous retrouvons ainsi l'idée du dépôt des secrets divins confié à l'homme (33/72), fondement de l'ésotérisme shî'ite (*supra* A, 2). C'est pourquoi son histoire ne peut être qu'une hiérohistoire.

6. *Hiérohistoire et métahistoire.*

1. On donne ici le nom de *hiérohistoire* aux représentations impliquées dans l'idée de *cycles* (*dawr,* plur. *adwâr*) de la prophétie et de la *walâyat,* comme à une histoire qui ne consiste pas dans l'observation, l'enre-

gistrement ou la critique de faits empiriques, mais qui résulte d'un mode de perception qui dépasse la matérialité des faits empiriques, à savoir cette perception du suprasensible, dont les degrés nous ont été indiqués précédemment dans la gnoséologie. Il y a corrélation entre *hiérognose* et *hiérohistoire*. Les faits perçus ainsi ont, certes, la réalité d'événements, mais non pas d'événements ayant la réalité du monde et des personnes physiques, ceux qui en général remplissent nos livres d'histoire, parce que c'est avec eux que l'on « fait de l'histoire ». Ce sont des *faits spirituels* au sens strict du mot. Ils s'accomplissent dans la *métahistoire* (par ex. le jour du Covenant entre Dieu et la race humaine), ou bien ils *transparaissent* dans le cours des choses de ce monde, y constituant l'invisible de l'événement et l'événement invisible qui échappe à la perception empirique profane, parce que présupposant cette « perception théophanique » qui seule peut saisir un *mazhar*, une forme théophanique. Les prophètes et les Imâms ne sont perçus comme tels qu'au plan d'une hiérohistoire, une histoire sacrale. Le cycle total de cette hiérohistoire (les périodes prophétiques et le cycle postprophétique de l'Imâmat ou de la *walâyat*) présente une structure qui n'est pas celle d'une évolution quelconque, mais qui reconduit aux origines. La hiérohistoire envisage donc d'abord ce en quoi consiste la « descente », pour décrire la « remontée », la fermeture du cycle.

Comme l'explique Mollâ Sadrâ, en explicitant l'enseignement des Imâms, ce qui est « descendu » (s'est épiphanisé) dans le cœur du Prophète, ce sont tout d'abord les *haqâ'iq*, les vérités et réalités spirituelles du Qorân, *avant* la forme visible du texte faite des mots et des lettres. Ces réalités spirituelles, ce sont elles la « Lumière du Verbe » (*Nûr al-Kalâm*) qui était déjà présente avant que l'Ange ne se manifestât sous une forme visible et « dictât » le texte du Livre. La vérité spirituelle était déjà là, et c'est cela justement la *walâyat* du Prophète, laquelle est, dans sa personne, antérieure à la mission prophétique, puisque celle-ci la présuppose. C'est pourquoi, on l'a vu, le Prophète déclare : « 'Alî (les *haqâ'iq,* l'ésotérique) et moi nous sommes une seule et même Lumière. » D'où, la prophétie ayant commencé sur terre avec Adam (comparer sur ce point la hiérohistoire de l'Ismaélisme, *infra* B I, § § 2 et 3), il convient de préciser la différence entre la révélation divine qui fut donnée au *dernier* prophète Envoyé, et celles qui furent données aux prophètes antérieurs. De chacun de ceux-ci l'on peut dire : un Nabî est venu, et avec lui une Lumière venant du Livre qu'il apportait. Du dernier Envoyé l'on peut dire : un Nabî est venu qui était par soi-même une Lumière, et avec lui il y avait un Livre. Dans son cas, c'est son cœur, son secret (*bâtin*), qui éclaire le Livre, et ce *bâtin,* cet « ésotérique », c'est justement la *walâyat,* c'est-à-dire ce qui constitue l'essence de l'imâmologie. C'est pourquoi, à la différence des autres communautés, il est dit des Fidèles au sens vrai que « Dieu a *écrit* la foi dans leurs cœurs » (58/22), parce que la foi (*îmân*) n'atteint sa perfection qu'en atteignant à ce *bâtin.* La perception plénière de la réalité prophétique présuppose l'accès à cette intériorité et aux *événements* qui s'y accomplissent, et c'est tout autre chose que ce que la perception empirique atteint dans les *faits* de l'histoire extérieure.

2. Ce qui a été dit précédemment (*supra* A, 3) concernant le rapport entre le Prophète et la « Réalité mohammadienne » éternelle (*Haqîqat mohammadîya*), l'*Anthropos* céleste dont il est le *mazhar,* la forme épiphanique, postule qu'il ne puisse s'agir d'une entrée dans l'histoire, d'une *historicisation* du divin, comme l'implique l'idée chrétienne de l'Incarnation. La fonction épiphanique (*mazharîya*) postule que toujours soient distingués d'une part les attributs de la *Haqîqat* éternelle dont la Manifestation ne se produit que pour

le *cœur,* et d'autre part ceux de l'apparence extérieure, visible pour tout le monde, croyants ou non. Certes, de même qu'il est le *mazhar* des univers spirituel et corporel, le Prophète est le « confluent des deux mers » (*majma' al-bahrayn*). Cependant lorsqu'il parle « du côté » de la mer qui est son humanité, il ne peut que déclarer : « Je suis un homme tout pareil à vous, mais la révélation m'a été donnée » (18/110). C'est pourquoi nous avons déjà signalé que, si leur prophétologie et leur imâmologie mirent les penseurs shî'ites devant des problèmes analogues à ceux de la christologie, l'idée de la *mazharîya* (comme fonction d'un miroir où l'image se montre sans s'incarner) les conduisit toujours à des solutions différentes de celles du dogme chrétien officiel. Or c'est à cette réalité suprasensible « transparaissant » à travers son *mazhar,* que se rapporte ici l'idée des cycles, et parce qu'il y a un cycle, il y a aussi deux limites auxquelles réfère chacun des événements de l'histoire spirituelle. Ces deux limites sont le seuil de la *métahistoire* (ou transhistoire); c'est cette métahistoire qui donne un sens à l'histoire, parce qu'elle fait de celle-ci une hiérohistoire; sans métahistoire, c'est-à-dire sans antériorité « dans le Ciel » et sans une eschatologie, il est absurde de parler d'un « sens de l'histoire ».

Orienté sur la perception des formes théophaniques, le sentiment des origines et de la fin diffère profondément de la « conscience historique » dont l'avènement apparaît solidaire de l'avènement du christianisme, avec l'Incarnation de Dieu dans l'histoire à une date précise. Les problèmes que, depuis des siècles, cette représentation a suscités pour la philosophie religieuse en chrétienté, ne se sont pas posés à la pensée islamique. C'est pourquoi la philosophie prophétique de l'Islam shî'ite est un témoin que notre propre philosophie doit entendre pour réfléchir sur elle-même.

Nous avons relevé dès le début (*supra* I, 1) que, si la conscience de l'homme chrétien est fixée sur certains faits datables pour lui dans l'histoire (Incarnation, Rédemption), la conscience du *mu'min,* du fidèle, celle qu'il a de son origine et de l'avenir dont dépend le sens de sa vie présente, est fixée sur des faits *réels,* mais qui appartiennent à la métahistoire. Le sens de son origine, il le perçoit dans l'interrogation posée par Dieu, le « Jour du Covenant », à l'humanité adamique, avant que celle-ci ait été transférée au plan terrestre. Aucune chronologie ne peut fixer la *date* de ce « Jour du Covenant », lequel se passe dans le *temps* de la préexistence des âmes généralement professée dans le shî'isme. L'autre limite pour le shî'ite, qu'il soit un penseur ou un simple croyant, est celle de la parousie de l'Imâm présentement caché (l'Imâm-Mahdî, dont l'idée shî'ite diffère profondément de celle du Mahdî dans le reste de l'Islam). Le temps présent dont l'Imâm caché est le dénominateur est le temps de son occultation (*ghaybat*); par là même « son temps » est affecté d'un autre signe que le temps qui est pour nous celui de l'histoire. Seule en peut parler une philosophie prophétique, parce qu'elle est essentiellement eschatologique. C'est entre ces deux limites, « prologue dans le Ciel » et dénouement s'ouvrant sur un « autre temps » par la parousie de l'Imâm attendu, que se joue le drame de l'existence humaine vécu par chaque croyant. La progression du « temps de l'occultation » vers le dénouement par la parousie, c'est le cycle de la *walâyat* succédant au cycle de la prophétie.

3. Le point sur lequel tout le monde s'accorde (cf. *supra* A, 3), c'est que le prophète de l'Islam a été le Sceau de la prophétie; il n'y aura plus de prophète après lui; plus exactement il n'y aura plus d'Envoyé chargé d'annoncer une *sharî'at,* une Loi divine aux hommes. Mais alors le dilemme est celui-ci : ou bien la conscience religieuse, de génération en génération, se concentre sur ce *passé* prophétique désormais clos, et cela parce qu'elle perçoit uniquement dans le Livre un

code de vie morale et sociale, et parce que le « temps de la prophétie » (*zamân al-nobowwat*) s'est refermé sur ce sens littéral tout exotérique. Ou bien ce passé prophétique reste en lui-même à *venir,* parce que le texte du Livre recèle un sens caché, un sens spirituel; celui-ci postule alors une initiation spirituelle; elle fut le ministère des Imâms. Au cycle de la prophétie (*dâ'irat al-nobowwat*) succède le cycle de la *walâyat*; l'idée de cette succession reste fondamentalement shî'ite. Maints propos des Ve et VIe Imâms réfèrent au principe du *ta'wîl,* déjouant, avant la lettre, le piège de l'historicisme aussi bien que du légalisme. Celui-ci par exemple : « Une fois que sont morts ceux à propos desquels avait été révélé tel ou tel verset, ce verset est-il mort, lui aussi ? Si oui, il ne reste plus rien aujourd'hui du Qorân. Non, le Qorân est vivant. Il continuera de suivre son cours, tant que dureront les Cieux et la Terre, parce qu'il recèle un signe et un guide pour chaque homme, chaque groupe à venir. »

Nous avons vu Mollâ Sadrâ, commentant les textes des Imâms, systématiser tout ce qui s'était dit sur ce point (*supra* A, 5). Ce qui est clos, c'est uniquement la prophétie législatrice (*nobowwat al-tashrî'*), et ce qui est aboli, c'est l'emploi du mot *nabî.* Lorsque l'on dit que la prophétie est temporaire, tandis que la *walâyat* est perpétuelle, c'est cette prophétie législatrice que l'on vise. Car, si l'on met à part les modalités propres à la condition d'Envoyé pour ne considérer que celles du Nabî tout court, telles que la gnoséologie nous les a fait connaître, alors ces modalités sont communes aux Imâms et aux *Awliyâ* au sens large. C'est pourquoi ce qui continue en Islam sous le nom de *walâyat* est en fait une prophétie ésotérique (*n. bâtinîya*), dont l'humanité terrestre ne pourrait d'ailleurs être privée sans s'effondrer. Il va sans dire qu'aux yeux de l'orthodoxie sunnite, cette affirmation apparaît révolutionnaire (cf. le sens du procès de Sohravardî, *infra,* chap. VII).

Sur cette intuition fondamentale, la prophétologie shî'ite a développé le schéma d'une hiérohistoire grandiose, où l'on découvre le pressentiment d'une « théologie générale de l'histoire des religions ». Haydar Amolî l'a illustrée par des diagrammes complexes et minutieux; Shamsoddîn Lâhîjî a longuement développé le thème. Il y a, dès le point de départ, une conception commune à la prophétologie du shî'isme duodécimain et à celle de l'Ismaélisme (l'idée de la prophétie éternelle, celle-là même qui est la *walâyat,* et commençant dans le Plérôme, *infra* B I, § § 2 ss.). La prophétie absolue, essentielle et primordiale, appartient à l'Esprit suprême (Anthropos céleste, 1re Intelligence, Réalité mohammadienne éternelle) que Dieu missionne d'abord vers l'Ame universelle avant de la missionner vers les âmes individuelles, pour leur notifier les Noms et Attributs divins (*nobowwat al-ta'rîf*). Le thème, chez nos penseurs d'Islam, apparaît comme une amplification du thème du *Verus Propheta,* le vrai Prophète qui, dans la prophétologie judéo-chrétienne, celle des Ebionites, « se hâte de prophète en prophète jusqu'au lieu de son repos ». Ici le « lieu de son repos » est le dernier prophète, le prophète de l'Islam.

4. On se représente la totalité de cette prophétie comme un cercle dont la ligne est constituée par une suite de points, chacun représentant un prophète, un moment partiel de la prophétie. Le point initial du cycle de la prophétie sur terre fut l'existence de l'Adam terrestre. De Nabî en Nabî (la tradition en compte 124000), d'Envoyé en Envoyé (ou en compte 313), de grand prophète en grand prophète (il y en eut six, sinon sept), le cycle progresse jusqu'à l'existence de Jésus qui fut le dernier grand prophète partiel. Avec la venue de Mohammad, le cercle est constitué et clos. Comme *Khâtim* (Sceau qui récapitule tous les prophètes antérieurs), Mohammad est l'épiphanie de la Réalité prophétique éternelle, Esprit suprême, Anthropos

céleste. L'Esprit suprême s'épiphanise en lui par l'essence même de la prophétie. C'est pourquoi il peut dire : « Je suis le premier des prophètes quant à la création (l'Esprit suprême préexiste aux univers), le dernier d'entre eux quant au missionnement et à la Manifestation. » Chacun des prophètes, d'Adam à Jésus, fut un *mazhar* particulier, une réalité partielle de cette Réalité prophétique éternelle. Quant à la réalité foncière (la *haqîqat*) qui est en chaque prophète le support de la qualification prophétique, c'est l'organe subtil (*latîfa*) qui est le *cœur,* engendré de la hiérogamie (*izdiwâj*) de l'Esprit et de l'Ame, et qui est, dans chaque prophète, le lieu de la « descente » de l'Esprit (le sens profond de l'Ange comme *cœur*). Le cœur a une face tournée vers l'Esprit, laquelle est le siège de ses visions; et une face tournée vers l'Ame, laquelle est le lieu des connaissances. « Le cœur est le trône de l'Esprit au monde du Mystère. »

Maintenant, la *walâyat* étant l'ésotérique ou l'« intérieur » de la prophétie, et comme telle la qualification constitutive de l'Imâmat, le schéma de la hiéro-histoire doit englober, dans leur totalité, la prophétologie et l'imâmologie. Le terme final du cycle de la prophétie a coïncidé avec le terme initial du cycle de la *walâyat.* Illustrant le rapport de la *walâyat* et de la *nobowwat,* les diagrammes de Haydar Amolî représentent le cycle de la *walâyat* par un cercle *intérieur* au cercle représentant le cycle de la prophétie. Le cycle de la *walâyat* représente en effet le cycle de l'intériorisation, l'Imâmat mohammadien étant l'ésotérique de toutes les religions prophétiques antérieures. C'est pourquoi, le cycle de la *walâyat* ne prépare pas l'avènement d'une *sharî'at* nouvelle, mais l'avènement du *Qâ'im,* l'Imâm de la Résurrection.

Nous savons désormais que ce qui en Islam s'appelle *walâyat,* s'appelait, au cours des périodes antérieures de la prophétie, *nobowwat* sans plus (c'est-à-dire sans la mission d'Envoyé). De même que Mohammad eut ses douze Imâms, de même chacun des six, ou des cinq grands prophètes Envoyés avant lui (Adam, Noé, Abraham, Moïse, David, Jésus) a eu ses douze Imâms ou *Awsiyâ* (héritiers spirituels). Les douze Imâms du Christ ne sont pas exactement ceux que nous appelons les douze apôtres; ce furent les douze qui assumèrent la transmission du message prophétique jusqu'à la suscitation du dernier prophète. De même que le prophète Mohammad, comme Sceau de la prophétie, fut le *mazhar* de la prophétie absolue, de même le Ier Imâm, son *wasî* (héritier), fut le *mazhar* et le Sceau de la *walâyat* absolue. Les manifestations partielles de la *walâyat* ont commencé avec Seth, fils et Imâm d'Adam, et s'achèveront avec le XIIe Imâm, le *Mahdî,* présentement l'Imâm caché, comme Sceau de la *walâyat* particulière à la période finale de la prophétie. Chacun des *Awliyâ* est avec le Sceau de la *walâyat* dans le même rapport que chacun des *Nabîs* avec le Sceau de la prophétie. On voit ainsi que la lignée de la prophétie est inséparable de la lignée de son exégèse spirituelle; avec celle-ci s'opère la « remontée » de la prophétie à son origine.

5. L'ensemble de cette hiérohistoire est d'une cohérence parfaite, l'Imâmat mohammadien étant, dans les personnes qui exemplifient sur terre le plérôme des Douze, l'achèvement des religions prophétiques qu'il reconduit à leur intériorité. Le shî'isme, comme ésotérisme de l'Islam, parachève tous les ésotérismes. Le seuil de la prophétie législatrice est fermé; le seuil de la *walâyat* reste ouvert jusqu'au jour de la Résurrection.

L'enracinement de ce thème est bien visible. Même quand il arrive qu'il soit déraciné, on peut le reconnaître encore. C'est ainsi que, si la théosophie mystique d'Ibn 'Arabî (cf. 2e partie) fut adoptée d'emblée par les théosophes shî'ites qui y retrouvaient leur propre bien, il y a un point capital qui lui attira des polémiques, parce qu'il était impossible à ses disciples shî'ites (Haydar Amolî, Kamâl Kâshânî, Sâ'in Torkeh Ispahânî, etc.) de transiger. La qualité de Sceau de la *walâyat* absolue et générale, Ibn 'Arabî la transfère de l'Imâm à Jésus, tandis qu'il s'attribue peut-être à lui-même la qualité de Sceau de la *walâyat* mohammadienne. Ce n'est pas le lieu d'y insister ici, mais on peut pressentir la dislocation et l'incohérence que subit alors le schéma décrit ci-dessus, puisque le cycle de la *walâyat* présuppose l'achèvement du cycle de la prophétie. Les commentateurs shî'ites n'ont pu s'expliquer les raisons de la tentative d'Ibn 'Arabî. Elle attire en tout cas l'attention sur le fait que l'imâmologie et une certaine christologie ont des fonctions homologues. Mais il reste que le sens de l'attente eschatologique comme *ethos* de la conscience shî'ite, postule que le Sceau de la *walâyat* ne peut être que l'Imâmat mohammadien, dans la double personne du Ier et du XIIe Imâm, puisque l'Imâmat mohammadien est la manifestation de l'ésotérique de la Réalité prophétique éternelle.

7. *L'Imâm caché et l'eschatologie.*

1. Ce thème, dans lequel culminent l'imâmologie et sa hiérohistoire, est un thème de prédilection pour la philosophie prophétique. Sans doute l'idée de l'Imâm caché fut-elle projetée successivement sur plusieurs Imâms, mais elle ne pouvait se constituer définitivement qu'autour de la personne du Douzième, avec qui s'achève le plérôme de l'Imâmat. La littérature le concernant, en persan et en arabe, est considérable. (Ont recueilli les sources : Saffâr Qommî, ob. 290/902, narrateur-témoin du XIe Imâm; Kolaynî et son élève No'mânî, IVe/Xe siècle; Ibn Bâbûyeh, ob. 381/991, qui tenait ses informations d'un témoin contemporain, Hasan ibn Mokteb; Shaykh Mofîd, ob. 413/1022; Moh. b. Hasan Tûsî, ob. 460/1068. Les principales traditions

sont recueillies dans le vol. XIII de l'Encyclopédie de Majlisî. De nos jours encore paraissent fréquemment en Iran des livres sur ce sujet : *Elzâm al-Nâsib,* de Shaykh 'Ali Yazdî; *al-Kitâb al-'abqarî,* de 'Allâmeh Nehâvandî, etc. De tout cela, seules quelques pages ont été traduites en français.)

Méditée par les représentants de la théosophie shî'ite (*'irfân-e shî'î*), la pensée fondamentale est celle qui a été énoncée précédemment : de même que le cycle de la prophétie atteint son achèvement avec le Sceau des prophètes, de même la *walâyat* dont la lignée court, de période en période, parallèlement à celle de la prophétie, a son double sceau dans l'Imâmat mohammadien : le Sceau de la *walâyat* générale en la personne du Ier Imâm, et le Sceau de la *walâyat* mohammadienne, l'ésotérique des ésotérismes antérieurs, en la personne du XIIe Imâm. Comme le dit un maître du soufisme shî'ite iranien, 'Azîz Nasafî (VIIe/XIIIe s.), disciple de Sa'doddîn Hamûyeh : « Des milliers de prophètes, antérieurement venus, ont successivement contribué à l'instauration de la forme théophanique qui est la prophétie, et Mohammad l'a achevée. Maintenant c'est au tour de la *walâyat* (l'Initiation spirituelle) d'être manifestée et de manifester les réalités ésotériques. Or, l'homme de Dieu en la personne de qui se manifeste la *walâyat,* c'est le *Sâhib al-zamân,* l'Imâm de ce temps. »

Le terme de *Sâhib al-zamân* (celui qui domine ce temps) est la désignation caractéristique de l'Imâm caché, « invisible aux sens, mais présent au cœur de ses fidèles », – celui qui polarise aussi bien la dévotion du pieux shî'ite que la méditation du philosophe, et qui était l'enfant du XIe Imâm, Hasan 'Askarî, et de la princesse byzantine Narkês (Narcisse). Il est désigné encore comme l'Imâm attendu (*Imâm montazar*), le Mahdî (dont l'idée shî'ite diffère profondément, on l'a rappelé, de l'idée sunnite), le *Qâ'im al-Qiyâmat,* l'Imâm de la Résurrection. L'hagiographie du XIIe Imâm abonde en traits symboliques, archétypiques, concernant sa naissance et son occultation (*ghaybat*). Disons tout de suite que la critique historique n'y retrouvera pas son chemin; c'est d'autre chose qu'il s'agit, de ce que nous avons caractérisé comme *hiéro-histoire.* Il faut ici surtout procéder en phénoménologue : découvrir les *intentions* de la conscience shî'ite pour voir, avec elle, ce qu'elle s'est montré à elle-même depuis ses origines.

2. Devant nous limiter ici à l'essentiel, nous rappelons que le XIe Imâm, Hasan 'Askarî, retenu plus ou moins prisonnier par la police abbasside dans le camp de Samarra (à quelque 100 kilomètres au nord de Baghdâd), y mourut à l'âge de 28 ans, en 260/873. Ce jour-là même disparaissait son jeune fils, alors âgé de cinq ans ou un peu plus, et commença ce que l'on appelle l'*Occultation mineure* (*ghaybat soghrâ*). Cette simultanéité est riche de sens pour le sentiment mystique. L'Imâm Hasan 'Askarî se propose aux siens comme le symbole de leur tâche spirituelle. L'enfant de son âme devient invisible dès qu'il quitte ce monde, et c'est de cet enfant que l'âme de ses adeptes doit enfanter la *parousie,* c'est-à-dire le « retour au présent ».

L'occultation du XIIe Imâm s'accomplit en deux fois. L'occultation mineure dura soixante-dix ans, pendant lesquels l'Imâm caché eut successivement quatre *nâ'ib* ou représentants, par qui ses shî'ites pouvaient communiquer avec lui. Au dernier d'entre eux, 'Alî Samarrî, il ordonna, dans une dernière lettre, de ne point se choisir de successeur, car maintenant était venu le temps de la Grande Occultation (*ghaybat kobrâ*). Les dernières paroles de son dernier *nâ'ib* (330/942) furent : « Désormais l'affaire n'appartient plus qu'à Dieu. » Dès lors commence l'histoire secrète du XIIe Imâm. Sans doute ne relève-t-elle pas de ce que nous appelons l'historicité des faits matériels. Cependant elle domine la conscience shî'ite depuis plus de dix siècles; elle *est* l'histoire même de cette conscience. Le dernier message de l'Imâm l'a mise en garde contre toute imposture, tout prétexte tendant à mettre fin à son attente eschatologique, à l'imminence de l'Attendu (ce fut le drame du bâbisme et du behaïsme). L'Imâm caché, jusqu'à l'heure de la Parousie, n'est visible qu'en songe, ou bien en des manifestations personnelles qui ont le caractère d'événements visionnaires (les récits en sont nombreux), et qui, pour cette raison, ne suspendent pas le « temps de l'occultation », ne s'insèrent pas dans la trame matérielle de l'histoire « objective ». Parce que l'Imâmat est l'ésotérique de toutes les Révélations prophétiques, il faut que l'Imâm soit à la fois présent au passé et au futur. Il faut qu'il soit déjà né. La méditation philosophique s'est exercée sur le sens de cette *occultation* et de la parousie attendue, et cela jusqu'à nos jours, particulièrement dans l'école shaykhie.

3. L'idée de l'Imâm caché a conduit les maîtres de l'école shaykhie à approfondir le sens et le mode de cette présence invisible. Ici de nouveau, le *mundus imaginalis* (*'âlam al-mithâl*) assume une fonction essentielle. Voir l'Imâm en la Terre céleste de Hûrqalyâ (comparer dans le manichéisme, la Terre de Lumière, *Terra lucida*), c'est le voir là où il est en vérité : dans un monde à la fois concret et suprasensible, et avec l'organe approprié que requiert la perception d'un tel monde. C'est en quelque sorte une phénoménologie de la *ghaybat* que le shaykhisme a esquissée. Une figure comme celle du XIIe Imâm n'apparaît ni ne disparaît selon les lois de l'historicité matérielle. C'est un être surnaturel qui typifie les mêmes aspirations profondes que celles auxquelles correspondit, dans un certain christianisme, l'idée d'une pure *caro spiritualis Christi.* Il dépend des hommes que l'Imâm juge s'il peut leur apparaître ou non. Son apparition est le sens même de leur rénovation, et là, finalement est le sens profond de

l'idée shî'ite de l'occultation et de la parousie. Ce sont les hommes qui se sont voilé à eux-mêmes l'Imâm, en se rendant eux-mêmes incapables de le voir, parce qu'ils ont perdu ou paralysé les organes de « perception théophanique », de cette « connaissance par le cœur » définie dans la gnoséologie des Imâms. Il n'y a donc aucun sens à parler de la Manifestation de l'Imâm caché, aussi longtemps que les hommes sont incapables de le reconnaître. La parousie n'est pas un événement qui puisse surgir soudain un beau jour. C'est quelque chose qui advient de jour en jour dans la conscience des shî'ites fidèles. Ici donc, c'est l'ésotérisme qui brise l'immobilisme si souvent reproché à l'Islam légalitaire, et ses adeptes sont entraînés dans le mouvement ascensionnel du cycle de la *walâyat*.

En un *hadîth* célèbre, le Prophète a déclaré : « S'il ne restait au monde qu'un seul jour à exister, Dieu allongerait ce jour, jusqu'à ce que se manifeste un homme de ma postérité dont le nom sera mon nom, et le surnom mon surnom; il remplira la Terre d'harmonie et de justice, comme elle aura été remplie jusque-là de violence et d'oppression. » Ce jour qui se prolonge, c'est cela le temps de la *ghaybat,* et cette annonce explicite a propagé son écho à tous les âges et à tous les degrés de la conscience shî'ite. Ce qu'y ont perçu les spirituels, c'est que l'avènement de l'Imâm manifestera le sens caché de toutes les Révélations. Ce sera le triomphe du *ta'wîl* permettant à la race humaine de trouver son unité, de même que tout au long du temps de la *ghaybat,* l'ésotérisme aura détenu le secret du seul véritable œcuménisme. C'est pourquoi le grand shaykh soufi et shî'ite iranien déjà cité ici, Sa'doddîn Hamûyeh (VIIe/XIIIe s.), déclarait : « L'Imâm caché ne paraîtra pas avant que l'on soit capable de comprendre jusque par les courroies de ses sandales, les secrets du *tawhîd* », c'est-à-dire le sens ésotérique de l'Unitude divine.

Ce secret, c'est précisément lui, l'Imâm attendu,

l'Homme Parfait, l'Homme Intégral, « car c'est lui qui rend toutes choses parlantes, et chaque chose, en devenant vivante, devient un seuil du monde spirituel ». L'Apparaître-futur de l'Imâm présuppose donc la métamorphose du cœur des hommes; il dépend de la fidélité de ses adeptes que s'accomplisse progressivement cette Parousie, par leur propre acte d'être. D'où toute l'éthique du *javân-mard,* le « chevalier spirituel », dont l'idée recèle tout l'*ethos* du shî'isme, le paradoxe de son pessimisme dont la désespérance même affirme l'espoir, parce que sa vision embrasse, de part et d'autre, l'horizon de la métahistoire : la préexistence des âmes et cette Résurrection (*Qiyâmat*) qui est la transfiguration des choses, celle dont l'anticipation déterminait déjà toute l'éthique du vieil Iran zoroastrien.

Jusque-là, le temps de la « Grande Occultation » est le temps d'une présence divine *incognito,* et parce qu'elle est *incognito,* elle ne peut jamais devenir un objet, une chose, et elle défie toute socialisation du spirituel. Par là même aussi, restent *incognito* les membres des hiérarchies mystiques ésotériques (*Nojabâ* et *Noqabâ,* Nobles et Princes spirituels, les *Awtâd,* les *Abdâl*), bien connues du soufisme, mais dont on ne doit jamais oublier qu'elles présupposent, dans leur concept et historiquement, l'idée shî'ite de la *walâyat*. Car ces hiérarchies s'originent à celui qui est le *pôle des pôles,* l'Imâm; elles concernent cet ésotérique de la prophétie dont l'Imâm est la source. Aussi bien leurs noms figurent-ils déjà dans des entretiens des IVe et VIe Imâms, et le Ier Imâm, s'entretenant avec son disciple Komayl, évoque en termes précis la succession des Sages de Dieu restant, de siècle en siècle, le plus souvent inconnus de la masse des humains. *Silsilat al-'irfân,* la « succession de la gnose », dira-t-on plus tard. Ce sont tous ceux qui depuis Seth, fils d'Adam, jusqu'aux Imâms mohammadiens, avec tous ceux qui les reconnaissent comme Guides, ont transmis l'ésotérique de la prophétie éternelle. Mais la réalité essentielle de leur être (leur *haqîqat*) n'appartient pas au monde visible où règnent les puissances de contrainte; ils forment une pure *Ecclesia spiritualis*; ils ne sont connus que de Dieu seul.

4. Comme on le sait, le prophète Mohammad fut, comme l'avait été Mani, identifié avec le Paraclet. Mais, parce qu'il y a homologie entre le Sceau de la prophétie et le Sceau de la *walâyat,* l'imâmologie maintient l'idée du Paraclet comme vision à venir. Plusieurs auteurs shî'ites (entre autre Kamâl Kâshânî et Haydar Amolî) identifient expressément le XIIe Imâm, l'Imâm attendu, avec le Paraclet dont la venue est annoncée dans l'Evangile de Jean auquel ils réfèrent. Cela justement parce que l'avènement de l'Imâm-Paraclet inaugurera le règne du pur sens spirituel des Révélations divines, c'est-à-dire la religion en vérité qui est la *walâyat* éternelle. C'est pourquoi le règne de l'Imâm prélude à la Grande Résurrection (*Qiyâmat al-Qiyâmât*). La résurrection des morts, comme le dit Shams Lâhîjî, est la condition qui permettra que soient enfin réalisés le but et le fruit de l'existentiation des êtres. Nos auteurs savent que philosophiquement l'anéantissement du monde est concevable; leur imâmologie porte un défi à cette éventualité. L'horizon eschatologique de l'Iran est resté constant, avant et depuis l'Islam. L'eschatologie shî'ite est dominée par la figure du *Qâ'im* et de ses compagnons (comme l'eschatologie zoroastrienne est dominée par celle du *Saoshyant* et de ses compagnons). Elle ne sépare pas l'idée de la « résurrection mineure » qui est l'exode individuel, de l'idée de la « Grande Résurrection » qui est l'avènement du nouvel *Aiôn.*

On vient de signaler l'identification établie par les penseurs shî'ites entre l'Imâm attendu et le Paraclet. Cette identification décèle une convergence frappante entre l'idée profonde du shî'isme et l'ensemble des tendances philosophiques qui, en Occident, depuis les Joachimites du XIIIe siècle jusqu'à nos jours, ont été guidées par l'idée *paraclétique* et ont conduit à penser et à œuvrer en vue du règne de l'Esprit-Saint. Cessant de passer inaperçu, le fait pourrait avoir de grandes conséquences. Comme nous l'avons relevé, l'idée fondamentale est que l'Imâm attendu n'apportera pas un nouveau Livre révélé, une nouvelle *Loi,* mais révélera le sens caché de toutes les Révélations, parce qu'il est lui-même cette révélation des Révélations en tant qu'Homme Intégral (*Insân kâmil, Anthropos teleios*), ésotérique de la « Réalité prophétique éternelle ». Le sens de la parousie de l'Imâm attendu est celui d'une révélation anthropologique plénière, faisant éclosion de l'*intérieur* de l'homme vivant dans l'Esprit. Cela veut dire, finalement, révélation du secret divin assumé par l'homme, le fardeau que, selon le verset qorânique 33/72, les Cieux, la Terre et les montagnes avaient refusé. Or nous avons vu (*supra* A, 2) que dès l'origine, dès l'enseignement des Imâms, l'imâmologie a compris ce verset comme étant son propre secret, celui de la *walâyat*. C'est que le mystère divin et le mystère humain, celui de l'*Anthropos,* de la *Haqîqat mohammadîya,* sont un seul et même mystère.

Cette brève esquisse peut s'achever sur ce thème premier et dernier. Il n'a été possible d'envisager ici qu'un nombre d'aspects limités de la pensée shî'ite duodécimaine. Ils suffiront à la montrer comme étant, par essence, la « philosophie prophétique » éclose des prémisses de l'Islam comme religion prophétique. Maintenant, une esquisse de la pensée shî'ite serait incomplète si, à côté de l'imâmisme duodécimain, elle ne marquait pas la place de l'Ismaélisme et de la gnose ismaélienne.

B. L'ISMAÉLISME

Périodes et sources. Le proto-ismaélisme.

1. Quelques décennies plus tôt, il eût été très difficile d'écrire ce chapitre, tant la vérité de l'Ismaélisme disparaissait sous la trame d'un affreux « roman noir » dont les responsables seront évoqués plus loin à propos d'Alamût. La séparation entre les deux principales branches du shî'isme, imâmisme duodécimain d'une part, Ismaélisme septimanien d'autre part, s'accomplit, lorsque le VIe Imâm, Ja'far Sâdiq, grande figure entre toutes, quitte ce monde (148/765). Son fils aîné, l'Imâm Ismâ'îl, était décédé prématurément avant lui. L'investiture de l'imâmat revenait-elle au fils de celui-ci, ou bien l'Imâm Ja'far avait-il le droit, usant de sa prérogative comme il le fit, de reporter l'investiture sur un autre de ses propres fils, Mûsâ Kâzem, frère cadet d'Ismâ'îl ? En fait, ces questions de personnes sont dominées par quelque chose de plus profond : la perception d'une structure transcendante dont les figures terrestres des Imâms exemplifient la typologie. Celle-ci départage les shî'ites duodécimains et les shî'ites septimaniens.

Autour du jeune Imâm Isma'îl, éponyme de l'*Ismaélisme*, s'était constitué un groupe de disciples enthousiastes dont les tendances peuvent être qualifiées d'« ultra-shî'ites », en ce sens qu'elles les portaient à tirer les conséquences radicales des prémisses de la gnose shî'ite exposées ci-dessus : l'épiphanie divine dans l'imâmologie; la certitude qu'à toute chose extérieure ou exotérique correspond une réalité intérieure, ésotérique; l'accent mis sur la *Qiyâmat* (résurrection spirituelle) au détriment de l'observance de la *sharî'at* (la Loi, le rituel). On reconnaîtra le même esprit dans l'Ismaélisme réformé d'Alamût. Autour de tout cela, s'est nouée la tragédie qui eut pour centre la pathétique figure d'Abû'l-Khattâb et de ses compagnons, amis de l'Imâm Ismâ'îl, et désavoués, extérieurement du moins, par l'Imâm Ja'far qui en eut le cœur déchiré.

2. De cette fermentation spirituelle du IIe/VIIIe siècle, il ne nous reste que peu de textes; ils suffisent à nous faire pressentir le lien entre la gnose antique et la gnose ismaélienne. Le plus ancien, intitulé *Omm al-Kitâb* (*L'archétype du Livre*), nous est conservé en un persan archaïque; que celui-ci soit le texte original ou une version de l'arabe, il reflète en tout cas fidèlement les idées qui avaient cours en ces milieux où prenait forme la gnose shî'ite. Le livre se présente comme un entretien entre le Ve Imâm, Mohammad Bâqir (ob. 115/733), et trois de ses disciples (des *roshaniyân*, des « êtres de lumière »). Il contient, dès le début, une réminiscence très nette des Evangiles de l'Enfance (faisant déjà comprendre comment l'imâmologie sera l'homologue d'une christologie gnostique). Autres motifs dominants : la science mystique des lettres (le *jafr*), particulièrement goûtée déjà dans l'école de Marc le Gnostique; les groupes de cinq, le *pentadisme* qui domine une cosmologie où l'on retrouve des traces très nettes du manichéisme, et d'où l'analyse dégage un *kathénothéisme* d'un extrême intérêt.

Un autre thème dominateur : les « sept combats de Salmân » contre l'Antagoniste. Salmân cumule les traits de l'archange Michel et de l'*Anthropos* céleste, comme théophanie primordiale. Parce qu'il refuse pour lui-même la divinité, ce refus le rend transparent à cette divinité qui ne peut être adorée qu'à travers lui. On verra plus loin que les hautes spéculations philosophiques de l'Ismaélisme situent là même le secret du *tawhîd* ésotérique. Privé de figures théophaniques, le monothéisme s'inflige un démenti à lui-même et périt dans une idolâtrie métaphysique qui s'ignore. En finale du livre se trouve le thème du « Salmân du microcosme ». Déjà est amorcée la fructification de l'imâmologie en expérience mystique, qui se précisera dans l'Ismaélisme soufi issu d'Alamût.

On vient de faire allusion à la « science des lettres », laquelle aura une si grande importance chez Jâbir ibn Hayyân (*infra* IV, 2), voire chez Avicenne (*infra* V, 4); empruntée aux Shî'ites par les mystiques sunnites, elle prendra des développements considérables chez Ibn 'Arabî et dans son école. On sait que pour Marc le Gnostique, le corps de l'*Aletheia* (Vérité) se composait des lettres de l'alphabet. Pour Moghîra, le plus ancien peut-être des gnostiques shî'ites (ob. 119/737), les lettres sont les éléments dont est fait le « corps » même de Dieu. D'où l'importance de ses spéculations sur le Nom suprême de Dieu (par exemple, dix-sept personnes ressusciteront à l'apparition de l'Imâm-Mahdî; à chacune d'elles sera donnée l'une des dix-sept lettres dont se compose le Nom suprême). Aucune comparaison méthodique avec la Kabbale juive n'a encore été tentée.

3. Malheureusement entre ces textes où s'exprime ce que l'on peut appeler le *proto-ismaélisme* et la période triomphale où l'avènement de la dynastie fâtimide au Caire (296/909), avec 'Obaydallah al-Mahdî, passe pour réaliser sur terre l'espoir ismaélien du royaume de Dieu, il nous est très difficile de suivre la transition. Entre la mort de l'Imâm Mohammad, fils de l'Imâm Isma'îl, et le fondateur de la dynastie fâtimide, se place la période obscure de trois Imâms cachés (*mastûr* : ne pas confondre avec la notion de la *ghaybat* du XIIe Imâm, chez les imâmites duodécimains). Signa-

lons seulement que la tradition ismaélienne regarde le second de ces Imâms cachés, l'Imâm Ahmad, arrière-petit-fils de l'Imâm Isma'îl, comme ayant patronné la rédaction de l'*Encyclopédie des Ikhwân al-Safâ*, et comme étant l'auteur de la *Risâlat al-Jâmi'a*, c'est-à-dire de la synthèse qui récapitule le contenu de l'Encyclopédie, du point de vue de l'ésotérisme ismaélien (cf. *infra* IV, 3). On peut citer également un auteur yéménite, Ja'far ibn Mansûr al-Yaman, qui déjà nous conduit au milieu du IVe/Xe siècle.

Au terme de cette période obscure, nous constatons l'éclosion de grandes œuvres systématiques, en possession d'une technique parfaite et d'un lexique philosophique précis, sans que l'on puisse déterminer dans quelles conditions elles ont été préparées. Plus nettement encore que chez les Shî'ites duodécimains, les grands noms parmi ces maîtres de la pensée ismaélienne, hormis celui de Qâdî No'mân (ob. 363/974), sont des noms iraniens : Abû Hâtim Râzî (ob. 322/933), dont les célèbres controverses avec son compatriote, le médecin-philosophe Rhazès, seront évoquées plus loin (*infra* IV, 4); Abû Ya'qûb Sejestânî (IVe/Xe s.), penseur profond, auteur d'une vingtaine d'ouvrages écrits dans une langue concise et difficile; Ahmad ibn Ibrahîm Nîshâpûrî (Ve/XIe s.); Hamîdoddîn Kermânî (ob. vers 408/1017), auteur prolifique et d'une profondeur remarquable (étant un *dâ'î* du khalife fâtimide al-Hâkim, il écrivit également plusieurs traités de controverse avec les Druzes, « frères séparés » de l'Ismaélisme); Mo'ayyad Shîrâzî (ob. 470/1077), auteur également prolifique en arabe et en persan, titulaire du haut grade de *bâb* (Seuil) dans la hiérarchie ésotérique; le célèbre Nâsir-e Khosraw (ob. entre 465/1072 et 470/1077), dont les œuvres nombreuses sont *toutes* en persan.

4. On rappellera ci-dessous (B II, 1) comment, en conséquence de la décision prise par le VIIIe khalife

fâtimide, al-Mostansir bi'llâh, relativement à son successeur, sa mort (487/1094) entraîna la scission de la communauté ismaélienne en deux branches : d'une part, celle dite des Ismaéliens « orientaux », c'est-à-dire celle des Ismaéliens de Perse; elle eut pour principal centre la « commanderie » d'Alamût (dans les montagnes au sud-ouest de la mer Caspienne). Ce sont ceux que dans l'Inde on appelle aujourd'hui les *Khojas*; ils reconnaissent pour chef l'Aghâ-Khân. D'autre part, il y eut la branche dite des Ismaéliens « occidentaux » (c'est-à-dire ceux de l'Egypte et du Yémen) qui reconnurent l'imâmat d'al-Mosta'lî, second fils d'al-Mostansir, et continuèrent l'ancienne tradition fâtimide. Ils reconnaissent comme dernier Imâm fâtimide Abû'l Qâsim al-Tayyib, fils du Xe khalife fâtimide, al-Amir bi-ahkamil-lâh (ob. 524/1130); c'était le XXIe Imâm dans la lignée imâmique depuis 'Alî ibn Abî-Tâlib (trois *heptades*). Mais il disparut tout enfant, et en fait les Ismaéliens de cette branche (ceux que l'on appelle dans l'Inde les *Bohras*) professent, comme les Shî'ites duodécimains, la nécessité de l'occultation de l'Imâm, avec ses implications métaphysiques. Ils donnent leur obédience à un *dâ'î* ou grand prêtre, qui est simplement le représentant de l'Imâm invisible.

Le sort de la littérature de l'Ismaélisme d'Alamût sera rappelé plus loin. Quant à celle des Ismaéliens « occidentaux », fidèles à l'ancienne tradition fâtimide, elle est représentée par un certain nombre d'œuvres monumentales, produites particulièrement au Yémen jusque vers la fin du XVIe siècle (lorsque la résidence du grand *dâ'î* fut transférée en Inde). Cette philosophie yéménite a été, bien entendu, totalement absente jusqu'ici de nos histoires de la philosophie, pour la bonne raison que ses trésors ont été gardés longtemps sous le sceau du secret le plus strict (on rappelle que le Yémen appartient, officiellement, à la branche zaydite du shî'isme, qui ne peut être étudiée ici). Plusieurs de ces

Ismaéliens du Yémen ont été des auteurs prolifiques : Sayyid-nâ Ibrâhîm ibn al-Hosayn al-Hâmidî, IIe *dâ'î* (ob. à San'a en 557/1162); Sayyid-nâ Hâtim ibn Ibrâhîm, IIIe *dâ'î* (ob. 596/1199); Sayyid-nâ 'Alî ibn Mohammad, V^e^ *dâ'î* (ob. 612/1215), dont, sur un ensemble de vingt grands ouvrages, se détache la monumentale réplique aux attaques de Ghazâlî (cf. *infra* V, 7); Sayyid-nâ Hosayn ibn 'Alî, VIIIe *dâ'î* (ob. 667/1268), le seul dont un traité ait été jusqu'ici traduit en français (cf. bibliographie). Toute cette période yéménite atteint son point culminant dans l'œuvre de Sayyid-nâ Idrîs'Imâdoddîn, XIXe *dâ'î* au Yémen (ob. 872/1468). Bien que les trois derniers noms nous réfèrent à des dates postérieures à celle que s'est fixée pour limite la première partie de la présente étude, ils étaient à signaler ici.

5. Le sens précis de la philosophie pour l'Ismaélisme est à chercher dans l'exégèse ismaélienne (développée dans le commentaire d'une *Qasîda* de Abû'l-Haytham Gorgânî) de ce *hadîth* du Prophète : « Entre ma tombe et la chaire d'où je prêche, il y a un jardin d'entre les jardins du Paradis. » Bien entendu, ce propos ne peut être entendu au sens littéral, exotérique (*zâhir*). La chaire de la prédication, c'est justement cette apparence littérale, c'est-à-dire la religion positive, avec ses impératifs et ses dogmes. Quant à la tombe, c'est elle la philosophie (*falsafa*), car il est nécessaire que dans cette tombe l'aspect exotérique de la religion positive et de ses dogmes passe par la décomposition et la dissolution de la mort. Le jardin du paradis qui s'étend entre cette chaire et cette tombe est le jardin de la vérité gnostique, le champ de la Résurrection où l'initié ressuscite à une vie incorruptible. Cette conception fait donc de la philosophie une phase *initiatique* nécessaire. Sans doute est-ce unique en Islam; c'est tout l'esprit de la gnose shî'ite, et c'est le propos de la *Da'wat*, la « Convocation ismaélienne » (litt. le *kerygma* ismaélien).

Ce n'est ni un équilibre plus ou moins précaire entre la philosophie et la théologie, ni la « double vérité » des averroïstes, ni moins encore l'idée de la philosophie comme *ancilla theologiæ.* C'est de l'entre-deux, l'entre-deux du dogme et de la tombe où il faut que la croyance dogmatique meure et se métamorphose, que ressuscite la religion qui est *theosophia*, la Religion Vraie (*Dîn-e haqq*). Le *ta'wîl* est l'exégèse qui transcende toutes les données de fait, pour les reconduire à leur origine. La philosophie s'achève en gnose; elle conduit à la naissance spirituelle (*wilâdat rûhânîya*). On entrevoit les thèmes communs à l'imâmisme duodécimain et à l'Ismaélisme, comme aussi les thèmes sur lesquels l'Ismaélisme, surtout celui d'Alamût, se différenciera : le rapport entre *sharî'at* et *haqîqat*, entre prophétie et Imâmat. Mais ce ne sont pas des thèmes provenant de la philosophie grecque.

Il nous sera impossible d'entrer ici dans les détails. Il y a, par exemple, des différences entre le schéma *pentadique* de la cosmologie de Nâsir-e Khosraw, et la structure du Plérôme chez Hamîd Kermânî. En revanche, le système *décadique* exposé par celui-ci concorde avec ceux d'al-Fârâbî et d'Avicenne. Mais nous constaterons, précisément chez al-Fârâbî (ob. 339/950), les préoccupations d'une philosophie prophétique (*infra* V, 2), et de leur côté, certaines grandes œuvres ismaéliennes d'une importance décisive (celles d'Abû Ya'qûb Sejestânî, de Hamîd Kermânî) furent produites antérieurement à Avicenne (ob. 423/1037). Préciser comparativement les traits d'une pensée islamique beaucoup plus diverse et plus riche qu'on ne l'a supposé jusqu'ici en Occident; dégager les conditions propres d'une philosophie qui ne s'identifie pas avec l'apport grec, – tout cela reste le travail de l'avenir. Nous ne donnons ici qu'un bref aperçu d'ensemble de quelques thèmes, principalement d'après Abû Ya'qûb Sejestânî, Hamîd Kermânî et les auteurs yéménites.

I. L'ISMAÉLISME FÂTIMIDE

1. *La dialectique du Tawhîd.*

1. Pour comprendre ce qui fait l'originalité profonde de la doctrine ismaélienne comme forme par excellence de la gnose en Islam, et ce qui la différencie des philosophes hellénisants, il faut considérer son intuition initiale. Les anciens Gnostiques recouraient à des désignations purement négatives, afin de préserver l'Abîme divin de toute assimilation avec quelque chose de dérivé : Inconnaissable, Non-nommable, Ineffable, Abîme. Ces expressions ont leurs équivalents dans la terminologie ismaélienne : le Principe ou Originateur (*Mobdi'*), le Mystère des Mystères (*ghayb al-ghoyûb*), « celui que ne peut atteindre la hardiesse des pensées ». On ne peut lui attribuer ni noms ni attributs, ni qualifications, ni l'être ni le non-être. Le Principe est Super-être; il n'*est* pas; il *fait être*, il est le *faire-être*. L'Ismaélisme, en ce sens, a réellement poursuivi une « philosophie première ». Tout ce que les philosophes avicenniens énoncent concernant l'Etre Nécessaire, le Premier Etre (*al-Haqq al-awwal*), doit en fait être décalé pour être vrai; leur métaphysique commence par se donner de l'être, et partant ne commence qu'avec le *fait-être*. La métaphysique ismaélienne s'exhausse au niveau du *faire-être*; antérieurement à l'être, il y a la mise de l'être à l'impératif, le *KN* (*Esto !*) originateur. Au-delà même de l'Un, il y a l'Unifique (*mowahhid*), celui qui monadise toutes les monades. Le *Tawhîd* prend alors l'aspect d'une monadologie; en même temps qu'il dégage cet Unifique de tous les *uns* qu'il unifie, c'est en eux et par eux qu'il l'affirme.

2. Le *Tawhîd*, l'affirmation de l'Unique, doit donc éviter le double piège du *ta'tîl* (agnosticisme) et du

tashbîh (assimilation du Manifesté à sa Manifestation). D'où la dialectique de la double négativité : le Principe est non-être et *non* non-être; non dans le temps et *non* non-dans-le-temps, etc. Chaque négation n'est vraie qu'à la condition d'être niée elle-même. La vérité est dans la simultanéité de cette double négation, laquelle a son complément dans la double opération du *tanzîh* (écarter de la divinité suprême les Noms et les opérations pour les reporter sur les *hodûd* ou degrés célestes et terrestres de sa Manifestation) et du *tajrîd* (qui isole, re-projette au-delà de ses Manifestations la divinité qu'elles manifestent). Ainsi est fondée et délimitée la « fonction théophanique ». Un auteur yéménite du XIIe siècle définit le *tawhîd* comme « consistant à connaître les *hodûd* (pluriel de *hadd*, limite, degré) célestes et terrestres, et à reconnaître que chacun d'eux est unique en son rang et degré, sans qu'un autre lui soit associé ».

Ce *Tawhîd* ésotérique apparaît, dans son énoncé, assez éloigné du monothéisme courant des théologiens. Pour le comprendre, il faut donner toute son importance à la notion de *hadd*, limite, degré. La notion est caractéristique en ce qu'elle noue le lien entre la conception « monadologique » du *Tawhîd* et le hiérarchisme fondamental de l'ontologie ismaélienne. Cette notion établit une corrélation étroite entre l'acte du *Tawhîd* (reconnaître l'Unique) et le *tawahhod*, processus constitutif d'une unité, monadisation d'une monade. Autrement dit, le *shirk* qui désintègre la divinité parce qu'il la pluralise, est *eo ipso* la propre désintégration de la monade humaine qui n'arrive pas à se constituer en une unité vraie, faute de connaître le *hadd* dont elle est le *mahdûd*, c'est-à-dire la limite par laquelle elle est délimitée à son rang dans l'être. La question est alors celle-ci : à quelle limite, quel *hadd*, éclôt depuis le Super-Etre, la révélation de l'être ? En d'autres termes, comment se constitue le premier *hadd* qui est le Premier Etre, c'est-à-dire quelle est la *limite* où la divinité se lève de son abîme d'incognoscibilité absolue, la limite à laquelle elle se révèle comme une Personne, telle qu'une relation personnelle de connaissance et d'amour devienne possible avec elle ? Comment, à la suite de la primordiale Epiphanie divine, éclosent alors tous les *hodûd* ? (on traduit souvent ce mot par « grades » ou « dignitaires » des hiérarchies ésotériques, célestes et terrestres. Ce qui n'est pas inexact, mais en dissimule l'aspect métaphysique). Poser ces questions, c'est s'interroger sur la naissance éternelle du Plérôme.

3. Les auteurs plus anciens (les Iraniens nommés ci-dessus) l'ont envisagée en termes de procession de l'être à partir de la Première Intelligence. Les auteurs yéménites énoncent que toutes les Intelligences, les « Formes de lumière » archangéliques du Plérôme, ont été instaurées d'un seul coup et à égalité entre elles, mais que ce n'était encore là qu'une « perfection première ». La « perfection seconde » qui devait les constituer définitivement dans l'être, dépendait de leur accomplissement du *Tawhîd*, puisque de celui-ci dépend l'intégration de chaque être (*tawahhod*). C'est par le *Tawhîd* que s'accomplissent différenciation, structure et hiérarchisation de l'être. Observons tout de suite que le terme de *Ibdâ'*, instauration créatrice immédiate (nos auteurs n'acceptent de dire ni « à partir de quelque chose » ni *ex nihilo*), est réservé à l'acte éternel qui met l'être du Plérôme céleste à l'*impératif*. Le Plérôme est désigné comme *'âlam al-Ibdâ', 'âlam al-Amr* (le monde de l'être à l'impératif, *Esto*). Il forme contraste avec *'âlam al-khalq* (le monde créaturel, objet de la création). Dans le schéma plus ancien aussi bien que dans celui des Yéménites, la procession de l'être, l'*Emanation* (*inbi'âth*), commence seulement à partir de la Première Intelligence, Intelligence intégrale ou universelle (*'Aql koll*).

Celle-ci est elle-même l'être mis à l'impératif. Comme Instauré initial (*mobda' awwal*), elle est l'acte même de l'Instauration éternelle (*Ibdâ'*), elle est elle-même le Verbe divin créateur (*Kalâm Allâh*), puisque ce Verbe impératif, en amenant l'épiphanie de la première Intelligence comme premier Etre, ne fait qu'un avec elle comme Manifestée. Les auteurs yéménites énoncent que la première Intelligence fut la première à accomplir le *Tawhîd* et y appela les autres Formes de lumière. D'où le nom de *Sâbiq* qui lui est donné, « celui qui devance, précède ». Les auteurs anciens se sont attachés justement à méditer le cas exemplaire de ce *Tawhîd* initial, comme celui d'une liturgie cosmique, typifiée dans les deux moments de la profession de foi islamique : *lâ ilâha illâ'l Lâh.* Car dans ce *Tawhîd* s'accomplit la *délimitation* de l'être de la première Intelligence, délimitation qui fait d'elle le premier *hadd*, l'Epiphanie essentielle. L'intellection par laquelle elle reconnaît son Principe, est aussi la seule Ipséité divine qui soit accessible à notre connaissance : elle est le *Deus determinatus, Deus revelatus.*

4. Le *Tawhîd,* dans ses deux phases, constitue le secret de l'être de la première Intelligence. *Lâ ilâha* : pas de Dieu, négation absolue. L'*Absconditum divin* ne laisse aucune possibilité d'appréhender ni d'affirmer une divinité quelconque, à laquelle donner des prédicats. Lui succède (cf. la dialectique décrite ci-dessus) une proposition « exceptative » (*illâ = nisi*), affirmation particulière absolue, ne découlant d'aucune prémisse logique. Entre les deux, passe le chemin de crête : entre les deux abîmes du *ta'tîl* et du *tashbîh.* Car en tant que, et parce que, la première Intelligence ou premier Etre reconnaît que la divinité en son essence est au-delà d'elle-même, et parce que cette divinité, elle se la dénie à elle-même, – précisément elle est investie du Nom suprême de la divinité, et elle est la seule ipséité du Principe que nous puissions connaître. C'est tout le

mystère du *Deus revelatus.* L'affirmation *illâ'lLâh,* comme étant le défi que, par son adoration, la première Intelligence porte à sa propre impuissance, et comme « dimension » positive de son être, évoque à l'être la deuxième Intelligence, l'Ame universelle, le premier Emané d'elle (*monba'ith awwal*), appelé le *Tâlî,* « celui qui suit ». Ou bien en termes yéménites : le *Tawhîd* de la première Intelligence rend possible celui de la deuxième, en ce sens que celle-ci, dont la première est la « limite » (*hadd*), l' « horizon », le *Sâbiq,* rapporte à la première les mots *illâ'l Lâh.* Mais la première Intelligence a, dès l'origine, rejeté au-delà d'elle-même, sur son Principe, la divinité. C'est pourquoi, de la même manière, de degré en degré (de *hadd* en *hadd*), le *Tawhîd* est possible sans *tashbîh* ni *ta'tîl,* tandis que les littéralistes orthodoxes tombent dans le piège de l'idolâtrie métaphysique qu'ils prétendaient éviter.

Eviter cette idolâtrie métaphysique, c'est reconnaître que la seule ipséité du Principe que nous puissions atteindre, c'est la connaissance que, de par l'acte même de son être, la première Intelligence, l'archange Logos, possède du Principe qui l'instaure. Mais cette connaissance est elle-même une Inconnaissance : l'Intelligence sait qu'elle ne peut atteindre le fond essentiel du Principe. Pourtant, en dehors de cela, il n'y a aucun sens à parler de l'existence ou de l'absence d'une réalité divine, car le Principe n'est ni de l'être dont on puisse affirmer ce qu'il est, ni du non-être dont on puisse énoncer négativement ce qu'il n'est pas. C'est pourquoi, pour toute la gnose ismaélienne, la première Intelligence est le *Deus revelatus,* à la fois le Voile et le support du Nom suprême *Al-Lâh.* C'est à elle que se rapportent tous les versets qorâniques où ce nom est nommé. Mais il faut l'entendre dans la tonalité que précise l'étymologie du Nom *Al-Lâh,* telle que la professent les penseurs ismaéliens avec certains grammairiens arabes (il ne s'agit pas de mettre d'accord ici grammairiens et linguistes, mais de constater ce qui, *en fait*, est présent à la conscience ismaélienne). Ils dérivent le mot de la racine *wlh*, connotant l'idée d'être frappé de stupeur et de tristesse (comme le voyageur dans le désert) : *ilâh* = *wilâh*. De même, l'écriture arabe permet de lire à la façon d'un idéogramme, dans le mot *olhânîya*, divinité, le mot *al-hânnîya*, état de celui qui soupire, désire. Il y a là un pressentiment pathétique du mystère divin : l'idée que l'ipséité divine ne s' « essencifie » que dans la négativité, la stupeur ou tristesse du premier Archange ou première Intelligence, éprouvant son impuissance à atteindre l'en-soi de cette divinité, dont le Nom lui échoit tandis qu'il se la dénie à lui-même. Il devient ainsi pour tous ceux qui procéderont de lui, l'objet de leur désir et de leur nostalgie. A tous les rangs (*hodûd*) des hiérarchies du Ciel et de la Terre se répète le même paradoxe. Quelle que soit la limite (*hadd*) atteinte, il y a toujours au-delà une autre limite. Le hiérarchisme métaphysique de la gnose ismaélienne s'enracine dans le sentiment de ces lointains qui, on le verra, entraîne toute la *Da'wat* dans un mouvement ascensionnel continu.

5. La relation initialement déterminée est donc celle du premir *hadd* et du premier *mahdûd*, c'est-à-dire celle de la première Intelligence et de la deuxième, laquelle procède de la première et a en elle sa « limite », son horizon. C'est la dyade du *Sâbiq* et du *Tâlî*, du Calame et de la Tablette (*Lawh*), ayant pour homologues terrestres le Prophète et son *wasî* (héritier), premier Imâm d'une période (cf. *infra* B 1, 3). Cette structure dyadique va se répéter à tous les degrés des hiérarchies célestes et terrestres, en correspondance les unes avec les autres, et donnera son sens ismaélien à la maxime : « Celui qui se connaît soi-même connaît son Seigneur. » Cependant, avec la IIIe Intelligence, éclôt un drame qui reporte l'origine du mal jusqu'à un

« passé » bien antérieur à l'existence de l'homme terrestre.

2. *Le drame dans le Ciel et la naissance du Temps.*

1. Si la communauté ismaélienne se désigne elle-même comme la *da'wat*, la « Convocation » au *Tawhîd* ésotérique, c'est que cette Convocation (ou « Proclamation », *kerygma*) commença « dans le Ciel » par l'appel que la Ire Intelligence adressa, dès avant les temps, à toutes les Formes de lumière du Plérôme archangélique. Cette *da'wat* « dans le Ciel » est la Convocation éternelle dont la « Convocation ismaélienne » n'est que la forme terrestre, propre à la période mohammadienne du cycle actuel de la prophétie. Sur terre, c'est-à-dire dans le monde phénoménal, elle commença d'exister avec l'Adam initial, bien avant même l'Adam de notre cycle. Tandis que la IIe Intelligence (le Ier Emané) acquiesçait à cet Appel, la IIIe Intelligence, procédant de la dyade des deux premières, lui opposa une négation et un refus. Or cette IIIe Intelligence était l'*Adam rûhânî*, l'Adam spirituel céleste, l'ange-archétype de l'humanité; en sa personne, l'imagination métaphysique ismaélienne configure en symboles la hiérohistoire des origines humaines.

L'Adam spirituel, donc, s'immobilise dans un vertige d'éblouissement devant lui-même; il refuse la « limite » (le *hadd*) qui le précède (la IIe Intelligence), parce qu'il ne voit pas que, si ce *hadd* « limite » son champ d'horizon, il réfère aussi au-delà. Il croit pouvoir atteindre le Principe inaccessible sans cette « limite » intermédiaire, parce que, méconnaissant le mystère du *Deus revelatus* en la Ire Intelligence, il pense que ce serait identifier celle-ci avec la déité absolue, le Principe (*Mobdi'*). Pour fuir cette idolâtrie, il s'érige lui-même en absolu et succombe à la pire idolâtrie métaphysique.

Quand enfin il s'arrache à cette stupeur, en quelque sorte comme un archange Michel remportant sur soi-même sa victoire, il rejette loin de lui l'ombre démoniaque d'Iblîs (Satan, Ahriman) dans le monde inférieur, où elle reparaîtra de cycle en cycle d'occultation. Mais alors il se voit « dépassé », « mis en retard » (*takhallof*), retombé en arrière de lui-même. De troisième, il est devenu dixième Intelligence. Cet intervalle mesure le *temps* de sa stupeur qu'il lui faudra rédimer. Il correspond à l'émanation de *sept* autres Intelligences, qui sont appelées les « Sept Chérubins » ou les « Sept Verbes divins », et qui aident l'Ange-Adam à revenir à lui-même. Les *Sept* indiquent la distance idéale de sa déchéance. Le *temps*, c'est son retard sur lui-même; il est littéralement vrai de dire ici que le temps est « l'éternité retardée ». C'est pourquoi *sept* périodes rythment le cycle de la prophétie, *sept* Imâms rythment chaque période de ce cycle. Ce sont ici les racines métaphysiques du shî'isme *septimanien* ou ismaélien : le nombre sept chiffre le retard d'éternité dans le Plérôme, retard que le IIIe Ange, devenu X^e^, doit reconquérir pour les siens et avec l'aide des siens.

Ce « retard » introduit dans un être de lumière une dimension qui lui est étrangère, et qui se traduit par une « opacité ». Il est intéressant de rappeler ici que dans la théosophie zervânite de l'ancien Iran, la Ténèbre (Ahriman) s'origine à un *doute* éclos dans la pensée de Zervân, divinité suprême. Cependant chez les Zervânites et les Gayomartiens que décrit Shahrastânî (VIe/XIIe s.), Zervân n'est plus la divinité suprême mais un ange du Plérôme. On peut dire que l'Adam spirituel, le IIIe Ange de la cosmogonie ismaélienne, est l'homologue de l'Ange Zervân de ce néo-zervânisme tardif.

2. Chaque Intelligence archangélique du Plérôme contient elle-même un plérôme de Formes de lumière innombrables. Toutes celles composant le plérôme de

l'Adam céleste, s'immobilisèrent avec lui dans le même *retard.* A son tour, il leur fit entendre la *Da'wat*, la « Convocation » éternelle. Mais la plupart, à des degrés divers d'obstination et de fureur, le repoussèrent et lui dénièrent même le droit de leur lancer cet appel. Et cette dénégation enténébra le fond essentiel de leur être qui avait été pure incandescence. L'Ange-Adam comprit que, s'ils demeuraient dans le monde spirituel pur, jamais ils ne se délivreraient de leurs Ténèbres. C'est pourquoi il se fit le *démiurge* du cosmos physique, comme instrument par lequel les Formes jadis de lumière trouveraient leur salut.

Cette histoire symbolique présente de nettes réminiscences manichéennes. En outre, la IIIe Intelligence devenue X^e^ assume, dans le schéma ismaélien, le même rang et le même rôle que, chez les philosophes avicenniens et les *Ishrâqîyûn* (*infra* V, 4 et VII), l'« Intelligence agente », dont on a dit ci-dessus pourquoi elle est identifiée avec l'Esprit-Saint, Gabriel, comme ange de la Connaissance et de la Révélation. Il y a cette différence que la théosophie ismaélienne ne situe pas simplement cette Intelligence comme dixième au terme d'une Emanation; elle en fait la figure centrale d'un « drame dans le Ciel » qui est le prologue et l'explication de notre humanité terrestre présente.

Tous les membres de son plérôme furent pris d'une terreur panique en voyant la Ténèbre envahir leur être. Du triple mouvement qu'ils tentèrent en vain pour s'en arracher, résultèrent les trois dimensions de l'espace cosmique. La masse la plus dense se stabilisa au centre, tandis que l'espace cosmique éclatait en plusieurs régions : celles des Sphères célestes et celles des Eléments. Chacune des planètes exerça à son tour, pendant un millénaire, sa régence sur un monde en gestation, jusqu'à ce qu'au début du septième millénaire, le cycle de la Lune, se produisît, à la façon d'une plante croissant de la Terre, l'apparition du premier humain terrestre, entouré de ses compagnons.

3. *Le temps cyclique : hiérohistoire et hiérarchies.*

1. Cet *Anthropos* terrestre est désigné comme l'*Adam primordial intégral* (*Adam al-awwal al-kollî*), le *pananthropos.* Il faut donc le distinguer à la fois de son archétype céleste, l'Adam spirituel, le IIIe Ange devenu X^e^, et de l'Adam partiel (*joz'î*) qui inaugura notre cycle actuel. Il est caractérisé comme la « personnification physique du Plérôme primordial ». Il n'a rien à voir, certes, avec l'homme primitif de nos paléontologies philosophantes. Il apparaît à Ceylan (*Sarandîb*), parce que c'est alors le lieu le plus parfaitement tempéré, en même temps que vingt-sept compagnons, parmi lesquels il se distingue, comme eux-mêmes se distinguent du reste de l'humanité éclose en même temps qu'eux, « autant que la hyacinthe rouge se distingue entre les autres pierres ». Ces vingt-sept compagnons sont avec lui la typification visible, sous un « volume physique », du Plérôme archangélique primordial, parce qu'ils sont l'humanité fidèle du plérôme du Xe Ange, ceux qui répondirent à sa *da'wat*, et dont la fidélité « dans le Ciel » se traduit dans leur condition terrestre par leur supériorité spirituelle et physique sur tous les humains des autres climats (*jazîra*), éclos avec eux au terme du même processus anthropogonique.

Cet Adam terrestre initial est à la fois la forme épiphanique (*mazhar*) et le Voile de l'Adam céleste; il en est la pensée initiale, il est le terme de sa connaissance, la substance de son action, le projet recueillant l'irradiation de ses lumières. Comme l'Adam de la prophétologie judéo-chrétienne, il est ἀναμάρτητος (le terme a son équivalent exact dans l'arabe *ma'sûm*), immunisé de toute impureté, de tout péché, et ce privilège il l'a transmis à tous les saints Imâms, de cycle en cycle. Son cycle fut un cycle d'épiphanie (*dawr al-kashf*), une ère de félicité où la condition humaine, jusque dans ses particularités physiques, était encore celle d'une humanité paradisiaque. Les humains percevaient les réalités spirituelles (*haqâ'iq*) directement, non pas sous le voile des symboles. Le premier Adam instaura en ce monde la « Noble Convocation » (*da'wat sharîfa*); c'est lui qui institua la hiérarchie du hiérocosmos (*'âlam al-Dîn*), symbolisant avec celle du Plérôme comme avec celle du macrocosme. Il dispersa *douze* de ses vingt-sept compagnons (douze *Dâ'î*) dans les douze *jazîra* de la Terre, et établit devant lui douze *Hojjat*, l'élite de ses compagnons. Bref, il fut le fondateur de cette hiérarchie ésotérique permanente, ininterrompue de cycle en cycle, de période en période de chaque cycle, jusqu'à l'Islam et depuis l'Islam.

Lorsqu'il eut investi son successeur, le premier Adam fut transféré au Plérôme où il succéda au Xe Ange (l'Adam céleste), qui lui-même, et avec lui toute la hiérarchie des Intelligences, s'éleva à un rang supérieur à son rang précédent. Ce mouvement ascensionnel ne cessera pas, jusqu'à ce que le IIIe Ange-Intelligence que son égarement, en l'immobilisant, rétrograda au rang de Dixième, ait regagné le cercle du Second Emané ou Seconde Intelligence. Ainsi en fut-il pour chacun des Imâms succédant à l'Adam initial en ce premier cycle d'épiphanie. A ce cycle d'épiphanie succéda un cycle d'occultation (*dawr al-satr*); à celui-ci un nouveau cycle d'épiphanie; ainsi de suite, les cycles alternant en une succession vertigineuse, jusqu'à l'ultime Résurrection des Résurrections (*Qiyâmat al-Qiyâmât*), laquelle achèvera la consommation de notre *Aiôn*, la restauration de l'humanité et de son Ange en leur état initial. Certains propos des saints Imâms vont jusqu'à évaluer le Grand Cycle (*kawr a'zam*) à 360000 fois 360000 ans.

2. Il va de soi que le seul cas dont nos théosophes ismaéliens peuvent parler d'abondance, est la transition qui, du cycle d'épiphanie précédant le nôtre, conduisit à notre présent cycle d'occultation. Le *ta'wîl* ismaélien s'est exercé avec une profondeur extraordinaire sur l'histoire qorânique et biblique d'Adam, récit qui n'est pas celui d'un commencement absolu, mais qui, en fait, prend les choses au lendemain de terribles catastrophes. Au cours des trois derniers millénaires du cycle d'épiphanie antérieur, des troubles très graves obligèrent les hauts dignitaires à rétablir la « discipline de l'arcane ». Les hautes sciences spirituelles rentrent dans le silence; l'humanité devient indigne de la divulgation des mystères. Il faut instaurer une *Loi* religieuse, *sharî'at*, dont le *ta'wîl* ne libérera que ceux qu'il conduira à la résurrection par une nouvelle naissance, dans la nuit des symboles. C'est la chute que l'on désigne comme la « sortie du paradis ». Désormais il n'y aura plus que le « paradis en puissance », c'est-à-dire la sodalité ésotérique, la *Da'wat* ismaélienne.

L'histoire qorânique d'Adam est comprise comme étant celle de l'investiture du jeune Imâm Adam par son père Honayd, dernier Imâm du cycle d'épiphanie antérieur. Tous les « Anges terrestres » (les membres de la *Da'wat*) le reconnurent, sauf Iblîs-Satan et les siens. Iblîs était un dignitaire du cycle antérieur, en la personne de qui reparaît, à ce moment, la forme de Ténèbres précipitée sur terre, à l'origine, par l'Adam céleste. Et le propos d'Iblîs fut d'émouvoir Adam, de toucher sa générosité pour l'induire à révéler aux hommes cette « connaissance de la résurrection » qu'ils avaient eue, l'un et l'autre, dans le cycle précédent. Alors Adam, sous une impulsion insensée, trahit, livra à l'incompréhension de tous ce qui ne pouvait être révélé que par le dernier Imâm de notre cycle, l'Imâm de la Résurrection (*Qâ'im al-Qiyâmat*).

3. La structure du cycle d'occultation inauguré par

notre Adam est à comprendre par la structure originelle instituée sur terre par le premier Adam, le Ier Imâm sur terre, en correspondance avec celle des Cieux visibles et celle des Cieux invisibles. Comme nous l'avons relevé, les « grades » des hiérarchies célestes et terrestres sont désignés par le terme de *hadd* (limite, cf. le grec ὅρος); le *hadd* définit pour chaque degré l'horizon de sa conscience, le mode de connaissance proportionné à son mode d'être. Chaque limite inférieure est ainsi le « délimité » (*mahdûd*) par le *hadd* immédiatement supérieur. De même qu'elle est essentielle pour la compréhension du *Tawhîd*, cette structure détermine tout le processus de l'anthropologie.

Bien que la signification plénière de la hiérarchie ésotérique, tout au long des périodes de l'Ismaélisme, nous pose encore des problèmes, la structure en est parfaitement esquissée déjà par Hamîd Kermânî (ob. vers 408/1017). Il y a la hiérarchie céleste (les *hodûd* d'en-haut) et il y a la hiérarchie terrestre (les *hodûd* d'en-bas), symbolisant l'une avec l'autre. L'ensemble de chacune forme *dix grades* s'articulant en une *triade* (degrés supérieurs) et une *heptade.* 1) Il y a sur terre le *Nâtiq,* c'est-à-dire le prophète *énonciateur* d'une *sharî'at,* Loi divine communiquée par l'Ange (cf. *supra* A, 5). C'est la lettre du texte énoncé sous forme exotérique (*zâhir*) comme code de la religion positive. Le *Nâtiq* est l'homologue terrestre de la Ire Intelligence (celle qui inaugura la *da'wat* « dans le Ciel »). 2) Il y a le *Wasî,* l'Imâm héritier spirituel direct du prophète, celui qui est le fondement (*Asâs*) de l'Imâmat et premier Imâm d'une période. Comme dépositaire du secret de la révélation prophétique, sa fonction propre est le *ta'wîl,* l'exégèse ésotérique qui « reconduit » l'exotérique au sens caché, à son archétype (*asl*). Il est l'homologue de la IIe Intelligence, Ier Emané, Ame universelle (la dyade Nabî-Wasî, Ire et

IIe Intelligence, correspond ici aux deux aspects de la « Réalité mohammadienne éternelle » dans le shî'isme duodécimain, *supra* A, 3). 3) Il y a l'Imâm successeur du *Asâs*, perpétuant au cours du cycle l'équilibre de l'ésotérique et de l'exotérique, dont la connexion est indispensable. Il est l'homologue de la IIIe Intelligence (l'Adam spirituel). C'est pourquoi il y aura, à chaque période, une *heptade* ou plusieurs heptades d'Imâms, typifiant l'intervalle de « retard », le *temps* que l'Adam céleste doit rédimer, avec l'aide des siens, pour regagner son rang. Quant aux *sept* autres grades, chacun est respectivement l'homologue de l'une des autres Formes de lumière ou Intelligences du Plérôme : le *Bâb* ou « seuil » de l'Imâm; le *Hojjat* ou la Preuve, le Garant (qui prend une signification toute spéciale dans l'Ismaélisme d'Alamût); trois degrés de *Dâ'î* ou prédicateur (litt. « convocateur »), et deux grades inférieurs : le licencié majeur (*ma'dhûn motlaq*) qui peut recevoir l'engagement du nouvel adepte; le licencié mineur (*ma'dhûn mahsûr*) qui attire les néophytes.

Telle se présente la structure verticale de la hiérarchie ésotérique qui, selon nos auteurs, permane de cycle en cycle. Cette forme du hiérocosmos dans l'espace a son isomorphe dans sa forme dans le temps, laquelle est celle de la hiérohistoire. Chaque période d'un cycle de prophétie, c'est-à-dire d'un cycle d'occultation, est inaugurée par un *Nâtiq*, un *Wasî*, auxquels succède une ou plusieurs heptades d'Imâms; elle est clôturée par un dernier Imâm, lequel est le *Qâ'im*, c'est-à-dire l'Imâm de la résurrection qui met fin à la période antérieure, et c'est lui qui suscite (*moqîm*) le nouveau prophète. L'ensemble des sept périodes constitue la totalité du cycle de la prophétie (l'idée est commune à la prophétologie shî'ite). Ce sont celles des six grands prophètes : Adam, qui eut pour Imâm Seth; Noé, dont l'Imâm fut Sem; Abraham, dont l'Imâm fut Ismaël; Moïse, dont l'Imâm fut Aaron; Jésus, dont l'Imâm fut Sham'ûn (Simon); Mohammad, dont l'Imâm fut 'Alî. Quant au VIIe *Nâtiq*, c'est l'Imâm de la Résurrection (correspondant au XIIe Imâm des imâmites). Il n'apportera pas une nouvelle *sharî'at*, mais révélera le sens caché des Révélations, avec le tumulte et les bouleversements que cela comporte, et préparera le passage au futur Cycle d'épiphanie.

4. *Imâmologie et eschatologie.*

1. On comprend mieux le sens de l'imâmologie, et avec elle l'*ethos* eschatologique qui domine toute conscience shî'ite, si l'on se souvient de ce qui a déjà été indiqué ici, à savoir que l'imâmologie ismaélienne, comme l'imâmologie shî'ite en général, s'est trouvée placée devant des problèmes analogues à ceux qui assaillirent la christologie, au cours des premiers siècles de notre ère, mais que ce fut toujours pour incliner à des solutions de type gnostique, rejetées précisément par la christologie officielle.

Lorsqu'ils parlent du *nâsût* ou humanité de l'Imâm, le souci des auteurs ismaéliens est de suggérer que le corps de l'Imâm n'est pas un corps de chair, constitué comme celui des autres humains. Ce corps résulte de toute une alchimie cosmique opérant sur les « corps éthériques » (*nafs rîhîya*, l' « âme d'effluve ») des adeptes fidèles. Ces restes « éthériques » s'élèvent de Ciel en Ciel, puis redescendent purifiés, invisibles à la perception optique, avec les irradiations lunaires, et se déposent comme une rosée céleste à la surface d'une eau pure ou de quelques fruits. Eau et fruits sont consommés par l'Imâm du moment et par son épouse, et la rosée céleste devient le germe du corps subtil du nouvel Imâm. Simple enveloppe ou gaine (*ghilâf*), on le désigne comme *jism kâfûrî*, corps qui a la subtilité et la blancheur du camphre; c'est ce corps qui constitue l'humanité (*nâsût*) de l'Imâm. Si l'on peut parler ici de « docétisme », ce n'est nullement qu'il s'agisse d'un « phantasme », mais de l'effort pour imaginer et concevoir, comme dans une christologie gnostique, une *caro spiritualis.* C'est pourquoi l'union de *nâsût* (humanité) et de *lâhût* (divinité) dans la personne des Imâms n'aboutit jamais à l'idée d'une « union hypostatique des deux natures », avec toutes les conséquences philosophiques, historiques et sociales de ce concept.

2. Quant à ce que la gnose ismaélienne entend par la divinité (*lâhût*) de l'Imâm, il faut, pour le comprendre, partir de ce qu'elle se représente comme la « naissance spirituelle » (*Wilâdat rûhânîya*), et là même on perçoit une nette réminiscence de gnose manichéenne. L'auteur yéménite déjà cité précise ceci : « Lorsque le nouvel adepte (*mostajîb*) formule son acquiescement entre les mains de l'un des dignitaires (*hodûd*), au moment où il récite la formule qui l'engage, et si son intention est droite et pure, voici que se conjoint à son âme un point de lumière qui reste à côté d'elle sans se confondre avec elle. » De sa pensée et de son agir, il dépendra que ce point de lumière naissante croisse en Forme de lumière. S'il y réussit, voici que lors de son *exitus*, la Forme de lumière de l'adepte fidèle est entraînée par le « magnétisme de la Colonne de lumière » vers la Forme de lumière du Compagnon qui le précède en grade mystique (il y a comme un pacte de chevalerie mystique qui rend les adeptes responsables les uns des autres jusque dans l'au-delà). Ensemble ils s'élèvent vers le *hadd* qui leur est supérieur à tous deux. Ainsi de suite, tous ensemble prennent rang pour constituer avec l'ensemble des *hodûd* le « Temple de Lumière » (*Haykal nûrânî*) qui, tout en ayant la forme humaine, est un Temple purement spirituel. C'est ce *Temple de Lumière* qui est l'Imâmat, et qui est comme tel le *lahût*, la *divinité* de l'Imâm.

3. Dès qu'il est « investi » (*nass*), le jeune Imâm

devient le support de ce Temple de Lumière. Son Imâmat, sa « divinité », c'est ce *corpus mysticum* constitué de toutes les Formes de lumière de ses adeptes. Ainsi qu'il en fut pour l'Adam initial, chacun des Imâms qui se succèdent en chacune des périodes du cycle, a son propre « Temple de Lumière sacrosaint » (*Haykal nûrânî qodsânî*) ainsi constitué. Tous les Imâms ensemble forment le « Sublime Temple de Lumière » (*H. n. a'zam*), en quelque sorte la coupole du Temple de Lumière. Lorsqu'un Imâm émigre de ce monde, son Temple de Lumière s'élève avec lui dans l'enceinte du Xe Ange (l'Adam spirituel, Anthropos céleste), et tous attendent, rassemblés dans cette enceinte, la surrection du *Qâ'im*, l'Imâm-résurrecteur clôturant le Cycle, pour s'élever avec lui lors de son avènement comme successeur du Xe Ange.

A chaque Grande Résurrection (*Qiyâmat al-Qiyâmât*) clôturant un cycle d'occultation ou un cycle d'épiphanie, le dernier Imâm, le *Qâ'im*, entraînant avec lui tout le Temple mystique des *hodûd*, s'élève au Plérôme où il prend la succession du Xe Ange, l'Adam spirituel, comme démiurge du monde naturel. Le Xe Ange lui-même s'élève alors d'un rang dans le Plérôme, qu'il entraîne également tout entier dans cette ascension. Chaque Grande Résurrection, chaque accomplissement d'un cycle, permet ainsi à l'Ange de l'humanité de se rapprocher avec tous les siens, de son rang et de leur rang originel. C'est ainsi que la succession des cycles et des millénaires rédime le *temps*, cette « éternité retardée » par l'enténèbrement momentané de l'Ange. Ainsi se prépare le dénouement du « drame dans le Ciel ». Cosmogonie et sotériologie sont deux aspects du même processus conduisant à ce dénouement. La production du cosmos a pour *sens* et pour fin d'en faire un organe par lequel l'Adam céleste regagne le rang perdu. Il le regagne de cycle en cycle avec l'aide de tous ceux qui, dès avant leur condition terrestre, acquiescèrent à son « appel » dans le Plérôme, ou qui acquiescent, en cette vie, à la convocation (*da'wat*) des prophètes et des Imâms.

4. Quant à la forme ténébreuse des négateurs maléfiques, elle s'élève, lors de leur *exitus*, vers la région désignée en astronomie comme « la tête et la queue du Dragon » (les points auxquels l'orbite de la Lune coupe celle du Soleil), région de ténèbres où tournoie la *massa perditionis* de tous les démons de l'humanité, masse des pensées et des projets maléfiques conspirant à produire les catastrophes qui ébranlent le monde des hommes.

C'est pourquoi les événements terrestres ne s'expliquent que par leur réalité ésotérique, c'est-à-dire par rapport au « drame dans le Ciel » dont ils préparent en fait le dénouement. Dans cette « philosophie de l'histoire » s'exprime la vision grandiose d'une philosophie prophétique qui est le bien propre de la pensée ismaélienne. En fait, la version ismaélienne du shî'isme présente des traits qui sont communs à tout le shî'isme : l'éthique eschatologique, la figure dominante du *Qâ'im*, identifiée nommément, nous l'avons vu, avec le Paraclet annoncé dans l'Evangile de Jean. C'est pourquoi Abû Ya'qûb Sejestânî (IVe/Xe s.) percevait dans les quatre branches de la Croix chrétienne et dans les quatre mots composant l'Attestation de la foi islamique (le *Tawhîd*), le symbole du même secret : la parousie de l'Imâm se levant au terme de la Nuit du Destin (*laylat al-Qadr*, sourate 97), car celle-ci est la Nuit même de l'humanité en ce cycle d'occultation.

II. L'ISMAÉLISME RÉFORMÉ D'ALAMUT

1. *Périodes et sources.*

1. Nous n'avons pas à insister ici sur le « roman noir » qui, en l'absence de textes authentiques, a obscurci si longtemps le nom de l'Ismaélisme, et particulièrement la mémoire d'Alamût. Les responsables sont sans doute, en premier lieu, l'imagination des Croisés et celle de Marco Polo. Mais au XIXe siècle encore, un homme de lettres et orientaliste autrichien, von Hammer-Purgstall, projetant sur les malheureux Ismaéliens son obsession des « sociétés secrètes », les soupçonna de tous les crimes qu'en Europe les uns attribuent aux Francs-Maçons, les autres aux Jésuites; il en résulta cette *Geschichte der Assassinen* (1818) qui passa longtemps pour sérieuse. A son tour, S. de Sacy, dans son *Exposé de la religion des Druzes* (1838), soutint avec passion son explication étymologique du mot « Assassins » par le mot *Hashshâshîn* (ceux qui font usage du *hashîsh*). Tout cela procède du zèle habituel à accuser les minorités religieuses ou philosophiques des pires dépravations morales. Le plus étrange est que des Orientalistes se soient faits ainsi, en compagnie de publicistes avides de sensationnel, les complices, jusqu'à nos jours, de la violente propagande anti-ismaélienne du khalifat abbasside de Baghdâd. Ces fantaisies n'ont plus d'excuse, depuis l'impulsion donnée aux études ismaéliennes par W. Ivanow et la *Ismaili Society* de Karachi (anciennement à Bombay). Un exemple significatif : nous avons vu que la *Da'wat* ismaélienne se désigne comme le « paradis en puissance », et l'exégèse ismaélienne du « *hadîth* de la tombe » (ci-dessus, p. 120) nous fait comprendre comment l'entrée dans la *Da'wat* est en effet l'entrée dans

le « paradis en puissance » (*jinnat*, paradis, jardin). Il n'en fallut pas plus pour que la propagande adverse imaginât les « orgies » dans les « jardins d'Alamût ». Pour le reste, il s'agit d'un phénomène de résistance anti-turque, d'une lutte menée par les Ismaéliens dans des circonstances tragiques. Mais la philosophie et la doctrine spirituelle de l'Ismaélisme n'ont, elles, rien à faire avec les « histoires d'assassins ».

2. Comme on l'a rapidement évoqué ci-dessus, le khalife fâtimide du Caire, Mostansir bi'llâh, ayant transféré l'investiture de l'Imâmat de son fils aîné Nizâr à son jeune fils Mosta'lî, il arriva qu'à sa mort (487/1094) les uns donnèrent leur allégeance à Mosta'lî (ce sont ceux qui continuèrent la *Da'wat* fâtimide et que l'on appelle aussi les Mosta'liyân), tandis que les autres restèrent fidèles à l'Imâm Nizâr (lequel périt assassiné avec son fils au Caire, en 489/1096). Ces derniers sont appelés *nizârî*; ce sont les Ismaéliens « orientaux », ceux de l'Iran. Ici encore, sous l'histoire extérieure et les questions de personnes, agissent les motifs essentiels, l'enjeu spirituel. Au fond, le triomphe politique marqué par l'avènement de la dynastie des Fâtimides du Caire apparaît comme un paradoxe. Dans quelle mesure une sodalité ésotérique était-elle compatible avec l'organisation officielle d'un Etat ? Le même motif qui amena, dès le début, la scission des Qarmates, reparaît plus tard dans la proclamation de la réforme d'Alamût. Tel que nous pouvons en juger par ceux des textes maintenant accessibles, c'est l'esprit de l'Ismaélisme primitif que réactivait cette réforme, après l'intermède politique fâtimide.

D'autre part, il y eut la forte personnalité de Hasan Sabbâh (ob. 518/1124), qu'il faut apprendre à connaître dans les textes ismaéliens eux-mêmes, tant elle a été défigurée par ailleurs. Son rôle fut prépondérant dans l'organisation des « commanderies » ismaéliennes en Iran. Que des adeptes dévoués aient réussi ou non à conduire en sécurité le petit-fils de l'Imâm Nizâr au château fort d'Alamût (dans les montagnes au sud-ouest de la mer Caspienne), on ne tranche pas ici la question. Car, en tout état de cause, un fait demeure, et il est d'une portée spirituelle exceptionnelle.

3. Ce fait dominant fut l'initiative prise par l'Imâm Hasan *'alâ dhikri-hi's-salâm* (on le distingue en faisant toujours suivre son nom de cette salutation), nouveau grand maître (*Khodâvand*) d'Alamût (né en 520/1126, grand maître en 557/1162, mort en 561/1166). Le 17 Ramazan 559/8 août 1164, l'Imâm proclama la Grande Résurrection (*Qiyâmat al-Qiyâmât*) devant tous les adeptes rassemblés sur la haute terrasse d'Alamût. Le protocole nous en a été conservé. Ce qu'impliquait la proclamation, ce n'était rien de moins que l'avènement d'un pur Islam spirituel, libéré de tout esprit légalitaire, de toute servitude de la Loi, une religion personnelle de la Résurrection qui est naissance spirituelle, parce qu'elle fait découvrir et vivre le sens spirituel des Révélations prophétiques.

Le château fort d'Alamût, comme les autres commanderies ismaéliennes en Iran, fut détruit par les Mongols (654/1256). L'événement ne signifia nullement la fin de l'Ismaélisme réformé d'Alamût; celui-ci ne fit que rentrer dans la clandestinité en prenant le manteau (la *khirqa*) du soufisme. Son action sur le soufisme, et en général sur la spiritualité iranienne, présuppose des affinités foncières qui font envisager sous un jour nouveau le problème même des origines et du sens du soufisme. Aussi bien les Ismaéliens regardent-ils, comme étant des leurs, un bon nombre de maîtres du soufisme, à commencer par Sanâ'î (vers 545/1151) et 'Attâr (vers 627/1230); Jalâloddîn Rûmî (672/1273), envers qui Shams Tabrîzî assuma le rôle du *Hojjat*; 'Azîz Nasafî (VIIe/XIIIe s.), Qâsim-e Anwârî (837/1434), etc. On hésite parfois à décider si un texte provient d'un soufi imprégné d'Ismaélisme, ou d'un ismaélien imprégné de soufisme. Ce n'est pas assez dire, car le célèbre poème persan de Mahmûd Shabestarî (ob. 720/1317), la *Roseraie du mystère* (*Golshan-e Râz*), vade-mecum du soufisme iranien, a été commenté et amplifié par l'enseignement ismaélien.

Les questions posées par là sont toutes récentes; elles résultent de la remise au jour, grâce principalement au labeur de W. Ivanow, de ce qui a survécu de la littérature alamûtî, toute de langue persane (on sait que la bibliothèque d'Alamût fut entièrement détruite par les Mongols). Cependant on doit rattacher à cette littérature celle, en langue arabe, des Ismaéliens de Syrie qui, avec la forte personnalité de leur chef, Rashîdoddîn Sinân (1140/1192), eurent un lien direct avec Alamût (on sait aussi qu'une tragique méprise des Templiers fit échouer un accord déjà conclu entre ces « Templiers de l'Islam » et le roi de Jérusalem). Quant aux œuvres persanes issues d'Alamût, nommons principalement le grand livre des *Tasawworât*, attribué à Nasîr Tûsî (ob. 672/1273), et qu'il n'y a aucune raison décisive de lui contester; les œuvres, aux XVe et XVIe siècles, de Sayyed Sohrâb Walî Badakhshânî, Abû Ishâq Qohestânî, Khayr-Khwâh Herâtî, auteur prolifique. Tous nous ont conservé des fragments beaucoup plus anciens, notamment les *Quatre Chapitres* de Hasan Sabbâh lui-même. Ils nous indiquent également une renaissance de la pensée ismaélienne, concomitante de celle de la pensée shî'ite en général, dont elle fut peut-être même un des facteurs. C'est au cours de la même période en effet, que le shî'isme duodécimain (avec Haydar Amolî, Ibn Abî Jomhûr notamment) est amené à « repenser », en s'assimilant l'œuvre d'Ibn 'Arabî, ses rapports avec le soufisme, et conséquemment avec l'Ismaélisme.

5. Il est remarquable de constater comment un auteur shî'ite duodécimain de l'envergure de Haydar Amolî (VIIIe/XIVe siècle) prend conscience, sans polémi-

que, de la différence essentielle qui le sépare des Ismaéliens. Il la formule en termes qui ne font rien d'autre qu'expliciter les conséquences de la Grande Résurrection proclamée à Alamût. Tandis que la gnose shî'ite duodécimaine s'efforce de conserver la simultanéité et l'équilibre de *zâhir et bâtin*, en revanche, pour la gnose ismaélienne, toute apparence extérieure, tout exotérique (*zâhir*), ayant un sens caché, intérieur, une réalité ésotérique (*bâtin*), et celle-ci étant supérieure à celle-là, puisque de sa compréhension dépend le progrès spirituel de l'adepte, l'exotérique est donc une coquille qu'il faut briser une fois pour toutes. C'est cela même qu'accomplit le *ta'wîl*, l'exégèse ismaélienne « reconduisant » les données de la *sharî'at* à leur vérité gnostique (*haqîqat*), compréhension du sens vrai de la révélation littérale ou *tanzîl*, religion positive. Si l'adepte fidèle agit en accord avec le sens spirituel, les obligations de la *sharî'at* sont abolies pour lui. C'est profondément en accord avec le sens de la philosophie explicité ci-dessus dans l'exégèse du « *hadîth* de la tombe ».

Or, le Guide pour ce sens spirituel, voire celui dont la personne même *est* ce sens, parce qu'elle est la manifestation terrestre d'une Théophanie primordiale, c'est l'Imâm. La conséquence en est la préséance de l'Imâm et de l'Imâmat qui est éternel, sur le prophète et la mission prophétique qui est temporaire. Le shî'isme duodécimain professe, nous l'avons vu, que la suprématie de la *walâyat* sur la *nobowwat* doit être considérée dans la personne même du Prophète; elle n'implique pas que la personne du *walî* soit supérieure à celle du Nabî-Envoyé. En revanche, l'Ismaélisme en déduit une conclusion radicale. Puisque la *walâyat* est supérieure à la prophétie dont elle est elle-même la source, il s'ensuit que c'est la personne du *walî*, c'est-à-dire l'Imâm, qui a la préséance sur celle du Prophète, l'Imâmat ayant dès toujours et à jamais la préséance sur la mission prophétique. Ce que le shî'isme duodécimain médite comme étant au terme d'une perspective eschatologique, l'Ismaélisme d'Alamût l'accomplit « au présent » par une anticipation de l'eschatologie qui est une insurrection de l'Esprit contre toutes les servitudes. Les implications et conséquences philosophiques, théologiques, sociologiques, par rapport au commun de l'Islam, sont telles qu'on ne peut les envisager ici. On n'en esquisse que l'aspect essentiel d'après les textes publiés récemment : une anthropologie dont dépend la philosophie de la résurrection, et qui s'exprime dans le concept de l'Imâm.

2. *Le concept de l'Imâm.*

1. L'adamologie ismaélienne a été esquissée ci-dessus (B I, 3) : d'une part, l'Adam partiel qui inaugura notre cycle fut le premier prophète de ce cycle d'occultation; d'autre part, l'Adam initial, le *pananthropos*, image terrestre de l'Anthropos céleste, inaugurant à l'origine le premier cycle d'épiphanie, avait été le Ier Imâm et le fondateur de l'Imâmat, comme religion permanente de l'humanité. A cette intuition s'origine l'insistance ismaélienne sur le thème de l'Imâm comme « homme de Dieu » (*Mard-e Khodâ*, en persan, cf. *anthropos tou Theou*, chez Philon), comme Face de Dieu, Homme Parfait (*anthropos teleios*). « Celui qui n'aura pas compris *qui*, en son temps, était l'Homme Parfait, celui-là restera un étranger. C'est en ce sens qu'il a été dit : Celui qui m'a vu, celui-là a vu Dieu. » Nous avons remarqué déjà que semblable réminiscence de l'Evangile de Jean (14/9), confirmée par d'autres, s'insère fort bien dans la structure qui fait de l'imâmologie en théologie shî'ite quelque chose comme l'homologue d'une christologie en théologie chrétienne. On y pressent, avec le secret de l'imâmologie ismaélienne (faisant valoir nombre de traditions remontant aux

saints Imâms), ce qui en fait aussi l'essence : l'exaltation de l'Imâm comme Homme Parfait au rang suprême, et corollairement la prépondérance décisive et définitive du *ta'wîl*, c'est-à-dire de l'Islam ésotérique sur l'Islam exotérique, de la religion de la Résurrection sur la religion de la Loi.

Ce concept de l'Imâm est solidaire de toute la philosophie de l'homme. Parce que la Forme humaine est « l'image de la Forme divine », elle est investie par excellence de la fonction théophanique. Elle assume par là même une fonction de salut cosmique, parce que le retour à l'outre-monde, le monde des entités spirituelles, est le passage à un état d'existence où tout prend forme d'une réalité humaine, puisque seul l'être humain possède le langage, le *logos*. C'est donc par l'intermédiaire de l'Homme que les choses retrouvent la voie de leur Origine. Mais cette Forme humaine parfaite, théophanie éclose dès la prééternité, c'est elle précisément l'Imâm. Dire que l'Imâm est l'Homme de Dieu, l'Homme Parfait, c'est le reconnaître comme étant l'organe suprême de la sotériologie. Aussi bien celle-ci est-elle conditionnée par le *tahqîq*, la réalisation du *sens vrai* de tous les exotériques, conditionnée elle-même par le *ta'wîl* qui est le ministère de l'Imâm. Cette imâmologie vise essentiellement, ici encore, non pas la figure empirique de tel ou tel Imâm, mais la réalité et l'essence d'un Imâm éternel, dont chaque Imâm individuellement est l'exemplification terrestre. C'est à cet Imâm éternel qu'est rapportée l'expression qorânique *Mawlâ-nâ*, « notre seigneur », dont il est dit que toujours il exista, existe et existera. Toutes les variations de son Apparaître sont relatives à la perception des hommes. Dans le plérôme divin (*'âlam-e Khodâ*), ces mutations n'existent pas.

2. Une première conséquence : c'est que la connaissance de l'Imâm, Homme Parfait, *est* la seule connaissance de Dieu qui soit possible à l'homme, puisque

l'Imâm est la théophanie initiale. Dans la sentence citée ci-dessus, comme dans toutes les autres semblables, c'est l'Imâm éternel qui parle. « Les prophètes passent et changent. Nous sommes, nous, des Hommes éternels. » « J'ai connu Dieu avant que fussent créés les Cieux et la Terre. » « La lumière qui émane de la lampe, n'est pas la lampe elle-même; mais s'il n'y avait pas cette lumière, comment saurait-on ce qu'est la lampe, ni même s'il y a une lampe et où est la lampe ? » « Les Hommes de Dieu ne sont pas Dieu lui-même; cependant ils ne sont pas séparables de Dieu. » Parce que l'Imâmat est la théophanie primordiale, révélation de l'Abîme divin et *guide* vers cette Révélation, l'Imâm est le *Hojjat* suprême, le garant qui *répond pour* la divinité inconnaissable. Ainsi le dit le grand prône que prononça l'Imâm Hasan *'alâ dhikri-hi's-salâm*, le 8 août 1164, en proclamant à Alamût la Grande Résurrection : « *Mawlâ-nâ* (notre seigneur) est le Résurrecteur (*Qâ'im al-Qiyâmat*); il est le seigneur des êtres; il est le seigneur qui est l'acte d'être absolu (*wojûd motlaq*); il exclut toute détermination existentielle, car il les transcende toutes; il ouvre le seuil de sa Miséricorde, et par la lumière de sa Connaissance, il fait que tout être soit voyant, entendant, parlant, pour l'éternité. » L'Imâm éternel comme théophanie rend seul possible une ontologie : étant *le* révélé, il est l'*être* comme tel. Il est la Personne absolue, la Face divine éternelle (*Chahreh-ye Khodâ*, en persan), le suprême Attribut divin qui est le Nom suprême de Dieu. En sa forme terrestre, il est l'épiphanie du Verbe suprême (*mazhar-e Kalimeh-ye a'lâ*), le Porte-vérité de chaque temps (*Mohiqq-e waqt*), manifestation de l'Homme Eternel manifestant la Face de Dieu.

Une seconde conséquence, c'est que la connaissance de soi, chez l'homme, présuppose la connaissance de l'Imâm. S'enchaînant à ce propos du IVe Imâm : « La connaissance de Dieu est la connaissance de l'Imâm »

– nos textes répètent : « Celui qui meurt sans avoir connu son Imâm, meurt de la mort des inconscients. » Et la raison en est donnée, cette fois, dans la précision apportée à la maxime que répètent tous les spirituels de l'Islam : « Celui qui se connaît soi-même connaît son Seigneur, *c'est-à-dire* connaît son Imâm. » C'est la connaissance promise par le Ier Imâm : « Sois mon fidèle, et je te rendrai semblable à moi comme Salmân. » De ces textes il ressort que connaissance de Dieu, connaissance de l'Imâm, connaissance de soi, sont les aspects d'une seule et même connaissance fondamentale libératrice, d'une même gnose.

C'est pourquoi les textes persans de la tradition d'Alamût insistent sur les quatre manières possibles de connaître l'Imâm. « On peut avoir une connaissance de sa personne sous sa forme physique; c'est une connaissance dont les animaux eux-mêmes sont capables. On peut avoir la connaissance de son nom officiel et de sa généalogie terrestre; cette connaissance est accessible même aux adversaires. Il y a la connaissance qui est reconnaissance de son Imâmat; y participent tous les membres de la *Da'wat.* Enfin il y a la connaissance de son Essence selon la réalité éternelle de ses attributs, c'est-à-dire une connaissance qui postule que l'on transcende tous les autres modes de connaissance; elle éblouit les âmes, et c'est la connaissance qui est le privilège du *Hojjat.* » C'est que, parallèlement, il y a un quadruple lien de descendance par rapport à l'Imâm : selon la chair; au sens spirituel; à la fois selon la chair et au sens spirituel; enfin, à la fois selon la chair, le sens spirituel et la réalité éternelle de son essence. Le descendant purement spirituel (*farzand-e ma'nawî*) de l'Imâm, c'est le *Hojjat*; c'est le cas dont Salmân le Perse est l'archétype et qui, selon la promesse de l'Imâm, s'exemplifie en chaque adepte fidèle. Avec le *Hojjat* promu ainsi au premier rang, c'est tout le hiérarchisme traditionnel qui se trouve modifié.

3. *Imâmologie et philosophie de la résurrection.*

1. On peut parler d'un décalage radical. De toutes manières, la hiérarchie des *hodûd* marque leur degré de proximité respective par rapport à l'Imâm. Mais désormais, le sens de cette hiérarchie tendra à s'intérioriser, « les limites » marquant plutôt les degrés de la « conformation avec l'Imâm », comme autant de degrés dans la progression de la connaissance intérieure. Le *ta'wîl* fait symboliser le hiérocosmos (la sodalité ésotérique hiérarchique) avec le microcosme. Conséquemment, se produisent une régression dans le rang reconnu au *Nâtiq*, le prophète énonciateur d'une Loi, et une appréciation différente du cycle de la prophétie. Ce sont là deux corollaires de l'exaltation du rang du *Hojjat.* A la prédominance de la syzygie Prophète-Imâm se substitue celle de l'Imâm et de son *Hojjat.*

Pour la théosophie shî'ite duodécimaine, le missionnement du prophète et de l'Islam marqua l'heure du plein midi (équilibre entre *zâhir* et *bâtin*). Aussitôt après, commença le déclin vers le soir, la rentrée dans la nuit de l'ésotérisme, le cycle de la *walâyat* pure. Pour la théosophie ismaélienne, l'entrée de la *haqîqat*, de la pure religion spirituelle, dans la nuit de l'ésotérisme, a commencé, non pas avec Mohammad, le Sceau des prophètes, mais déjà avec le premier prophète, avec Adam, initiateur de notre présent cycle d'occultation, c'est-à-dire dès les débuts de l'humanité actuelle. C'est à cette catastrophe radicale que le pessimisme ismaélien fait face avec toute sa philosophie de la Résurrection, voire son insurrection contre la *sharî'at.*

Les six grandes périodes de la « prophétie législatrice » sont toujours comprises comme étant l'*hexaemeron*, les « six jours » de la création du cosmos religieux (le hiérocosmos), chaque « jour » étant un

« millénaire ». Mais en fait, les six « jours » sont la nuit de la religion divine (*shab-e Dîn*), la nuit de l'Imâm, puisque, pendant ces six jours, la Loi littérale des prophètes législateurs, la *sharî'at*, est le voile cachant la réalité, le soleil de l'Imâm. Comme le soleil est suppléé par la lune éclairant la nuit, l'Imâm est suppléé par celui qui est son *Hojjat*, sa preuve, son garant (son « Salmân »). La connaissance de l'Imâm en sa vraie Essence ne sera manifestée qu'au *septième jour*, au lendemain donc de l'hexaemeron qui dure encore. Seul ce septième jour aura vraiment la nature du jour, celui où se montrera le soleil (le *Yawm al-Qiyâmat*, jour de la Résurrection).

2. La régression du rang du prophète législateur, dans le contexte de cette vision, se comprend d'elle-même. Alors que pour l'imâmisme duodécimain comme pour l'Ismaélisme fâtimide, il occupait le premier rang (homologue terrestre de la Ire Intelligence), l'Ismaélisme d'Alamût ne lui reconnaît que le troisième rang. Il semble bien que l'imâmologie d'Alamût ne fasse ainsi que reproduire un ordre de préséance admis dans l'Ismaélisme préfâtimide, représenté par l'ordre de succession des trois lettres symboliques : *'ayn* ('Alî, l'Imâm), *sîn* (Salmân, Gabriel, le *Hojjat*), *mîm* (Mohammad, le prophète). C'est qu'en effet le prophète en tant que *Nâtiq*, énonciateur d'une *sharî'at*, a le rang et la fonction de *dâ'î* « convoquant » les hommes *vers* l'Imâm qui est le sens secret de la *sharî'at* qu'il énonce. C'est pourquoi chaque prophète, au principe de sa vocation comme *dâ'î*, est allé à la rencontre du *Hojjat* de l'Imâm de son temps, lequel est envers lui dans le même rapport que Khezr-Elie, le prophète initiateur de Moïse, envers celui-ci (l'exégèse ismaélienne interprète les données de l'histoire des prophètes en ce sens : le paradis pour Adam, l'arche pour Noé, le Buisson ardent pour Moïse, Maryam pour Jésus, Salmân pour Mohammad, sont autant de figures de la rencon-

tre du *Hojjat*). A son tour, chaque adepte suit l'exemple du prophète-dâ'î, en progressant vers la même rencontre, qui est unification spirituelle avec le *Hojjat* : ils deviennent des gnostiques (*'ârif*) connaissant de la même gnose. C'est ce que signifie la promesse de l'Imâm à son adepte, de le rendre pareil à lui comme Salmân. La diminution du nombre des « grades » dans la hiérarchie d'Alamût ne correspond nullement à une « réduction d'effectifs », mais à un approfondissement métaphysique du concept de l'Imâmat, tel que la philosophie prophétique s'achève en une philosophie de la résurrection.

L'Imâm est envers son *Hojjat* dans le même rapport que l'*Esto* créateur envers la Ire Intelligence. Tel est le cas privilégié du *Hojjat* (chacun de ceux dont Salmân est l'archétype), celui dont il est dit que, dès la prime origine, l'essence spirituelle (*ma'nâ*) de sa personne est la même que celle de l'Imâm (d'où le quatrième des modes de connaissance et de filiation décrits ci-dessus). « Se promouvoir au rang de *Hojjat* », c'est exemplifier en soi-même le cas de Salmân, atteindre au « Salmân de ton être » (le « Salmân du microcosme » comme dit le vieux traité *Omm al-Kitâb* cité ci-dessus). Quant au secret de cette atteinte, ces quelques lignes nous livrent peut-être le suprême message de la philosophie ismaélienne : « L'Imâm a dit : Je suis avec mes amis partout où ils me cherchent, sur la montagne, dans la plaine et dans le désert. Celui à qui j'ai révélé mon Essence, c'est-à-dire la connaissance mystique de moi-même, celui-là n'a plus besoin d'une proximité physique. Et c'est cela la Grande Résurrection. »

4. *Ismaélisme et soufisme.*

1. Ces textes de la tradition ismaélienne d'Alamût nous montrent à la fois comment l'imâmologie fructifie en expérience mystique, et comment elle est la présupposition d'une telle expérience. La coalescence de l'Ismaélisme et du soufisme, postérieurement à Alamût, nous réfère au problème encore obscur des origines. Si l'on admet avec les spirituels shî'ites que le soufisme sunnite est quelque chose qui s'est séparé du shî'isme à un moment donné, en reportant sur le Prophète seul les attributs de l'Imâm (et en faisant ainsi de la *walâyat* une imâmologie sans Imâm), l'Ismaélisme d'Alamût ne fait que restaurer l'ancien ordre des choses; d'où son importance pour tout le soufisme shî'ite à partir de cette époque, et pour l'aire culturelle de langue persane dans son ensemble.

2. On vient de voir comment la substitution du couple Imâm-Hojjat au couple Nabî-Imâm reflète le processus d'intériorisation mystique. Dans le commentaire qu'un auteur ismaélien anonyme nous a laissé de la *Roseraie du mystère* de Mahmûd Shabestarî, l'*unio mystica* de l'Imâm et du Hojjat est méditée dans le magnifique symbole de l'olivier croissant au sommet du Sinaï (Qorân 95/1-2). Il y a deux montagnes : la montagne de l'intelligence et la montagne de l'amour. Méditant le secret de la Forme humaine terrestre dans laquelle est caché l'amour du « Trésor caché qui aspira à être connu », le pèlerin mystique découvre que sa propre personne, comme celle de Moïse, *est* le Sinaï au sommet (ou au cœur) duquel se révèle la Forme théophanique qui est l'Imâm éternel. C'est sur ce sommet (ou dans ce sanctuaire) que « l'Ame de l'âme » se révèle à l'âme comme l'olivier mystique qui se dresse dans les hauteurs invisibles du Sinaï de l'amour. Plus haut que la montagne de l'intelligence, il lui faut gravir

le Sinaï de l'amour; si l'intellect est le guide qui conduit au secret de la théophanie, il est aussi le guide qui finalement s'efface (comme Virgile devant Béatrice).

En accomplissant ce pèlerinage intérieur, le disciple, on l'a vu, ne fait que répéter la démarche initiale de chaque prophète à la quête de l'Imâm. Atteindre au sommet du Sinaï de son âme, c'est pour le mystique réaliser l'état de Salmân le Pur, l'état du *Hojjat* : atteindre à l'Ame de l'âme (*Jân-e jân*). Cette Ame de l'âme, c'est l'Imâm, c'est l'olivier croissant au sommet du Sinaï de l'amour. Et l'âme du mystique *est* cet amour, puisque ce Sinaï est le Sinaï de son être. Ainsi, ce qu'elle découvre au sommet (ou au cœur) de son être, c'est l'Imâm comme Aimé éternel. La syzygie de l'Imâm et de son *Hojjat* devient le dialogue intérieur de l'Aimé et de l'Ami. L'Ame de son âme, c'est celle à qui il dit *toi*, son *moi* à la seconde personne. En présence de l'Ame de l'âme, comme il en fut pour Moïse au Sinaï, le « Moïse de son être », son *moi* à la 1re personne, est volatilisé. En se contemplant dans l'Ame de l'âme, l'âme devient la contemplée de celle-ci, et celle-ci articule en son lieu et place : *Ego sum Deus.* Ainsi la célèbre outrance d'al-Hallâj (*Anâ'l-Haqq*), répétée de siècle en siècle par les Soufis, prend ici sa résonance proprement shî'ite. L'imâmologie lui évite le piège du monisme transcendental qui a créé tant de difficultés à la pensée réflexive.

3. A sa limite, l'expérience mystique des soufis réfère à une métaphysique qui déroute aussi bien la dialectique des philosophes purs et simples que celle des théologiens du *Kalâm.* Ce que l'on vient de lire fera comprendre qu'il y a en Islam une autre forme encore de métaphysique, sans laquelle on ne s'expliquera peut-être pas comment le soufisme a commencé et a évolué. Cette autre forme, c'est essentiellement la gnose shî'ite remontant aux Imâms eux-mêmes. On a tenté d'en montrer ici, pour la première fois, croyons-nous, l'ori-

ginalité unique, en tant que configurant la philosophie prophétique répondant aux exigences d'une religion prophétique. Parce qu'elle est essentiellement l'explicitation du sens spirituel caché, elle est eschatologique; et parce qu'elle est eschatologique, elle reste ouverte à l'avenir.

Avec les théologiens dialectiques du *Kalâm* sunnite, nous pénétrons dans un « climat » tout autre.

III

Le Kalâm sunnite

A. LES MO'TAZILITES

1. *Les origines.*

1. Le mot arabe *Kalâm* veut dire parole, discours. Le mot *motakallim* désigne celui qui parle, l'orateur (en grammaire, la première personne). Il n'est pas possible de retracer ici l'évolution par laquelle le mot *Kalâm* finit par signifier la théologie tout court, et le mot *Motakallimûn* (ceux qui s'occupent de la science du *Kalâm, 'ilm al-Kalâm*), les « théologiens ». Il faudrait simultanément analyser plus en détail la genèse du problème posé par le Qorân comme *Kalâm Allâh*, « Parole de Dieu », tel qu'il sera brièvement évoqué ci-dessous. En outre, la science du *Kalâm*, comme théologie scolastique de l'Islam, finit par désigner plus spécialement une théologie professant un atomisme qui, tout en rappelant celui de Démocrite et d'Epicure, en diffère par tout son contexte.

Le *Kalâm*, comme scolastique de l'Islam, se caractérise comme une *dialectique* rationnelle pure, opérant sur les concepts théologiques. Il n'y est question ni de gnose mystique (*'irfân*), ni de cette « science du cœur » dont les Imâms du shî'isme ont été les premiers à parler. En outre, comme l'ont souligné les philosophes, al-Fârâbî, Averroës, aussi bien que Mollâ Sadrâ Shîrâzî, les *Motakallimûn* sont surtout des apologistes, s'attachant non pas tant à une vérité démontrée ou démontrable, qu'à soutenir, avec toutes les ressources de leur dialectique théologique, les articles de leur credo religieux traditionnel. Sans doute, semblable tâche est-elle inéluctable pour une communauté religieuse. Il y eut aussi un *Kalâm* shî'ite. Mais déjà les Imâms mettaient en garde leurs disciples contre un attachement exclusif aux problèmes et à la méthode du *Kalâm.* C'est que la théosophie mystique, *'irfân*, opère de façon beaucoup plus herméneutique que dialectique, et se tient aussi loin que possible de tout « intellectualisme ».

Ceux que l'on appelle les *Mo'tazilites* sont regardés comme ayant été les plus anciens *Motakallimûn.* Ils forment, sans aucun doute, une école de pensée religieuse spéculative de première importance, leur effort procédant des données religieuses fondamentales de l'Islam. Mais ce qui a été exposé précédemment ici (chap. II) nous dispense d'adhérer à une opinion courante qui considère cette situation comme le privilège de cette école. Ou plutôt, elle ne fait que développer un des aspects dont la totalité exige non plus une dialectique conceptuelle, mais une « philosophie prophétique ». On doit se limiter ici à dire brièvement qui furent les Mo'tazilites et quelle fut leur doctrine, et à évoquer ensuite la grande figure d'Abû'l-Hasan al-Ash'arî.

2. Sous le nom de *Mo'tazilites,* on désigne un groupe de penseurs musulmans qui se forma, dès la première moitié du IIe siècle de l'hégire, dans la ville de Basra. Leur mouvement prit une expansion si rapide que se trouva désignée sous leur nom une bonne partie de l'élite musulmane cultivée. La capitale de l'empire abbasside, Baghdâd, devint, sous plusieurs règnes, le centre de leur école, et leur doctrine s'imposa même, un moment, comme doctrine officielle de l'Islam sunnite.

Plusieurs explications ont été données de leur nom. L'hérésiographe al-Baghdâdî, par exemple, considère que la désignation de *mo'tazilite* vient de ce que cette secte s'est « séparée » de la communauté musulmane à cause de sa conception du « péché » et du « pécheur » (l'usage de ces deux mots ne réfère naturellement pas ici à la notion spécifiquement chrétienne du péché avec ses implications). Le péché est en effet considéré par les Mo'tazilites comme un état intermédiaire entre la foi (*îmân*) et l'infidélité (*kofr*). Shahrastânî expose une autre opinion : Wâsil ibn 'Atâ' (ob. 131/748), le fondateur de l'école mo'tazilite, était en opposition avec son maître Hasan Basrî (ob. 110/728) sur la question des péchés graves. Ayant exprimé publiquement son point de vue, il quitta le cercle de Hasan Basrî; ses partisans formèrent, autour de la colonne de la Grande Mosquée, un nouveau groupe où Wâsil ibn 'Atâ' enseignait sa doctrine. Hasan Basrî s'écria alors : « Wâsil s'est *séparé* de nous (*i'tazala 'annâ*). » Depuis lors on désigna Wâsil et ses disciples sous le nom de *mo'tazilites*, les « séparés », les « sécessionnistes ». Cependant Nawbakhtî (*Firaq al-shî'a*) fait entendre un point de vue shî'ite : « Sa'd ibn Abî Waqqâs, 'Abdollah ibn 'Omar, Mohammad ibn Maslama, 'Osâma ibn Zayd, tous ceux-là se sont séparés de 'Alî (le Ier Imâm); ils se sont abstenus de combattre, soit pour lui, soit contre lui. D'où ils furent nommés *mo'tazilites*. Ce sont les ancêtres de tous les mo'tazilites postérieurs. »

3. De ces diverses opinions, on recueille une double impression. 1) Le terme mo'tazilite serait appliqué aux adeptes de la doctrine par leurs adversaires. Or, cette désignation porte en elle-même une désapprobation : ceux qui se sont séparés, ont fait sécession. 2) La cause première du mo'tazilisme serait une option d'ordre « politique ». En réalité, si l'on réfléchit sérieusement tant sur la doctrine mo'tazilite que sur l'option en question, on doit convenir que ni l'une ni l'autre n'ont leur raison suffisante dans la « politique ».

Quant au nom de *mo'tazilites*, il n'est guère concevable que ce nom leur ait été appliqué uniquement par leurs adversaires. Car ce nom, ils l'ont porté eux-mêmes avec fierté au cours de l'histoire, non point comme un nom impliquant leur condamnation. Dès lors, ce nom n'avait-il pas pour eux une autre signification ? Leur doctrine est centrée sur deux principes : à l'égard de Dieu, principe de la transcendance et de l'Unité absolue; à l'égard de l'homme, principe de la liberté individuelle entraînant la responsabilité immédiate de nos actes. Ces deux principes, ils considèrent à tort ou à raison, qu'ils sont les seuls à les défendre et à les développer (en fait les Shî'ites s'accordent parfaitement avec eux sur le principe de la responsabilité humaine). Observons que le Qorân, en présentant les « Sept Dormants » comme les modèles de la fidélité et de la foi, caractérise précisément leur attitude par le mot *i'tizâl* (18/15), parce que, dans leur adoration de l'Unique, ils s'étaient *séparés* d'une communauté devenue infidèle. Telle que les Mo'tazilites la comprennent, la qualification ne tourne pas à leur blâme; s'ils se sont « séparés », c'est pour garder la pureté du *Tawhîd* et défendre la justice et la liberté humaine.

D'autre part, les événements politiques survenus dans la communauté musulmane, quelle que soit leur gravité, ne peuvent être considérés comme la raison suffisante de l'apparition du mo'tazilisme. Certes l'investiture de Abû Bakr, comme khalife de la communauté musulmane en lieu et place de 'Alî ibn Abî-Tâlib, l'assassinat de 'Othmân, IIIe khalife, le fractionnement de la communauté musulmane en plusieurs camps, à la suite de la lutte sanglante entre Mo'awîa et 'Alî, tous ces événements ont contraint les musulmans, sans excepter les penseurs, à prendre parti devant les problèmes posés.

Mais là encore, l'enjeu de ces luttes dépasse infiniment ce que nous qualifions couramment de « politique ». L'investiture de l'Imâm légitime de la communauté est-elle une question purement *sociale*, l'Imâm étant soumis au vote de la communauté musulmane et responsable devant elle ? Ou bien la fonction de l'Imâm a-t-elle une signification *métaphysique*, lié intimement à la destinée de la communauté jusqu'au-delà de ce monde, et ne pouvant, par là même, dépendre du vote d'une majorité quelconque ? C'est l'essence de l'Islam shî'ite qui est en cause (*supra* chap. II). Quant à ceux qui se sont rebellés contre l'Imâm investi, quel est leur statut théologique et juridique, indépendamment de leur souci de justice ? Il ne s'agit pas de théorie, mais d'une réalité existentielle concrète. Les Mo'tazilites avaient à apporter une solution conforme à leur pensée.

4. D'autres facteurs interviennent encore dans l'élaboration de leur pensée. Il y a leur réaction et leur attitude générale à l'égard des groupes non musulmans établis au sein de la société musulmane. Il s'agit des Mazdéens en Irak, des Chrétiens et des Juifs en Syrie. H. S. Nyberg considère avec raison qu'un des facteurs déterminants de la pensée des Mo'tazilites serait leur lutte contre le dualisme de certaines sectes iraniennes qui s'étaient répandues à Koufa et à Basra. D'autres témoignages (celui du *Kitâb al-aghânî* notamment) le confirment : Wâsil ibn 'Atâ' et 'Amr ibn 'Obayd, les deux grandes figures du mo'tazilisme naissant, assistaient souvent à des séances organisées dans la demeure d'un notable de Azd, au cours desquelles les assistants exposaient et défendaient la doctrine dualiste de l'ancien Iran.

Les Mo'tazilites étaient également attentifs à certaines idées juives et chrétiennes; les incidences en pouvaient concerner la théologie dogmatique et morale, comme aussi le concept même de l'Islam et la personne de son fondateur. On peut considérer à bon droit que la conception mo'tazilite de l'Unité divine ait été motivée, en partie, comme une réaction contre certains aspects du dogme chrétien de la Trinité. Les Mo'tazilites dénient en effet tout attribut à l'Essence divine; ils dénient aux attributs toute réalité positive distincte de l'Essence une, car si l'on affirmait le contraire, on se trouverait, selon eux, en présence non plus même d'une divinité trine, mais d'une divinité multiple, les attributs divins étant illimités.

De même, leur doctrine affirmant le Qorân *créé* peut être considérée comme une opposition au dogme chrétien de l'Incarnation. En effet, selon eux, dire que le Qorân *est* la Parole divine increéée qui se manifeste dans le temps sous la forme d'un discours en arabe, cela équivaut à dire ce que disent les chrétiens concernant l'Incarnation, à savoir que le Christ *est* la Parole divine increéée, manifestée dans le temps sous la forme d'un être humain. Cela, parce que la différence entre le dogme du Qorân *incréé* et le dogme de l'Incarnation consiste non pas tant dans la nature de la Parole divine elle-même, que dans la modalité de sa manifestation : tandis que pour le christianisme la Parole s'est faite chair dans le Christ, ici cette même Parole s'est faite énonciation dans le Qorân. (On a signalé plus haut (I, 1), comment cette controverse tumultueuse apparaît aux yeux du philosophe *'irfânî*. L'imâmologie shî'ite ne sépare pas le problème de la Révélation qorânique de celui de son exégèse spirituelle (*supra*, II). D'où, les recroisements de l'imâmologie avec les problèmes de la christologie ont une signification encore plus précise que le rapport relevé ici, l'imâmologie se décidant toujours justement pour des types de solution rejetés par le dogme chrétien officiel.)

2. *La doctrine.*

Il est difficile de parler d'emblée d'*une* doctrine mo'tazilite, si l'on veut rendre compte de la richesse et de la diversité de ses multiples formes, et sauvegarder ce qui revient à chacun de ses penseurs. Cependant, il y a cinq thèses acceptées par tout Mo'tazilite, et personne ne saurait être un membre de l'école, sans y adhérer. De ces cinq thèses, les deux premières concernent la divinité; la troisième a un aspect eschatologique; la quatrième et la cinquième concernent la théologie morale. Nous en donnerons ici une rapide esquisse.

1) Le *Tawhîd* (l'Unité divine). C'est le dogme fondamental de l'Islam. Les Mo'tazilites ne l'ont donc pas « inventé », mais ils se sont distingués par les explications qu'ils en donnent, et l'application qu'ils font de ces dernières à d'autres domaines de la théologie. Les Mo'tazilites aimaient à se désigner eux-mêmes comme les « hommes du *Tawhîd* » (*ahl al-Tawhîd*). Al-Ash'arî (in *Maqâlât al-Islâmîyîn*) expose ainsi la conception mo'tazilite du *Tawhîd* : « Dieu est unique, nul n'est semblable à lui; il n'est ni corps, ni individu, ni substance, ni accident. Il est au-delà du temps. Il ne peut habiter dans un lieu ou dans un être; il n'est l'objet d'aucun des attributs ou des qualifications créaturelles. Il n'est ni conditionné ni déterminé, ni engendrant ni engendré. Il est au-delà de la perception des sens. Les yeux ne le voient pas, le regard ne l'atteint pas, les imaginations ne le comprennent pas. Il est une chose, mais non comme les autres choses; il est omniscient, tout-puissant, mais son omniscience et sa toute-puissance ne sont comparables à rien de créé. Il a créé le monde sans un archétype préétabli et sans auxiliaire. »

Cette conception de l'Etre divin et de son unité est statique, non dynamique; elle est limitée ontologiquement au plan de l'être inconditionné, elle ne s'étend pas à celui du non-inconditionné. Elle a pour résultat la négation des attributs divins, l'affirmation du Qorân créé, la négation de toute possibilité de la vision de Dieu dans l'au-delà (comparer *supra* II A, 3). Ces graves conséquences ont joué un rôle considérable dans la pensée dogmatique de l'Islam; elles ont conduit la communauté à prendre conscience des valeurs religieuses fondamentales.

2) *La justice divine* (*al-'adl*). Pour traiter de la justice divine, les Mo'tazilites traitent de la responsabilité et de la liberté humaine (on a déjà signalé leur accord avec les Shî'ites sur ce point). Ils signifient par là que le principe de la justice divine implique la liberté et la responsabilité de l'homme, ou bien encore, que notre liberté et notre responsabilité découlent du principe même de la justice divine. Sinon, l'idée de récompense ou de châtiment dans l'au-delà est vidée de son sens, et l'idée de la justice divine privée de son fondement. Cependant, comment est-il possible de concilier l'idée de la liberté humaine et le fait pour l'homme d'être maître de son destin, avec certains passages qorâniques qui affirment le contraire, par exemple lorsque le Qorân déclare expressément que tout ce qui nous arrive est selon la *Mashî'a* divine, ou que tout ce que nous faisons est écrit dans un registre céleste ? A cela, les Mo'tazilites répondent que la *Mashî'a* divine (on pourrait traduire la « Volonté divine foncière ») qui englobe toute chose, ce ne sont ni ses actes de volition (*Irâda*) ni ses actes de commandement (*Amr*), mais le dessein éternel et le génie créateur de Dieu, lesquels sont deux aspects de sa connaissance infinie. De même, l'affirmation qorânique que « toute chose est inscrite dans un registre céleste » exprime métaphysiquement la connaissance divine elle-même. Celle-ci ne s'oppose pas à la liberté humaine, son objet étant *l'être*, non pas *l'acte* comme dans le cas de la volition et du commandement.

Il y a plus. En affirmant la liberté humaine, les Mo'tazilites déclarent que ce principe ne découle pas seulement de notre idée de la justice divine, mais, de plus et surtout, est en plein accord avec le Qorân lui-même, lorsque celui-ci affirme expressément que toute âme est responsable quant à ce qu'elle acquiert :

« Celui qui fait le bien, le fait pour soi-même; celui qui fait le mal, le fait contre soi-même. » Ce verset et beaucoup d'autres affirment la liberté humaine. Enfin, tous les musulmans admettent que Dieu leur a imposé des obligations d'ordre culturel, moral, social, etc. Comment concevoir l'idée d'obligation sans admettre que l'homme est libre, maître de ses actes ?

3) *Les promesses dans l'au-delà* (*Wa'd* et *wa'îd*). Que Dieu ait promis à ses fidèles une récompense et menacé les infidèles de châtiment, c'est une thèse admise par toutes les sectes et doctrines islamiques; mais les Mo'tazilites lient cet article de foi à leur conception de la justice divine et de la liberté humaine. La justice divine postule que ne soient pas traités de la même façon celui qui reste fidèle et celui qui commet l'infidélité. Quant à l'homme, la liberté une fois admise implique qu'il soit responsable de ses actes, dans le bien comme dans le mal. Ainsi l'idée de la grâce divine ne passe que très discrètement dans l'enseignement mo'tazilite; celle de la justice y occupe une place prépondérante.

4) *La situation intermédiaire* (*al-manzila bayn al-manzilatayn*). C'est cette thèse, on l'a rappelé ci-dessus, qui provoqua la rupture, la « séparation » entre Wâsil ibn 'Atâ', fondateur de l'école mo'tazilite, et son maître Hasan Basrî; le désaccord portait sur la conception du « péché ». La thèse mo'tazilite situe celui-ci par rapport à la foi et à l'infidélité; elle détermine, théologiquement et juridiquement, la situation du « pécheur » comme distincte à la fois de celle du musulman et de celle du non-musulman. En accord avec l'ensemble des théologiens et des canonistes de l'Islam, les Mo'tazilites distinguent deux sortes de péchés : *saghâ'ir* (fautes légères) et *kabâ'ir* (fautes graves). Ceux de la première catégorie n'entraînent pas l'exclusion du cercle des croyants, pour autant que le pécheur ne récidive pas. Quant à ceux de la seconde catégorie, ils se divisent

également en deux espèces : *kofr* (l'infidélité) et les autres. Ces derniers, selon les Mo'tazilites, excluent le musulman de la communauté, sans qu'il ait à être considéré pour autant comme un *kâfir* (infidèle au sens absolu). Le pécheur se trouve donc dans une situation intermédiaire qui n'est ni celle du croyant, ni celle du non-croyant. Cette thèse de l' « entre-deux » comportait, elle aussi, ses difficultés.

5) *L'impératif moral* (*al-amr bi'l-ma'rûf*). La dernière des cinq thèses mo'tazilites essentielles concerne la vie de la communauté; elle vise la mise en pratique des principes de la justice et de la liberté dans les comportements sociaux. Pour les Mo'tazilites, la justice ne consiste pas seulement à éviter personnellement le mal et l'injustice; c'est aussi une action de l'ensemble de la communauté pour créer une atmosphère d'égalité et d'harmonie sociale, grâce à laquelle chaque individu puisse réaliser ses possibilités. De même, la liberté et la responsabilité humaine ne se limitent pas au seul exercice des différentes facultés de l'individu; elles s'étendent, ou doivent s'étendre, à l'ensemble de la communauté. Aussi bien est-ce un principe fréquemment énoncé dans le Livre saint de l'Islam. Mais l'ingéniosité de l'école mo'tazilite fut de fonder le principe de l'action morale et sociale sur le principe théologique de la justice et de la liberté de l'homme.

B. ABÛ'L-HASAN AL-ASH'ARÎ

1. *Vie et œuvres d'al-Ash'arî.*

1. Abûl'-Hasan 'Alî ibn Ismâ'îl al-Ash'arî est né à Basra en l'an 260/873. Il adhéra dès sa jeunesse à l'école mo'tazilite, dont il étudia les doctrines auprès de l'un des maîtres les plus représentatifs de la secte à l'époque, al-Jobbâ'î (ob. 303/917). Jusqu'à l'âge de 40 ans il suivit l'enseignement de l'école, et pendant toute cette période il prit part à la défense des doctrines mo'tazilites, rédigeant lui-même à cette fin un bon nombre d'ouvrages. Puis, au témoignage de ses biographes, voici que parvenu à l'âge de 40 ans, Ash'arî s'enferme chez lui pour une retraite qui ne dure pas moins de deux semaines. Il en sort pour faire irruption dans la Grande Mosquée de Basra, à l'heure de la réunion pour la Prière. Là, il proclame à voix haute : « Celui qui me connaît, me connaît. A celui qui ne me connaît pas, je vais me faire connaître. Je suis 'Alî ibn Ismâ'îl al-Ash'arî. Naguère j'ai professé la doctrine mo'tazilite, croyant au Qorân créé, niant la vision divine dans l'au-delà, déniant à Dieu tout attribut et toute qualification positive... Soyez tous témoins que maintenant je renie cette doctrine et que je l'abandonne définitivement. »

Nombreuses sont les raisons par lesquelles les biographes ont expliqué ce revirement spectaculaire. Il semble que la cause principale doive en être recherchée à la fois en lui-même et dans la situation extérieure, on veut dire dans la division de la communauté musulmane sunnite partagée, à cette époque, entre deux extrémismes. En lui-même, tout d'abord : Abû'l-Hasan al-Ash'arî est profondément heurté par le rationalisme excessif des docteurs mo'tazilites dans leur conception de Dieu et du salut humain. La divinité, objet de leurs spéculations, n'était-elle pas devenue une abstraction pure, sans relation avec le monde ni avec l'homme ? Quel sens et quelle portée métaphysique ont la connaissance et l'adoration chez l'homme, si tout est déterminé par le simple fait de la causalité dans la création ? Abû'l-Hasan souffrait de voir à quel point l'opinion musulmane sunnite était dominée par les tendances extrêmes. D'une part les Mo'tazilites avec leurs spéculations abstraites, et d'autre part les littéralistes qui, réagissant contre le rationalisme des Mo'tazilites, avaient encore durci leur attitude. C'est donc à la fois par l'intention de résoudre son propre problème et le propos de donner à la communauté divisée le moyen de sortir de l'impasse, qu'il faut s'expliquer la « conversion », le revirement radical survenu chez Ash'arî.

2. Ash'arî a écrit de nombreux ouvrages durant sa période mo'tazilite comme après sa conversion. D'après ses propres dires, il n'aurait pas composé moins de 90 ouvrages englobant la quasi-totalité du savoir théologique de l'époque. Il a écrit un commentaire du Qorân. Il a composé un recueil traitant de la *sharî'at*; un recueil de *hadîth* et de récits; des traités contre les matérialistes, les *khârijites* et, après sa conversion, des ouvrages de critique contre les Mo'tazilites. Parmi ceux de ses ouvrages qui nous sont parvenus, il en est deux qui ont une importance particulière.

Dans le premier, *Maqâlât al-Islâmîyîn*, Ash'arî expose avec précision et objectivité toutes les doctrines connues de son temps. Ce traité peut être considéré comme l'une des sommes les plus importantes de l'histoire des dogmes, voire comme le premier du genre dans l'histoire des doctrines et des dogmes en Islam. Il se divise en trois parties : la première contient un exposé détaillé des différentes sectes et doctrines islamiques; la seconde expose la voie des « hommes du hadîth », les littéralistes; enfin la dernière concerne les différentes branches du *Kalâm*.

Quant au second ouvrage, *Kitâb-al-Ibâna*, il expose strictement la doctrine de l'Islam sunnite. Il commence par faire l'éloge d'Ibn Hanbal (fondateur du rite juridique hanbalite, ob. 241/855). Viennent ensuite, sans plan précis, différents thèmes théologiques, tous développés à la lumière de la nouvelle orientation de l'auteur. Si l'on peut dire avec certitude que ce second ouvrage fut écrit au cours de la seconde période de la vie d'al-Ash'arî, on ne peut risquer la même affirmation pour le premier.

Ash'arî mourut à Baghdâd en 324/935, après une vie admirablement remplie.

2. *La doctrine d'al-Ash'arî.*

1. *Les tendances du système.* Deux tendances apparemment contradictoires, en réalité complémentaires, dominent le système d'al-Ash'arî. D'une part, il semble si proche de telle ou telle école juridique de l'Islam, que l'on a pu affirmer tantôt qu'il était shafi'ite, tantôt qu'il était malékite ou hanbalite. D'autre part, il observe une réserve manifeste, son souci intime étant avant tout de concilier les différentes écoles du sunnisme, toutes étant d'accord à ses yeux quant aux principes, et ne divergeant qu'en matière d'applications. Tel est le jugement que Ibn 'Asâkir rapporte de lui : « Chaque *mojtahid* a raison, et tous les *mojtahid* sont établis sur un terrain solide de vérité. Leurs divergences

ne concernent pas les principes, mais résultent seulement des applications. » Dans le domaine du dogme, ou plus précisément dans le domaine des preuves à apporter aux dogmes, Ash'arî ne dédaigne nullement la valeur de la démonstration rationnelle, comme le faisaient les littéralistes. Mais s'il n'admet pas que l'usage de la démonstration rationnelle soit une hérésie, sous prétexte qu'elle n'était pratiquée ni par le Prophète ni par ses Compagnons, il ne va cependant pas jusqu'à considérer la raison comme un critère absolu devant la foi et les données religieuses fondamentales.

Ash'arî prend ainsi position contre les Mo'tazilites, et cela pour deux motifs essentiels.

1) Donner une valeur absolue à la raison, cela aboutit non point à soutenir la religion, comme le prétendent les Mo'tazilites, mais à la supprimer, en substituant purement et simplement la raison à la foi. A quoi bon avoir foi en Dieu et en ses révélations, si la raison en moi est supérieure aux données mêmes de la religion ?

2) Le Qorân considère souvent que la foi dans le *ghayb* (l'invisible, le suprasensible, le mystère) est un principe essentiel de la vie religieuse, sans lequel la foi est sans fondement. Or le *ghayb*, c'est ce qui dépasse la démonstration rationnelle. Prendre la raison comme critère absolu dans le domaine du dogme est donc incompatible avec le principe de la foi dans le *ghayb*.

Le système de pensée d'al-Ash'arî est ainsi marqué par le souci de concilier deux extrêmes. Cette tendance apparaît dans presque toutes les solutions proposées par lui, et c'est par là que sa pensée et sa doctrine ont trouvé une si large audience en Islam sunnite, pendant plusieurs siècles. Nous prendrons ici comme exemple la position que prend Ash'arî devant trois grands problèmes théologiques : le problème des Attributs divins, le problème du Qorân, le problème de la liberté humaine.

2. *Les Attributs divins.* On a vu que les Mo'tazilites professaient que Dieu est privé de tout attribut positif, en ce sens que toute qualification divine doit être comprise comme étant l'essence elle-même. En revanche, les littéralistes, par leur conception naïve des Attributs divins, aboutissaient à se représenter la divinité comme un complexe de noms et de qualifications à côté de l'essence divine elle-même. L'attitude des Mo'tazilites est connue dans l'histoire des dogmes sous le nom de *ta'tîl*, c'est-à-dire qu'elle consiste à priver Dieu de toute activité opérante, et aboutit finalement à l'agnosticisme (à remarquer que le sens de la racine *'tl*, d'où vient *ta'tîl*, est appliqué dans l'ancien usage arabe au puits sans eau et à la femme privée de sa parure). A l'opposé, l'attitude des littéralistes extrémistes est connue sous le nom de *tashbîh* (anthropomorphisme). Nous avons déjà rencontré ces deux termes dans un autre contexte (*supra* chap. II).

La solution proposée par al-Ash'arî admet que l'Etre divin possède réellement les Attributs et les Noms mentionnés dans le Qorân. En tant que ces Noms et Attributs ont une réalité positive, ils sont distincts de l'essence, mais n'ont cependant ni existence ni réalité en dehors d'elle. L'heureuse inspiration d'al-Ash'arî fut ici, d'une part, de distinguer entre l'attribut comme concept, et d'autre part, de considérer que la dualité entre essence et attribut doit être située non sur le plan quantitatif, mais sur le plan qualitatif; c'est ce qui échappait à la pensée mo'tazilite.

Lors donc que le Qorân et certains *hadîth* présentent la divinité sous une forme anthropomorphique (Dieu possède des mains, un visage, il est assis sur le Trône, etc.), pour les Mo'tazilites il s'agit de métaphores. La main désigne métaphoriquement la puissance; le visage désigne l'essence; le fait que Dieu soit assis sur le Trône est une image métaphorique du règne divin, etc. Pour les littéralistes, ce sont des phénomènes réels concernant Dieu. Ils doivent être considérés et compris comme tels. Ash'arî est d'accord avec les littéralistes, quant à la réalité de ces phénomènes rapportés à Dieu, mais il met en garde contre toute acception matérielle physique dans leur attribution à Dieu. Pour lui, le musulman doit croire que Dieu a réellement des mains, un visage, etc. mais sans « se demander comment ». C'est le fameux *bi-lâ kayfa*, où la foi atteste qu'elle se passe de la raison. Bref, les Mo'tazilites en étaient réduits à parler de métaphores; le grand effort d'al-Ash'arî aboutit à laisser face à face, sans médiation, la foi et la raison.

3. *Le dogme du Qorân incréé.* Les Mo'tazilites professent que le Qorân est la Parole divine *créée*, sans distinguer entre la parole en tant qu'attribut divin éternel, et l'énonciation arabe qui la représente dans le Qorân. Les littéralistes opposent un refus catégorique à cette manière de voir, mais ils confondent, pour leur part, la Parole divine et l'énonciation humaine manifestée dans le temps. Plus grave encore, certains parmi eux considèrent que le Qorân est éternel non seulement quant à son contenu et quant aux mots qui le composent, mais aussi quant à tout ce qui le constitue matériellement, par exemple les pages, l'encre, la reliure, etc.

Entre ces deux extrêmes intervient la solution d'al-Ash'arî. Il considère que la nature de la parole, qu'elle soit humaine ou divine, ne se limite pas, comme le considèrent les Mo'tazilites, à ce qui est prononcé et composé de sons et de mots articulés; elle est aussi discours de l'âme (*hadîth nafsî*), et par là elle est indépendante de la manifestation verbale (*hadîth lafazî*). Lorsqu'il déclare que le Qorân est éternel, il entend par là l'attribut divin du *Kalâm* subsistant éternellement en Dieu et, en tant que tel, exempt de toute articulation verbale et sonore. Mais le Qorân est aussi composé de mots. Il est écrit. Sous cet aspect, le Qorân est un fait temporel créé, à l'encontre de ce que pensent les littéralistes. Mais comment dans un seul fait tel que le Qorân, peuvent coïncider ces deux aspects antinomiques, l'un créé, l'autre incréé ? Ici encore, Ash'arî conseille au croyant de pratiquer son fameux principe : « Avoir la foi sans demander *comment.* »

4. *La liberté humaine.* Pour résoudre ce problème, Ash'arî recourt non pas à la notion de *qodra* (puissance créatrice) au sens mo'tazilite, mais à la notion de *kasb* (acquisition). Ici de nouveau, il lui faut trouver une solution entre deux extrêmes : les Mo'tazilites, partisans de la *qodra*, et les fatalistes, partisans du *jabr*. Ash'arî considère, non sans raison, que la thèse mo'tazilite introduit une sorte de dualisme par rapport à l'activité divine. En effet, selon les Mo'tazilites, l'homme n'est pas seulement libre et responsable; il possède en outre la *qodra*, c'est-à-dire la puissance créatrice, la faculté de créer ses propres œuvres. Pour échapper au risque d'instituer une autre puissance créatrice à côté de la puissance divine, tout en conférant à l'homme une liberté qui le rend responsable de ses actes, Ash'arî attribue à l'homme non pas la *qodra*, la création de ses œuvres, mais le *kasb*, l' « acquisition » de ses œuvres. Il admet la distinction que font les Mo'tazilites entre les deux sortes d'action chez l'homme : action contrainte et action libre. Il admet également leur thèse que l'homme a parfaitement conscience de la différence. Mais il considère la *qodra*, la puissance créatrice des actes humains, comme extérieure à l'homme; elle ne lui est pas immanente. Aussi, dans chaque acte libre de l'homme, Ash'arî distingue-t-il l'acte de création qui est la part de Dieu, et l'acte d'acquisition qui est la part de l'homme. Toute la liberté de l'homme consiste dans cette *co-incidence* entre Dieu « créateur » et l'homme « acquéreur ».

Dans toutes les solutions qu'il propose, Ash'arî n'obéit pas tellement à des soucis spéculatifs et rationnels, qu'à des motifs spirituels et religieux. Ce qu'il cherche avant tout, c'est à donner un sens à la foi en Dieu, en un Dieu dont les qualifications ne sont pas vaines, car il est à la fois essence et attribut, et qui peut être par conséquent l'objet de l'adoration et de l'amour du fidèle. Que son effort soit jugé comme une réussite ou au contraire, faute d'armature métaphysique suffisante, comme un échec, c'est pourtant encore ce que cherche al-Ash'arî, avec une parfaite probité, en soutenant la simultanéité des deux aspects du Qorân, créé et incréé : la jonction mystérieuse et miraculeuse entre l'éternel et l'éphémère.

C. L'ASH'ARISME

1. *Les vicissitudes de l'école ash'arite.*

1. L'école ash'arite, formée au milieu du IVe/Xe siècle par les disciples directs d'al-Ash'arî, dérive son nom de celui du maître (en arabe on dit les *Ash'arîya* ou *Ashâ'ira*). Pendant plusieurs siècles cette école a dominé presque totalement l'Islam sunnite; à certaines époques et en certaines régions, l'ash'arisme fut même identifié purement et simplement avec le sunnisme.

Vers la fin de sa vie, Abû'l-Hasan al-Ash'arî avait vu se grouper autour de lui de nombreux disciples qui admiraient sa vie exemplaire, sa pensée imprégnée des valeurs religieuses et son souci d'en assurer la sauvegarde. Ils trouvaient en lui un refuge à la fois contre le littéralisme étroit des hommes du *hadîth*, et contre le rationalisme excessif des Mo'tazilites. C'est ainsi que l'ash'arisme commença de prendre forme du vivant même du maître.

Mais à peine l'ash'arisme eut-il affirmé son existence et pris une figure distincte, à côté des autres écoles du moment, qu'il devint une cible pour toutes les attaques. Tout d'abord, les Mo'tazilites avaient sur le cœur la volte-face d'al-Ash'arî, leur ancien disciple; ils accusaient l'école ash'arite de flatter la masse par son opportunisme, et formulaient contre elle le reproche toujours facile de « syncrétisme ». De même les littéralistes, et à leur tête les hanbalites, s'étonnaient de voir ce nouveau venu qui, tout en ayant la prétention d'échapper au piège de l'*i'tizâl*, n'avait pas le courage de revenir purement et simplement aux sources, à savoir le texte révélé littéral et la tradition primitive, telle qu'elle est reconnue de l'Islam sunnite.

Un autre fait vient encore tout compliquer. Au moment même où Ash'arî prend conscience, à Basra et à Baghdâd, des problèmes qu'affronte l'Islam et leur cherche une solution, un autre penseur, formé également dans le sunnisme, Abû Mansûr al-Matorîdî (ob. 333/944 à Samarkand, dans l'orient du monde islamique), pressent lui aussi les mêmes problèmes et vise le même but. Ses propres disciples considèrent l'effort de l'école ash'arite comme une réforme manquée; ils en critiquent le conservatisme et le conformisme. L'effort de l'ash'arisme s'arrêtant à mi-chemin, les disciples de Matorîdî prétendent opérer eux-mêmes le renouveau, et restaurer le sunnisme intégral.

2. Malgré toutes les critiques dressées contre l'ash'arisme naissant, l'école se développe et prend de l'extension; le temps aidant, elle devient le porte-parole de l'orthodoxie sunnite dans une grande partie de l'univers islamique. Mais au milieu du ve/xie siècle, le mouvement subit un temps d'arrêt et de difficulté. Les princes iraniens de la dynastie des Bouyides sont les véritables maîtres de l'empire abbasside. Or, ce sont des shî'ites; ils favorisent une sorte de synthèse entre la pensée mo'tazilite et certains aspects de la pensée shî'ite. Mais, dès que les princes turks seljoukides, d'appartenance sunnite, prennent le pouvoir, la situation change. L'ash'arisme reprend sa place privilégiée dans la société musulmane sunnite; l'école reçoit même l'appui des autorités officielles, particulièrement celui du célèbre vizir seljoukide Nizâm al-Molk (ob. 485/1093. Cette situation fait comprendre contre quoi luttaient désespérément les Ismaéliens d'Alamût).

Nizâm al-Molk fonde les deux grandes universités de

Baghdâd et de Nîshâpour. L'enseignement qui y est dispensé est l'ash'arisme, lequel devient alors la doctrine officielle de l'empire abbasside. C'est à cette époque que ses représentants deviennent les porte-parole de la doctrine sunnite elle-même. Forts de cette situation, les ash'arites passent à l'attaque contre les sectes et doctrines non conformes à leur « orthodoxie », non seulement sur le plan idéologique pur, mais sur le plan politique, pour autant que leurs adversaires représentent une opinion que favorise un Etat ou un gouvernement hostile au khalifat abbasside. L'offensive que Ghazâlî a entreprise contre les « Bâtiniens » (c'est-à-dire contre l'ésotérisme ismaélien) et contre les philosophes (*infra* V, 7), vise en même temps le pouvoir fâtimide du Caire, parce que celui-ci protégeait les philosophes et faisait sienne la doctrine bâtinienne.

3. Au VIIe/XIIIe siècle, l'ash'arisme rencontre dans la personne d'Ibn Taymîya et de son disciple, Ibn al-Qayyim al-Jawzîya, tous deux de Damas, des adversaires de taille. Ibn Taymîya en effet, le père du mouvement *salafite* à travers les siècles, conteste à l'ash'arisme la validité de sa réforme sunnite. Il proclame une réforme intégrale du sunnisme basée principalement sur la valeur absolue du texte littéral de la Révélation et de la Tradition des Compagnons du Prophète (de cette « Tradition » est évidemment exclu le *corpus* des traditions théologiques remontant aux Imâms du shî'isme). Malgré la valeur d'Ibn Taymîya et la force incisive de sa critique, l'ash'arisme conserve son rang prédominant dans l'Islam sunnite jusqu'à nos jours. La renaissance de l'Islam sunnite, quels que soient les éléments divers (mo'tazilisme et salafisme, par exemple) convergeant dans la conscience musulmane, ne peut que favoriser cette prépondérance de l'ash'arisme.

4. Parmi les grandes figures que l'école ash'arite a produites au cours des temps, on doit nommer : Abû Bakr al-Bâqillânî (ob. 403/1013) auteur du *Kitâb al-*

Tamhîd qui est le premier essai de doter l'ash'arisme d'un vrai système doctrinal; Ibn Fûrak (Abû Bakr Moham. ibn al-Hasan, ob. 400/1015); Abû Ishaq al-Isfarâ'înî (ob. 418/1027); 'Abd al-Qâhir ibn Tâhir al-Baghdâdî (ob. 429/1037); Abû Ja'far Ahmad ibn Moh. al-Semnânî (ob. 444/1052); Imâm al-Haramayn (al-Jowaynî, ob. 478/1085), dont l'ouvrage, *Kitâb al-Irshâd*, est considéré comme la forme achevée de l'ash'arisme; le célèbre Ghazâlî (ob. 505/1011), cf. *infra* V, 7); Ibn Tûmart (ob. 524/1030); Shahrastânî (ob. 548/1153); Fakhroddîn Râzî (ob. 606/1210); Adododdîn Ijî (ob. vers 756/1355); Gorgânî (ob. 816/1413); Sanoussî (ob. 895/1490).

On vient de souligner que l'ash'arisme, non seulement survécut à toutes les critiques, mais réussit à s'assurer la prépondérance en Islam sunnite, particulièrement dans le Proche-Orient. Cette place, il ne se l'est pas assurée fortuitement; même si les circonstances extérieures (politiques et autres) lui furent favorables à un moment donné, il dut son succès essentiellement au fait qu'il apportait des solutions, apparemment définitives, à deux grands problèmes. Ces deux problèmes, en contraste avec ce qui a été exposé ici précédemment, sont de ceux qui se posent à la conscience spécifiquement « exotérique ». Le premier se situe sur le plan cosmologique; c'est là que l'école ash'arite a formulé son *atomisme* devenu classique. Le second problème concerne la psychologie religieuse et l'individu.

2. *L'atomisme.*

1. On a vu précédemment (II, B) comment la gnose ismaélienne articulait l'idée d'Emanation avec le principe de l'Instauration créatrice (*ibdâ'*). L'émanatisme proprement dit est représenté par excellence, en Islam, par les philosophes hellénisants (*infra*, chap. V). Ces

derniers comprennent le fait de la création, tel qu'ils le méditent dans la Révélation qorânique, à la lumière de cette idée fondamentale. Ils considèrent la multiplicité des mondes et des phénomènes comme procédant de l'Un absolu. Dieu se trouve au sommet de la Manifestation; tous les êtres, constituant cette même Manifestation, sont liés organiquement, depuis la Première Intelligence jusqu'à la matière inanimée.

D'autres écoles de pensée, notamment les Mo'tazilites, se réfèrent pour expliquer la création et les rapports entre Dieu et le monde, à l'idée d'une causalité universelle. Les phénomènes de la création sont, selon eux, soumis à un ensemble de causes qui s'élèvent graduellement depuis les causes secondes régissant le monde de la matière, jusqu'aux causes premières et jusqu'à la Cause des causes.

Les Ash'arites n'ont été satisfaits ni par l'idée de l'Emanation mise en œuvre par les philosophes, ni par l'idée de la causalité universelle admise par les Mo'tazilites. Telle que les Ash'arites la comprennent, la conception émanatiste exclut l'idée qu'ils se font de la liberté et de la volonté comme caractérisant l'essence de l'Etre divin. Il leur aparaît que l'émanatisme aboutit à identifier le principe et la manifestation, soit sur le plan de l'essence, soit sur le plan de l'existence. Dans les êtres émanés, ils ne peuvent voir ni des êtres créés au sens où ils comprennent ce mot dans le Qorân, ni des états multiples d'un seul être, mais une multitude d'êtres si bien liés intrinsèquement à leur principe qu'ils s'identifient avec lui.

Dans l'idée mo'tazilite de la causalité universelle, les Ash'arites voient une sorte de déterminisme (la cause étant liée ontologiquement à son effet, et réciproquement), et ce déterminisme est pour eux incompatible avec l'idée fondamentale du Qorân affirmant, avec la toute-puissance, la liberté divine absolue. C'est en vain, à leurs yeux, que les Mo'tazilites ont tenté de justifier la causalité en la rattachant au principe de la sagesse divine, en faisant valoir que c'est la sagesse qui est à l'origine de la causalité. Car, pour les Ash'arites, la sagesse divine, tout comme la puissance et la volonté divines, sont absolues, au-dessus de toute condition et de toute détermination.

2. L'idée de la création du monde, et par voie de conséquence la relation qu'il convient de se représenter entre Dieu et l'univers, les Ash'arites ont pensé en trouver la base et la justification dans leur théorie de l'indivisibilité de la matière ou *atomisme.* Certes, la théorie de ce nom était déjà connue chez les penseurs de la Grèce et de l'Inde, mais les Ash'arites l'ont développée selon leurs préoccupations propres pour sauvegarder, par les conséquences qu'ils en déduisaient, leur idée de la toute-puissance et leur idée de la création.

L'argumentation ash'arite peut être indiquée très brièvement comme suit. Une fois admis que la matière est indivisible, on aboutit à l'affirmation d'un principe transcendant qui donne à cette matière et à tous les êtres composés, leur détermination et leur spécification. En effet, si la matière est en soi divisible, elle porte en elle-même la possibilité et la cause de sa détermination. L'idée d'un principe est alors superflue. En revanche, si l'on admet la théorie de la matière indivisible en soi (*atome*), il faut pour que cette matière soit déterminée, spécifiée et quantifiée dans tel ou tel être, l'intervention d'un principe transcendant. L'idée d'un Dieu créateur apparaît alors évidente et bien fondée.

Dès lors aussi, l'idée de l'indivisibilité de la matière porte en elle-même une autre conséquence, à savoir la récurrence de la création. Si en effet, la matière ne trouve pas en elle-même la raison suffisante de ses différenciations et combinaisons, il faut que toute agglomération d'atomes spécifiant tel ou tel être, soit purement accidentelle. Or ces accidents, du fait qu'ils sont en éternel changement, nécessitent l'intervention d'un principe transcendant qui les crée et les soutienne. La conclusion s'impose : il faut que la matière et l'accident soient créés *à chaque instant.* L'univers tout entier est maintenu d'instant en instant par la Main divine toute-puissante. Selon la conception ash'arite, l'univers est en expansion continue, et seule la Main divine lui conserve son unité, sa cohésion et sa durée, bien que la faiblesse de nos sens et de notre raison ne nous permettent pas de percevoir qu'il en est ainsi.

3. *La raison et la foi.*

1. Outre le problème qu'il résout par sa cosmologie atomiste, l'ash'arisme fait face à un second problème qui se pose à lui en termes caractéristiques, comme le problème des rapports entre la raison et la foi. Il y confirme sa vocation qui l'oppose aux extrêmes : d'un côté les Mo'tazilites qui ne veulent reconnaître que la raison et le rationnel, de l'autre les littéralistes qui ne veulent pas en entendre parler. Si on admet la thèse mo'tazilite reconnaissant la raison humaine comme l'arbitre absolu, aussi bien dans le domaine des choses temporelles que sur le plan spirituel, le simple croyant pourra se demander : pourquoi dois-je nécessairement acquiescer à une Loi religieuse ? Sans doute le Mo'tazilite répondra-t-il que la religion est une nécessité d'ordre éthique et social pour la masse, du fait que tout le monde n'est pas capable de se guider à la lumière du vrai et du bien. Soit. Mais lorsque l'individu conscient atteint sa maturité, pourquoi assumerait-il encore quelque engagement religieux, alors qu'il estime être en mesure, par son expérience personnelle, d'atteindre la vérité et d'agir en conséquence ?

Or, ceux pour qui la raison humaine est tout et ceux pour qui elle n'est rien, aboutissent à la même séparation de la raison et de la foi. Les Mo'tazilites exilent la foi religieuse, parce que l'individu conscient n'en a plus besoin; à l'extrême opposé, les littéralistes exilent la raison, sous prétexte qu'elle n'est d'aucune utilité en matière religieuse, où seule la foi est requise. Mais alors pourquoi le Qorân incite-t-il au raisonnement et à la spéculation ? Pourquoi invite-t-il notre intelligence à s'exercer sur les objets proprement religieux, l'existence divine, la providence divine, la révélation, etc. ?

Entre les deux extrêmes, l'ash'arisme a tenté de frayer la voie moyenne, s'efforçant de circonscrire le domaine propre à l'intelligence rationnelle et le domaine réservé à la foi. S'il est vrai qu'une même réalité spirituelle peut être saisie par la raison et peut l'être par la foi, il s'agit néanmoins dans chaque cas d'un mode de perception dont les conditions sont si différentes, qu'on ne saurait ni les confondre, ni les substituer l'un à l'autre, ni se passer de l'un pour ne garder que l'autre.

2. Dans le combat livré ainsi par l'ash'arisme, il y a quelque chose de pathétique, car on peut se demander s'il disposait des armes suffisantes pour le mener à bien. Si l'on compare avec la philosophie prophétique de la gnose shî'ite exposée ici précédemment (chap. II) la situation révèle un puissant contraste. En faisant face simultanément aux Mo'tazilites et aux littéralistes, l'ash'arisme reste en fait sur leur propre terrain. Et sur ce terrain, il serait difficile que se lèvent les perspectives ascendantes du *ta'wîl*, et que s'ouvre un passage menant du *zâhir* au *bâtin*. C'est le contraste entre la dialectique rationnelle du *Kalâm* et ce que nous avons appris à connaître comme *hikmat ilâhîya* (*theosophia*), *'irfân* (gnose mystique), *ma'rifat qalbîya* (connaissance du cœur), bref cette forme de conscience pour laquelle toute connaissance reconduit à un acte de connaissance de soi. En réfléchissant à la solution donnée par al-Ash'arî au dilemme du Qorân incréé ou créé, on a l'impression que son effort s'arrête prématurément. En

pouvait-il être autrement ? Il aurait fallu toute une prophétologie, avec l'approfondissement des notions de *temps* et d'*événement* à leurs différents niveaux de signification. Mais certains auteurs shî'ites nous ont déjà fait observer que l'atomisme ash'arite et la négation des causes intermédiaires rendaient précisément impossible une prophétologie.

Si l'ash'arisme a survécu à tant d'attaques et de critiques, il faut admettre que la conscience de l'Islam sunnite s'est reconnue en lui. Et c'est bien là le symptôme le plus aigu d'une situation qui conduit à se demander si la philosophie devait jamais s'y trouver « chez elle », ou bien y rester en porte à faux. Le mo'tazilisme est contemporain des Imâms du shî'isme (dont les disciples eurent plus d'une discussion avec les maîtres mo'tazilites). Ash'arî est né l'année même où commence l' « occultation mineure » du XIIe Imâm (260/873). Il meurt à Baghdâd quelques années seulement avant Kolaynî, le grand théologien shî'ite, qui précisément travailla à Baghdâd pendant vingt ans. Les noms des deux maîtres pourraient être pris comme le symbole des conditions très différentes que l'avenir réservait à la philosophie, respectivement en Islam shî'ite et en Islam sunnite.

IV

Philosophie et sciences de la nature

1. *L'hermétisme.*

1. On a rappelé ci-dessus (I, 2) que les Sabéens de Harran faisaient remonter leur ascendance à Hermès et à Agathodaimôn. Leur plus célèbre docteur, Thâbit ibn Qorra (ob. 288/901), avait écrit en syriaque et traduit lui-même en arabe un livre des *Institutions d'Hermès*. Pour les Manichéens, Hermès était l'un des cinq grands prophètes ayant précédé Mani. De la prophétologie manichéenne le personnage d'Hermès est passé dans la prophétologie islamique, où il est identifié avec Idrîs et Hénoch (Okhnokh).

Il n'est nullement surprenant que les premiers musulmans qui « hermétisèrent » aient été des shî'ites. D'une part en effet, la prophétologie shî'ite (*supra* II, A, 2) prévoit spontanément la catégorie prophétique à laquelle appartient Hermès. Ce n'est pas un prophète-législateur, chargé de révéler aux hommes une *sharî'at.* Son rang dans la hiérohistoire des prophètes est celui d'un Nabî qui fut envoyé pour organiser la vie des premières cités sédentaires et enseigner aux hommes les techniques. D'autre part, la gnoséologie shî'ite prévoit également le mode de connaissance commun aux simples Nabîs antérieurs à l'Islam (tel Hermès), aux Imâms et aux *Awliyâ* en général pendant le cycle de la *walâyat* succédant au cycle de la prophétie législatrice. C'est ce qui nous a été décrit (*supra* II, A, 5) comme inspiration divine directe (*ilhâm*), voire supérieure à la mission prophétique législatrice. De fait la philosophie hermétiste se désigne comme une *hikmat ladonîya*, une sagesse inspirée, c'est-à-dire une philosophie prophétique.

En revanche, les Sunnites (au témoignage de Shahrastânî) dénonçaient dans l'hermétisme des Sabéens une religion incompatible avec l'Islam, puisqu'elle peut se passer de prophète (de prophète-législateur d'une *sharî'at*, s'entend) : l'*ascension* de l'esprit au Ciel, telle que Hermès y initie ses adeptes, dispenserait de croire à la *descente* d'un Ange révélant au prophète le texte divin. Il n'y a plus cette incompatibilité tranchée, si la question est posée dans le cadre de la prophétologie et de la gnoséologie shî'ite. Les conséquences en vont très loin. On s'explique comment et pourquoi, en pénétrant par la porte du shî'isme, l'hermétisme put être reconnu en Islam avant que la syllogistique et la métaphysique d'Aristote y aient fait leur entrée. Le fait souligne encore les raisons de l'attitude shî'ite et ses conséquences pour l'avenir de la philosophie en Islam, tandis que du côté sunnite on dénonçait indistinctement tant l'attitude shî'ite que l'attitude ismaélienne et hermétiste, comme foncièrement hostile à la prophétie et ruinant l'Islam légalitaire de la *sharî'at.*

2. Comme beaucoup de « fortes personnalités » de l'époque, le philosophe iranien Sarakhshî (ob. 286/899), élève du philosophe al-Kindî (*infra* V, 1), était shî'ite ou passait pour tel. Il avait écrit un ouvrage (aujourd'hui perdu) sur la religion des Sabéens. Son maître, al-Kindî, avait lu également ce que Hermès enseignait à son fils (référence implicite, sans doute, au « Poimandrès »), concernant le mystère de la transcendance divine, et il affirmait qu'un philosophe musulman comme lui n'aurait pu mieux dire. Malheureusement les Sabéens n'avaient pas de « Livre » apporté par un prophète-législateur, un Livre qui aurait pu les faire reconnaître officiellement comme *Ahl al-Kitâb.* Ils durent peu à peu se convertir à l'Islam. Leur dernier chef connu, Hokaym ibn 'Isâ ibn Marwân, mourut en

333/944. Leur influence n'en a pas moins laissé des traces ineffaçables. Leur conviction de l'inefficacité du syllogisme pour discriminer les attributs divins fait écho aux réticiences de l'Imâm Ja'far à l'égard de la dialectique (la science du *Kalâm*). Quelque chose de leur terminologie, jointe à celle du manichéisme, se retrouve chez Shalmaghânî (ob. 322/934), pathétique figure d'une tragédie personnelle propre à un ultra-shî'ite. Par l'intermédiaire de Dhû'l-Nûn Misrî (ob. 245-859), Egyptien à la fois alchimiste et mystique, quelque chose en pénètre dans le soufisme (Kharrâz, 286/899); Hallâj, 309/922). Les néoplatoniciens de l'Islam, qui opèrent la synthèse de la spéculation philosophique et de l'expérience spirituelle, se réclament expressément d'une chaîne d'initiation (*isnâd*) remontant à Hermès : ainsi firent Sohravardî (587/1191), Ibn Sab'în (ob. 669/1270). Au VIIe/XIIIe siècle, un philosophe iranien shî'ite, Afzâl Kâshânî, traduit en persan un traité hermétiste (cf. ci-dessous). Hermès ne cesse de figurer dans la hiérohistoire des prophètes (cf. en Iran, Majlisî, Ashkevârî au XVIIe s.).

3. Pour caractériser la pensée hermétiste et tout ce qui en Islam en subit l'influence, on relèvera avec L. Massignon (cf. bibliographie) les signes suivants : il y a, en théologie, la conviction que, si la divinité ineffable est inaccessible au syllogisme, il en procède des Emanations, et qu'elle peut être atteinte par notre prière, par un effort d'ascèse et de conjuration. Il y a une idée du temps cyclique solidaire d'une conception astrologique hermétiste (idée fondamentale du temps dans le shî'isme ismaélien; chez les Nosayris, Hermès est la théophanie de la seconde « coupole »; chez les Druzes, Okhnokh est identifié avec Eve, comme seconde Emanation, Ame du monde). « Il y a une physique synthétique qui, bien loin d'opposer le monde sublunaire au Ciel empyrée (et les quatre Eléments corruptibles à la quintessence), affirme l'unité de

l'univers. » D'où le principe et la science des *correspondances*, fondées sur la *sympathie* de toutes choses. Il y a l'usage de ce que L. Massignon appelle les « séries causales anomalistiques », c'est-à-dire la tendance a toujours considérer non pas la loi générale, mais l'individualité des cas, même aberrants. C'est cela même qui, en différenciant l'hermétisme de la tendance logique de l'aristotélisme, le rapproche de la dialectique concrète et empirique des écoles stoïciennes. Ce n'est pas seulement sur l'école des grammairiens arabes de Koufa (*infra*, IV, 5) que l'on décèle cette influence stoïcienne ou stoïcisante, mais sur un type de science shî'ite attachée à la considération des causes de l'individuel (chez Ibn Bâbûyeh, par exemple). A l'apogée de la pensée shî'ite duodécimaine, dans la métaphysique de l'*exister* que Mollâ Sadrâ Shîrâzî oppose à la métaphysique des essences, on peut encore déceler la même affinité.

4. Il est impossible de relever ici les titres des ouvrages figurant dans la tradition hermétiste en Islam : traités attribués à Hermès, à des disciples (Ostanès, Zozime, etc.), traductions (le *Livre de Kratès*, le *Livre de l'Ami*), les ouvrages d'Ibn Wahshîya ou ceux qui lui sont attribués (entre autres la fameuse *Agriculture nabatéenne*, en fait l'œuvre d'un shî'ite de famille vizirale, Abû Tâlib Ahmad ibn al-Zayyat, ob. vers 340/951). Cependant il faut mentionner spécialement le nom de deux grands ouvrages hermétistes arabes : 1) Le *Livre du secret de la Création et technique de la Nature* (*sirr al-khalîqa*) fut produit sous le khalife Ma'mûn (ob. 218/833) par un musulman anonyme et mis par lui sous le nom d'Apollonios de Tyane. C'est ce traité qui se termine par la célèbre « Table d'émeraude », *Tabula smaragdina* (il est à rapprocher du *Livre des Trésors*, encyclopédie de sciences naturelles, produit à la même époque par Job d'Edesse, médecin nestorien à la cour abbasside). 2) Le *But du Sage*

(*Ghâyat al-Hakîm*, faussement attribué à Maslama Majrîtî, ob. 398/1007). Ce traité contient, outre de précieuses informations sur les liturgies astrales des Sabéens, tout un enseignement sur la « Nature Parfaite », attribué à Socrate.

5. Le thème de la « Nature Parfaite » (*al-tibâ' al-tâmm*) est l'un des plus attachants de toute cette littérature. La Nature Parfaite est l' « entité spirituelle » (*rûhânîyat*), l' « Ange du philosophe », son guide personnel qui l'initie personnellement à la sagesse. Elle est en somme un autre nom de Daênâ, l'*Alter ego* céleste, Figure de lumière à la ressemblance de l'âme qui, dans le zoroastrisme et dans le manichéisme, apparaît à l'élu au moment de son *exitus*. La vision que Hermès eut de sa Nature Parfaite est commentée par Sohravardî, et après lui par toute l'école *ishrâqî* (*infra* VII), jusque chez Mollâ Sadrâ et les élèves de ses élèves. Nous verrons que par le thème de la « Nature Parfaite », Abû'l-Barakât Baghdâdî (*infra* V, 6) dégage, de façon très personnelle, les implications de la doctrine avicennienne de l'Intelligence agente. On peut suivre la trace de la « Nature Parfaite » sous d'autres noms : c'est à sa quête que s'en va le pèlerin des épopées mystiques persanes de 'Attâr. On la retrouve dans l'école de Najm Kobrâ, désignée comme le « Témoin dans le Ciel », le « guide invisible ». Daimôn socratique, daimôn personnel de Plotin, elle est tout cela aussi. C'est sans doute à l'hermétisme que cette lignée de Sages en Islam doit d'avoir pris conscience de ce « moi céleste », « moi à la seconde personne », but de leur pèlerinage intérieur, c'est-à-dire de leur réalisation personnelle.

2. *Jâbir ibn Hayyân et l'alchimie.*

1. L'œuvre immense portée sous le nom de Jâbir ibn Hayyân est hermétiste, elle aussi, par un certain nom-

bre de ses sources. On ne peut que référer ici au monumental travail que lui a consacré le regretté Paul Kraus et qui restera pour longtemps le guide des études jâbiriennes. Décider de l'auteur du *corpus* jâbirien est une question redoutable. Berthelot, surtout préoccupé par le Jâbir (ou *Geber*) latin, et les documents étant alors inaccessibles, avait abouti à des dénégations sommaires et infondées. Holmyard, en revanche, avait accumulé une masse d'arguments pertinents en faveur de la tradition : Jâbir avait réellement vécu au IIe/VIIIe siècle, avait bien été l'élève du VIe Imâm, l'Imâm Ja'far, et était bien l'auteur de la volumineuse collection d'environ trois mille traités qui lui sont attribués (ce n'est pas tellement impensable si l'on compare avec l'œuvre d'un Ibn 'Arabî ou d'un Majlisî). Ruska avait cherché une voie moyenne : excluant l'influence directe de l'Imâm (cette exclusion fait fi un peu arbitrairement d'une tradition shî'ite constante), mais admettant une tradition ayant ses centres en Iran. De ses recherches et critiques prudentes, Paul Kraus concluait à une pluralité d'auteurs : autour d'un noyau primitif, plusieurs collections s'étaient constituées dans un ordre que l'on peut approximativement restituer. Il en datait l'éclosion aux alentours des IIIe/IXe-IVe/Xe siècles, non pas au IIe/VIIIe siècle.

On voudrait cependant observer ici que, nonobstant le contraste entre les collections dites « techniques » et les autres, il y a un lien organique entre toutes et une inspiration constante. S'il est vrai qu'une collection du *corpus* réfère au *Secret de la Création* attribué à Apollonios de Tyane (cf. ci-dessus IV, 1), lequel est du IIIe/IXe siècle, nous n'avons aucune certitude que ce dernier ouvrage ait créé son propre lexique et sa propre matière et ne les ait pas reçus d'un prédécesseur. Le témoignage antijâbirien du philosophe Solaymân Mantiqî Sejestânî (ob. vers 371/981) se contredit lui-même. A parler franchement, nous croyons que dans un tel domaine (où un grand nombre d'œuvres de l'époque ont été perdues), le souci de dégager ce qui explique et ce qu'explique une tradition est plus fécond qu'une hypercritique historique piétinant un terrain qui ne cesse de se dérober. Si l'on veut bien ne pas déprécier ou ignorer systématiquement tout ce qui nous est rapporté des Imâms du shî'isme (le retard des études shî'ites se fait particulièrement sentir ici), et si l'on se rappelle que l'Ismaélisme s'est constitué d'abord chez les adeptes qui entouraient l'Imâm Ismâ'îl, fils de l'Imâm Ja'far, alors les liens de Jâbir avec l'Ismaélisme et avec l'Imâm nous apparaissent sous leur vrai jour. Si la biographie cohérente dégagée plus tard du *corpus* par l'alchimiste Jaldakî, affirme qu'il y a eu un Jâbir ibn Hayyân alchimiste, disciple du VIe Imâm et adepte du VIIIe Imâm, l'Imâm Rezâ, et mort finalement à Tûs (dans le Khorassân) en l'an 200/804, il n'y a aucune raison décisive de le contester. Que certaines collections du *corpus* postulent une pluralité d'auteurs, il n'y aurait même alors aucune contradiction à l'admettre, car finalement on verra que le concept de Jâbir, la figure de sa personne, finissent par prendre une signification dépassant les limites d'un *situs* fixé et immobilisé dans la chronologie.

2. Les recherches de Paul Kraus ont tendu à montrer que la théorie jâbirienne de la Balance (*mîzân*) « a représenté au Moyen Age la tentative la plus rigoureuse pour fonder un système quantitatif de sciences naturelles ». La légitimité de cette proposition eût apparu sous son vrai jour, si hélas ! la disparition tragique de Paul Kraus ne l'eut empêché d'achever son œuvre. Il restait encore à réaliser le projet de montrer les liens de l'alchimie de Jâbir avec la philosophie religieuse de l'Ismaélisme. Car la science « quantitative » jâbirienne n'est pas simplement un chapitre de l'histoire primitive des sciences, telle qu'on entend de nos jours le mot « sciences ». C'est toute une *Weltan-*

schauung. La science de la Balance tend à englober toutes les données de la connaissance humaine. Elle ne s'applique pas seulement aux trois règnes du « monde sublunaire », mais aussi aux mouvements des astres et aux hypostases du monde spirituel. Comme le dit le *Livre des Cinquante*, il y a des Balances pour mesurer « l'Intelligence, l'Ame du monde, la Nature, les Formes, les Sphères, les astres, les quatre Qualités naturelles, l'animal, le végétal, le minéral, enfin la Balance des lettres qui est la plus parfaite de toutes ». Il y a donc à craindre que le terme de « quantitative » appliquée à la science jâbirienne ne crée quelque équivoque ou illusion.

Le propos de la « science de la Balance », c'est de découvrir dans chaque corps le rapport qui existe entre le manifesté et le caché (le *zâhir* et le *bâtin*, l'exotérique et l'ésotérique). L'opération alchimique se présente ainsi, nous l'avons dit, comme le cas par excellence du *ta'wîl* (l'exégèse spirituelle) : occulter l'apparent, faire apparaître l'occulté. Comme l'explique longuement le *Livre de l'arène de l'Intelligence* (*Kitâb maydân al-'aql*), mesurer les Natures d'une chose (chaleur, froidure, humidité, sécheresse), c'est mesurer les quantités que l'Ame du monde s'en est appropriées, c'est-à-dire l'intensité du désir de l'Ame en descendant dans la matière : c'est du désir éprouvé par l'Ame pour les Eléments que dérive le principe qui est à l'origine des Balances (*mawâzîn*). On peut donc dire que c'est la transmutation de l'Ame revenant à elle-même qui va conditionner la transmutation des corps : l'Ame est le lieu même de cette transmutation. L'opération alchimique s'annonce donc comme une opération psycho-spirituelle par excellence, non pas du tout que les textes alchimiques soient une « allégorie de l'Ame », mais parce que les phases de l'opération *réellement* accomplie sur une matière *réellement* donnée, *symbolisent avec* les phases du retour de l'Ame à elle-même.

Les mesures si complexes, les chiffres parfois colossaux établis minutieusement par Jâbir, n'ont pas de sens pour un laboratoire de nos jours. La science de la Balance ayant pour principe et fin de mesurer le désir de l'Ame du monde incorporé à chaque substance, il est difficile d'y voir une anticipation de la science quantitative moderne; en revanche, elle pourrait être regardée comme une anticipation de cette « énergétique de l'âme » qui sollicite de nos jours tout un ensemble de recherches. La Balance de Jâbir était alors la seule « algèbre » qui pût noter le degré d' « énergie spirituelle » de l'Ame incorporée aux Natures, puis s'en libérant par le ministère de l'alchimiste qui, en libérant les Natures, libérait aussi sa propre âme.

3. On vient de lire que Jâbir regardait la « Balance des lettres » comme la plus parfaite de toutes (cf. encore *infra* IV, 5). Les gnostiques en Islam ont amplifié une théorie de la gnose antique considérant que les lettres de l'alphabet, étant à la base de la Création, représentent la matérialisation de la Parole divine (cf. Marcos le gnostique, et ci-dessus le gnostique shî'ite Moghîra). L'Imâm Ja'far est regardé unanimement comme l'initiateur de la « science des lettres ». Les mystiques sunnites l'ont eux-mêmes empruntée aux shî'ites, dès la seconde moitié du IIIe/IXe siècle. Ibn 'Arabî et son école en font un grand usage. Chez les Ismaéliens, les spéculations sur le Nom divin correspondent à celles de la gnose juive sur le tétragramme.

C'est de cette « Balance des lettres » que Jâbir fait particulièrement état dans le traité qu'il intitule le *Livre du Glorieux* (*Kitâb al-Mâjid*, cf. bibliographie), traité qui, si abstrus soit-il, nous révèle au mieux le lien de sa doctrine alchimique avec la gnose ismaélienne, et nous fait entrevoir peut-être le secret de sa personne. Ce traité analyse longuement la valeur et le sens des trois lettres symboliques *'ayn* (symbolisant l'Imâm, le Silencieux, *sâmit*, 'Ali); *mîm* (symbolisant le prophète,

Nâtiq, énonciateur de la *sharî'at*, Mohammad); *sîn* (rappel de Salmân, le *Hojjat*). On a déjà signalé précédemment (p. 150) que selon l'ordre de préséance dans lequel on les range, on obtient l'ordre symbolique typifiant le shî'isme duodécimain et l'Ismaélisme fâtimide (*mîm, 'ayn, sîn*), ou bien le proto-ismaélisme (celui des *Sept combats de Salmân* du traité *Omm al-Kitâb*) et l'Ismaélisme d'Alamût (*'ayn, sîn, mîm*) : dans ce second cas, il y a préséance de Salmân, le *Hojjat*, sur le *mîm*. Cet ordre de préséance, Jâbir le motive par une application rigoureuse de la valeur que découvre la Balance des trois lettres en question.

Qui est le *sîn*, le Glorieux ? A aucun moment Jâbir ne dit qu'il s'agit de l'Imâm attendu, l'Elixir (*al-Iksîr*) qui, émanant de l'Esprit divin, transfigurera la cité d'ici-bas (cette idée correspond à l'eschatologie de tout le shî'isme, que les interprètes occidentaux ont trop souvent tendance à « politiser »). Le *Sîn*, c'est l'Etranger, l'Expatrié (*gharîb*), le *Yatîm* (l'orphelin, le solitaire, le sans-pareil), celui qui par son propre effort a trouvé la voie et est l'*adopté* de l'Imâm; celui qui montre la pure lumière du *'ayn* (l'Imâm) à tous les étrangers comme lui, pure Lumière abolissant la Loi qui « géhenne » les corps et les âmes, Lumière transmise depuis Seth, fils d'Adam, jusqu'à Christ, de Christ à Mohammad en la personne de Salmân. Or, le *Livre du Glorieux* énonce que le comprendre, lui, ce livre, et comprendre ainsi l'ordre même de tout le *corpus*, c'est être *tel* que Jâbir lui-même. Ailleurs, sous le symbole de la langue *himyarite* (sud-arabique) et d'un mystérieux shaykh qui la lui apprit, il dit à son lecteur : « En lisant le *Livre de la Morphologie*, tu connaîtras la préséance de ce shaykh, ainsi que *ta propre préséance*, ô lecteur. Dieu sait que *tu es lui.* » Le personnage de Jâbir n'est ni un mythe ni une légende; mais Jâbir est plus que son personnage historique. Le Glorieux est l'archétype; y eut-il plusieurs rédacteurs du *corpus*, chacun avait à reprendre, authentiquement sous le nom de Jâbir, la *geste* de l'archétype.

Cette geste est celle de l'alchimie dont on ne peut jalonner ici la voie que par l'énoncé de quelques noms. Mo'ayyadoddîn Hosayn Toghrâ'î, célèbre poète et écrivain alchimiste d'Ispahan (exécuté en 515/1121). Mohyiddîn Ahmad Bûnî (ob. 622/1225), qui avait étudié deux cents ouvrages jâbiriens. Le grand alchimiste Aydamor Jaldakî (ob. 743/1342, ou 762/1360) réfère fréquemment à Jâbir; parmi ses nombreux ouvrages, le *Livre de la démonstration concernant les secrets de la science de la Balance* comprend quatre énormes volumes (l'ouvrage est particulièrement attentif à la transmutation spirituelle symbolisant avec l'opération alchimique. Le chapitre final du livre *Natâ'ij al-fikar*, intitulé le « Songe du prêtre », célèbre l'union d'Hermès et de sa Nature Parfaite). En Iran, au XVe siècle, un maître du soufisme à Kerman, Shâh Ni'matollâh Walî, annote de sa main son propre exemplaire d'un livre de Jaldakî (*Nihâyat al-tâlib*). Aux confins des XVIIIe et XIXe siècles, les maîtres de la renaissance du soufisme iranien, Nûr 'Alî-Shâh et Mozaffar 'Alî-Shâh, expriment à leur tour en notations alchimiques les phases de l'union mystique. Dans l'école shaykhie enfin, les représentations alchimiques sont liées à la doctrine théosophique du « corps de résurrection ».

3. *L'encyclopédie des « Ikhwân al-Safâ ».*

1. Il est devenu traditionnel de traduire le titre que se donne cette société de pensée qui eut son centre à Basra, par « les Frères de la Pureté et les Amis de la Fidélité » (on a fait des objections contre le terme de « pureté », pourtant c'est bien le sens du mot; il ne signifie pas « chasteté », mais s'oppose à *kadûra,* impureté, opacité. A lire leur texte, on comprend que

ce sont « les Frères au cœur pur et les Fidèles à toute épreuve »). Ils se donnent dans leur encyclopédie comme une confrérie dont les membres taisent leurs noms. On s'accorde à dater du IVe/Xe siècle l'état du texte tel qu'il nous est parvenu. En outre, par certains philosophes et historiens (Tawhîdî, Ibn al-Qiftî, Shahrazûrî), nous connaissons les noms de quelques collaborateurs de l'œuvre : Abû Solaymân Bostî, Moqaddasî, 'Alî ibn Harûn Zanjânî, Moham. ibn Ahmad Nahrjûrî (ou Mehrjânî), 'Awfî.

Il s'agit en fait non pas simplement d'un groupe de sympathisants shî'ites, mais d'une société de pensée ismaélienne caractérisée, bien que la rédaction très prudente ne laisse reconnaître la chose qu'à « celui qui sait ». L'entreprise vise, certes, un but de propagande, mais le mot « populaire » serait déplacé ici, car le contenu ne l'est pas. Si des copies de l'œuvre étaient à l'époque discrètement distribuées dans les mosquées, c'est que, selon la pédagogie ismaélienne, il s'agit d'éveiller quiconque en est capable à la connaissance qu'il y a quelque chose au-dessus de la religion légalitaire littérale, la *sharî'at,* laquelle n'est une médecine excellente que pour les âmes faibles et malades; il s'agit de conduire quiconque y est appelé, à la pure religion spirituelle gnostique. Il serait encore inexact ici de parler selon nos habitudes, d'une « conciliation » entre la religion et la philosophie. Pour l'ésotérisme, il y a des *niveaux de significations* correspondant aux aptitudes respectives des âmes. L'organisation idéale des Frères est fondée là-dessus. C'est une entreprise de libération spirituelle, certes, ce qui ne veut pas dire rationalisme ou agnosticisme, car ce ne serait pas là, pour nos penseurs, une « libération ». Il s'agit de conduire l'adepte à vivre à la ressemblance divine; cette philosophie initiatique est dans la ligne de la philosophie prophétique.

2. L'encyclopédie des Frères de Basra tend donc à englober toutes les connaissances et à donner leur sens

aux efforts de la race humaine. Elle se présente comme constituée de 51 traités (les éditions actuelles en donnent un 52e, qui paraît avoir été ajouté après coup; le véritable 52e Traité est signalé ci-dessous). Les traités sont groupés en quatre grandes divisions : 14 traitent de propédeutique, de mathématique et de logique; 17 traitent de la philosophie naturelle, y compris la psychologie; 10 traitent de métaphysique; 10 (ou 11 avec le traité additif) traitent de mystique et de questions astrologiques.

Certaines données de provenance islamique se greffent sur les données grecques concernant les propriétés de chaque nombre. Ce n'est pas un hasard si cette encyclopédie, où l'arithmologie pythagoricienne occupe une place considérable, comprend 51 traités, et si 17 traités (17 × 3 = 51) y traitent de la physique (le nombre 17 joue un rôle ailleurs, dans la gnose juive. En outre, 17 est le nombre des personnes qui, selon le gnostique shî'ite Moghîra, seront ressuscitées au jour de la parousie de l'Imân-Mahdî, et à chacune desquelles sera donnée l'une des 17 lettres composant le Nom suprême de Dieu. 51 élus mystiques, qui s'abreuvent à la mer du '*Ayn-Mîm-Sîn,* veillent aux portes de Harran, la cité des Sabéens, centre oriental de l'école pythagoricienne).

On retrouve chez les Frères la tendance, déjà prononcée chez Jâbir ibn Hayyân, à élever le principe de la Balance au rang d'un principe métaphysique. Chaque philosophie et chaque science, disait déjà Jâbir, sont une Balance; par conséquent, la Balance (contemplation des nombres-idées) est le genre supérieur à la philosophie et à toute chose comprise dans la philosophie. De même, chez les Frères de Basra, chaque discipline et chaque technique ont leurs balances à elles (*mawâzîn*), et la « Balance suprême » est celle qui est mentionnée dans le Qorân (21/48, au jour de la Résurrection). Le terme de *Balance* prend bien alors sa résonance spécifiquement shî'ite et ismaélienne. Il s'agit de la « Balance droite » (Qorân 17/37 et 26/182), de cet équilibre et de cette justice que connote le terme *'adl*, avec sa résonance philosophique et religieuse, puisqu'elle sera l'œuvre de l'Imâm de la Résurrection (à l'attente duquel se réfère la fidélité des *Ikhwân*).

3. Les Frères indiquent la constitution idéale de leur Ordre. Elle comprend quatre grades en fonction des aptitudes spirituelles se développant avec l'âge (l'idée du pèlerinage à La Mekke se transmue en symbole du pèlerinage de la vie). 1) Les jeunes gens de 15 à 30 ans, formés selon la loi naturelle. 2) Les hommes de 30 à 40 ans, instruits de la sagesse profane et de la connaissance analogique des choses. 3) A partir de 40 ans seulement, l'adepte devient apte à être initié à la réalité spirituelle cachée sous l'exotérique de la *sharî'at*; son mode de connaître est alors celui des prophètes (cf. ci-dessus II A, 5). 4) Au-dessus de 50 ans, il est à même de percevoir cette réalité spirituelle ésotérique dans la totalité des choses; son mode de connaître est alors un mode angélique, dominant aussi bien la lettre du *Liber mundi* que la lettre du Livre révélé. L'organisation de cette hiérarchie est uniquement fondée sur l'aptitude intérieure et le rang spirituel, dans un contexte où sont exposés « le rituel et le calendrier des philosophes ». C'est une combinaison typique de conceptions sabéennes et de conceptions ismaéliennes. On y apprend que les Frères, comme leurs prédécesseurs, sont exposés aux vicissitudes et aux persécutions qui visent les hommes de Dieu pendant un « cycle d'occultation » (*dawr al-satr*).

4. Aussi bien n'y a-t-il plus aucun doute sur leurs attaches ismaéliennes, lorsqu'on lit le grand « Traité récapitulatif » (*al-Risâlat al-jâmi'a*) qui est le véritable 52ᵉ Traité de l'Encyclopédie. Ce traité dévoile le fond des questions traitées dans l'Encyclopédie; il s'ouvre sur une histoire d'Adam (le sens ésotérique de sa sortie du Paradis) qui est exactement celle que l'on a résumée

ci-dessus (p. 129 ss.). La tradition ismaélienne constante attribue ce traité au second des trois « Imâms secrets » (ou clandestins, *Imâm mastûr*), intermédiaires entre Mohammad ibn Isma'îl (fils de l'Imâm Isma'îl, éponyme des Ismaéliens) et 'Obaydallah, fondateur de la dynastie fâtimide (né en 260/874. Cf. *supra* p. 117 : c'est à partir du VIIe Imâm, on le sait, que se séparent les branches duodécimaine et ismaélienne du shî'isme. (Ne pas confondre, on le rappelle, la « clandestinité » dans laquelle ont vécu les Imâms intermédiaires évoqués ici, avec la notion de la *ghaybat*, l'occultation du XIIe Imâm dans l'imâmisme.) L'Imâm Ahmad (arrière-petit-fils de l'Imâm Ismâ'îl) dut atteindre la maturité aux confins des IIe/VIIIe et IIIe/IXe siècles. La tradition ismaélienne le considère également comme auteur (ou directeur) de l'Encyclopédie des *Ikhwân*. Pour résoudre la difficulté chronologique, on pourrait admettre avec W. Ivanow, qu'il exista, dès le temps de l'Imâm, le noyau de l'œuvre qui, par amplifications successives, devait devenir l'encyclopédie des *Rasâ'il Ikhwân al-Safâ*.

Quant à l'attitude de l'orthodoxie sunnite à l'égard des Frères et de leur encyclopédie, il suffit de rappeler que le Khalife Mostanjid, en 554/1150, ordonna que l'on en brulât tous les exemplaires des bibliothèques publiques et privées (avec les ouvrages d'Avicenne !). L'œuvre survécut pourtant; elle fut traduite en persan et en turc. Elle eut une influence énorme sur tous les penseurs et mystiques de l'Islam.

4. *Rhazès* (*Râzî*), *médecin et philosophe.*

1. Médecin réputé, philosophe très personnel, « forte personnalité » iranienne, Mohammad ibn Zakarîyâ Râzî est né vers 250/864 à Ray (à une douzaine de kilomètres au sud de l'actuel Téhéran). Il

voyagea beaucoup; on sait qu'il fut directeur de l'hôpital de Ray et exerça les mêmes fonctions à Baghdâd. C'est à Ray qu'il est mort en 313/925 ou 320/932. Autant pour rappeler cette origine (Ray = Ragha de l'Avesta, Raghès ou Rhagès des Grecs) que pour le distinguer des nombreux autres « Râzî » (originaires de Ray), on préfère le désigner ici sous le nom de *Rhazès* qu'il doit aux traductions latines médiévales de ses ouvrages médicaux, et sous lequel il fut célèbre dans tout l'Occident au Moyen Age. Son œuvre scientifique a été longtemps la seule connue; elle concerne principalement la médecine et l'alchimie. Quant à son œuvre philosophique (Rhazès passait pour pythagoricien), elle fut considérée longtemps comme entièrement perdue. En fait, c'est grâce à la connaissance progressive des ouvrages ismaéliens que le labeur de Paul Kraus put la reconstituer (11 extraits d'ouvrages réunis par lui en un volume, Le Caire, 1939).

2. Il est en effet remarquable que les auteurs ismaéliens ont tous été en polémique avec lui, à commencer par son contemporain et compatriote Abû Hâtim Râzî. Il y eut ensuite les polémiques posthumes : Moh. Sorkh de Nîshâpour (commentant la *qasîda* de son maître Abû'l-Haytham Gorgânî), puis Hamîd Kermânî, puis Nâsir-e Khosraw. C'est ce qui nous a valu de longues et précieuses citations d'œuvres par ailleurs perdues. On pourrait penser *a priori* que ces Iraniens de haute culture avaient tout pour s'entendre, car ils avaient en fait les mêmes adversaires, à savoir les Scolastiques et les littéralistes de l'Islam « orthodoxe », et tous les piétistes ennemis de la recherche philosophique. Leur cause ne s'identifie pas pour autant. Il reste que les antagonistes sont dignes l'un de l'autre. En affrontant les Ismaéliens, Rhazès n'affronte ni de pieux littéralistes ni de fanatiques adversaires de la philosophie; loin de là, ce sont des hommes revendiquant de leur côté

(avec la fougue et la vigueur de Nâsir-e Khosraw par exemple) les droits de la pensée philosophique.

A chercher les raisons de cette opposition, on en trouve un premier symptôme dans la conception que Rhazès se fait de l'alchimie. Qu'il connût ou non Jâbir, sa conception est différente. Si l'on a présente à l'esprit la connexion de l'alchimie jâbirienne avec la gnose ismaélienne, on pressent que chez Rhazès l'ignorance de la « science de la Balance » doit impliquer la méconnaissance, sinon l'hostilité, à l'égard du principe fondamental du *ta'wîl*, dont on a rappelé ci-dessus que l'opération alchimique était une application éminente. On s'explique alors la tendance générale chez Rhazès à refuser les explications ésotériques et symboliques des phénomènes de la Nature. Ce sont deux types de perception du monde qui s'affrontent. Mais tant il est vrai qu'un auteur n'épuise jamais la signification de sa propre œuvre, les efforts n'ont pas manqué (chez le pseudo-Majrîtî, par exemple, dans son livre *Rotbat al-hakîm*) pour faire se rejoindre l'alchimie de Jâbir et celle de Rhazès.

3. On peut retenir comme principaux thèmes à propos desquels les Ismaéliens attaquent les positions de Rhazès : le temps, la Nature, l'Ame, la prophétie. L'attaque vise d'abord la thèse la plus caractéristique de la philosophie de Rhazès, à savoir l'affirmation des cinq Principes éternels : le Démiurge, l'Ame universelle, la *Materia prima*, l'Espace et le Temps. Abû Hâtim Râzî nous a laissé dans un de ses livres le protocole d'une discussion destinée à éclaircir un premier point : n'y a-t-il pas contradiction à faire du Temps un principe éternel ? Le grand intérêt de la discussion est de nous faire entendre, chez Rhazès, la distinction entre un *temps mesuré* par le mouvement du Ciel et un *temps non mesuré*, indépendant du ciel et même de l'Ame, puisqu'il se rapporte à un plan d'univers supérieur à l'Ame (Nâsir-e Khosraw dit lui aussi : le temps est de

l'éternité mesurée par les mouvements du Ciel; l'éternité, c'est du temps non mesuré, donc sans commencement ni fin).

La discussion n'aboutit pas, les deux interlocuteurs ne parlant pas du même temps. La distinction posée par Rhazès entre temps *absolu* et temps *limité* correspond, dans la terminologie du néoplatonicien Proclus, à la distinction du temps *séparé* et du temps *non séparé*, et elle évoque la différenciation faite dans la cosmologie zervânite de l'ancien Iran, entre le « temps sans rive » et le « temps à longue domination ». Sur ce point Bîrûnî nous apprend que Rhazès était tributaire d'un ancien philosophe iranien du IIIe/IXe siècle, Iranshahrî, dont l'œuvre ne nous est connue hélas ! que par quelques citations. « Forte personnalité » lui aussi, puisque, selon Bîrûnî, Iranshahrî aurait rejeté toutes les religions existantes, pour s'en créer une personnelle. Et Nâsir-e Khosraw fait de lui le plus vif éloge.

4. En philosophie de la Nature, plus exactement quant à cette science traditionnellement désignée comme « science des propriétés naturelles des choses », dans l'exorde du livre qu'il y consacre, Rhazès déclare que les philosophes physiciens ont dit des choses excellentes : « Toutefois ils n'ont rien dit concernant la propriété naturelle elle-même; ils ont simplement constaté qu'elle existe. Personne n'a traité de l'agent causal, ni mis en évidence les raisons, le pourquoi. C'est que la cause n'est point objet connaissable. » C'est cet aveu d'impuissance que relève avec fougue le théosophe ismaélien Moham. Sorkh de Nîshâpour : « On peut, écrit-il, faire confiance à Rhazès quant à la médecine; pour le reste, il est impossible de le suivre. » La conception qu'il lui oppose rejoint celle de Nâsir-e Khosraw, et c'est toute la théosophie ismaélienne de la Nature. La Nature naît dans la Matière par une contemplation que l'Ame projette en celle-ci, de même que l'Ame procède à l'être par une contemplation de

l'Intelligence dirigée sur soi-même. L'Ame est en ce sens l'enfant de l'Intelligence; en ce même sens, la Nature est l'enfant de l'Ame, elle est son élève et son disciple. C'est pourquoi elle peut agir, produire des actes qui seront à l'imitation de l'agir de l'Ame, et par conséquent elle peut être principe de mouvement (ce que niait Rhazès). La Nature est le *speculum Animae*. D'où la beauté naturelle est elle-même une beauté spirituelle, et la science des propriétés naturelles des choses sera à pratiquer comme une science de l'Ame. On rejoint ainsi le concept de la science jâbirienne, et Rhazès est laissé très loin.

5. Ce qu'il y a donc au fond ici, ce sont deux conceptions différentes de l'Ame et de l'histoire gnostique de l'Ame. Le pessimisme de Rhazès est autre que le pessimisme ismaélien. Le drame de l'Ame, Rhazès l'a configuré dans une histoire symbolique qui a consacré sa réputation d'être un crypto-manichéen, et qui présente indéniablement une réminiscence gnostique précise. L'Ame eut l'ardent désir de compénétrer ce monde, sans prévoir qu'elle ébranlerait la Matière en mouvements tumultueux et désordonnés, et serait frustrée de son but. Ainsi l'Ame du monde devient la misérable captive de ce monde. Alors, de la substance de sa propre divinité, le Créateur envoie l'Intelligence (*'Aql*, le *Noûs*) pour réveiller l'âme en léthargie et lui montrer que ce n'est pas ici sa patrie. D'où la mission des philosophes et la délivrance des âmes par la philosophie, puisque c'est par celle-ci que l'Ame apprend à connaître le monde qui est le sien.

Pour comprendre la réponse des Ismaéliens, souvent véhémente, à cette gnose de Rhazès, il faut avoir en la pensée leur propre gnose (*supra* II, B), celle qui « raconte » le triomphe remporté sur lui-même par le troisième Ange du Plérôme, l'Ange de l'humanité, devenu le Dixième par son erreur, et démiurge de ce monde physique pour aider les siens à se délivrer. De même, Nâsir-e Khosraw répond à Rhazès que la deuxième hypostase du Plérôme, l'Ame, n'est pas « tombée » dans la Nature pour produire en celle-ci les Formes; elle n'a eu qu'à projeter sa contemplation dans cette Nature, et la *physis* active s'y est manifestée. Ce sont les âmes partielles individuelles qui ont été la proie de cette chute, les *membres* de son Plérôme, certes, mais dont elle est distincte. Aussi bien n'est-ce pas à elle qu'Aristote, en finale de son *Liber de Pomo*, remet son âme « comme au seigneur des âmes des philosophes » ? Comment l'*Anima mundi* se réduirait-elle à la collectivité des âmes partielles ? La Nature, pour l'Ismaélien, est le *speculum Animae*. L'Ame a besoin de la Nature comme de son organe propre, pour se connaître soi-même et atteindre à soi-même. Un être en situation de se connaître soi-même, d'atteindre à soi-même, postule une dualité dans son être. Mais cette dualité n'est pas le Mal. La Nature n'est pas le Mal; elle est l'instrument qui permet de réduire un Mal advenu antérieurement à elle, dans la prééternité (la différence entre la gnose ismaélienne et celle de Rhazès est très précise). Cette loi de l'être, c'est elle qui commande le rythme des cycles et périodes du monde; elle est le secret de l'eschatologie, et partant le secret des périodes de la prophétie.

6. Nous atteignons là-même le fond de l'antagonisme en question : l'anti-prophétisme de Rhazès. Il en appelle à la mission des philosophes, pour réveiller les âmes plongées dans la léthargie. L'Ismaélien répond que réveiller ces âmes-là est au-dessus du pouvoir des philosophes. Il y faut la parole des prophètes. Est-ce que la troupe des philosophes n'a pas été le plus souvent ignorée de la masse, bafouée par les pouvoirs ? Pour Rhazès les âmes non rédimées par la philosophie errent, après la mort, de par le monde; ce sont elles les démons qui séduisent les hommes par l'orgueil et en font occasionnellement des prophètes. Rhazès s'est

exprimé avec une violence inouïe sur l'imposture « démoniaque » des prophètes (influençant peut-être le fameux pamphlet *Des Trois Imposteurs*, si goûté des rationalistes en Occident depuis Frédéric II de Hohenstaufen). Mais alors, demande l'Ismaélien, pourquoi chacun des Prophètes fut-il harcelé, tourmenté, persécuté par l'engeance d'Iblîs, les démons à face humaine contre lesquels tous les prophètes combattirent ?

Rhazès proclame avec fougue un « égalitarisme » irréductible. Tous les humains sont égaux; il est impensable que Dieu en ait distingué quelques-uns pour leur confier la mission prophétique. Celle-ci ne peut donc avoir que des conséquences désastreuses : les guerres et les tueries déchaînées au nom des dogmes et des vaines croyances. L'Ismaélien répond que précisément il s'agit de conduire les hommes au-delà de la lettre des dogmes. Si les hommes étaient capables d'accepter et de comprendre l'exégèse spirituelle ésotérique (*ta'wîl*), ils verraient que les religions se dressent chacune à son rang, sans antagonisme. Et puis Rhazès, si égalitaire soit-il, ne prétend-il pas lui-même être un maître et un guide ? N'affirme-t-il pas avoir découvert ce que ses prédécesseurs ignoraient ? Et les philosophes, eux aussi, ne sont-ils pas en désaccord entre eux ? N'ont-ils commis ni mensonge ni erreur ? Rhazès a cette superbe réplique : « Il ne s'agit ni de mensonge ni d'erreur. Chacun d'eux a fait des efforts, et du fait de ses efforts, il s'est mis sur le chemin de la vérité. » (La recherche de la vérité est plus précieuse que la vérité, dira plus tard Lessing.)

L'extrême intérêt de cette *disputation*, c'est que l'opposition en jeu n'est pas une banale opposition entre rationalisme, philosophie et théologie au sens courant ou confessionnel du mot. C'est une opposition bien plus radicale entre un esprit religieux ésotérique, initiatique, et une volonté hostile à tout ce que cet esprit implique. La fureur égalitaire de Rhazès est d'autant plus tenace qu'elle se retourne contre lui-même, car il a parfaitement conscience de sa supériorité. En face de lui, il a comme antagonistes non pas des théologiens ou des docteurs de la Loi, pas même de pieux philosophes ayant fait leur paix avec ceux-ci, mais des hommes au sentiment initiatique, ayant conscience que la vérité spirituelle ne peut être comprise et assumée intégralement que par une élite qui en a seule la force. L'émissaire ismaélien (le *dâ'î*) ne prêche pas sur la place publique; il choisit et appelle individu par individu. Il y a des vérités spirituelles qui donnent à une élite l'élan vers ses *résurrections* (*qiyâmât*). La majorité des humains, pour des raisons dépassant leur condition dans le présent monde, n'en pourraient saisir que l'énoncé verbal, et y trouveraient prétexte à des *insurrections* génératrices de tyrannies bien pires que celles de toutes les *sharî'at* de tous les Prophètes.

Du même coup, c'est aussi tout le sens de cet Islam que l'on appelle « Islam ésotérique », qui apparaît sous le jour où il est placé en tête de la présente étude, avec cette « philosophie prophétique » qu'il était seul en mesure d'élaborer par le shî'isme. L'antagonisme entre Rhazès et les Ismaéliens est un des grands moments de la pensée en Islam.

5. *La philosophie du langage.*

1. Il y a maintenant, dans l'ensemble de la pensée islamique, un domaine aussi original qu'attachant, où nous retrouvons à l'œuvre les lignes de force étudiées jusqu'ici. Dès avant l'ère de l'Hégire, Syriens et Perses avaient étudié l'herméneutique (*peri hermeneias*) d'Aristote, revue par les Stoïciens et les Néoplatoniciens. L'amitié d'Ibn al-Moqaffa', le célèbre converti du mazdéisme, pour le grammairien Khalîl (ob. 791),

avait rendu accessible à celui-ci tout ce qui existait en pehlevi (moyen-iranien) concernant la grammaire et la logique. Cependant la structure propre des langues sémitiques offrait à la méditation philosophique des thèmes nouveaux et inépuisables. La tradition arabe fait remonter la science grammaticale au Ier Imâm du shî'isme, 'Alî ibn Abî Tâlib. En fait l'œuvre de Sibûyeh (les Arabes vocalisent Sibawaih), qui était un élève de Khalîl, nous présente un système grammatical complet et achevé, que l'on a pu comparer au Canon d'Avicenne pour la médecine. Il est remarquable que ce soit un Iranien qui ait mené à bien cet édifice de la grammaire arabe (Sibûyeh, ob. 169/786, a son mémorial à Shîrâz, dans le Fârs, c'est-à-dire la Perside).

Les premiers développements restent pour nous dans l'obscurité. Ce qui importe pour l'histoire de la philosophie, c'est de savoir comment sur cette base va se développer, pendant tout le IIIe/IXe siècle, le travail des écoles de Basra et de Koufa. Dans leur antagonisme, ce sont vraiment deux philosophies, deux perceptions de l'univers, qui s'affrontent en profondeur.

2. Pour l'école de Basra, le langage est un miroir qui réfléchit fidèlement les phénomènes, les objets et les concepts. On doit donc y observer les mêmes lois que dans la pensée, dans la nature et dans la vie. D'où il importe que chaque son, chaque mot, chaque phrase, soient rigoureusement fondés quant à la variété de leurs formes et des positions qu'ils occupent. Montrer la relation réciproque du langage et de l'intellect fut la tâche principale, la plus difficile aussi, de l'école des grammairiens de Basra. Il lui fallut faire rentrer tout le langage dans les catégories rationnelles et logiques, en montrer les lois, et démontrer que les dérogations et les écarts n'étaient qu'apparents, ayant leur motivation rationnelle. Sans séparer la morphologie de la syntaxe, les grammairiens arabes soumirent tout le langage, au même titre que la nature, la logique et la société, à des

lois d'une validité universelle; partout les mêmes lois sont à l'œuvre.

Bien entendu, la langue vivante parlée, avec sa diversité foisonnante, résiste à cette téléologie universelle et commet des dissonances. C'est pourquoi la reconstruction d'un schéma grammatical était une tâche très complexe; il fallait rendre compte de l'irrégularité des choses. L'observation s'attachait avant tout à dégager les formes fondamentales (le paradigme, le schéma, *asl*). Les grammairiens de Basra se considéraient en droit de s'en tenir à ces formes, et de repousser toutes celles qui ne pouvaient se justifier par une explication rationnelle. Même si, à titre singulier, certaines sont reconnues, on n'a pas le droit de former par analogie d'autres formes sur ce type de formes isolées et aberrantes.

3. En opposition caractérisée avec cette superbe rigueur, l'école de Koufa va développer un type de science du langage conforme à ce type de science shî'ite analysé plus haut (*supra* IV, 1), manifestant un goût prononcé pour les séries « anomalistiques ». Aussi bien Koufa était-elle alors, par excellence, le lieu où fermentait le levain shî'ite. Pour l'école de Koufa, la tradition, avec toute sa richesse et sa diversité foisonnante, vaut comme la première et la principale source de la grammaire. L'école admet aussi la loi d'analogie, mais à condition qu'elle n'exige pas le sacrifice de formes attestées dans la tradition. C'est pourquoi l'on a pu dire que, comparé au système rigoureux de l'école de Basra, celui des grammairiens de Koufa n'en était pas un. C'est plutôt une somme de décisions particulières, prononcées devant chaque cas, parce que chaque cas devient un cas d'espèce. Il y a simultanément l'horreur des lois générales, des motivations uniformes, et le goût de la diversité justifiant l'individuel, l'exceptionnel, la forme unique. Parce qu'ils avaient, eux aussi, le souci d'établir les paradigmes, les schémas primitifs, ils multiplièrent indéfiniment ces derniers. Les grammairiens

de Basra rejetaient toute forme dont l'anomalie ne pouvait être motivée rationnellement. Ceux de Koufa n'avaient pas à faire ce choix dans la tradition qu'ils accueillaient comme source de la grammaire. Toute forme rencontrée dans la vieille langue arabe préislamique et dans la littérature, du simple fait qu'elle attestait son existence, pouvait être reconnue comme fondée et ayant valeur normative. Chaque exception devient un *asl*, ou plutôt la notion d'exception perd son sens.

Gotthold Weil (dont on vient de résumer les pertinentes analyses) proposait de comparer l'opposition entre les écoles de Basra et de Koufa avec l'opposition entre l'école d'Alexandrie et celle de Pergame, la lutte entre les « analogistes » et les « anomalistes ». La mise en parallèle ne vise, il est vrai, que les attitudes d'esprit, car le matériel linguistique diffère foncièrement de part et d'autre. En outre, la lutte entre les grammairiens grecs était une affaire se passant entre savants. En Islam, l'enjeu de la lutte était grave; non seulement elle affectait les décisions du droit, de la science canonique, mais en pouvait dépendre l'interprétation d'un passage du Qorân, d'une tradition religieuse. On vient de marquer le lien entre l'esprit de l'école de Koufa et un certain type de science shî'ite; soulignons encore, comme nous l'avons déjà fait, l'affinité avec un type de science stoïcienne comme « herméneutique de l'individuel ». Que l'esprit de l'école de Basra ait finalement prévalu, c'est le symptôme de quelque chose qui dépasse de beaucoup le simple domaine de la philosophie du langage.

4. Il serait d'ailleurs incomplet de ne considérer celle-ci, en Islam et à l'époque, que dans les deux écoles en question. La « Balance des lettres » chez Jâbir, dont on a signalé ci-dessus (IV, 2) le principe, représente sous un autre aspect, et par l'influence qu'elle a eue, un élément essentiel de cette philosophie du langage. Cet autre aspect, c'est celui par lequel la théorie jâbirienne

montre son affiliation à la tradition gnostique de l'Islam, elle-même tributaire à la fois de la gnose antique et de la tradition néopythagoricienne. On a déjà signalé combien la théorie du shî'ite gnostique Moghîra est proche de celle de Marcos le gnostique (le corps de l'*Aletheia* se composant des lettres de l'alphabet). Dans le vieux traité persan *Omm al-Kitâb* (ci-dessus p. 116 ss.), les figures et l'ordre des lettres sont un indice de la hiérarchie des êtres célestes et des Imâms du shî'isme (un même sens était attaché aux lettres énigmatiques mises en armature à la clef de certaines sourates du Qorân). Aussi bien toute la tradition regarde-t-elle l'Imâm Ja'far comme initiateur de la science des lettres, le *jafr.* Beaucoup plus tard, Bûnî (ob. 622/1225) émettait ces considérations : « Sache que les secrets de Dieu et les objets de sa science, les réalités subtiles et les réalités denses, les choses d'en-haut et les choses d'en-bas, sont de deux catégories : il y a les nombres et il y a les lettres. Les secrets des lettres sont dans les nombres, et les épiphanies des nombres sont dans les lettres. Les nombres sont les réalités d'en-haut, appartenant aux entités spirituelles. Les lettres appartiennent au cercle des réalités matérielles et du devenir. »

Or, la science des lettres, le *jafr,* repose essentiellement sur la *permutation.* Précisément, la permutation des racines arabes était pratiquée dans les premiers cercles shî'ites gnostiques, et c'est leur enseignement que prolonge la doctrine de la Balance. On en a vu ci-dessus (IV, 2) un exemple de mise en œuvre dans le *Livre du Glorieux* de Jâbir. La validité du travail opéré ainsi sur les racines repose toujours sur le principe jâbirien énoncé ci-dessus et qui est ismaélien en général : en s'unissant à la Nature (laquelle est pour Nâsir-e Khosraw le *speculum Animae*), l'âme du monde communique à cette Nature l'harmonie qui lui est propre; elle crée des corps soumis au nombre et à la quantité (ce thème est aussi clairement exposé chez Abû Ya'qûb Sejestânî). C'est de la même façon que l'Ame exprime son harmonie à elle, à la fois dans le *langage* et dans la *musique.* Cela postule qu'un rapport étroit existe entre la structure des corps et la structure du langage (de même, la musique est la concordance du son harmonieux et de la touche ou frappe de la corde). C'est pourquoi Jâbir repousse l'idée que le langage puisse résulter d'une institution ou d'une convention; le langage n'est pas un accident. Ce n'est pas une institution qui l'explique; il dérive d'une intention de l'Ame du monde.

5. C'est pourquoi sous son aspect gnostique même, la Balance jâbirienne des lettres comme philosophie du langage reconduit aux préoccupations des grammairiens philosophes évoqués ci-dessus. C'est ce qu'a encore admirablement montré le regretté Paul Kraus, dans les considérations que l'on résume ici. Ce que nous connaissons de la transmission de la philosophie grecque aux penseurs de l'Islam nous permet de rattacher directement sur ce point les spéculations de Jâbir à celles de Platon. Paul Kraus a montré ce qu'il y avait de commun entre la Balance jâbirienne d'une part, comportant l'analyse des mots du langage et d'autre part le *Cratyle* (où la philosophie du langage, que Platon fait exposer par Socrate, repose sur des principes semblables à ceux de Jâbir) et le *Timée* (comparant les éléments physiques aux syllabes des lettres). Même tendance de part et d'autre à restituer le mot primitif (*asl*, l'archétype, le *Urwort*), dont la structure reproduirait exactement celle de la chose désignée. Le propos de Jâbir, tout en empruntant presque tous ses matériaux aux grammairiens arabes, dépasse le cadre restreint de la grammaire (il en va également ainsi pour l'antagonisme de Basra et de Koufa). C'est ce propos qui fixa l'attention de Jâbir sur les permutations des consonnes

composant les racines (bilittères, trilittères, quadrilittères, quinquilittères).

Il faut tenir compte qu'étant donné l'état des « racines rigides et abstraites » en sémitique, la dissection des mots s'y opère plus facilement qu'en grec (l'écriture arabe ne notant que les consonnes, la syllabe n'y a plus le rôle intermédiaire entre la lettre et le mot, à la façon de la syllabe grecque étroitement liée à la notation de la voyelle). Il en résulte que la plupart des racines obtenues par permutation existent réellement, et c'est ainsi que les spéculations de Jâbir rejoignent celles-là mêmes des grammairiens arabes qui tentèrent « d'élever le principe de la permutation des lettres au rang d'une nouvelle discipline linguistique, seule apte à élucider la parenté étymologique des mots ». C'est cet effort qui aboutit à ce que l'on appelle l' « étymologie supérieure » (*ishtiqâq akbar*), c'est-à-dire « la théorie qui réunit en une seule et même signification toutes les permutations possibles d'une racine unique ». Elle fut l'œuvre d'Ibn Jinnî (ob. 392/1001), philologue en même temps que théologien et philosophe, qui a profondément transformé l'édifice de la langue arabe.

6. Ces spéculations, facilitées par la structure des langues sémitiques, ont eu une telle importance dans la pensée théosophique et mystique des siècles qui suivirent, qu'il importait de marquer ici quand et comment les bases en ont été jetées. Aussi bien, les problèmes relatifs à l'écriture et au langage ont-ils retenu l'attention d'éminents philosophes. Ahmad ibn Tayyib Sarakhshî, le disciple d'al-Kindî déjà nommé ici, inventa un alphabet phonétique de 40 lettres pour servir à la transcription des langues étrangères (persan, syriaque, grec). Fârâbî (*infra* V, 2), qui étudia la grammaire avec le philologue Ibn al-Sarrâj, auquel il enseigna en échange la logique et la théorie musicale, met en lumière les lois auxquelles obéissent « les langues de toutes les nations », et établit le lien entre la linguisti-

que (*'ilm al-lisân*) et la logique. On voit apparaître, chez Abû Hamza Ispahânî, le terme de « philosophes grammairiens » (*falâsifat al-nahwîyîn*) servant à désigner ces philosophes pour qui la logique devient une sorte de grammaire internationale. Tous ces efforts, suscités par la complexité linguistique de la civilisation musulmane, sont un aspect original et essentiel, trop peu observé, de la philosophie en Islam.

6. *Bîrûnî.*

1. Au cours des IVe/Xe et Ve/XIe siècles, qui furent un âge d'or pour les mathématiques et les sciences naturelles en Islam, une des figures les plus saillantes est celle de Abû Rayhân Mohammad ibn Ahmad Bîrûnî (ou Bêrûnî, selon la vocalisation ancienne). Ses ouvrages inestimables, aussi bien en histoire qu'en religion comparée, chronologie, mathématiques et astronomie, furent réputés en Orient et en Occident. Il appartenait à ce que l'on a appelé l' « Iran extérieur », étant né en 362/973, près de la ville de Khwârezm (Khorasmia) où il passa la première partie de sa vie à étudier les différentes sciences, spécialement les mathématiques, pour lesquelles il eut comme maître Abû Nasr al-Mansûr. Plus tard, ses voyages le conduisirent à Gorgan et en d'autres cités de l'Iran. Après la conquête de Khwârezm par Mahmûd de Ghazna, Bîrûnî, ayant été attaché à la personne de celui-ci, l'accompagna dans sa conquête de l'Inde. Abû Rayhân retourna plus tard à Ghazna où il passa le reste de sa vie voué à l'étude, et mourut en 421/1030.

2. L'équipée sanglante de Mahmûd dans l'Inde eut du moins, si l'on peut dire, cette contrepartie que le savant entraîné à sa suite y accumula les matériaux d'un chef-d'œuvre. Le grand livre de Bîrûnî sur l'Inde est sans pareil en Islam à l'époque. Ouvrage de pre-

mière main, il est resté la source de ce qui fut écrit ensuite sur les religions et philosophies de l'Inde (l'auteur y met en relief l'harmonie qu'il constate entre la philosophie platonico-pythagoricienne, la sagesse indienne et certaines conceptions du soufisme en Islam).

Comme œuvres d'une importance capitale, il nous faut encore citer ici la *Chronologie des anciens peuples*, qui reste une œuvre unique; l'énorme traité de mathématiques, astronomie et astrologie, rédigé par lui en arabe et en persan à la fin de sa vie (*Kitâb al-Tafhîm*, éd. Homâyî, Téhéran, 1940), ouvrage qui, pendant plusieurs siècles, fut le *text-book* en ces matières. Son *Kitâb al-jamâhir* est le plus ancien traité de minéralogie rédigé en arabe; là encore, Bîrûnî fait preuve d'une documentation extraordinaire, englobant la littérature minéralogique de la Grèce et de l'Inde, aussi bien que celle de l'Iran et de l'Islam. Le *Kitâb al-Tahdîd* sur la géographie est à mentionner avec le monumental *Qânûn al-Mas'ûdî*, qui est pour la cosmographie et la chronologie le pendant de ce que le *Qânûn* d'Avicenne est pour la médecine, et auquel il n'a manqué que d'être traduit en latin pour atteindre la même célébrité que ce dernier. Il faut mentionner encore un traité de pharmacologie (*Kitâb al-Saydalâ*), quelques traités de moindre étendue, ainsi qu'un échange de questions et de réponses avec Avicenne sur les principes de la philosophie naturelle des Péripatéticiens. Plusieurs autres de ses œuvres, parmi lesquelles des traités philosophiques, sont malheureusement perdues.

3. La correspondance échangée avec Avicenne atteste que Bîrûnî ne fut pas seulement le fondateur de la géodésie, un mathématicien et astronome accompli, un géographe et un linguiste, mais également un philosophe. Sa tendance profonde l'inclinait plutôt en philosophie naturelle à l'observation et à l'induction, et à

prendre parti contre plusieurs thèses de la philosophie aristotélicienne, pour adopter quelques-unes des vues de Rhazès; il s'appliqua même à rédiger un catalogue des œuvres de celui-ci, dont il admirait la doctrine en philosophie naturelle, tout en restant opposé à ses conceptions religieuses (*supra* IV, 4).

Il faut également relever chez Bîrûnî une « philosophie de l'histoire » qui apparaît à l'arrière-fond de plusieurs de ses œuvres. Ayant compris la nature de certains fossiles et la nature sédimentaire des terrains rocheux qu'il avait observés, il s'était convaincu que de grands cataclysmes s'étaient produits à des périodes antérieures, laissant des mers et des lacs à la place de la terre ferme. Transposant cette observation au plan de l'histoire humaine, il en arriva à la conception de périodes analogues à ce que sont les *Yugas* dans la conception indienne. Sa conviction était qu'au cours de chaque période l'humanité se laisse entraîner à une corruption et à un matérialisme allant toujours en s'aggravant, jusqu'à ce qu'un grand désastre détruise la civilisation et que Dieu envoie un nouveau prophète, pour inaugurer une nouvelle période de l'histoire. Il y a, entre cette conception et celle professée à la même époque par la gnose ismaélienne, une relation évidente qu'il reste à approfondir.

7. *Khwârezmî.*

Il nous faut au moins mentionner ici un compatriote et contemporain de Bîrûnî, à savoir Mohammad ibn Yûsof Kâtib Khwârezmî (ob. 387/997), célèbre par une vaste encyclopédie intitulée *Mafâtih al-'olûm* (les *Clefs des sciences*, éd. van Vloten, Leiden, 1895). Elle est divisée en deux grandes parties : la première traite des sciences islamiques (le droit canonique, le *Kalâm* ou dialectique, la grammaire, l'écriture, la prosodie, les traditions). La seconde traite successivement de la logique, de la philosophie, de la médecine, de l'arithmétique, de la géométrie, de l'astronomie, de la musique et de la chimie.

8. *Ibn al-Haytham.*

1. Au début du ve/xie siècle nous rencontrons l'un des plus considérables mathématiciens et physiciens de tout le Moyen Age : Abû 'Alî Mohammad ibn al-Hasan ibn al-Haytham (l'*Alhazen* des Scolastiques latins), surnommé *Ptolemæus secundus.* Il était né à Basra, passa la plus grande partie de sa vie au Caire, et mourut en 430/1038, à l'âge de 76 ans. Trop confiant dans l'application pratique de ses connaissances mathématiques, il avait présumé qu'il pourrait régulariser les inondations provoquées par les crues du Nil. Mandé par le VIe khalife fâtimide, al-Hâkim (386/996-411/1021) pour réussir l'opération, il s'aperçut rapidement de l'inanité de ses efforts. Tombé en disgrâce, il se voua dans la retraite à son œuvre scientifique jusqu'à sa mort.

Son rôle fut considérable en physique céleste et en astronomie, en optique et en science de la perspective. Ses présuppositions philosophiques seraient à dégager systématiquement; aussi bien avait-il également une grande culture philosophique, ayant lu attentivement Aristote et Galien (son œuvre philosophique est malheureusement perdue, ou bien inédite comme le *Kitâb thamarat al-hikma, Le Fruit de la philosophie*).

2. Son innovation dans la théorie astronomique peut être marquée de la façon suivante. Pendant longtemps les astronomes orientaux ne s'étaient souciés, pas plus que le Ptolémée de l'*Almageste*, de définir le concept des Sphères célestes. Ainsi en fut-il pour Abû'l-'Abbâs Fergânî (*Alfraganus* des Latins au Moyen Age), astronome iranien de Transoxiane (ixe s., cf. *supra* I, 2) et

pour Abû 'Abdillah Moham. al-Battânî (*Albategnius*), lequel était originaire de Harran et dont la famille avait professé la religion des Sabéens. On se bornait à considérer les Sphères sous leur aspect mathématique de cercles idéaux représentant le mouvement des corps célestes.

Cependant le savant astronome sabéen Thâbit ibn Qorra composa un traité dans lequel il attribuait aux cieux une constitution physique qui pût s'accorder avec le système de Ptolémée. Ensuite, Ibn al-Haytham fut le premier à introduire dans les considérations astronomiques pures le concept aristotélicien de Sphères célestes. L'extrême intérêt de la situation, c'est que d'une part le problème se posait à Ibn al-Haytham en termes de physique céleste (comme physique essentiellement qualitative), à la suite du Ptolémée des *Hypotheses Planetarum*, lequel, lui aussi, recourait à une physique céleste déduite de la nature de la substance qui forme le ciel, et ne faisait que substituer sa propre physique à celle du *De Cælo* d'Aristote. Mais d'autre part, une physique céleste ptolémécenne, satisfaisant à la théorie des épicycles et des concentriques, ruinait purement et simplement la physique céleste d'Aristote. Celle-ci postule en effet un système de Sphères homocentriques ayant pour centre commun le centre de la Terre.

Là où en Islam on prétendit s'en tenir à la physique péripatéticienne, ou bien prôner la restauration du péripatétisme pur, il ne put y avoir qu'une lutte très vive contre les doctrines ptoléméennes. Ce fut le cas en Andalousie, où cette lutte produisit le système d'al-Bitrôgî (*Alpetragius* des Latins) exauçant les vœux d'Averroës, et qui jusqu'au XVIe siècle tentera de se substituer au système de Ptolémée (cf. encore *infra* VIII, 3). En son fond le problème est essentiellement philosophique (c'est un problème de philosophie des *Weltanschauungen*), car il s'agit avant tout de deux perceptions du monde, deux sentiments différents de l'univers et du *situs* dans l'univers. Comme de part et d'autre l'on fixait le nombre des Intelligences angéliques motrices des Cieux, en fonction du nombre de Sphères dans le mouvement desquelles il fallait décomposer le mouvement total de chaque planète, la « décentralisation » opérée par le système de Ptolémée avait également ses répercussions sur l'angélologie. La même répercussion était entraînée par le fait d'admettre une IXe Sphère, comme le fait Ibn al-Haytham, à la suite des Alexandrins et du néoplatonicien Simplicius. L'existence de cette IXe sphère s'imposait, dès lors que l'on reconnaissait la précession des équinoxes; c'est la Sphère des Sphères (*falak al-aflâk*), la Sphère enveloppante, dépourvue d'astres, mue du mouvement diurne d'est en ouest qu'elle communique à l'ensemble de notre univers.

Les Péripatéticiens, aussi bien que les stricts orthodoxes de l'Islam en Andalousie, réservèrent, pour des raisons différentes, un accueil pareillement hostile à cette physique céleste. Un disciple de Maïmonide, assistant en 1192 à l'incinération de la bibliothèque d'un médecin passant pour athée, vit jeter dans les flammes, par les mains d'un pieux *faqîh*, un exemplaire de l'astronomie d'Ibn al-Haytham. En revanche, les *Ishrâqîyûn* de l'Iran (*infra* VII) ne purent se contenter d'une Sphère unique (la huitième) pour la multitude des astres fixes. Cependant, loin que, chez eux, l'angélologie freinât leur astronomie, ce sont les « dimensions » mêmes de leur angélologie qui leur firent pressentir les espaces illimités d'une astronomie qui, faisant éclater les schémas traditionnels, ne dépeuple pas pour autant les espaces infinis de leurs « présences » spirituelles.

3. Cette même connexion avec la théorie des êtres spirituels se laisse percevoir dans le rôle joué par le traité d'Optique d'Ibn al-Haytham, que tout le Moyen Age latin a lu sous le nom de *Perspective* d'Alhazen (*Opticæ Thesaurus* en sept livres, plus le traité *De*

crepusculis, sur les réfractions atmosphériques, 1re éd. 1542). Ibn al-Haytham est regardé comme étant l'auteur de la solution du problème consistant à trouver le point de réflexion sur un miroir sphérique, le lieu de l'objet et celui de l'œil étant donnés. En tout cas, sa théorie de la perception optique, impliquant un processus qui ne peut être attribué simplement à l'activité des facultés de perception sensible, eut une influence considérable. On a pu dire qu'en Occident les hiérarchies de Denis l'Aréopagite, et l'optique d'Ibn al-Haytham, la théorie des illuminations hiérarchiques et la métaphysique de la lumière, avaient partie liée (E. Gilson). On peut faire la même observation à propos de la « théosophie orientale » de Sohravardî (*infra* VII), articulée essentiellement sur une métaphysique de la lumière et un système des hiérarchies angéliques provenant à la fois du néoplatonisme tardif et de la théosophie mazdéenne de l'ancienne Perse. Il y a quelque chose de commun dans le concept de lumière chez un Sohravardî et chez un Robert Grosseteste. Quelque chose de commun est également discernable, lorsque Roger Bacon, qui ici doit tout à Alhazen, fait de la *Perspective* la science fondamentale parmi les sciences de la Nature, et en appliquant à la lumière les exemples géométriques, fait de ceux-ci autant de symboles. De part et d'autre on peut parler d'une méthode ésotérique d'interprétation spirituelle des lois de l'optique et de la perspective, interprétation fondée sur une même cosmogonie de la lumière. On peut alors admettre la validité de ces diagrammes qui indiquent quelque chose comme une topographie des univers spirituels.

9. *Shâhmardân Râzî.*

Aux confins des ve/xie et vie/xiie siècles, Shâhmardân ibn Abî'l-Khayr Râzî (c'est-à-dire originaire de Ray) fut un des grands astronomes et physiciens de l'Iran. Il vécut principalement dans le nord-est, à Gorgan et Astarâbâd. On signale de lui deux ouvrages : le *Jardin des astronomes* (*Rawdat al-monajjimîn*) et une intéressante encyclopédie de sciences naturelles en langue persane (*Nozhat-nâmeh 'Alâ'î*) où l'on trouve, entre autres, une longue biographie de Jâbir ibn Hayyân.

V

Les philosophes hellénisants

Préambule.

Il s'agit du groupe des *falâsifa* (pluriel de *faylasûf*, transcription arabe du grec *philosophos*), auxquels il est arrivé que l'on voulût limiter le rôle de la philosophie en Islam. Qu'une telle limitation soit parfaitement abusive et procède d'une idée préconçue, ce qui précède nous dispense d'y insister. Il est difficile de tracer les limites exactes entre l'emploi du terme *falsafa* (philosophie) et celui du terme *hikmat ilâhîya* (*theosophia*). Mais il semble que depuis Sohravardî on préfère de plus en plus ce dernier terme pour désigner la doctrine du sage complet, à la fois philosophe et mystique.

Quant aux *falâsifa*, on se rappellera qu'ils disposaient en arabe d'un ensemble d'œuvres d'Aristote et de ses commentateurs, de textes de Platon et de Galien. Cependant, avec des ouvrages comme la *Théologie* dite d'Aristote ou le *Livre du Bien Pur* (cf. *supra* I, 2), nos penseurs se trouvaient en présence d'un Aristote en fait néoplatonicien. Bien que le terme de *Mashshâ'ûn* (équivalent littéral du mot « péripatéticiens ») soit d'un usage courant en arabe, où il forme contraste avec *Ishrâqîyûn* (les « platoniciens », *infra* VII), ceux qu'ils désignent n'en sont pas moins, à un degré ou à un autre, des « néoplatoniciens de l'Islam ». Il y aura, certes, une réaction « péripatéticienne » en Andalousie, sous la conduite d'Averroës; elle avait à faire front à la fois contre le néoplatonisme avicennien et contre la critique théologique de Ghazâlî. Mais son péripatétisme n'était pas lui-même absolument pur.

En tout cas, c'est en Occident que fructifia l'averroïsme, tandis qu'en Orient, nommément en Iran, l'inspiration néoplatonicienne resta fondamentale. Elle aida Sohravardî à réaliser son projet de restauration de la théosophie de l'ancienne Perse préislamique; elle s'allia spontanément à la gnose d'Ibn 'Arabî et à la métaphysique du soufisme, comme à l'enseignement traditionnel des Imâms du shî'isme (avec Haydar Amolî, Ibn Abî Jomhûr aux XIVe et XVe siècles). Tout cet ensemble s'épanouit dans l'école d'Ispahan, lors de la Renaissance safavide (XVIe s.), dans les œuvres monumentales de Mîr Dâmâd, de Mollâ Sadrâ, de Qâzî Sa'îd Qommî (XVIe s.), chez les élèves de leurs élèves, jusque dans l'école shaykhie. Une pensée directrice préside à l'instauration d'une structure très ferme. Rien n'autorise à prononcer le mot facile de « syncrétisme », comme on se hâte trop souvent de le faire, soit pour discréditer une doctrine, soit pour dissimuler l'embarras d'un dogmatisme inavoué.

1. *Al-Kindî et ses élèves.*

1. Abû Yûsof ibn Ishaq al-Kindî est le premier de ce groupe de philosophes dont les œuvres aient survécu au moins en partie. Il était né à Koufa vers 185/796, d'une famille aristocratique arabe de la tribu de Kindah, en Arabie du Sud, ce qui lui valut son surnom honorifique de « philosophe des Arabes ». Son père était gouverneur de Basra où il passa lui-même toute son enfance et reçut sa première éducation. Il vint ensuite à Baghdâd où il jouit du patronage des khalifes abbassides al-Ma'mûn et al-Mo'tasim (218/833-227/842). Le fils de ce dernier, le prince Ahmad, fut l'ami et le mécène d'al-Kindî qui lui dédia plusieurs de ses traités. Mais pendant le khalifat d'al-Motawakkil (232/847-247/861), al-Kindî tomba en disgrâce comme ses amis mo'tazi-

lites. Il mourut solitaire à Baghdâd vers 260/873 (l'année de la naissance d'al-Ash'arî, celle où commence l' « occultation mineure » du XIIe Imâm pour le shî'isme).

Notre philosophe se trouva mêlé à Baghdâd au mouvement scientifique favorisé par les traductions des textes grecs en arabe. Lui-même ne saurait être considéré comme un traducteur des textes antiques, mais aristocrate fortuné, il fit travailler pour lui de nombreux collaborateurs et traducteurs chrétiens; souvent il « retouchait » les traductions pour les termes arabes qui avaient embarrassé ces derniers. C'est ainsi que fut traduite pour lui la célèbre *Théologie* dite d'Aristote, par 'Abdol-Masîh al-Himsî (c'est-à-dire d'Emèse, cf. *supra*, I, 2); ce livre eut une profonde influence sur sa pensée. Furent en outre traduites pour lui la *Géographie* de Ptolémée et une partie de la *Métaphysique* d'Aristote, par Eustathios. Plus de 260 titres d'ouvrages sont portés sous le nom d'al-Kindî dans le Catalogue (*Fihrist*) d'Ibn al-Nadîm; la plupart hélas! ont été perdus.

2. On connaissait principalement de lui en Occident quelques traités traduits en latin au Moyen Age : *Tractatus de erroribus philosophorum, De Quinque Essentiis* (Matière, Forme, mouvement, espace, temps), *De Somno et visione, De intellectu.* Par chance, il y a quelques années à Istanbul, fut retrouvée une trentaine de ses traités dont une partie depuis lors a été éditée, notamment le traité *Sur la philosophie première,* le traité *Sur la classification des livres d'Aristote,* et l'original arabe du traité *Sur l'intellect* qui eut une importance particulière pour la gnoséologie de ses successeurs.

Les œuvres existantes d'al-Kindî, nous montrent donc en lui, contrairement à ce que certains biographes ont écrit sur lui en Islam, Shahrazûrî par exemple, non seulement un mathématicien et un géomètre, mais un philosophe au sens plénier que ce mot avait alors. Al-Kindî s'est intéressé à la métaphysique aussi bien qu'à l'astronomie et à l'astrologie, à la musique, à l'arithmétique et à la géométrie. On connaît de lui un traité relatif aux « cinq corps platoniciens » intitulé *Sur la raison pour laquelle les Anciens ont mis en rapport les cinq figures avec les Eléments.* Il s'est intéressé aux différentes branches des sciences naturelles, la pharmacologie par exemple. Son traité *Sur la connaissance des forces des médicaments composés* est en affinité avec les idées de Jâbir sur les degrés d'intensité des Natures (*supra* IV, 2). Bref, il illustre bien ce type de philosophe à l'esprit universel, qui devait être celui de Fârâbî, d'Avicenne, de Nasîr Tûsî et de tant d'autres.

3. Tout en entretenant des relations étroites avec les Mo'tazilites (*supra* III, A) qui, avant le règne de Motawakkil, avaient les faveurs de la cour abbasside, al-Kindî ne faisait pas partie de leur groupe; son propos était tout autre que celui des dialecticiens du *Kalâm.* Il était guidé par le sentiment d'un accord fondamental entre la recherche philosophique et la révélation prophétique. Son propos s'accorde avec celui de cette philosophie prophétique esquissée ci-dessus (chap. II), et dont on a dit qu'elle est l'expression philosophique authentique d'une religion prophétique telle que l'Islam. Al-Kindî est persuadé que des doctrines telles que la création du monde *ex nihilo*, la résurrection corporelle et la prophétie, n'ont point pour source ni pour garante la dialectique rationnelle. C'est pourquoi sa gnoséologie distingue entre une science humaine (*'ilm insânî*) comprenant la logique, le *quadrivium* et la philosophie, et une science divine (*'ilm ilâhî*) qui n'est révélée qu'aux prophètes. Cependant il s'agit là toujours de deux formes ou degrés de connaissance qui sont non point en opposition, mais en harmonie parfaite. Aussi bien dans son traité sur la durée de l'empire arabe, notre philosophe est conduit à prévoir pour cet

empire une durée de 693 ans, par des calculs empruntés aussi bien aux sciences grecques, nommément à l'astrologie, qu'à l'interprétation du texte du Qorân.

En acceptant l'idée de création *ex nihilo*, al-Kindî considère l'instauration (*ibdâ'*) du monde comme un acte de Dieu plutôt que comme une émanation; c'est seulement après avoir établi que la Ire Intelligence dépend de l'Acte de la volonté divine, qu'il accepte l'idée de l'émanation des Intelligences hiérarchiques à la façon des néoplatoniciens (ce schéma correspond parfaitement à celui de la cosmogonie ismaélienne). De même il distingue entre le monde de l'activité divine et le monde de l'activité de la Nature, qui est celui du devenir et du changement.

4. Sous certains aspects les doctrines philosophiques d'al-Kindî remontent à Jean Philopon, comme sous certains autres à l'école des néoplatoniciens d'Athènes. La distinction que fait al-Kindî entre substances premières et substances secondes, sa foi dans la validité de l'astrologie, son intérêt pour les sciences occultes, la distinction qu'il établit entre une vérité philosophique rationnelle et une vérité révélée qu'il entend un peu à la façon de l'*ars hieratica* des derniers néoplatoniciens, ce sont là autant de traits communs entre le « philosophe des Arabes » et les néoplatoniciens tels que Proclus; ils offrent également quelques ressemblances avec les Sabéens de Harran.

S'il fut influencé par la *Théologie* dite d'Aristote, al-Kindî le fut aussi par Alexandre d'Aphrodise, dont le commentaire sur le livre *De Anima* lui inspira, dans son propre traité *De intellectu* (*Fî'l-'aql*), la quadruple division de l'intellect qui devait avoir ensuite une influence considérable, poser bien des problèmes et recevoir des solutions diverses chez les philosophes musulmans comme chez les philosophes chrétiens. Il fut aussi dans une certaine mesure sous l'influence néopythagoricienne, quant à l'importance qu'il attacha aux mathématiques. Le *Fihrist* cite de lui un traité sur la nécessité d'étudier les mathématiques pour dominer la philosophie. Ces influences s'intègrent à la perspective générale de l'Islam, dont al-Kindî considère les vérités comme autant de lampes illuminant la voie du philosophe. Il est à juste titre considéré comme un pionnier, le premier des « péripatéticiens » au sens particulier, nous l'avons dit, que prend ce mot dans la philosophie en Islam. Si l'Occident latin le connut comme philosophe par les quelques traités cités ci-dessus, on le connaissait aussi comme mathématicien et maître en astrologie. Jérôme Cardan, dans son livre *de Subtilitate* (lib. XVI), dit de lui qu'il fut l'une des douze figures intellectuelles de l'histoire humaine qui eurent le plus d'influence.

5. Il eut des collaborateurs (on les a évoqués ci-dessus) et il eut des disciples. Deux Bactriens : Abû Mash'ar Balkhî, l'astrologue bien connu, et Abû Zayd Balkhî, philosophe libre penseur, qui ne craignit pas le scandale en soutenant que les Noms divins que l'on rencontre dans le Qorân sont empruntés au syriaque !

Le plus célèbre de ses élèves philosophes fut Ahmad ibn Tayyib Sarakhshî (c'est-à-dire originaire de Sarakhsh, dans le Khorassan, à l'actuelle frontière entre l'Iran et le Turkestan russe). Né vers 218/833, mort en 286/899, Sarakhshî est une figure attachante; ses œuvres, aujourd'hui perdues, sont connues par les nombreuses citations qui en sont faites ici et là (cf. *supra* IV, 1). On a signalé ci-dessus (IV, 5) son invention d'un alphabet phonétique, longuement rapportée par Abû Hamza Ispahânî. On lui doit sur les appellations qui servent à désigner les Stoïciens en arabe une information d'autant plus précieuse, que le souvenir des Stoïciens est un peu flou dans la tradition islamique. Cela n'empêche pas, nous l'avons rappelé à plusieurs reprises, qu'un bon nombre d'idées de provenance stoïcienne aient été introduites de bonne heure et aient joué un rôle très important dans tous les courants antipéripatéticiens. Les Stoïciens sont désignés tantôt comme *ashâb al-riwâq* ou *riwâqîyûn* (le mot *riwâq* veut dire galerie, péristyle); tantôt comme *ashâb al-ostowân* (le mot *ostowân* signifie portique, *stoa*); tantôt comme *ashâb al-mazâll* (pluriel de *mazalla*, tente, ce qui a donné dans les traductions latines médiévales *philosophi tabernaculorum* !). Sarakhshî diversifie ces trois désignations, en faisant état d'une tradition selon laquelle les trois termes réfèrent à trois écoles : les premiers enseignaient à Alexandrie; les seconds à Baalbek; les troisièmes à Antioche. Toute une monographie serait nécessaire. La théorie des Eléments chez Jâbir présuppose une interprétation stoïcisante des données péripatéticiennes. Sohravardî est regardé parfois comme un *riwâqî.* Enfin l'on a vu ci-dessus (I, 1) que Ja'far Kashfî homologuait la position stoïcienne à celle des exégètes spirituels du Qorân.

2. *Al-Fârâbî.*

1. Abû Nasr Mohammad ibn Moham. ibn Tarkhân ibn Uzalagh al-Fârâbî naquit à Wâsij, près de Fârâb en Transoxiane, en 259/872, un an donc environ avant le décès d'al-Kindî à Baghdâd. D'une famille de notables, son père avait exercé un commandement militaire à la cour des Samanides. Mais, comme celle de son prédécesseur al-Kindî dont il suivit les exemples, sa biographie est peu connue dans le détail. Jeune encore, il vint à Baghdâd où il eut comme premier précepteur un chrétien, Yohanna ibn Haylam. Puis il y étudia la logique, la grammaire, la philosophie, la musique, les mathématiques et les sciences. Qu'il comprit le turc et le persan, cela ressort de ses œuvres (la légende veut qu'en plus de l'arabe il ait été à même de comprendre 70 langues !). Progressivement il acquit cette maîtrise

qui lui valut le surnom de *Magister secundus* (Aristote étant le *Magister primus*), et le fait regarder comme le premier grand philosophe musulman. Et tout indique, conformément à une opinion courante en Iran, que ce grand philosophe était shî'ite. En effet, on le voit, en 330/941, quitter Baghdâd pour Alep où il jouit de la protection de la dynastie shî'ite des Hamdânides, Sayfoddawleh Hamdânî ayant pour lui une extrême vénération. Cette protection shî'ite spéciale n'est pas un hasard. Elle prend tout son sens, si l'on relève dans la « philosophie prophétique » de Fârâbî ce qu'elle a de commun avec celle qui, fondée sur l'enseignement des Imâms du shî'isme, a été exposée ci-dessus (chap. II). Après son séjour à Alep, Fârâbî fit encore quelques voyages, alla jusqu'au Caire, et mourut à Damas en 339/950, à l'âge de 80 ans.

Ce grand philosophe était un esprit profondément religieux et un mystique. Il vivait dans la plus grande simplicité et portait même le vêtement des soufis. Nature essentiellement contemplative, il se tenait à l'écart des mondanités. En revanche, il aimait participer aux séances de musique, étant lui-même un exécutant remarquable. Il a laissé un grand livre « sur la musique » qui atteste ses connaissances mathématiques, et qui est sans doute l'exposé le plus important de la théorie musicale au Moyen Age. Et ce n'est pas par un optimisme superficiel que le philosophe musicien cherchait et percevait l'*accord* entre Platon et Aristote (celui de la *Théologie*), comme il le percevait entre la philosophie et la religion prophétique. Il semble que le sentiment profond du *Magister secundus* procéda de cette idée que la sagesse avait commencé par exister chez les Chaldéens en Mésopotamie; de là s'était transférée en Egypte, puis en Grèce, où elle avait été mise à temps par écrit, – et que lui incombait, à lui, la tâche de ramener cette sagesse dans le pays qui avait été son foyer.

2. Ses œuvres très nombreuses comprennent (ou comprenaient) des commentaires sur le *corpus* aristotélicien : l'Organon, la Physique, la Météorologie, la Métaphysique, l'Ethique à Nicomaque, maintenant perdus. On ne peut citer ici que quelques-unes de ses principales œuvres (cf. bibliographie) : le grand traité sur l'*Accord entre les doctrines des deux Sages, Platon et Aristote*; le traité sur *l'objet des différents livres de la Métaphysique d'Aristote*; l'analyse des *Dialogues* de Platon; le traité « de ce que l'on doit savoir avant d'apprendre la philosophie », introduction à la philosophie d'Aristote; le traité *De scientiis* (*Ihsâ' al-'olûm*) qui eut une très grande influence sur la théorie de la classification des sciences dans la Scolastique occidentale; le traité *De intellectu et intellecto* signalé ci-dessous; les *Gemmes de la sagesse* (*Fosûs al-hikam*), qui a été le plus longuement étudié en Orient. Enfin le groupe des traités concernant ce qu'il est convenu d'appeler la « philosophie politique » de Fârâbî, avant tout le *Traité sur les opinions des membres de la Cité parfaite* (ou de la Cité idéale); le *Livre du gouvernement de la Cité*; le *Livre de l'atteinte à la félicité*; un commentaire sur les *Lois* de Platon.

On vient de citer les *Gemmes de la sagesse.* Il n'y a aucune raison sérieuse de mettre en doute l'authenticité de ce Traité. La bévue d'un recueil publié jadis au Caire, mettant sous le nom d'Avicenne et sous un autre titre une partie de ce traité, n'a aucune portée critique. Paul Kraus estimait que l'attitude de Fârâbî était au fond anti-mystique, que ni le style ni le contenu des *Gemmes* ne s'accordaient avec le reste de l'œuvre, et que sa théorie de la prophétie était exclusivement « politique ».

Or, l'on peut constater que la terminologie du soufisme est répandue un peu partout dans l'œuvre de Fârâbî; qu'il y a, ailleurs que dans les *Gemmes*, un texte qui fait écho au fameux récit de l'extase plotinienne dans le livre de la *Théologie* (« Souvent, m'étant éveillé à moi-même... »); que la théorie illuminative de Fârâbî recèle un élément mystique indéniable, à condition d'admettre que la mystique ne postule pas nécessairement l'*ittihâd* (la fusion unitive) entre l'intellect humain et l'Intelligence agente, car l'*ittisâl* (atteinte, conjonction sans identification) est, elle aussi, une expérience mystique. Aussi bien Avicenne et Sohravardî sont-ils d'accord avec Fârâbî pour refuser l'*ittihâd*, parce qu'elle entraîne des conséquences contradictoires. On peut encore constater qu'il n'est pas difficile de saisir le lien entre le « mysticisme » de Fârâbî et l'ensemble de sa doctrine; il n'y a ni hiatus ni dissonance. Si l'on remarque dans les *Gemmes* l'emploi de quelques termes de provenance ismaélienne (communs d'ailleurs à toute la gnose ou *'irfân*), cela, bien loin d'en infirmer l'authenticité, ne fait justement que nous attester une de ses sources d'inspiration, celle-là même qui met sa philosophie du prophétisme en consonance avec la prophétologie du shî'isme. Enfin, il est abusif de « politiser », au sens moderne du mot, sa doctrine de la Cité idéale; elle n'a rien de ce que nous appelons un « programme politique ». On se rallie sur ce point à l'excellent exposé d'ensemble que M. Ibrahim Madkour a donné jadis de la doctrine philosophique d'al-Fârâbî.

3. On ne peut ici que faire ressortir trois points de cette doctrine philosophique. En premier lieu, on lui doit la thèse qui pose une distinction non seulement logique mais métaphysique entre l'essence et l'existence chez les êtres créés. L'existence n'est pas un caractère constitutif de l'essence; elle est un prédicat, un accident de celle-ci. On a pu dire que cette thèse faisait date dans l'histoire de la métaphysique. Avicenne, Sohravardî, tant d'autres, professeront à leur tour une métaphysique des essences. Il faudra attendre jusqu'à Mollâ Sadrâ Shîrâzî, au XVIe siècle, pour que se produise un

retournement décisif de la situation. Mollâ Sadrâ affirmera la préséance de l'*exister* et donnera une version « existentielle » de la métaphysique de l'*Ishrâq*. A cette prise de position concernant l'être, s'origine la distinction entre l'Etre nécessairement être et l'être possible qui ne peut exister par soi-même, parce que son existence et sa non-existence sont indifférentes, mais qui se transforme en être nécessaire du fait que son existence est posée par un autre, précisément par l'Etre Nécessaire. Cette thèse qui aura une si grande importance chez Avicenne fut exposée tout d'abord, mais de façon plus concise, par Fârâbî.

4. Même observation est à faire pour une seconde doctrine caractéristique qui est la théorie de l'Intelligence et de la procession des Intelligences, commandée chez Fârâbî par le principe : *Ex Uno non fit nisi unum* (ce principe sera mis en question par Nasîr Tûsî s'inspirant, sans le dire, du schéma de la procession des Lumières pures chez Sohravardî). L'émanation de la Iʳᵉ Intelligence à partir du premier Etre, ses trois actes de contemplation qui se répètent tour à tour chez chacune des Intelligences hiérarchiques, engendrant chaque fois la triade d'une nouvelle Intelligence, d'une nouvelle Ame et d'un nouveau Ciel, jusqu'à la Xᵉ Intelligence, – ce même processus cosmogonique sera décrit et amplifié par Avicenne. Les premières Essences divines, les astres-dieux chez Aristote, deviennent chez Fârâbî des « Intelligences séparées ». Est-ce Avicenne le premier qui leur donnera le nom d'« Anges », éveillant la suspicion d'un Ghazâlî qui n'y retrouve pas exactement l'image de l'ange qorânique ? Ces formes archangéliques créatrices ruinent-elles le monothéisme ? Sans doute, s'il s'agit de la version *exotérique* du monothéisme et de la dogmatique qui la soutient. En revanche, les penseurs ésotériques et mystiques ont inlassablement montré que, sous sa forme exotérique, le monothéisme tombe précisément dans l'idolâtrie

métaphysique qu'il prétend fuir. Fârâbî est le contemporain des premiers grands penseurs ismaéliens. Sa théorie des Dix Intelligences, si on la compare avec celle de l'ésotérisme ismaélien, se montre sous un jour nouveau. En analysant brièvement (*supra* II B, 1, 2) la structure du plérôme des Dix chez les Ismaéliens de la tradition fâtimide, nous avons marqué qu'elle se distingue du schéma de nos philosophes émanatistes, en ce qu'elle pose le Principe comme Super-être, au-delà de l'être et du non-être, l'Emanation ne commençant qu'à partir de la Ire Intelligence. En outre, la cosmogonie ismaélienne comporte un élément dramatique qui manque dans le schéma de Fârâbî et d'Avicenne.

Néanmoins, la figure du Xe Ange (l'Adam céleste) de l'Ismaélisme correspond parfaitement à la Xe Intelligence qui ici, chez nos philosophes, s'appelle l'Intelligence agente (*'Aql fa''âl*). Cette correspondance nous fait mieux comprendre finalement le rôle de celle-ci dans la prophétologie de Fârâbî, parce que aussi bien dans toute sa théorie de l'Intelligence comme dans celle du Sage-prophète, Fârâbî est quelque chose de plus qu'un « philosophe hellénisant ». Une comparaison proposée par lui a fait fortune; tout le monde l'a répétée ensuite : « L'Intelligence agente est pour l'intellect possible de l'homme ce que le soleil est pour l'œil, lequel reste vision en puissance, tant qu'il est dans les ténèbres. » Cette Intelligence, celle qui dans la hiérarchie des êtres est l'être spirituel le plus proche au-dessus de l'homme et du monde de l'homme, est toujours en acte. Elle est appelée le « Donateur des Formes » (*Wâhib al-sowar, Dator formarum*), parce qu'elle irradie sur les matières leurs formes, et sur l'intellect humain en puissance la connaissance de ces formes.

Cet intellect humain se subdivise en intellect théorique ou contemplatif et en intellect pratique. L'intellect théorique passe par trois états : il est intellect possible ou en puissance à l'égard de la connaissance; il est intellect en acte, pendant qu'il l'acquiert; il est intellect acquis, quand il l'a acquise. Là même apparaît quelque chose de nouveau dans la gnoséologie fârâbienne. Malgré l'appellation, l'intellect acquis (*'aql mostafâd, intellectus adeptus*) ne peut être confondu avec le *Noûs epiktetos* d'Alexandre d'Aphrodise, chez qui il s'agit d'un état intermédiaire entre l'intellect en puissance et l'intellect en acte. Pour Fârâbî, c'est l'état supérieur de l'intellect humain, état dans lequel il peut recevoir par intuition et illumination les Formes qu'irradie en lui l'Intelligence agente, sans passer par l'intermédiaire des sens. Bref, la notion de l'Intelligence agente aussi bien que celle de l'intellect acquis annoncent chez Fârâbî quelque chose d'autre que l'aristotélisme pur, à savoir l'influence du Livre de la *Théologie,* avec laquelle pénètrent tous les éléments néoplatoniciens.

5. Et tel nous apparaît encore ce philosophe hellénisant sur un troisième point : sa théorie du prophétisme qui est le couronnement de son œuvre. Sa théorie de la « Cité parfaite » porte une empreinte grecque par son inspiration platonicienne, mais elle répond aux aspirations philosophiques et mystiques d'un philosophe de l'Islam. On en parle souvent comme de la « politique » de Fârâbî. En fait, Fârâbî n'était nullement ce que nous appelons aujourd'hui un « homme d'action »; il ne connut jamais de près les affaires publiques. Sa « politique » repose sur l'ensemble de sa cosmologie et de sa psychologie; elle en est inséparable. D'où sa notion de la « Cité parfaite » embrasse toute la terre habitée par les hommes, l'*oikouméné.* Elle n'est pas un programme politique « actuel ». Sa philosophie dite politique peut encore mieux être désignée comme une philosophie prophétique.

Si la figure qui la domine, celle du chef de la Cité idéale, le prophète, l'*Imâm*, révèle, de même que le dénouement de la théorie dans l'outre-monde, l'inspiration mystique de Fârâbî, on peut encore dire plus. Sa prophétologie présente certains traits essentiels qui lui sont communs avec la philosophie prophétique du shî'isme (*supra* II). La constatation et ses conséquences ne peuvent malheureusement pas être développées ici. Les arguments par lesquels il fonde la nécessité de l'existence des prophètes, les traits qui définissent l'être intérieur du prophète, le guide, l'Imâm, correspondent à ceux que la prophétologie shî'ite, nous l'avons vu, a fondés sur l'enseignement des saints Imâms. Le prophète-législateur est en même temps, de son vivant, l'Imâm. Après le prophète s'ouvre le cycle de l'Imâmat (ou cycle de la *walâyat*, nom que porte en période islamique la *nobowwat* ou prophétie simple, ne légiférant pas de *sharî'at*). Or, si le sage-prophète, chez Fârâbî, établit des « lois » (*nawâmîs*), cela précisément ne veut pas dire une *sharî'at* au sens théologique strict du mot. La rejonction des deux prophétologies fait alors apparaître sous un jour nouveau l'idée qui, du sage platonicien, gouverneur-philosophe de la Cité idéale, fait un *Imâm*.

6. D'autre part, l'on a vu la prophétologie shî'ite culminer dans une gnoséologie discriminant le mode de connaissance chez le Prophète et chez l'Imâm. Semblablement, chez Fârâbî, l'Imâm-prophète, le chef de la Cité parfaite, doit avoir atteint au degré suprême de la félicité humaine consistant à s'unir avec l'Intelligence agente. De cette union découlent en effet toute révélation prophétique et toute inspiration. Comme on l'a déjà signalé, il ne s'agit pas là d'une fusion unitive ou d'une identification (*ittihâd*), mais d'une atteinte et d'une rejonction (*ittisâl*). Il importe alors de bien marquer ceci : à l'inverse du Sage de Platon qui doit redescendre de la contemplation des intelligibles pour s'occuper des affaires publiques, le Sage de Fârâbî doit s'unir aux êtres spirituels; sa fonction principale est même d'entraîner les citoyens vers ce but, parce que de cette union dépend la félicité absolue. La Cité idéale

entrevue par Fârâbî est plutôt celle des « saints des derniers jours »; elle correspond à un état de choses qui, selon l'eschatologie shî'ite, sera réalisé sur terre lors de la parousie de l'Imâm caché, préparant la Résurrection. Peut-on alors donner à la « politique » de Fârâbî le sens que nous donnons aujourd'hui à ce mot ?

En revanche, il est exact de dire à propos du « prince » auquel Fârâbî confère toutes les vertus humaines et philosophiques, qu'il est un « Platon revêtu du manteau de prophète de Mohammad ». Ou plus exactement, il faut dire avec Fârâbî que l'union avec l'Intelligence agente peut s'opérer par l'intellect; c'est le cas du philosophe, parce que cette union est la source de toutes les connaissances philosophiques. Cette union peut également s'opérer par l'imagination, et elle est alors la source des révélations, inspirations et songes prophétiques. On a signalé justement plus haut comment la philosophie prophétique du shî'isme avait provoqué toute une théorie de l'Imagination, validant la connaissance imaginative et le monde perçu en propre par elle. Il est significatif que chez Fârâbî la théorie de l'Imagination tienne également une place essentielle. Si l'on se réfère à l'œuvre de Mollâ Sadrâ Shîrâzî commentant l'enseignement des Imâms, on n'a plus le droit de dire que la théorie fârâbienne du prophétisme n'ait été prise au sérieux que dans la scolastique juive (Maïmonide), car elle fructifie abondamment dans la philosophie prophétique du shî'isme.

7. La gnoséologie produite par cette dernière (*supra* II A, 5) s'établit essentiellement en fonction des degrés de la vision ou de l'audition de l'Ange, en songe, à l'état de veille ou dans l'état intermédiaire. Pour Fârâbî, le Sage s'unit avec l'Intelligence agente par la méditation spéculative; le prophète s'unit à elle par l'Imagination, et elle est la source du prophétisme et des révélations prophétiques. Cette conception n'est

possible que parce que l'archange mohammadien, Gabriel, l'Esprit-Saint, est identifié avec l'Intelligence agente. Comme on l'a déjà remarqué ici, ce n'est nullement là une rationalisation de l'Esprit-Saint, mais plutôt l'inverse. L'identification de l'Ange de la Connaissance et de l'Ange de la Révélation est l'exigence même d'une philosophie prophétique; toute la doctrine de Fârâbî est orientée en ce sens. C'est pourquoi il serait insuffisant de dire qu'il a donné une base philosophique à la Révélation, comme il serait inexact de dire qu'il a placé le philosophe au-dessus du prophète. Ce sont là manières de parler qui méconnaissent le fait de la philosophie prophétique. Philosophe et prophète s'unissent avec la même Intelligence-Esprit-Saint. Le cas de Fârâbî définit au mieux la situation déjà reconnue ici. Il y a peut-être entre l'Islam légalitaire et la philosophie un rapport d'opposition insoluble. Le rapport fondamental est entre l'Islam ésotérique (au sens large du grec *ta esô*) et la religion exotérique et littéraliste. Selon que l'on professe ou que l'on rejette le premier, on décide du sort et du rôle de la philosophie en Islam.

Ceci dit, on observera que, si parfaite soit-elle, la Cité idéale n'est point pour Fârâbî sa propre fin à elle-même. Elle est un moyen d'acheminer les hommes vers une félicité supraterrestre. Lorsqu'elles franchissent les portes de la mort, les cohortes des *vivants* vont rejoindre les cohortes de ceux qui les ont devancées au-delà, « et elles s'unissent intelligiblement à elles, chacun se réunissant à son semblable ». Par cette union d'âme à âme, la douceur et les délices de ceux qui partirent les premiers, sont sans cesse indéfiniment accrues et multipliées. Semblable vision, ici encore, est très proche des anticipations de l'eschatologie ismaélienne, lorsque celle-ci nous décrit la réunion des Formes de lumière constituant le Temple de Lumière de l'Imâmat.

8. On ne connaît qu'un petit nombre d'élèves d'al-Fârâbî. On cite principalement le nom d'Abû Zakarîyâ Yahyâ ibn 'Adî (ob. 374/974), philosophe chrétien jacobite déjà nommé ici parmi les traducteurs d'œuvres d'Aristote. Il existe une correspondance philosophique intéressante entre Yahyâ ibn 'Adî et un philosophe juif de Mossoul, Ibn Abî Sa'îd al-Mawsilî. Un élève de Yahyâ ibn 'Adî, Abû Solaymân Mohammad Sejestânî (ob. 371/981, ne pas le confondre avec l'Ismaélien Abû Ya'qûb Sejestânî) réunit à Baghdâd, dans la seconde moitié du xe siècle, un cercle d'hommes cultivés tenant entre eux de brillantes séances « culturelles ». On en connaît l'essentiel par un livre de Abû Hayyân Tawhîdî (ob. 399/1009), élève d'Abû Solaymân, livre unique qui abonde en renseignements intéressants (*K. al-moqâbasât*). Néanmoins il ne s'agit pas là d'un cercle de philosophes proprement dits. Les discussions sur la logique de Fârâbî semblent y avoir dégénéré en une philosophie purement verbale. Et il s'y disait beaucoup de choses qui ne sont pas à prendre très au sérieux (par exemple, on l'a vu, le propos d'Abû Solaymân se vantant de connaître le véritable auteur des écrits attribués à Jâbir ibn Hayyân). En fait, Fârâbî a trouvé sa véritable postérité spirituelle en Avicenne qui le reconnaît comme son maître. Il eut de l'influence en Andalousie (surtout sur Ibn Bâjja, *infra* VIII, 3) comme il en eut sur Sohravardî. Cette influence est également sensible, on l'a déjà dit, chez Mollâ Sadrâ Shîrâzî.

3. *Abû'l-Hasan al-'Amirî.*

1. Abû'l-Hasan Moham. ibn Yûsof al-'Amirî est resté peu connu jusqu'ici en Occident. Cet Iranien du Khorassan fut pourtant, dans la lignée des philosophes étudiés au cours de ce chapitre, une importante figure entre Fârâbî et Avicenne. Il était né à Nîshâpour. Il eut

pour maître un autre grand Khorassanien, Abû Yazîd Ahmad ibn Sahl Balkhî. Il reçut une formation complète en philosophie et métaphysique, commenta quelques textes d'Aristote et échangea toute une correspondance philosophique avec Avicenne (formant le *Livre des quatorze questions*, avec les réponses d'Avicenne). Il fit deux voyages à Baghdâd (avant 360/970 et en 364/974) où il fut, paraît-il, consterné par les mœurs des Baghdâdiens. Il revint en Iran, passa cinq années à Ray, protégé par le vizir Ibn al-'Amîd et tout occupé par sa tâche d'enseignement. Puis il regagna son Khorassan natal, où il mourut en 381/991.

Il eut beaucoup de disciples et d'amis, par exemple Abû'l-Qâsim Kâtib, qui était très lié avec Ibn Hindû; Ibn Maskûyeh (*infra* V, 5) qui le cite dans *Jâwidân Kharad*, et tout particulièrement Abû Hayyân Tawhîdî (*supra* V, 2) qui le cite à maintes reprises. Avicenne le cite également dans son *Kitâb al-Najât*, mais avec une certaine réserve sur ses capacités philosophiques. Pourtant, celles de ses œuvres qui ont survécu, aussi bien que ses appréciations des autres philosophes, le montrent comme non dépourvu d'originalité : traité sur la félicité (*sa'âda*), chapitres (*fosûl*) sur des questions métaphysiques (*ma'âlim ilâhîya*), traités sur la perception optique (*ibsâr*), sur la notion d'éternité (*abad*), sur les excellences de l'Islam, sur la prédestination et le libre arbitre (*jabr* et *qadar*), un ouvrage en persan (*Farrokh-Nâmeh*). Dans les *Fosûl* il traite de l'union de l'intellect, de l'intellection et de l'intelligé en termes qui, semble-t-il, inspireront Afzâl Kâshânî (VIIe/XIIIe siècle), disciple de Nasîroddîn Tûsî.

2. Tawhîdî nous fait connaître un certain nombre d'entretiens et de débats auxquels prit part notre Abû'l-Hasan. On relève ici un entretien avec Mânî le Mazdéen (*Mânî al-Mâjûsî*, à ne pas confondre, bien entendu, avec le prophète du manichéisme) au cours duquel notre philosophe se montre un bon platonicien

(« toute chose sensible est une ombre de l'intelligible... l'Intelligence est le khalife de Dieu en ce monde »). Mollâ Sadrâ Shîrâzî (ob. 1050/1640) réfère à ses doctrines dans sa grande Somme de philosophie (*Kitâb al-asfâr al-arba'a*). De même une des leçons du même auteur sur la « Théosophie orientale » de Sohravardî (§ 134, cf. *infra* VII) contient, dans un *excursus*, une indication intéressante. Il réfère au *livre sur la notion d'éternité* (*al-amad 'alâ'l-abad*) où Abû'l-Hasan 'Amirî attribue à Empédocle la doctrine qui veut que, si l'on dit du Créateur sans attribut qu'il *est* la générosité, la force, la puissance, cela ne veut pas dire qu'existent réellement en lui les facultés ou puissances désignées par ces Noms.

Nous retrouverons les thèses du néo-Empédocle chez Ibn Masarra en Andalousie (*infra* VIII, 1). Elles eurent leur influence sur Sohravardî (la polarité de *qahr* et *mahabba*, domination et amour); il est précieux de recueillir ici cette autre attestation de leur influence en Iran. Il semble enfin qu'en philosophie « politique », Abû'l-Hasan 'Amirî soit particulièrement influencé par les œuvres iraniennes traduites du pehlevi par Ibn Moqaffa', et professe une doctrine moins influencée par l'hellénisme platonicien que celle de Fârâbî.

3. On doit encore signaler ici un philosophe qui n'est connu que par un opuscule sur l'âme, Bakr Ibn al-Qâsim al-Mawsilî (c'est-à-dire de Mossoul). Vivant à l'époque effervescente où les chrétiens commentent Aristote à Baghdâd, où Fârâbî élabore un doctrine aux durables conséquences, tandis que Rhazès fait scandale avec la sienne, Bakr semble échapper à tous ces courants. Il cite uniquement parmi les auteurs de la période islamique le philosophe sabéen Thâbit ibn Qorra; ce choix exclusif atteste l'influence considérable exercée par le philosophe sabéen de Harran (*supra* IV, 1).

4. *Avicenne et l'avicennisme.*

1. Abû 'Alî Hosayn ibn 'Abdillah Ibn Sînâ est né à Afshana, dans le voisinage de Boukhara, au mois de safar 370/août 980 (lorsque certaines de ses œuvres furent traduites en latin au XIIe siècle, la prononciation espagnole de son nom, « Aben » ou « Aven Sînâ », a conduit à la forme *Avicenne*, sous laquelle il est universellement connu en Occident). Son père était un haut fonctionnaire du gouvernement samanide. Grâce à son autobiographie, complétée par son *famulus* et fidèle disciple Jûzjânî, nous connaissons les détails les plus importants de sa vie.

Ce fut un enfant extraordinairement précoce. Son éducation fut encyclopédique, englobant la grammaire et la géométrie, la physique et la médecine, la jurisprudence et la théologie. Sa réputation était telle qu'à l'âge de 17 ans il fut appelé par le prince samanide Nûh ibn Mansûr, et réussit à le guérir. La *Métaphysique* d'Aristote lui opposait cependant un obstacle insurmontable; quarante fois il la relut sans la comprendre. C'est grâce à un traité de Fârâbî, rencontré par hasard, que « les écailles lui tombèrent des yeux ». On enregistre avec plaisir l'aveu de cette reconnaissance. A 18 ans, il avait à peu près fait le tour de toutes les connaissances; il ne lui restait qu'à les approfondir. Après la mort de son père, il se met à voyager à travers le Khorassan, mais jamais cet Iranien de Transoxiane ne franchira les limites du monde iranien. Il réside d'abord à Gorgan (au sud-est de la mer Caspienne) où l'amitié du prince, Abû Mohammad Shîrâzî, lui permet d'ouvrir un cours public, et il commence à rédiger son grand *Canon* (*Qânûn*) de médecine qui en Orient jusqu'à nos jours, et en Occident pendant plusieurs siècles, resta la base des études médicales.

Après un séjour à Ray (la ville fréquemment nommée ici, à quelques kilomètres au sud de l'actuel Téhéran) où le philosophe s'était attaché au service de la reine régente Sayyeda et de son jeune fils Majdoddawleh, Avicenne passe à Qazwin, puis à Hamadan (dans l'ouest de l'Iran). Une première fois, le prince de Hamadan, Shamsoddawleh (*Sol regni*, dans la traduction latine), le charge du vizirat, mais le philosophe rencontre les pires difficultés avec les militaires et se démet de sa charge. Une seconde fois il accepte de la reprendre, sur la prière du prince qu'il avait traité et guéri. Son disciple Jûzjânî choisit juste ce moment pour lui demander de composer un commentaire des œuvres d'Aristote. Alors on inaugure à Hamadan un écrasant programme de travail. La journée étant occupée par la politique, on consacre la nuit aux affaires sérieuses. Jûzjânî relit les feuillets de la physique du *Shifâ* (le *Livre de la Guérison*, grande somme de philosophie); un autre disciple relit ceux du *Qânûn* (médecine). On prolonge fort tard dans la nuit, puis on prend un peu de détente : on converse librement, on boit un peu de vin, on fait un peu de musique...

A la mort du prince, Avicenne correspond secrètement avec le prince d'Ispahan, 'Alaoddawleh; cette imprudence lui valut un emprisonnement pendant lequel il composa le premier de ses récits mystiques, le *Récit de Hayy ibn Yaqzân*. Il réussit à s'échapper, gagne Ispahan, devient un familier du prince, et de nouveau son « équipe » suit le même programme épuisant qu'à Hamadan. En 421/1030 (sept ans avant la mort d'Avicenne), Mas'ûd, fils de Mahmûd de Ghazna, s'empare d'Ispahan. Les bagages du shaykh sont pillés. Ainsi disparaît l'énorme encyclopédie qu'il avait intitulée *Kitâb al-Insâf* (le *Livre du jugement impartial*, vingt-huit mille questions en vingt volumes), où il confrontait les difficultés surgies à la lecture des philosophes, avec sa propre philosophie personnelle désignée comme « philosophie orientale » (*hikmat mashriqîya*).

De celle-ci n'ont subsisté que quelques fragments (soit échappés au pillage, soit reconstitués par l'auteur), entre autres : une partie du commentaire du *Livre de la Théologie* dite d'Aristote, le commentaire du *Livre lambda* de la *Métaphysique*, les Notes en marge du *De Anima*, et peut-être les « cahiers » connus sous le titre de *Logique des Orientaux*. Ayant accompagné son prince dans une expédition contre Hamadan, Avicenne est pris de malaise, se soigne trop énergiquement, et succombe en pleine force à l'âge de 57 ans, en 428/1037, à proximité de Hamadan. Il mourut de façon très édifiante, en pieux musulman. Lors de la commémoration solennelle du millénaire de sa naissance (en avril 1954, à Téhéran, avec un léger retard : l'an 1370 de l'hégire correspondant en fait à 1950 A. D.), fut inauguré le beau mausolée élevé sur sa tombe à Hamadan, par les soins de la « Société des monuments nationaux de l'Iran ».

2. Si l'on pense combien la vie d'Avicenne fut chargée d'événements et encombrée de charges publiques, on admirera l'étendue de son œuvre. La bibliographie établie par M. Yahya Mahdavi compte 242 titres. Son œuvre qui marqua d'une si profonde empreinte l'Occident médiéval et l'Orient jusqu'à nos jours, couvre tout le champ de la philosophie et des sciences cultivées à l'époque. Avicenne réalisa par excellence le type médiéval de l'homme universel. On lui doit un traité sur la Prière et un commentaire de plusieurs sourates du Qorân (*supra*, I, 1). C'est cette œuvre qui, ayant pris son point de départ dans l'œuvre de Fârâbî, finit par éclipser quelque peu cette dernière par son ampleur (il en alla un peu comme pour l'œuvre de Sadrâ Shîrâzî par rapport à celle de son maître, Mîr Dâmâd, *Magister Tertius*, aux XVIe et XVIIe siècles).

On ne doit pas oublier que cette œuvre est contemporaine des grandes œuvres de l'ésotérisme ismaélien (*supra* II B, 1) auxquelles restent attachés quelques grands noms d'Iraniens (Abû Ya'qûb Sejestânî, vers 360/972; Hamîd Kermânî, 408/1017; Mo'ayyad Shîrâzî, 470/1077, etc.) et qui, on l'espère, prendront peu à peu le rang qui leur revient dans nos histoires de la philosophie. Aussi bien le père et le frère d'Avicenne appartenaient-ils à l'Ismaélisme; lui-même, en son autobiographie, fait allusion à leurs efforts pour entraîner son adhésion à la *Da'wat* ismaélienne. Il y a, certes, une analogie de structure (comme dans le cas de Fârâbî) entre l'univers avicennien et la cosmologie ismaélienne; cependant le philosophe refusa de se lier à la sodalité. En revanche, s'il se déroba devant le shî'isme ismaélien, l'accueil qu'il reçut auprès des princes shî'ites de Hamadan et d'Ispahan permet au moins d'inférer qu'il ait appartenu au shî'isme duodécimain.

Ce synchronisme élargit déjà l'horizon sur lequel se profile sa physionomie spirituelle. D'ailleurs, l'ensemble de l'œuvre nous fait pressentir la complexité d'une âme et d'une doctrine dont nos Scolastiques latins ne connurent qu'une partie. Celle-ci provient, certes, de son ouvrage monumental, le *Shifâ*, englobant la logique, la physique et la métaphysique; mais le dessein personnel du philosophe devait trouver son achèvement dans ce qu'il désignait, on l'a rappelé ci-dessus, comme devant être une « philosophie orientale ».

3. Obligé de nous limiter ici à un très bref aperçu, nous prendrons comme centre de perspective la théorie avicennienne de la connaissance, parce que sous son aspect issu d'une théorie générale des Intelligences hiérarchiques, elle se présente comme une angélologie, et parce que cette dernière fonde aussi bien la cosmologie qu'elle situe l'anthropologie. On a signalé précédemment (V, 2) que la métaphysique de l'essence était instaurée dès l'œuvre de Fârâbî, et avec elle la division de l'être, en être nécessairement être par soi-même, et être

nécessaire par un autre. A son tour, l'univers avicennien ne comporte pas ce que l'on appelle la contingence du possible. Tant que le possible reste en puissance, c'est qu'il ne peut pas être. Si quelque possible est actualisé dans l'être, c'est que son existence est rendue nécessaire par sa cause. Dès lors il ne peut pas ne pas être. A son tour, sa cause est nécessitée par sa propre cause, ainsi de suite.

Il s'ensuit que l'idée « orthodoxe » de Création est dans la nécessité, elle aussi, de subir une altération radicale. Il ne peut s'agir d'un coup d'état volontaire dans la prééternité; il ne peut s'agir que d'une nécessité divine. La Création consiste dans l'acte même de la pensée divine se pensant soi-même, et cette connaissance que l'Etre divin a éternellement de soi-même, n'est autre que la Première Emanation, le Premier *Noûs* ou Première Intelligence. Ce premier effet unique de l'énergie créatrice, identique à la pensée divine, assure la transition de l'Un au Multiple, en satisfaisant au principe : de l'Un ne peut procéder que l'Un.

A partir de cette Première Intelligence, la pluralité de l'être va procéder, exactement comme dans le système de Fârâbî, d'une série d'actes de contemplation qui font en quelque sorte de la cosmologie une phénoménologie de la conscience angélique. La Première Intelligence contemple son Principe; elle contemple son Principe qui la nécessite dans l'être; elle contemple le pur possible de son propre être en soi, considéré fictivement comme en dehors de son Principe. De sa première contemplation procède la Deuxième Intelligence; de la seconde, l'Ame motrice du premier Ciel (la Sphère des Sphères); de la troisième, le corps éthérique, supra-élémentaire, de ce premier Ciel, lequel procède ainsi de la dimension inférieure (dimension d'*ombre*, de non-être) de la Première Intelligence. Cette triple contemplation instauratrice de l'être se répète d'Intelligence en Intelligence, jusqu'à ce que soit complète la double hiérarchie : celle des Dix Intelligences chérubiniques (*Karûbîyûn, Angeli intellectuales*) et celle des Ames célestes (*Angeli cælestes*), lesquelles n'ont point de facultés sensibles, mais possèdent l'Imagination à l'état pur, c'est-à-dire libérée des sens, et dont le désir aspirant à l'Intelligence dont elles procèdent, communique à chacun des Cieux leur mouvement propre. Les révolutions cosmiques auxquelles s'origine tout mouvement sont donc l'effet d'une aspiration d'amour toujours inassouvie. C'est cette théorie des Ames célestes, et conséquemment celle d'une imagination indépendante des sens corporels, qu'Averroës (*infra* VIII, 6) rejeta avec véhémence. En revanche, elle fructifia chez les avicenniens iraniens; on a indiqué ci-dessus (IIA, 5) comment et pourquoi la gnoséologie prophétique avait postulé l'idée d'une Imagination purement spirituelle.

4. La Dixième Intelligence n'a plus la force de produire à son tour une autre Intelligence unique et une autre Ame unique. A partir d'elle, l'Emanation explose, pour ainsi dire, dans la multitude des âmes humaines, tandis que de sa dimension d'ombre procède la matière sublunaire. C'est elle qui est désignée comme l'Intelligence agente ou active (*'Aql fa''âl*), celle dont émanent nos âmes, et dont l'illumination (*ishrâq*) projette les idées ou formes de la connaissance sur celles des âmes qui ont acquis l'aptitude à se tourner vers elle. L'intellect humain n'a ni le rôle ni le pouvoir d'abstraire l'intelligible du sensible. Toute connaissance et toute réminiscence sont une émanation et une illumination provenant de l'Ange. Aussi bien l'intellect humain a-t-il la nature de l'ange en puissance. De structure duelle, intellect pratique et intellect contemplatif, ses deux « faces » sont désignées comme « anges terrestres ». Là même est le secret de la destinée des âmes. Des quatre états de l'intellect contemplatif, celui qui correspond à l'intimité avec l'Ange qui est l'Intelligence active ou agente, est désigné comme « intellect

saint » (*'aql qodsî*). A son sommet, il est le cas privilégié de l'esprit de prophétie.

Tout cela permet déjà d'entrevoir que sur la question du *Noûs poietikos* (*Intelligentia agens*) qui a départagé dès l'origine les interprètes d'Aristote, Avicenne, à la suite de Fârâbî (et l'on doit également penser ici à la Xe Intelligence de la cosmogonie ismaélienne), a opté (contrairement à Themistius et à saint Thomas d'Aquin) pour une Intelligence séparée et extrinsèque à l'intellect humain, sans l'identifier pour autant au concept de Dieu (comme Alexandre d'Aphrodise ou à la façon des augustiniens). Fârâbî et Avicenne ont fait de cette Intelligence un être du Plérôme, auquel l'être humain se trouve ainsi directement rattaché par elle, et c'est là l'originalité gnostique de nos philosophes. D'autre part ils ne pouvaient se satisfaire de l'idée péripatéticienne de l'âme comme forme (entéléchie) d'un corps organique; cette « information » n'est que l'une de ses fonctions, pas même la principale. Leur anthropologie est néoplatonicienne.

5. Sur ces bases, on comprend comment le projet de « philosophie orientale » s'articule à l'ensemble du système préalablement fondé. Malheureusement il ne reste de cette « philosophie orientale » que les esquisses et allusions signalées ci-dessus. (Nous n'entrons pas ici dans le détail de certaines controverses; le mémoire de S. Pinès, cité *in fine* dans notre bibliographie, a montré de façon décisive que le mot « Orientaux », dans l'usage qu'en fait Avicenne, a toujours le même sens.) L'idée la plus précise que l'on puisse s'en faire est à demander, d'une part, aux *Notes* écrites en marge de la *Théologie* dite d'Aristote. Sur six références d'Avicenne à sa « philosophie orientale », cinq se rapportent à l'existence *post mortem*. C'est la doctrine de la survie qui aurait caractérisé au premier chef, quant à son fond, la « philosophie orientale ».

D'autre part, il y a la trilogie des *Récits mystiques*

auxquels Avicenne a confié le secret de son expérience personnelle, offrant ainsi le cas assez rare d'un philosophe prenant parfaitement conscience de lui-même, et parvenant (comme Sohravardî ensuite) à configurer ses propres symboles. Les trois Récits ont pour thème le voyage vers un *Orient* mystique, introuvable sur nos cartes, mais dont l'idée émerge déjà dans la Gnose. Le « Récit de Hayy ibn Yaqzân » (*Vivens filius Vigilantis*, Veilleur, cf. les *Egregoroï* des livres d'Hénoch) expose l'invite au voyage en compagnie de l'Ange illuminateur. Le « Récit de l'Oiseau » effectue ce voyage, et inaugure un cycle qui trouvera son couronnement dans l'admirable épopée mystique persane de Farîd 'Attâr (aux XIIe et XIIIe siècles). Enfin « Salamân et Absâl » sont les deux héros du Récit évoqué dans la partie finale du *Livre des Directives* (*Ishârât*). Ce ne sont point là des allégories, mais des récits symboliques, et il importe de ne point confondre (cf. *supra* I, 1). Ce ne sont pas des affabulations de vérités théoriques pouvant toujours être énoncées autrement; ce sont des figures typifiant le drame intime personnel, l'apprentissage de toute une vie. Le symbole est chiffre et silence; il dit et ne dit pas. On ne l'explique jamais une fois pour toutes; il s'épanouit au fur et à mesure que chaque conscience est appelée par lui à éclore, c'est-à-dire à en faire le chiffre de sa propre transmutation.

6. La figure et le rôle de l'Ange qui est l' « Intelligence agente » permettent de comprendre les destinées ultérieures de l'avicennisme. C'est à cause de cette Intelligence que fut mis en échec ce que l'on a appelé l' « avicennisme latin ». Elle alarma le monothéisme orthodoxe, lequel pressentit fort bien que, loin d'être immobilisé et ordonné sous la conduite de cet Ange à une fin métaphysiquement inférieure, le philosophe serait entraîné par elle vers d'imprévisibles au-delà, en tout cas par-delà les dogmes établis, puisque le rapport immédiat et personnel avec un être spirituel du Plé-

rôme ne prédisposait pas particulièrement le philosophe à s'incliner devant le Magistère d'ici-bas. L'avicennisme ne fructifia qu'au prix d'une altération radicale qui en changea le sens et la structure (dans cet « augustinisme avicennisant » si bien dénommé et analysé par Et. Gilson). C'est dans la direction d'Albert le Grand (celle de son disciple Ulrich de Strasbourg, celle des précurseurs des mystiques rhénans) qu'il resterait à suivre les effets de l'avicennisme.

Mais, tandis que la crue de l'averroïsme devait submerger les effets de l'avicennisme en chrétienté, tout autres en furent les destinées en Orient. Ni l'averroïsme n'y fut connu, ni la critique de Ghazâlî reconnue comme ayant la signification fatale que souvent lui ont donnée nos historiens de la philosophie. Avicenne eut d'excellents disciples directs. Tout d'abord le fidèle Jûzjânî qui donna une version et un commentaire en persan du *Récit de Hayy ibn Yaqzân*; Hosayn ibn Zayla d'Ispahan (ob. 440/1048) qui en donna un commentaire en arabe; un bon zoroastrien au nom typiquement iranien, Bahmanyâr ibn Marzbân (dont l'œuvre importante est encore inédite). Mais on peut dire, sans paradoxe, que le successeur d'Avicenne, ce fut Sohravardî, non pas en ce sens qu'il incorpora à ses propres livres certains éléments de la métaphysique avicennienne, mais en ce sens qu'il assuma à son tour le projet de « philosophie orientale », projet que, selon lui, Avicenne ne pouvait, de toute façon, mener à bonne fin, car il ignorait les vraies « sources orientales ». Ce projet, Sohravardî le réalisera en ressuscitant la philosophie ou la théosophie de la Lumière de l'ancienne Perse (*infra* VII).

C'est cet avicennisme sohravardien qui connut un magnifique essor dans l'Ecole d'Ispahan à partir du XVIe siècle, et dont les effets sont restés vivants en Iran shî'ite jusqu'à nos jours. Nous avons encore rappelé, en tête de ce chapitre, quelques-uns des grands noms qui sont malheureusement restés absents jusqu'ici de nos histoires de la philosophie. Ajoutons que Sayyed Ahmad 'Alawî, élève et gendre de Mîr Dâmâd (ob. 1040/1631) écrivit un commentaire sur le *Shifâ*, s'amplifiant aux proportions d'une œuvre personnelle aussi volumineuse que le *Shifâ* lui-même. Il l'intitule *La clef du Shifâ*, et s'y réfère expressément à la « philosophie orientale » mentionnée par Avicenne en tête de son livre.

Tandis que la pensée philosophique, partout ailleurs dans le monde de l'Islam, est tombée en sommeil, ces maîtres de l'avicennisme iranien conduisent l'Islam shî'ite à sa plus haute conscience philosophique. Contrastant avec le sort de l'avicennisme latin, l'identification de l'Ange de la Révélation qui est l'Esprit-Saint, avec l'Intelligence agente qui est l'Ange de la Connaissance, stimule une philosophie de l'Esprit profondément différente de ce que l'on a appelé ainsi en Occident. Pour la signification de ce contraste, il faut remonter jusqu'aux options précédemment signalées ici. Les toutes dernières pages du *Shifâ* où, avec une densité allusive voulue, Avicenne s'exprime quant à l'idée du Prophète et de l'Imâm, retenaient, certes, l'attention de nos penseurs. Car ils pouvaient y constater que la gnoséologie avicennienne, la doctrine de l'Intelligence, recelait les prémisses de leur propre philosophie prophétique.

5. *Ibn Maskûyeh. Ibn Fâtik. Ibn Hindû.*

1. Contemporain de Bîrûnî et d'Avicenne, Ahmad ibn Moham. ibn Ya'qûb Maskûyeh naquit à Ray et mourut à Ispahan (421/1030). Il semble (d'après Mîr Dâmâd et Nûrollâh Shoshtarî) que la conversion de sa famille à l'Islam ne remontait pas au-delà de son grand-père Maskûyeh (la finale de ce nom, comme

ceux d'Ibn Bâbûyeh, de Sibûyeh, représente la forme persane des noms moyen-iraniens en *-oê*; les Arabes vocalisent Miskawaih). Il illustre ce type de philosophe iranien d'ascendance mazdéenne, ayant un goût particulier pour l'étude des mœurs et des civilisations, les sentences et les maximes de sagesse (genre littéraire si bien représenté en pehlevi). Ahmad-e Maskûyeh (comme on le désigne couramment en persan) fut un certain temps, dans sa jeunesse, bibliothécaire d'Ibn al-'Amîd, le vizir déjà nommé ici (*supra* V, 3), puis le *famulus* et trésorier du souverain daylamide 'Alâoddawleh (pour qui il composa un de ses traités en persan). Tout indique qu'il était shî'ite : son admission dans l'intimité des daylamides, l'éloge que fait de lui Nasîr Tûsî, enfin certains passages de ses livres.

De la vingtaine d'ouvrages qu'il a laissés, on ne cite ici que les plus célèbres. Il y a son traité de philosophie morale, *De la réforme des mœurs* (*tahdhîb al-akh-lâq*), qui a été plusieurs fois réédité au Caire et à Téhéran; c'est le livre dont Nasîr Tûsî fait l'éloge dans l'introduction de son propre ouvrage de philosophie morale en persan (*akhlâq-e Nasîrî*). Et il y a l'ouvrage qui porte l'intitulation persane caractéristique de *Jâvîdân Kharad* (*La Sagesse éternelle*). Une tradition légendaire s'y rattache. Un traité de ce nom aurait été composé par le roi Hûshang, un des rois légendaires de l'archéhistoire iranienne, ou par quelque sage de son temps. C'est cet ouvrage qui, redécouvert à l'époque du Khalife abbasside al-Ma'mûn, aurait été traduit partiellement en arabe par Hasan ibn Sahl Nawbakhtî. A son tour, Maskûyeh remanie et amplifie l'ouvrage arabe, et en donne d'autre part une version en persan. Quoi qu'il en puisse être, c'est son texte arabe que, sous le titre de « la sagesse éternelle » (*al-hikmat al-khâlida*, éd. 'A. Badawî, Le Caire), Maskûyeh donne comme introduction à un grand ouvrage sur l'expérience des nations, englobant la civilisation des Arabes, des Perses et des Indiens.

2. Ce livre de « la sagesse éternelle », qui rapporte de nombreux propos de philosophes, est en rapport avec toute une littérature contemporaine que l'on peut tout juste évoquer ici. Un disciple d'Ibn al-Haytham (*supra* IV, 8) Ibn Fâtik (Ve/XIe siècle), Arabe originaire de Damas et établi en Egypte, a laissé un très important florilège (*Mokhtâr al-hikam*) de « paroles de sagesse » attribuées à des sages de l'antiquité dont il rapporte les biographies plus ou moins légendaires. Il pourrait, selon son récent éditeur ('A. Badawî) avoir disposé d'une source dérivée des *Vies des philosophes* de Diogène Laërce (l'ouvrage d'Ibn Fâtik fut traduit en espagnol, en latin, en français par Guillaume de Thignonville ob. 1414, qui travailla sur la version latine; il y eut une traduction partielle en provençal et deux versions anglaises). En tout cas, il fut largement utilisé par Shahrastânî d'abord (ob. 547/1153), dans sa grande histoire des religions et des doctrines, pour la partie consacrée aux anciens philosophes; puis par Shahrazûrî (ob. vers 680/1281), le disciple et commentateur de Sohravardî (*infra* VII, 5), qui en reproduit de larges passages. On peut suivre ainsi la tradition des doxographes grecs en Islam jusqu'à Qotboddîn Ashkevarî, disciple de Mîr Dâmâd (dans son *Mahbûb al-Qolûb*).

3. Il faut également mentionner ici 'Alî ibn Hindû (de Ray lui aussi, ob. 420/1029), autre contemporain et compatriote de Maskûyeh. Ibn Hindû a laissé également un florilège de sentences spirituelles des Sages grecs. A ce propos, l'on ne fait que citer ici, et par anticipation, la grande *Histoire des philosophes* de Jamâloddîn Ibn al-Qiftî (ob. 646/1248).

6. *Abû'l-Barakât al-Baghdâdî.*

1. Originale et attachante personnalité dont l'œuvre a été particulièrement étudiée par S. Pinès, Hibat Allah

'Alî ibn Malkâ Abû'l-Barakât al-Baghdâdî vécut jusqu'à un âge très avancé (80 ou 90 ans) et mourut peu après 560/1164. D'origine juive, il se convertit tardivement à l'Islam pour des raisons assez complexes, puisque les biographes musulmans donnent quatre versions différentes de cette conversion (il est d'ailleurs cité dans un texte hébreu sous le nom de Nathanaël qui est étymologiquement l'équivalent exact de Hibat Allâh, *Adeodatus*, Dieudonné). Son surnom de *Awhad al-zamân* (l'unique en son temps) atteste suffisamment sa réputation. Ce qu'il illustre par excellence, c'est le type de philosophe personnel (il a plus d'un trait commun avec Ibn Bâjja, *infra* VIII, 3), pour qui l'idée de se mêler de « politique », des affaires « sociales », contredit l'idée même du philosophe. Les conflits officiels, entre religion et philosophie par exemple, tels qu'ils sont officiellement posés, ne l'intéressent pas. Car s'il s'en mêlait, comment le philosophe pourrait-il être un « révolutionnaire » ?

Il ne s'agit donc pas d'une position occasionnelle, d'un repli motivé, par exemple, par les malheurs des temps, mais d'une attitude foncière qui se révèle assez bien dans l'idée qu'Abû'l-Barakât se fait de l'histoire de la philosophie. Il professe que les anciens sages philosophes n'ont donné qu'un enseignement oral, par crainte que leurs doctrines n'atteignent les personnes incapables de les comprendre. Elles ne furent mises par écrit que plus tard, mais en langage chiffré, symbolique (il y a une idée de ce genre chez Sohravardî). L'histoire de la philosophie se réduit donc à un processus de corruption et de mésinterprétation de la tradition ancienne, et la dégradation est allée en s'aggravant jusqu'à l'époque d'Abû'l-Barakât. Lorsqu'il affirme (avec un peu d'exagération) ne devoir que peu de choses à ses lectures des philosophes, et ne devoir l'essentiel qu'à ses méditations personnelles, son intention n'est donc pas de déprécier la tradition, mais vise au contraire à en restaurer la pureté. C'est pourquoi, dit-il, s'il a lu les livres des philosophes, il a lu aussi le grand « livre de l'être », et ce sont les doctrines suggérées par celui-ci qu'il lui est arrivé de préférer à celles des philosophes traditionnels.

Notre philosophe a donc parfaitement conscience de produire des doctrines indépendantes de la tradition des philosophes, parce qu'elles sont le fruit de ses propres recherches. C'est pourquoi S. Pinès a proposé pour le titre de son principal ouvrage philosophique *Kitâb al-mo'tabar*, cette traduction très heureuse : « Le livre de ce qui est établi par réflexion personnelle. » Ce grand ouvrage est né de notes personnelles accumulées au cours d'une longue existence; le philosophe se refusait d'en faire un livre, toujours dans la crainte de l'incompréhension de lecteurs non qualifiés. Finalement, il en résulta une véritable somme de connaissances scientifiques, en trois volumes comprenant la Logique, la Métaphysique et la Physique (éd. Haydarabad 1357/1358 h.). Il n'est pas douteux que les idées nouvelles, parfois révolutionnaires, qu'il contient, sont le fruit de ses méditations. Il arrive cependant à l'auteur d'en admettre d'autres, certaines pages du *Shifâ* d'Avicenne par exemple, sans doute parce qu'il les a trouvées conformes à ce qu'il avait lu dans le « livre de l'être ».

2. Précisément, parce que nous avons insisté ci-dessus sur la doctrine de l'Intelligence agente chez Avicenne, nous insisterons ici sur la position assumée par Abû'l-Barakât quant à cette doctrine, parce qu'elle reflète son « personnalisme » sans compromis, et libère une fois pour toutes la philosophie des difficultés qui résultent aussi bien lorsque l'on pose une Intelligence unique pour le genre humain, que lorsque l'on substitue un Magistère collectif, sacré ou profane, à la relation directe de chaque homme avec cette Intelligence transcendante mais unique. Les données du problème se ramènent pour lui à la question de savoir si les âmes

humaines ne forment toutes ensemble qu'une seule et même espèce, ou bien si chaque âme diffère essentiellement d'une autre en espèce, ou bien si les âmes ne sont pas groupées par familles spirituelles constituant autant d'espèces différentes par rapport à un genre commun. A l'encontre des philosophes soutenant la première hypothèse, et à défaut d'une option clairement attestée en faveur de la seconde, c'est la troisième hypothèse qui a les faveurs d'Abû'l-Barakât. Mais alors comment admettre qu'une seule Intelligence agente soit la cause existentiatrice unique de la multitude des âmes ? Puisqu'il y a *plusieurs espèces* d'âmes humaines, l'éclosion de cette pluralité postule le concours de toutes les hiérarchies célestes.

Plus encore. Il faut distinguer une cause *existentiatrice* et une cause *perfectrice* différentes l'une de l'autre, comme le précepteur spirituel (*mo'allim*) est différent du père selon la chair. En raison de la diversité spécifique des âmes, la pédagogie spirituelle (*ta'lîm*) qu'elles requièrent ne peut être limitée à une forme unique ni à une Intelligence agente unique. C'est pourquoi les anciens Sages professaient que pour chaque âme individuelle, ou peut-être pour plusieurs ensemble ayant même nature et affinité, il y a un être du monde spirituel qui, tout au long de leur existence, assume envers cette âme ou ce groupe d'âmes une sollicitude et tendresse spéciales. C'est lui qui les initie à la connaissance, les guide et les réconforte. Cet ami et guide, ils l'appelaient la « Nature Parfaite » (*al-tibâ' al-tâmm*); en langage religieux, on l'appelle l' « Ange ».

3. L'intervention de cette figure de l'hermétisme est ici d'un extrême intérêt. Nous avons signalé ci-dessus (IV, 1), le rôle de la Nature Parfaite comme Ange personnel et *Alter ego* de lumière, principalement dans les textes sabéens, chez Sohravardî et les *Ishrâqîyûn*, méditant tour à tour l'expérience extatique au cours de laquelle Hermès eut la vision de sa « Nature Parfaite ».

Nous constatons ici que par elle Abû'l-Barakât donne aux problèmes posés par la doctrine avicennienne de l'Intelligence agente une solution qui, sans doute, fait date dans l'histoire de la philosophie, car en philosophe « personnaliste » il relève ainsi expressément le processus d'*individuation* impliqué dans la théorie avicennienne elle-même. On en peut mesurer l'audace novatrice au fait que, dans l'Occident médiéval, l'opposition à l' « avicennisme latin » ait été particulièrement suscitée par la crainte des conséquences « individualistes » de son angélologie. Avec Abû'l-Barakât il y aura bien un intellect agent pour chaque individu (comme chez saint Thomas d'Aquin), mais cet intellect est « séparé », c'est-à-dire transcendant, ce n'est pas simplement une faculté immanente à l'individualité terrestre. Il donne donc à l'individu comme tel une « dimension » transcendante, supérieure à toutes les normes et autorités collectives au niveau de ce monde. Et c'est pourquoi l'on peut dire qu'Abû'l-Barakât est « révolutionnaire ».

On notera qu'il écrit encore longtemps après que Ghazâlî eut quitté ce monde; cela suffirait déjà à indiquer qu'il serait plus qu'exagéré de croire que la critique de Ghazâlî ait ruiné le destin de la philosophie en Islam.

7. *Abû Hâmid Ghazâlî et la critique de la philosophie.*

1. Tout en se gardant de certaines hyperboles, on admettra volontiers que ce Khorassanien ait été une des plus fortes personnalités, une des têtes les mieux organisées qui aient paru en Islam, comme l'atteste aussi bien le surnom honorifique qu'il partage avec quelques autres, de *Hojjat al-Islam* (la preuve, le garant de l'Islam). Abû Hâmid Mohammad Ghazâlî naquit en 450/1059 à Ghazâleh, bourgade des environs de Tûs

(patrie du poète Ferdawsî), dans le Khorassan. Lui-même et son frère Ahmad, dont il sera question plus loin comme soufi (VI, 6), étaient encore de jeunes enfants lorsqu'ils perdirent leur père. Mais avant de mourir, celui-ci les avait confiés à la tutelle d'un ami, un sage soufi, dont ils reçurent leur première éducation. Ensuite le jeune Abû Hâmid se rendit à Nîshâpour qui était alors, dans le Khorassan, un des centres intellectuels les plus importants du monde islamique. C'est là qu'il fit la connaissance du maître de l'école ash'arite de son temps, Imâm al-Haramayn, dont il devint le disciple (cf. *supra* III, C).

A la mort de celui-ci (478/1085), il entre en relation avec le célèbre vizir seljoukide Nizâm al-Molk, fondateur de l'université de Baghdâd (*Madrasa Nizâmîya*); Ghazâlî y sera nommé professeur en 484/1091. Cette période marque une étape décisive dans sa vie; il y trouva le milieu favorable à l'épanouissement et au rayonnement de sa personnalité, et approfondit ses connaissances philosophiques. Deux ouvrages appartiennent à cette époque de sa vie. Il y a tout d'abord le livre sur *Les intentions des philosophes* (*Maqâsid al-falâsifa*), qui eut un sort si curieux en Occident. Traduit en latin (en 1145, à Tolède, par Dominicus Gundissalinus) sous le titre de *Logica et philosophia Algazelis Arabis*, mais privé de son exorde et de la conclusion dans lesquels Ghazâlî déclarait son propos (exposer les doctrines des philosophes pour les réfuter ensuite), l'ouvrage fit passer Ghazâlî auprès de nos Scolastiques latins, pour un philosophe collègue de Fârâbî et d'Avicenne, et le fit englober dans la polémique contre les philosophes « arabes ».

L'autre ouvrage datant de la même période est la célèbre et violente attaque contre les philosophes dont on dira quelques mots ci-dessous, mais, maintenant que nous connaissons un peu mieux la continuité de la pensée philosophique et spirituelle en Islam, il apparaîtrait ridicule de dire de cette critique, comme il le fut dit au siècle dernier, qu'elle porta à la philosophie un coup dont elle ne put se relever en Orient. On provoque une grande surprise, lorsque de nos jours on explique à certains shaykhs iraniens, par exemple, l'importance que les historiens occidentaux ont accordée à la critique de la philosophie par Ghazâlî. On aurait provoqué la même surprise chez un Sohravardî, un Haydar Amolî, un Mîr Dâmâd, etc.

La 36e année de sa vie marque pour Ghazâlî un tournant décisif. C'est à ce moment-là que le problème de la certitude intellectuelle se posa à sa conscience avec une telle acuité qu'il entraîna une crise intérieure très grave, bouleversant son activité professionnelle et sa vie familiale. En 488/1095 il abandonne l'université et sa famille, sacrifiant tout à la recherche de la certitude intérieure, garante de la Vérité. On imagine à quel point cette décision de Ghazâlî, alors recteur de l'université *Nizâmîya*, porte-parole de la doctrine ash'arite qui s'identifiait alors avec l'orthodoxie même de l'Islam sunnite, dut frapper les esprits; elle révèle chez Ghazâlî la force d'une personnalité exceptionnelle.

Il quitte Baghdâd, s'engage dans la voie étroite conduisant à la certitude. Pendant dix ans, revêtu de l'habit des soufis, il pèlerinera, solitaire, à travers le monde musulman. Ses voyages le conduisirent à Damas et à Jérusalem (avant qu'elle ne fût prise par les Croisés), à Alexandrie et au Caire, à La Mekke et à Médine; il consacre tout son temps à la méditation et aux pratiques spirituelles des soufis. La crise surmontée et les doutes abolis, il revient dans son pays natal, enseigne encore quelques années à Nîshâpour et meurt à Tûs en 505/1111 (le 19 décembre), à 52 ans, plus jeune encore qu'Avicenne.

2. Ghazâlî a donc affronté dans toute son ampleur le problème de la connaissance et de la certitude personnelle. Mais fut-il seul, entre tous les penseurs musul-

mans, à la recherche d'une certitude expérimentale dans la connaissance intérieure ? C'est un thème essentiel chez Sohravardî (qui semble à peu près tout ignorer de Ghazâlî), et déjà Avicenne et Abû'l-Barakât avaient affronté le problème de la conscience de soi et de ses implications. Quant à la connaissance du *cœur*, nous savons maintenant qu'elle est déjà admirablement formulée chez les Imâms du shî'isme.

Mais ce qui rend pathétique cette recherche chez Ghazâlî, c'est le drame dans lequel elle jeta sa vie. Lorsqu'il s'exprime sur la vraie connaissance, cela sonne avec toute l'authenticité du témoignage personnel. Dans son *Monqidh* (*Le Préservatif de l'erreur*) il déclare : « La connaissance vraie est celle par laquelle la chose connue se découvre complètement (devant l'esprit), de sorte qu'aucun doute ne subsiste à son égard, et qu'aucune erreur ne puisse la ternir. C'est le degré où le *cœur* ne saurait admettre ni même supposer le doute. Tout savoir qui ne comporte pas ce degré de certitude est un savoir incomplet, passible d'erreur. » Ailleurs (*Risâlat al-ladonîya*) il explique ce dévoilement comme « la saisie directe par l'âme pensante de la réalité essentielle des choses, dépouillées de leur forme matérielle... Quant à l'objet connu, c'est l'essence même des choses se réfléchissant dans le miroir de l'âme... L'âme pensante est le foyer des irradiations de l'Ame universelle. De celle-ci elle reçoit les formes intelligibles. Elle contient en puissance toutes les connaissances, comme la semence contient toutes les possibilités de la plante et sa condition d'être ».

C'est là une excellente philosophie positive, et tout philosophe, notamment un *Ishrâqî*, serait très à l'aise pour en reconnaître le mérite et la validité. La réciproque n'est malheureusement pas vraie. L'attitude négative de Ghazâlî à l'égard des philosophes atteint à une véhémence qui surprend chez une âme aussi haute. Sans doute est-ce son tourment intérieur qui se révèle dans l'aspect polémique de son œuvre. Cette polémique n'absorbe pas moins de quatre ouvrages, dans lesquels il se tourne successivement contre les Ismaéliens, contre les Chrétiens, contre les soi-disant libertins, enfin contre les philosophes. Et ce qui surprend plus encore, c'est la confiance mise dans la logique et la dialectique rationnelle pour arriver au but de sa polémique, chez un homme par ailleurs si totalement convaincu de leur incapacité d'atteindre la vérité !

3. L'idée qui inspire le livre de polémique contre les Ismaéliens (les « Bâtiniens », c'est-à-dire les ésotéristes) semble mêlée d'un peu trop près aux préoccupations du pouvoir, on veut dire les préoccupations du khalife abbâsside al-Mostazhir, soucieux de faire valoir sa légitimité contre toute prétention fâtimide (d'où le titre : *Kitâb al-Mostazhirî*). L'ouvrage a été partiellement édité et analysé par I. Goldziher (1916). Comme à l'époque aucun des grands textes ismaéliens, arabes ou persans, n'était encore connu, l'éditeur se trouvait très à l'aise pour abonder dans le sens de Ghazâli. La situation est différente aujourd'hui.

On est frappé de voir Ghazâlî déployer une *dialectique* acharnée contre une pensée qui est essentiellement *herméneutique.* Le processus du *ta'wîl* ismaélien (l'exégèse ésotérique) lui échappe, aussi bien que l'idée d'une science qui est transmise (*tradita*) comme un héritage spirituel (*'ilm irthî*) à ses héritiers. Il ne veut voir qu'une « religion d'autorité » là où il y a *initiation* à une doctrine (*ta'lîm*), à un sens caché qui ne se construit ni ne se démontre à coups de syllogismes, et qui requiert un Guide inspiré, l'Imâm (*supra* II). C'est le sens même de l'Imâmat shî'ite qui lui échappe et, avec son fondement métaphysique, ce qui conditionne la « naissance spirituelle » (*wilâdat rûhânîya*). On rappelait encore ci-dessus les textes des Imâms du shî'isme sur la science du *cœur,* qui eussent dû satisfaire Ghazâlî, s'il les avait connus. Le livre ne fait qu'illustrer l'idée qu'un théologien sunnite orthodoxe peut se faire de l'ésotérisme. Aussi bien toute la question est-elle à reprendre, car nous connaissons maintenant l'existence d'une réponse ismaélienne massive aux attaques de Ghazâlî. Elle fut l'œuvre du Ve *Dâ'î* yéménite, Sayyid-nâ 'Alî ibn Mohammad ibn al-Walîd (ob. 612/1215), et porte pour titre *Dâmigh al-bâtil* (*Le Livre qui anéantit le mensonge*); elle comprend deux volumes manuscrits de mille cinq cents pages. Nous pouvons garantir que l'étude comparée des deux textes sera d'un intérêt majeur.

Le livre de polémique contre les chrétiens veut être une « réfutation courtoise (*radd jamîl*) de la divinité de Jésus », pour laquelle l'auteur prend appui sur les déclarations expresses des Evangiles. Chose curieuse, Ghazâlî met moins l'accent sur l'exigence unitarienne (*tawhîd*) et le danger d'anthropomorphisme (*tashbîh*), que sur l'affirmation de sa méthode, consistant, ici encore paradoxalement, à ne prendre pour guide que la science et la raison pour interpréter les textes évangéliques. Sans doute est-ce une protestation « évangélique » contre les dogmes de l'Eglise, mais il y aurait à en comparer les résultats avec le tout autre effet que produit la christologie qui s'insère, en dehors de toute polémique, dans d'autres courants spirituels de l'Islam : dans l'Ismaélisme, chez Sohravardî, chez Ibn 'Arabî, chez Semnânî, etc. On a fait allusion déjà ici à cette christologie s'enchâssant dans la gnose islamique et qui, reliée à la gnose tout court, diffère pour autant des dogmes officiels que précisément attaque Ghazâli. Bref, une christologie qui s'insère dans la « philosophie prophétique », en prolongeant, nous l'avons vu, l'idée du *Verus Propheta* jusqu'au « Sceau des prophètes » et jusqu'au cycle de la *walâyat* qui lui succède.

Un autre livre de polémique (en persan cette fois), composé sans doute après le retour de Ghazâlî à Nîshâpour, s'en prend aux « libertins » (*Ibâhîya*), catégorie très large dans laquelle rentrent les soufis anomiens, les philosophes errants, les « hérétiques » de toute sorte. On pourrait dire que les personnes visées correspondent à ceux que l'on désignait dans l'Allemagne des XVIe et XVIIe siècles comme des *Schwärmer,* des « Enthousiastes ». Ici également l'accusation des pires turpitudes morales n'est pas épargnée à ceux dont la pensée n'est pas conforme.

4. En fait ces ouvrages n'eurent que peu d'écho. Ils ne peuvent se comparer en importance avec l'entreprise tentée par Ghazâlî dans son grand livre contre les philosophes, qu'il intitule *Tahâfot al-falâsifa.* Le sens du mot *tahâfot* comporte plusieurs nuances. On a traduit par effondrement, écroulement, destruction (*præcipitatio, ruina*), plus récemment par « incohérence », terme qui reste trop abstrait et statique. En fait l'état signifié par ce nom verbal (VIe forme en grammaire arabe, impliquant l'idée d'une réciprocité s'exerçant entre les différentes parties d'un tout) se pourrait traduire au mieux ici par « Autodestruction des philosophes ». Ici tout particulièrement éclate le paradoxe d'un Ghazâlî qui, si convaincu de l'inaptitude de la raison à atteindre la certitude, a du moins la certitude de détruire, à coup de dialectique rationnelle, les certitudes des philosophes. Averroës fut parfaitement conscient de cette autonégation : admise l'impuissance totale de la raison, cette impuissance s'étend à sa propre négation, celle qu'elle dirige contre elle-même. C'est pourquoi Averroës répliquera par la négation de la négation et écrira une *Autodestruction de l'autodestruction* (*Tahâfot al-tahâfot*).

Tout l'effort de Ghazâlî est de démontrer aux philosophes que la démonstration philosophique ne démontre rien; malheureusement, il est encore contraint de le démontrer précisément par une démonstration philosophique. Avec une extrême véhémence il attaque leur doctrine de l'éternité du monde; il ne voit que métaphore dans la procession des Intelligences, théorie dont la rigueur et la beauté lui échappent; il estime que les philosophes sont incapables de démontrer la nécessité du Démiurge, l'unité et l'incorporéité divines, la connaissance que Dieu a des choses autres que lui-même. Entraîné par son élan, il va jusqu'à réfuter les arguments des philosophes montrant qu'il existe des substances spirituelles incorruptibles, alors que lui-même a besoin ailleurs de cette spiritualité de l'âme immortelle. Pour les philosophes, un être spirituel est un être qui se connaît soi-même et connaît qu'il connaît; les sens corporels organiques en sont incapables. Certes, répond Ghazâlî, mais il pourrait y voir un miracle !

Là même est le fond de sa pensée; le « fer de lance » de sa critique est la négation ash'arite de la causalité, et par là de l'idée avicennienne fondant l'existence des possibles inaptes à être par eux-mêmes, sur la nécessité du Principe qui compense leur non-être (et cette idée avicennienne stimulera la piété d'un philosophe comme Mîr Dâmâd, au XVIIe siècle, jusqu'à l'extase). Pour Ghazâlî, tous les processus naturels représentent un ordre fixé par la volonté divine, que celle-ci peut rompre à tout moment. Toute idée même d'une norme intérieure à un être, d'une nécessité interne, est exclue. Les philosophes, par exemple, affirment que le principe qui incendie est le feu; il le fait par nature et ne peut pas ne pas le faire. Ghazâlî récuse cette nécessité, et pose que l'action du feu doit être ramenée à Dieu soit directement, soit par l'intermédiaire de l'Ange. Tout ce que l'observation expérimentale nous permet de dire, c'est que la combustion du coton, par exemple, se produit *lors* de son contact avec le feu; elle ne nous prouve pas que ce soit *par* le contact entre le feu et le coton, ni qu'il n'y ait pas d'autre cause.

Enfin les philosophes se trompent, estime Ghazâlî, lorsqu'ils nient la résurrection corporelle, la réalité littérale du paradis et de l'enfer, et n'admettent un devenir posthume (un « retour » à l'outre-monde, *ma'âd*) que pour l'entité spirituelle qui est l'âme. Là même est énoncée une antinomie qui ne progressera vers sa solution philosophique qu'à travers l'œuvre de Sohravardî et de ses successeurs : la promotion ontologique du « tiers monde » (le *mundus imaginalis, 'âlam al-mithâl*), intermédiaire entre le monde des sens et le monde de l'intelligible pur. C'est par ce tiers monde, il y a déjà eu occasion de le montrer ici, qu'il est possible d'échapper au dilemme, en n'acceptant ni le spiritualisme abstrait des philosophes (ou la métaphore des Mo'tazilites), ni le littéralisme des théologiens, pour comprendre, en revanche, ce qu'est la « vérité spirituelle littérale » de l'eschatologie qorânique et des visions prophétiques. C'est pourquoi, sur ce thème essentiel, Mollâ Sadrâ Shîrâzî renverra dos à dos le philosophe Avicenne et le théologien Ghazâlî.

5. Et peut-être est-ce là l'issue qui n'a guère été aperçue jusqu'ici et qui ramène à leurs justes proportions les conséquences de la critique ghazâlienne. Il serait faux de dire que la philosophie, après Ghazâlî, dut se transporter à l'Occident de l'Islam, comme il serait faux de dire que la philosophie ne s'est pas relevée du coup qu'il lui aurait porté. Elle est bel et bien restée en Orient, et elle fut si peu ébranlée qu'il y eut des Avicenniens jusqu'à nos jours. Les grands ouvrages de l'école d'Ispahan montrent qu'il ne s'agit ni d'une « philosophie de compromis », ni moins encore de « travaux d'épitomistes ». Il s'agit précisément de cette « philosophie prophétique » esquissée ici au début, et dont le nouvel essor, dans l'Iran du XVIe siècle, nous fait comprendre, vu le bilan de la critique ghazâlienne, les raisons pour lesquelles le vrai destin de la philosophie originale de l'Islam, celle qui ne pouvait éclore qu'en Islam, s'accomplissait en milieu shî'ite.

Après Ghazâlî, Shahrastânî (547/1153) à son tour,

aussi bien dans son admirable histoire des religions (*K. al-milal*) que dans un livre encore inédit contre les philosophes (*Masâri' al-falâsifa*) et dans son traité de dogmatique (*Nihâyat al-Iqdâm*), renouvellera en bon *Motakallim* l'attaque contre les philosophes hellénisants, nommément Avicenne. Il s'attirera une monumentale réplique du grand philosophe shî'ite Nasîroddîn Tûsî (ob. 672/1274), prenant la défense d'Avicenne.

En fait, ce n'est pas le *Tahâfot* qui eut de l'influence, mais plutôt le grand ouvrage de Ghazâlî *De la restauration (ou revivification) des sciences religieuses* (*Ihyâ' 'olûm al-Dîn*), ouvrage riche en analyses d'une profonde intelligence spirituelle, telles les pages sur l'audition musicale (le *samâ'*). Certains auteurs shî'ites n'hésitent pas à le citer. Mohsen Fayz, le plus célèbre élève de Mollâ Sadrâ Shîrâzî, récrira même tout l'ouvrage en le rendant conforme à l'esprit shî'ite (sous le titre *al-Mahajjat al-baydâ*). En fait, ce qui va marquer la vie spéculative et spirituelle des siècles suivants, nommément en Iran, ce n'est pas la critique ghazâlienne des philosophes, mais une autre revivification ou restauration, celle entreprise par Sohravardî. Il n'y aura plus le dilemme : ou bien être un philosophe ou bien être un soufi. On ne peut être parfaitement l'un sans être l'autre. Et cela donne un type d'homme spirituel à qui la philosophie pose une exigence qu'elle n'a peut-être posée nulle part ailleurs. Il nous faut dire quelques mots sur l'enseignement de quelques-uns des plus grands parmi les Soufis, et sur ce que fut la restauration spirituelle voulue par Sohravardî.

VI

Le soufisme

1. *Remarques préliminaires.*

1. L'étymologie généralement retenue fait dériver le mot *soufi* de l'arabe *sûf* qui veut dire « laine ». Ce mot ferait allusion à la coutume des soufis de se distinguer en portant des vêtements et un manteau de laine blanche (la *khirqa*). Le mot ne contiendrait donc étymologiquement aucune référence à la doctrine spirituelle qui distingue les soufis en Islam; l'usage n'en est pas moins séculaire. Le terme *soufis* désigne l'ensemble des mystiques et des spirituels qui font profession de *tasawwof.* Ce mot *tasawwof* est le nom verbal de la Ve forme dérivée de la racine *swf*; il signifie « faire profession de soufisme », et on l'emploie pour parler du soufisme tout court (comparer les mots *tashayyo',* faire profession de shî'isme; *tasannon,* faire profession de sunnisme, etc.). Une autre explication, à première vue plus satisfaisante, considère le mot comme une transcription du grec *sophos,* sage. Bien qu'elle n'ait pas rencontré, en général, l'agrément des Orientalistes, Bîrûnî, au IVe/Xe siècle (*supra* IV, 6), en faisait état (cf. le mot *faylasûf,* transcription du grec *philosophos,* malgré l'alternance de la lettre *sâd* et de la lettre *sîn* dans l'un et l'autre mot). Quoi qu'il en puisse être, on doit tenir compte de l'extrême habileté des grammairiens arabes en général à découvrir une étymologie sémitique pour un mot d'importation étrangère.

2. Le soufisme, comme témoin de la religion mystique en Islam, est un phénomène spirituel d'une importance inappréciable. C'est essentiellement la fructification du message spirituel du Prophète, l'effort pour en

revivre personnellement les modalités, par une introspection du contenu de la Révélation qorânique. Le *mi'râj*, l'« assomption extatique » au cours de laquelle le Prophète fut initié aux secrets divins, reste le prototype de l'expérience que se sont efforcés d'atteindre, tour à tour, tous les soufis. Le soufisme est une protestation éclatante, un témoignage irrémissible de l'Islam spirituel contre toute tendance à réduire l'Islam à la religion légalitaire et littéraliste. Il a été amené à développer dans le détail la technique d'une ascèse spirituelle dont les degrés, les progrès et les atteintes sollicitent toute une métaphysique désignée sous le nom de *'irfân*. La polarité de la *sharî'at* et de la *haqîqat* est donc essentielle à sa vie et à sa doctrine; plus complètement dit : la triade formée par la *sharî'at* (donnée littérale de la Révélation), la *tarîqat* (voie mystique), la *haqîqat* (la vérité spirituelle comme réalisation personnelle).

C'est dire, d'une part, toutes les difficultés qu'eut à affronter le soufisme, au cours des siècles, de la part de l'Islam officiel. Mais c'est, d'autre part, se poser la question de savoir si la polarité de la *sharî'at* et de la *haqîqat* à laquelle conduit la *tarîqat* est bien une innovation qui lui est propre, ou bien si elle n'est pas déjà essentielle à un Islam, qui sans porter le nom de soufisme, ne laisse pas moins d'être l'Islam spirituel. Or, les allusions qui seront faites ci-dessous à la doctrine de quelques-uns des grands maîtres du soufisme, nous remettent en présence des positions essentielles du shî'isme et de sa « philosophie prophétique ». Cette constatation fait naître une question d'importance majeure, qui ne peut être bien posée qu'à la condition d'avoir une connaissance approfondie du monde spirituel shî'ite, car le « phénomène du soufisme » n'apparaît pas exactement de la même façon selon qu'il est vécu en Iran shî'ite ou bien dans l'Islam sunnite, lequel est de beaucoup le plus familier jusqu'ici aux Orientalistes.

On ne peut malheureusement pas développer ici le problème ni moins encore le résoudre, mais on peut du moins faire certaines constatations pour délimiter une situation extrêmement complexe. Des thèmes qui ont été groupés ci-dessus (chap. II) sous l'indice de la « philosophie prophétique », il pourrait sembler que le soufisme fasse spontanément éclosion. L'affirmation serait vraie en ce qui concerne le soufisme shî'ite (tout l'effort de Haydar Amolî et son influence jusqu'à nos jours vont en ce sens; on a également insisté ci-dessus, II B II 4, sur le phénomène de la *rejonction* de l'Ismaélisme et du soufisme). Mais en fait, et numériquement à travers les siècles, la très grande majorité des soufis se trouve dans le monde sunnite. Plus encore, dans le monde shî'ite, on constate souvent à l'égard du soufisme une réticence confinant à la réprobation, et cela non pas seulement de la part des Mollas officiels, représentant la religion légalitaire, mais de la part des spirituels qui dérivent leur doctrine de l'enseignement des Imâms et qui, tout en usant du vocabulaire du soufisme et professant la même métaphysique théosophique, ne font nullement cependant profession de soufisme et observent à son égard la plus grande réserve. C'est ce type même de spiritualité shî'ite, si parfaitement vivant jusqu'à nos jours, qui nous pose la question impossible à éluder.

3. Une première précision instructive. Ce sont les membres d'un groupe de spirituels shî'ites de Koufa, aux confins des IIe et IIIe siècles de l'hégire, qui auraient été les premiers à être désignés sous le nom de soufis; parmi eux un certain 'Abdak, comme nous en informe un texte de 'Ayn al-Qozât Hamadânî (ob. 525/1131) : « Les pèlerins sur la voie de Dieu, aux époques précédentes et dans les premières générations, n'étaient pas distingués sous le nom de soufisme (*tasawwof*). *Soufi*

est un mot qui ne se répandit qu'au IIIe (= IXe) siècle, et le premier qui fut désigné par ce nom à Baghdâd fut 'Abdak le soufi (ob. 210/825). » Ce fut un grand shaykh, nous est-il dit, antérieur à Jonayd et à son maître Sarî al-Saqatî (*infra* VI, 2). Cela n'empêche point que nous connaissions du VIIIe Imâm, 'Alî Rezâ (ob. 203/810), dont 'Abdak fut contemporain, des propos sévères à l'égard du soufisme, et à partir de la fin du IIIe/IXe siècle, il semble que se perde la trace du soufisme shî'ite jusqu'à l'apparition de Sa'doddîn Hamûyeh au VIIe/XIIIe siècle (ob. 650/1252) et des autres maîtres du soufisme shî'ite (Haydar Amolî, Shâh Ni'matollâh Walî, etc.) qui se succèdent jusqu'à la Renaissance safavide.

4. Plusieurs observations doivent alors être proposées. En premier lieu, si l'on s'attache à la notion de la *walâyat* qui est au cœur du shî'isme, et si l'on constate l'altération qu'elle subit dans le soufisme sunnite, par exemple dans l'œuvre d'un maître comme Hakîm Tirmidhî (*infra* VI, 4), on constate qu'il y aurait déjà là de quoi s'expliquer la réprobation des Imâms et des shî'ites à l'égard au moins de groupes soufis déterminés. La doctrine de la *walâyat*, chez ces derniers, marque en effet le passage au soufisme sunnite par l'élimination de l'imâmologie, quitte à donner une imâmologie sans Imâm (égale au paradoxe d'une christologie sans Christ).

Que la réprobation des Imâms à l'égard de ces groupes ait entraîné la disparition pure et simple du soufisme shî'ite, on ne peut l'affirmer. Car deux faits subsistent : d'une part, l'existence au grand jour du soufisme shî'ite, du XIIIe siècle jusqu'à nos jours; d'autre part, le fait que l'arbre généalogique de la plupart des *tarîqât* ou congrégations soufies, a pour point de départ l'un des Imâms. Ceux qui ont contesté l'authenticité historique de ces généalogies, ne se sont pas aperçus que justement, moins elles sont « historiques », plus elles attestent la volonté consciente de se donner une ascendance spirituelle remontant à l'un des Imâms du shî'isme. Il doit bien y avoir une raison à cela. Enfin il y a un aspect qu'il ne faut pas négliger. La disparition momentanée de traces visibles du soufisme shî'ite s'expliquerait déjà suffisamment par l'avènement du pouvoir seljoukide à Baghdâd au début du IVe/Xe siècle (cf. *supra* III C, 3), obligeant chaque shî'ite à observer rigoureusement la *taqîyeh* (la « discipline de l'arcane ») prescrite par les Imâms eux-mêmes. C'est pourquoi nos conclusions doivent être toujours d'une extrême prudence.

5. En second lieu, on vient encore de se référer à ce type caractéristique de spirituel shî'ite (cf. *supra* II, prélim. § 6) qui, sans appartenir au soufisme, use de son vocabulaire technique. Ni Sohravardî, ni Haydar Amolî, ni des philosophes comme Mîr Dâmâd, Sadrâ Shîrâzî et une foule d'autres, n'ont appartenu à une *tarîqat* (on rappelle que ce mot signifie la « voie spirituelle » et sert aussi à désigner la matérialisation de cette voie dans une confrérie ou congrégation soufie). Il semble justement que ce soit en premier lieu l'organisation *congrégationnelle* du soufisme qui soit visée par les critiques shî'ites : le *khânqâh* (couvent), le vêtement « monacal », le rôle du shaykh qui tend à se substituer à l'Imâm, nommément à l'Imâm caché, maître et guide intérieur, puisque invisible. Il faut tenir compte de ce que le rapport vécu avec la *sharî'at* dans le shî'isme (surtout lorsqu'il est minoritaire), n'est pas exactement le même que dans le sunnisme. Le shî'isme est d'ores et déjà par lui-même la voie spirituelle, la *tarîqat,* c'est-à-dire initiation. Bien entendu, une société shî'ite n'est pas une société d'initiés (ce serait contradictoire avec la notion d'initiation). Mais le milieu shî'ite est « virtuellement » initiatique. Par la dévotion aux saints Imâms, le shî'ite est prédisposé à recevoir d'eux cette initiation qui le relie par un lien direct et personnel au monde spirituel dans la « dimen-

sion verticale », sans qu'il ait besoin d'entrer formellement dans une *tarîqat* organisée, comme dans le sunnisme.

Pour saisir l'ensemble du phénomène, il importe d'observer toutes les variantes. Il y a, parallèlement aux *tarîqât* ou confréries sunnites, des *tarîqât* soufis shî'ites pourvues d'une organisation extérieure (dans l'Iran actuel, celle des Shâh-Ni'matollahis aux multiples ramifications, celle des Zahabis, etc.). Mais il est également nécessaire de parler de multiples *tarîqât* n'ayant, dans le shî'isme, aucune organisation extérieure, ni même de dénomination. Leur existence est purement spirituelle, en ce sens qu'il s'agit d'une initiation personnelle conférée par un shaykh, dont le nom est parfois conservé, quand il s'agit de telle ou telle personnalité, mais le plus souvent il n'en reste aucune trace écrite. Il y a enfin le cas des *Owaysis,* dont la désignation dérive du nom du yéménite Oways al-Qaranî, un des tout premiers shî'ites, qui connut le Prophète et fut connu de lui, sans qu'ils se fussent jamais rencontrés. On nomme ainsi ceux qui n'ont pas eu de maître humain, extérieur et visible, mais ont tout reçu d'un guide spirituel personnel. C'est là précisément le sens de la dévotion aux Imâms et ce à quoi elle prédispose. Certains *Owaysis* sont connus nommément; il y en eut dans le sunnisme; ils sont innombrables dans le shî'isme.

6. Ces observations faites, on doit convenir qu'une histoire du soufisme en Islam, dans son lien avec les autres manifestations spirituelles analysées dans la présente étude, offre une tâche d'une complexité redoutable. Il est possible, certes, de distinguer de grandes périodes. Les pieux ascètes de Mésopotamie qui prirent le nom de soufis nous conduisent à ce que l'on a appelé l'école de Baghdâd; parallèlement il y a l'école du Khorassan. La doctrine des quelques maîtres évoqués ci-dessous annonce déjà ce qui pourra être dési-

gné plus tard comme la « métaphysique du soufisme ». Mais précisément les grands thèmes qui seront signalés ne feront que nous référer à ceux que nous avons appris à connaître dans le shî'isme : la polarité de la *sharî'at* et de la *haqîqât,* du *zâhir* et de *bâtin,* l'idée du cycle de la *walâyat* succédant, dans la hiérohistoire, au cycle de la prophétie. L'idée du *Qotb* (le *pôle* mystique) dans le soufisme sunnite n'est rien d'autre qu'un transfert de l'idée shî'ite de l'Imâm, et la hiérarchie mystique ésotérique dont le *pôle* est le sommet, continue en tout cas de présupposer l'idée de l'Imâm. Autant de faits qui rendront la question posée ici plus urgente encore, lorsque la 2e partie de cette étude abordera les périodes ultérieures du shî'isme, avant tout la doctrine et l'influence de l'école d'Ibn 'Arabî (ob. 1240).

Malheureusement la place strictement limitée ici ne nous permet pas de discuter les aspects envisagés par certaines explications générales du soufisme : influence du néoplatonisme, de la gnose, de la mystique indienne, etc. Nous ne pourrons même mentionner que quelques très grandes figures du soufisme. Il y aura donc beaucoup d'absents, c'est-à-dire beaucoup de maîtres du soufisme qui ne pourront être caractérisés ici, à commencer par Khwâjeh 'Abdollah Ansârî de Hérat (396/1006-481/1088) dont le 900e anniversaire de la mort était récemment célébré à Kaboul (été 1381/1962).

2. *Abû Yazîd Bastâmî.*

1. Abû Yazîd Tayfûr ibn 'Isâ ibn Sorûshân Bastâmî avait une ascendance mazdéenne encore toute proche, puisque son grand-père, Sorûshân, était un zoroastrien converti à l'Islam. Abû Yazîd passera la plus grande

partie de sa vie dans sa ville natale, Bastâm (non Bistâm) dans le nord-est de l'Iran, où il mourut aux environs de 234 ou 261/874. Il est à juste titre considéré comme l'un des plus grands mystiques que l'Islam ait produits au long des siècles. Son enseignement, qui était l'expression directe de sa vie intérieure, lui valut les témoignages admiratifs des personnalités les plus diverses, sans même qu'il ait assumé l'activité ni la responsabilité d'un directeur de conscience ou d'un prédicateur en public. Il n'a même laissé aucun écrit. L'essentiel de son expérience spirituelle nous a été transmis sous forme de récits, de maximes et de paradoxes que recueillirent ses disciples directs ou quelques-uns de ses visiteurs; leur ensemble est d'une portée métaphysique et spirituelle inappréciable. Ces maximes sont connues dans l'histoire spirituelle de l'Islam, sous le nom technique de *shatahât.* Ce dernier terme est difficile à traduire; il implique l'idée d'un choc qui renverse; nous traduirons par « paradoxes », « outrances », « propos extatiques ».

2. Parmi les disciples directs d'Abû Yazîd Bastâmî, il faut mentionner principalement son neveu Abû Mûsâ 'Isâ ibn Adam (fils de son frère aîné), par l'intermédiaire duquel Jonayd, le célèbre maître de Baghdâd, prit connaissance des propos d'Abû Yazîd, les traduisit en arabe en les accompagnant d'un commentaire qui a été conservé en partie (dans le *Kitâb al-Loma'* de Sarrâj). Parmi ses visiteurs, on peut citer Abû Mûsâ Dabîlî (de Dabîl en Arménie), Abû Ishaq Ibn Harawî (disciple d'Ibn Adham), le célèbre soufi iranien Ahmad ibn Khezrâyeh, qui rendit visite à Abû Yazîd pendant le pèlerinage de ce dernier à La Mekke. La source la plus complète et la plus importante sur la vie et les propos d'Abû Yazîd reste cependant le « Livre de la lumière sur les propos d'Abû Yazîd Tayfûr » (*Kitâb al-Nûr fî kalimât A. Y. T.*), œuvre de Moham. Sahlajî (ob. 467/1084; éd. A. Badawî, Le Caire, 1949). Il faut ajou-

ter le recueil de sentences insérées par Rûzbehân Baqlî Shîrâzî et accompagnées d'un commentaire très personnel, dans la grande Somme qu'il consacre aux *shatahât* des soufis en général (*Commentaire sur les paradoxes des Soufis, Sharh-e Shathîyât*).

3. Un aspect essentiel de la doctrine de ce grand soufi iranien, telle qu'elle apparaît dans ses récits et maximes, c'est une conscience approfondie de la triple condition de l'être sous la forme de Moi (*anâ'îya*), la forme de Toi (*antîya*), la forme de Lui (*howîya,* l'ipséité, le Soi). Dans cette gradation de la conscience de l'être, le divin et l'humain s'unifient et se réciproquent dans un acte transcendant d'adoration et d'amour. Il y a des traits fulgurants dans la manière dont Abû Yazîd décrit les étapes parcourues jusqu'au sommet de la réalisation spirituelle. Nous ne pourrons citer ici qu'un seul texte à titre d'exemple.

« Je contemplai mon Seigneur avec l'œil de la Certitude après qu'Il m'eut détourné de tout ce qui est autre que Lui, et illuminé de Sa lumière. Il me fit alors connaître les merveilles de son secret, me révélant son ipséité (son Soi). Je contemplai mon moi par Sa propre ipséité. Ma lumière pâlit sous Sa lumière, ma force s'évanouit sous Sa force, ma puissance sous Sa puissance. Ainsi je voyais mon moi à travers son Soi. La grandeur que je m'attribuai était en réalité Sa grandeur; ma progression était Sa progression.

» Je le contemplai dès lors avec l'œil du Vrai (*'ayn al-haqq*) et je lui dis : Quel est-il ? Il me répondit : Ni moi ni autre que moi... Quand enfin je contemplai le Vrai par le Vrai, je vécus le Vrai par le Vrai et je subsistai dans le Vrai par le Vrai en un présent éternel, sans souffle, sans parole, sans ouïe, sans science, jusqu'à ce que Dieu m'eût communiqué une science jaillie de Sa science, un langage issu de Sa grâce, un regard modelé sur Sa lumière. »

3. *Jonayd.*

1. D'origine iranienne, né à Nehâvand, Jonayd (Abû'l-Qâsim ibn Moh. ibn al-Jonayd al-Khazzâz) résida toute sa vie en Irâq, plus précisément à Baghdâd, où il mourut en l'an 297/909. Dans cette ville il reçut l'enseignement traditionnel de l'un des plus grands savants de l'époque, Abû Thawr al-Kalbî, et fut initié à la mystique par son oncle, Sarî al-Saqatî, et par quelques autres maîtres du soufisme, tels qu'al-Hârith al-Mohâsibî, Moh. ibn 'Alî al-Qassâb, etc. De son vivant comme après sa mort, son influence marqua profondément le soufisme. Sa personnalité, ses prédications et ses écrits le mettent au premier rang du soufisme que l'on désigne comme « l'école de Baghdâd ». Aussi bien est-il désigné sous le surnom de *Shaykh al-'Tâ'ifa* (le maître du groupe des soufis).

Une quinzaine de traités de Jonayd ont survécu, dont une partie est constituée par la correspondance qu'il échangea avec quelques grands soufis parmi ses contemporains. On y trouve des analyses et des précisions portant sur certains thèmes de la vie spirituelle, sur les notions de *sidq* (véracité), *ikhlâs* (sincérité), *'ibâda* (l'adoration divine en vérité). Les traités proprement dits développent l'un ou l'autre des sujets classiques en spiritualité islamique, par exemple le *Traité de l'Unité divine* (*K. al-Tawhîd*), du double point de vue de la théologie et de la mystique; le *Livre de l'absorption mystique* (*K. al-fanâ*) où l'auteur étudie les conditions qui mènent à l'état de surexistence (*baqâ'*); les *Règles de conduite pour celui qui ne peut se passer de Dieu* (*Adâb al-moftaqir ilâ Allâh*); la *Médecine des esprits* (*Dawâ al-arwâh*), etc.

2. Quant à l'enseignement de ce grand maître, deux points sont à relever ici, à l'appui des observations proposées déjà ci-dessus (VI, 1). En premier lieu, nous

relevons que la spiritualité de Jonayd est conditionnée par la polarité de la *sharî'at* (la lettre de la Loi divine, changeant de prophète en prophète) et de la *haqîqat* (la vérité spirituelle permanente). Or, nous savons par ailleurs que c'est cela même qui, dès l'origine, a constitué le phénomène religieux du shî'isme et reste le postulat de son imâmologie. Jonayd s'oppose à l'extrémisme de certains soufis qui, de la suprématie ontologique de la *haqîqât* sur la *sharî'at,* concluent à l'inutilité et à l'abrogation de celle-ci, dès que l'accès à la *haqîqat* a permis de la dépasser. Or, nous savons par ailleurs que c'est sur ce point même que se produit la divergence entre le shî'isme duodécimain et l'Ismaélisme. Il y aurait donc intérêt à « repenser » les données de la situation spirituelle en les prenant dans leur totalité; la situation ne s'est pas posée uniquement *avec* le soufisme, et elle ne s'explique pas uniquement *par* le soufisme.

Un second point essentiel de la doctrine de Jonayd se révèle dans la doctrine du *tawhîd,* comme fondement de l'expérience d'union mystique. Il n'est pas douteux que Jonayd ait embrassé toute l'ampleur du problème auquel il a consacré un ouvrage entier. Pour lui, le *tawhîd* ne consiste pas seulement à démontrer l'Unité de l'Etre divin au moyen d'arguments rationnels comme le font les théologiens du *Kalâm,* mais plutôt à vivre l'Unité transcendante de Dieu lui-même. Si cette exigence caractérise bien une spiritualité authentique, elle nous rappelle aussi que déjà le VIe Imâm enseignait à ses familiers comment il méditait le texte du Qorân jusqu'à l'entendre tel que l'avait entendu, de celui qui le lui révélait, celui à qui il avait été révélé.

4. *Hakîm Tirmidhî.*

1. Hakîm Tirmidhî, ou *Termezî* selon la prononciation persane (Abû 'Abdillah Moh. ibn 'Alî al-Hasan ou al-Hosayn) vécut dans le courant du IIIe/IXe siècle. On ne connaît ni les dates exactes de sa naissance et de sa mort, ni même les grandes lignes de la biographie extérieure de cet Iranien de Bactriane. Tout ce que l'on sait de lui se réduit en gros au nom de certains de ses maîtres et au récit de son exil de Termez, sa ville natale. On sait aussi que c'est à Nîshâpour qu'il continua ses études. En revanche, Tirmidhî nous a laissé quelques informations précieuses concernant sa biographie intérieure et son évolution spirituelle (autobiographie découverte récemment par Hellmut Ritter). Il est, en outre, l'auteur de nombreux traités conservés en grande partie (cf. *in fine* bibliographie).

2. La doctrine spirituelle de Tirmidhî est fondée essentiellement sur la notion de *walâyat* (amitié divine, intimité avec Dieu, initiation spirituelle). C'est pourquoi les questions annoncées dans nos préliminaires (*supra* VI, 1), se font ici urgentes. Car, cette notion de la *walâyat,* nous savons déjà qu'elle est le fondement même du shî'isme (*supra* II, A), et que le mot, le concept et la chose se trouvent en premier lieu dans les textes rapportant l'enseignement des Imâms. Il semble donc que l'œuvre de Tirmidhî soit, par excellence, celle, ou l'une de celles, où il reste à étudier par quel processus a été amené à éclore le paradoxe d'une *walâyat* privée de l'imâmologie qui en est le fondement. On se bornera ici à deux constatations.

La première, c'est que Tirmidhî distingue bien deux sortes de *walâyat* : une *walâyat* générale ou commune (*w. 'âmma*) et une *walâyat* particulière (*w. khâssa*). Il étend la notion de la première à l'ensemble des *Moslimîn* : l'énonciation de la *shahâdat* (la profession de foi islamique) suffit à créer le lien de la *walâyat* qui devient ainsi le lien avec Dieu, commun à tout fidèle acceptant le Message prophétique. Quant à la *walâyat* particulière, elle est le fait d'une élite spirituelle, des intimes de Dieu, qui s'entretiennent et communiquent avec Lui, parce qu'ils sont avec Lui en état d'union effective et transcendante. Or, l'on doit se rappeler que la notion de la double *walâyat* est en premier lieu postulée et établie par la doctrine shî'ite. Parce que l'on n'a malheureusement pas la place d'esquisser ici une comparaison, l'on doit référer au contexte originellement shî'ite de cette double notion (*supra* II A, 3 ss.). On ne peut alors que constater qu'il se produit dans le soufisme de Tirmidhî une altération radicale de la structure, quelque chose comme une « laïcisation » du concept de « *walâyat* générale ».

La seconde constatation porte sur les rapports de la *walâyat* et de la prophétie (*nobowwat*) dans la doctrine de Tirmidhî. La *walâyat* englobe, selon lui, avec la totalité des croyants indistinctement, l'ensemble des prophètes, parce que la *walâyat* est la source de leur inspiration et le fondement de leur mission prophétique. Il professe que la *walâyat* est en soi supérieure à la prophétie, parce qu'elle est permanente, non point liée à un moment du temps comme la mission prophétique. Tandis que le cycle de la prophétie s'achève historiquement avec la venue du dernier Prophète, le cycle de la *walâyat* permane jusqu'à la fin des temps par la présence des *Awliyâ*.

Or, ce schéma, si intéressant soit-il, n'apprend rien de nouveau à quiconque est familier avec la prophétologie shî'ite, sinon qu'une structure peut se trouver déséquilibrée sans que l'on s'en aperçoive, si l'on n'a pas d'autre information. Nous avons vu (*supra* chap. II) comment l'idée du cycle de la *walâyat* succédant au cycle de la prophétie était le postulat même du shî'isme et de sa philosophie prophétique, et comment elle présupposait un double aspect, une double « dimension » de la « Réalité prophétique éternelle », ayant pour corollaire l'interdépendance de la prophétologie et de l'imâmologie. Les deux constatations faites ici sont solidaires, puisque ce que l'on constate, sur un point comme sur l'autre, c'est une opération aboutissant à garder l'idée de la *walâyat*, tout en éliminant l'imâmologie qui en était la source et le fondement. Un grave problème se trouve posé, qui affecte l'histoire de la spiritualité islamique dans son ensemble, problème qui d'ailleurs n'en est pas un pour les auteurs shî'ites.

5. *Hallâj.*

1. Hallâj est certainement l'une des plus éminentes personnalités représentatives du soufisme. Son nom et sa réputation ont franchi le cercle restreint de l'élite spirituelle musulmane, si retentissante fut la tragédie de son emprisonnement et de son procès à Baghdâd, suivis de son martyre en témoin de l'Islam mystique. La littérature le concernant, dans toutes les langues de l'Islam, est considérable. Sa célébrité s'est maintenant répandue en Occident, grâce aux travaux de L. Massignon qui se fit son éditeur et son interprète. Nous référons donc à ces travaux, pour nous limiter ici, et pour le moment, à l'esquisse d'une biographie qui est déjà tout un enseignement.

2. Abû 'Abdillah al-Hosayn ibn Mansûr al-Hallâj, petit-fils, lui aussi, d'un zoroastrien, naquit à Tûr, dans la province du Fârs (sud-ouest de l'Iran) à proximité du bourg de Beïza, en 244/857. Tout jeune encore, il reçut l'enseignement du célèbre soufi Sahl al-Tostarî, qu'il accompagna ensuite dans son exil à Basra. En 262/976, Hallâj part pour Baghdâd où il devient l'élève de 'Amr ibn Othmân al-Makkî, l'un des grands maîtres spirituels de l'époque. Il reste auprès de lui pendant

environ dix-huit mois, au cours desquels il épouse la fille de l'un de ses disciples. En 264/977, Hallâj fait la connaissance de Jonayd (*supra* VI, 3) et pratique sous sa direction les exercices de la vie spirituelle. Jonayd le revêtira de sa propre main de la *khirqa* (le manteau de soufi). Mais en 282/896, au retour de son premier pèlerinage à La Mekke, Hallâj rompt ses relations avec Jonayd et la plupart des maîtres soufis de Baghdâd. Puis il se rend à Tostar (sud-ouest de l'Iran) où il restera pendant quatre ans. Cette période est marquée par un désaccord croissant avec les traditionalistes et les juristes.

Les rapports deviennent tellement tendus qu'environ quatre ans plus tard, Hallâj rejette le vêtement de soufi pour se mêler au peuple et lui prêcher la vie spirituelle. On dit qu'il entretenait de bons rapports avec le célèbre médecin-philosophe Rhazès (Râzî, *supra* IV, 4), avec le réformateur « socialiste » Abû Sa'îd Jannâbi, voire avec certaines autorités officielles telles que le prince Hasan ibn 'Ali al-Tawdî. Hallâj parcourt les provinces iraniennes du Khouzestan (sud-ouest) au Khorassan (nord-est); il pratique la vie spirituelle sans tenir compte des conventions établies, exhortant sans cesse le peuple à mener une vie intérieure. Au bout de cinq ans, en 291/905, Hallâj accomplit son deuxième pèlerinage à La Mekke, puis se rend dans des régions lointaines : dans l'Inde, au Turkestan, voire aux frontières de la Chine. Il sut gagner la sympathie de tous. On le dénommait l' « intercesseur », et beaucoup se convertirent à l'Islam grâce à son rayonnement.

3. En 294/908, Hallâj va pour la troisième fois à La Mekke. Il y reste deux ans, puis revient s'installer définitivement à Baghdâd pour se consacrer à la prédication publique; il choisit toujours des thèmes d'une grande portée spirituelle et métaphysique. Il expose sa doctrine. Il affirme que le but final, non seulement pour le soufi mais pour tous les êtres, est l'union avec

Dieu, union qui se réalise par l'Amour, lequel exige une action divine transformante, portant un être à sa condition suprême. Ces sublimes pensées ne tardent pas à susciter autour de lui des oppositions diverses. Il y a l'opposition des docteurs de la Loi, il y a l'opposition des politiciens, il y a la réserve de certains soufis.

Les canonistes lui reprochent sa doctrine de l'union mystique qui, disent-ils, en confondant le divin et l'humain, aboutit à une sorte de panthéisme. Les politiciens l'accusent de semer le trouble dans les esprits et le traitent d'agitateur. Quant aux soufis, ils gardent la réserve sur son cas, parce qu'ils considèrent que Hallâj commet une imprudence en divulguant publiquement les secrets divins à des gens qui ne sont préparés ni à les recevoir ni à les comprendre. Tel est aussi le jugement des shî'ites, des ésotéristes en général, à son égard : Hallâj a commis la faute de rompre publiquement la « discipline de l'arcane ». Finalement, juristes et politiciens intriguèrent pour obtenir contre lui une *fatwâ* (sentence); ils l'obtinrent du grand juriste de Baghdâd, Ibn Dâwûd Ispahânî, prononçant que la doctrine de Hallâj était fausse, mettait en péril le dogme de l'Islam et rendait légitime sa condamnation à mort.

4. Deux fois arrêté par la police abbasside, Hallâj fut emprisonné en 301/915 et traduit devant le vizir Ibn 'Isâ. Celui-ci, homme pieux et libéral, s'opposa à son exécution. Ce ne fut qu'un répit. Hallâj fut gardé en prison pendant huit ans et sept mois. Les choses se précipitèrent avec l'arrivée au pouvoir d'un nouveau vizir, Hâmid, adversaire acharné de Hallâj et de ses disciples. Les ennemis de ceux-ci revinrent à la charge et réclamèrent une nouvelle *fatwâ* de condamnation du Qâdî Abû 'Omar ibn Yûsof qui accéda à leur demande. Cette fois la sentence fut exécutée, et Hallâj fut mis à mort le 24 Dhû'l-Qa'da 309/27 mars 922.

6. *Ahmad Ghazâlî et le « pur amour ».*

1. La première sentence rendue contre Hallâj a fait apparaître ci-dessus le nom du juriste Ibn Dâwûd Ispahânî, et dans cette circonstance se montre la tragédie profonde des âmes. Car Ibn Dâwûd Ispahânî, d'ascendance iranienne comme son nom l'indique (il est mort en 297/909, à l'âge de 42 ans), est par ailleurs l'auteur d'un livre qui est à la fois le chef-d'œuvre et la somme de la théorie platonicienne de l'amour en langue arabe (le *Kitâb al-Zohra,* le *Livre de Vénus,* titre qu'on lit aussi *Kitâb al-Zahra,* le *Livre de la Fleur*). C'est une ample rhapsodie mêlée de vers et de prose qui célèbre l'idéal d'amour platonique typifié dans l'amour *'odhrite.* En fait, le destin de son auteur fut conforme au destin célébré par les poètes d'une tribu idéale de l'Arabie du Sud, aux confins du Yémen, le peuple légendaire des Banû 'Odhra (les « virginalistes »), peuple choisi et chaste par excellence, chez lequel « on mourait quand on aimait ». Au cours de sa longue rhapsodie, l'auteur résume le mythe platonicien du *Banquet,* pour conclure : « L'on rapporte aussi de Platon qu'il a dit : Je ne comprends pas ce qu'est l'amour, mais je sais que c'est une folie divine (*jonûn ilâhî*) qui n'est ni à louer ni à blâmer. »

Hallâj lui aussi prêchait la doctrine de l'amour. Pourtant Ibn Dâwûd l'a condamné. Pour comprendre la tragédie, il faut méditer toute une situation d'ensemble qui se précise chez les mystiques post-hallâjiens, nommément chez Ahmad Ghazâlî et chez Rûzbehân Bâqlî de Shîrâz (ob. 606/1209), lequel fut à la fois un « platonicien » et l'interprète, l'amplificateur plutôt, de Hallâj. On peut alors parler d'une ambivalence ou d'une ambiguïté de ce platonisme en Islam, de sa double situation possible à l'égard de la religion prophétique, parce qu'il y a une double manière de le comprendre et de le vivre. Ce que l'on peut appeler le « théophanisme » d'un Rûzbehân est une herméneutique du sens prophétique de la Beauté, un *ta'wîl* opérant ici encore la conjonction du *zâhîr* (l'apparent) et du *bâtin* (le sens caché). Pour Ibn Dâwûd (qui est un *zâhirî,* un exotériste), ce sens caché reste clos. Pour Rûzbehân, le sens caché de la Forme humaine, c'est la théophanie primordiale : Dieu se révélant à soi-même dans la Forme adamique, l'Anthropos céleste évoqué dans la prééternité, et qui *est* sa propre Image. C'est pourquoi Rûzbehân goûtait particulièrement les célèbres vers de Hallâj : « Gloire à Celui qui manifesta son humanité comme mystère de gloire de sa divinité radieuse », et fondait sur ce mystère même le lien de l'amour humain et de l'amour divin. Ibn Dâwûd ne pouvait l'admettre, et devait prendre parti contre Hallâj.

On ne peut reproduire ici les dernières paroles d'Ibn Dâwûd ni les lignes finales du *Jasmin des Fidèles d'amour* de Rûzbehân (cf. la 2e partie de la présente étude), mais on peut dire que les unes et les autres typifient parfaitement l'attitude et le destin respectifs de ces deux « platoniciens » de l'Islam, au cœur de la religion prophétique. Ce que redoutaient le platonicien Ibn Dâwûd aussi bien que les théologiens (néo-hanbalites et autres), c'est le *tashbîh,* une assimilation de Dieu à l'homme qui compromette radicalement la transcendance du monothéisme abstrait, c'est-à-dire la conception purement exotérique du *Tawhîd.* Aussi bien, certains soufis ont-ils eux-mêmes refusé toute possibilité de rapporter l'*eros* à Dieu. D'autres ont considéré l'amant *'odhrite* comme un modèle proposé à l'amant mystique dont l'amour s'adresse à Dieu. Dans ce cas, il y a un transfert de l'amour : tout se passe comme si l'on passait d'un *objet* humain à un *objet* divin. Pour le « platonicien » Rûzbehân, ce pieux transfert est lui-même un piège. Il n'est possible de passer entre les deux gouffres du *tashbîh* et du *ta'tîl* (abstractionnisme) que par la voie de l'amour humain. L'amour divin n'est pas le transfert de l'amour à un *objet* divin; mais métamorphose du *sujet* de l'amour humain. La perception théophanique a conduit Rûzbehân à une prophétologie de la Beauté.

Ce qu'il faudrait évoquer ici donc, c'est la lignée de ces « Fidèles d'amour » qui trouvent en Rûzbehân leur modèle accompli. La tri-unité amour-amant-aimé devient le secret du *Tawhîd* ésotérique. La tragédie d'un Ibn Dâwûd Ispahânî fut d'avoir été dans l'impossibilité de pressentir ce secret, et de vivre cette tri-union. Ahmad Ghazâlî et Farîd 'Attâr sauront que si l'amant se contemple dans l'Aimé, réciproquement l'Aimé ne peut se contempler soi-même et sa propre beauté que dans le regard de l'amant qui le contemple. Dans la doctrine du pur amour d'Ahmad Ghazâlî, l'amant et l'aimé se transsubstantient dans l'unité de la pure substance de l'amour.

2. Ahmad Ghazâlî (ob. 520/1126 à Qazwîn, Iran) était le frère du grand théologien Abû Hâmid Ghazâlî (ci-dessus V, 7) sur lequel il réussit peut-être à exercer quelque influence, mais « ne réussit pas à lui communiquer cette passion de l'amour pur, du désir sans consolation qui brûle en ses ouvrages » (L. Massignon). Un petit livre, véritable bréviaire d'amour rédigé en un persan concis et difficile, qu'Ahmad Ghazâlî a intitulé *Les Intuitions des Fidèles d'amour* (*Sawânih al-'oshshâq*), a exercé une influence considérable. Composition rhapsodique, succession de brefs chapitres n'ayant entre eux qu'un lien assez lâche, le livre met en œuvre une psychologie extrêmement subtile. Comme l'a écrit Hellmut Ritter, à qui l'on doit l'édition du précieux texte, « on trouverait difficilement un ouvrage où l'analyse psychologique atteigne une telle intensité ». Nous traduirons ici deux courts passages.

« Lorsque l'amour existe réellement, l'amant devient la nourriture de l'Aimé; ce n'est pas l'Aimé qui est la nourriture de l'amant, car l'Aimé ne peut être contenu dans la capacité de l'amant (...) Le papillon qui est devenu l'amant de la flamme, a pour nourriture, tant qu'il est encore à distance, la lumière de cette aurore. C'est le signe avant-coureur de l'illumination matutinale qui l'appelle et qui l'accueille. Mais il lui faut continuer de voler jusqu'à ce qu'il la rejoigne. Lorsqu'il y est arrivé, ce n'est plus à lui de progresser *vers* la flamme, c'est la flamme qui progresse *en* lui. Ce n'est pas la flamme qui lui est une nourriture, c'est lui qui est la nourriture de la flamme. Et c'est là un grand mystère. Un instant fugitif il devient son propre Aimé (puisqu'il *est* la flamme). Et sa perfection, c'est cela » (chap. 39).

« Haut est le dessein de l'amour, car il exige pour l'Aimé une qualification sublime. Cela exclut que l'Aimé puisse être capté dans le filet de l'union. C'est à cette occasion sans doute que lorsqu'il fut dit à Iblîs (Satan) : Sur toi ma malédiction ! (38/78), il répondit : J'en atteste ta Gloire ! (38/83). Ce qui veut dire : ce que j'aime en Toi, c'est cette majesté si haute que personne ne s'élève jusqu'à Toi, et que personne n'est digne de Toi. Car si quelqu'un ou quelque chose pouvait être digne de Toi, c'est qu'il y aurait une imperfection dans ta Gloire » (chap. 64). Ainsi prend naissance le célèbre thème d'« Iblîs damné par amour ».

3. Du nom d'Ahmad Ghazâlî ne peut être séparé celui de son disciple préféré, 'Ayn al-Qozât Hamadânî, qui mourut exécuté à l'âge de trente-trois ans (525/1131); son tragique destin est à l'exemple de celui de Hallâj, et préfigure celui de Sohavardî, shaykh al-Ishrâq (*infra* VII). 'Ayn al-Qozât était à la fois juriste et mystique, philosophe et mathématicien. Un de ses traités (*Tamhîdât*), particulièrement riche d'enseignements sur le thème de l'amour mystique et développant

la doctrine d'Ahmad Ghazâlî, a été encore longuement commenté par un soufi de l'Inde au xve siècle, Sayyed Mohammad Hosaynî Gîsûdarâz. « La souveraineté de la Gloire divine a resplendi. Alors le calame a subsisté, mais l'écrivain a disparu. » « Dieu est trop transcendant pour que le connaissent les prophètes, *a fortiori* les autres. »

4. On ne peut omettre de mentionner ici Majdûd ibn Adam Sanâ'î (ob. vers 545/1150), fondateur du poème didactique soufi en persan. Son œuvre la plus intéressante, un long poème intitulé *La marche des hommes vers leur Retour* (*Sayr al-'ibâd ilâ'l-Ma'âd*), décrit sous la forme d'un récit à la première personne une pérégrination à travers le cosmos des néoplatoniciens de l'Islam. Ce voyage mystique s'effectue sous la conduite de l'Intelligence en personne (celle que les *Fedeli d'amore,* autour de Dante, appelleront *Madonna Intelligenza*). Ce fut aussi le thème du *Récit de Hayy ibn Yaqzân* d'Avicenne, des Récits mystiques en prose de Sohravardî, et de toute la littérature développant le thème du *Mi'râj.* Là même est déjà indiquée la structure qui s'amplifiera dans les vastes épopées mystiques orchestrées en persan par Farîdoddîn 'Attâr, 'Assâr de Tabrîz, Jâmî, et d'autres moins connus.

5. Ces notices très sommaires permettent d'entrevoir ce que l'on peut appeler la « métaphysique du soufisme ». Rûzbehân de Shîrâz nous achemine vers le sommet que représente son contemporain plus jeune, Mohyiddîn Ibn 'Arabî, dont la Somme de théosophie mystique reste un monument difficilement comparable. Nous avons laissé derrière nous les philosophes hellénisants. Leur route recroiserait-elle celle de la métaphysique du soufisme ? Ou bien les buts étaient-ils divergents au point de justifier certains sarcasmes des soufis visant l'impuissance des philosophes à « se mettre en route » ? On peut répondre que l'œuvre de Sohravardî et, avec elle, la naissance de l'école *ishrâqî* répondirent

à l'exigence profonde d'une culture où l'histoire de la philosophie reste inséparable de l'histoire de la spiritualité.

VII

Sohravardî
et la philosophie de la lumière

1. *La restauration de la sagesse de l'ancienne Perse.*

1. Nos études récentes nous mettent à même d'apprécier maintenant à sa juste mesure l'importance de l'œuvre de Shihâboddîn Yahyâ Sohravardî, désigné couramment comme *shaykh al-Ishrâq.* Elle se situe, dans une topographie idéale, à la croisée des chemins. Sohravardî quitta ce monde sept ans tout juste avant Averroës. Au même moment donc, en Islam occidental d'une part, le « péripatétisme arabe » trouve son ultime expression dans l'œuvre d'Averroës, à tel point que par une fâcheuse confusion entre le péripatétisme d'Averroës et la philosophie tout court, les historiens occidentaux ont trop longtemps considéré qu'avec Averroës s'achevait le destin de la philosophie en Islam. Mais d'autre part en Orient, nommément en Iran, l'œuvre de Sohravardî éclaire la route nouvelle sur laquelle tant de penseurs et de spirituels s'engageront jusqu'à nos jours. On a suggéré précédemment que les raisons qui amenèrent l'échec et la disparition de l'« avicennisme latin » sont celles-là mêmes qui, en revanche, motivèrent la persistance de l'avicennisme en Iran, mais de l'horizon de cet avicennisme l'œuvre de Sohravardî, à un titre ou à un autre, ne sera jamais absente.

2. La figure de Sohravardî (qu'il ne faut pas confondre avec ses homonymes soufis, 'Omar et Abû'l-Najîb Sohravardî) reste parée pour nous des séductions de la jeunesse, puisque son tragique destin l'arracha à la fleur de l'âge à ses vastes projets : il avait 36 ans

(38 années lunaires). Il était né en 549/1155 au nord-ouest de l'Iran, dans l'ancienne Médie, à Sohravard, ville encore florissante au moment de la tourmente mongole. Tout jeune il étudia d'abord à Merâgheh, en Azerbaïdjan, puis il vint à Ispahan, au centre de l'Iran, où il dut retrouver bien vivante la tradition avicennienne. Il passa ensuite quelques années dans le sud-est de l'Anatolie, où il reçut le meilleur accueil chez plusieurs princes seljoukides de Roum. Finalement il se rendit en Syrie, d'où il ne devait pas revenir. Les docteurs de la Loi lui intentèrent un procès dont le sens apparaîtra au terme de cette notice. Rien ne put le sauver de la vindicte du fanatique personnage que fut Salâhaddîn, le Saladin des Croisés, pas même l'amitié du fils de celui-ci, al-Mâlik al-Zahîr, gouverneur d'Alep, qui devint plus tard l'ami intime d'Ibn 'Arabî. Notre jeune shaykh mourut de façon mystérieuse dans la citadelle d'Alep, le 29 juillet 1191. Les biographes le désignent couramment comme le shaykh *maqtûl* (assassiné, mis à mort). Ses disciples préfèrent dire *Shaykh shahîd,* le shaykh martyr.

3. Pour saisir d'emblée l'intention de son œuvre, il faut être attentif au leitmotiv énoncé dans l'intitulation de son livre principal : *Hikmat al-Ishrâq,* une « théosophie orientale » qui sera poursuivie délibérément comme une résurrection de la sagesse de l'ancienne Perse. Les grandes figures qui dominent la doctrine sont celles d'Hermès, de Platon et de Zoroastre-Zarathoustra. D'une part donc, il y a la sagesse hermétiste (déjà Ibn Wahshîya faisait état d'une tradition nommant les *Ishrâqîyûn* comme une classe sacerdotale s'originant à la sœur d'Hermès). D'autre part, la conjonction entre Platon et Zoroastre qui, en Occident, s'établira, à l'aube de la Renaissance, chez le philosophe byzantin Gémiste Pléthon, est ainsi déjà le fait caractéristique de la philosophie iranienne au XIIe siècle.

Maintenant, ce sont les notions d'« Orient » et de

« théosophie orientale » dont il faut marquer la teneur proprement sohravardienne. On a évoqué précédemment le projet d'une « sagesse » ou d'une « philosophie orientale » chez Avicenne. Sohravardî est parfaitement conscient de son rapport avec son devancier sur ce point. Il a connu les « cahiers » passant pour conserver ce qui aurait été la « Logique des Orientaux », et il a connu les fragments du *Kitâb al-Insâf* qui avaient survécu (cf. *supra* V, 4). Il y a plus. La notion de l'Orient, telle qu'elle apparaît dans le Récit avicennien de Hayy ibn Yaqzân, est aussi la sienne. Il le sait si bien qu'en poursuivant, à l'exemple d'Avicenne, la rédaction de récits symboliques d'initiation spirituelle, il fait l'éloge du récit avicennien, mais pour marquer que son propre « Récit de l'exil occidental » prend son point de départ là même où le récit d'Avicenne s'arrête comme en faisant le geste d'une suprême indication. Ce qui le laissait insatisfait dans le récit symbolique, correspond à ce qui le laisse insatisfait dans les fragments didactiques. Avicenne a, certes, formé le projet d'une « philosophie orientale », mais, pour une raison décisive, son projet était voué à l'échec. C'est donc à l'étude de son propre livre que le « shaykh al-Ishrâq » invite quiconque veut s'initier à la « sagesse orientale ». Pour des raisons que l'on ne peut reproduire ici, l'opposition que l'on avait voulu jadis instituer entre une philosophie « orientale » d'Avicenne et une philosophie « illuminative » de Sohravardî, ne reposait que sur une connaissance insuffisante des textes (cf. *infra*).

Quant à la raison par laquelle Sohravardî explique qu'Avicenne ne pouvait réaliser le projet d'une « philosophie orientale », c'est qu'il ignorait le principe, la « source orientale » elle-même (*asl mashriqî*), celle même qui authentifie la qualification d'orientale. Avicenne n'a pas connu cette source éclose chez les Sages de l'ancienne Perse (les Khosrowanides), et qui est la *theosophia,* la sagesse divine par excellence. « Il y avait chez les anciens Perses, écrit notre shaykh, une communauté qui était dirigée par Dieu; c'est par Lui que furent conduits des Sages éminents, tout différents des Maguséens (*Majûsî*). C'est leur haute doctrine de la Lumière, doctrine dont témoigne par ailleurs l'expérience de Platon et de ses prédécesseurs, que j'ai ressuscitée dans mon livre intitulé la *Théosophie orientale* (*Hikmat al-Ishrâq*), et je n'ai pas eu de prédécesseur pour un pareil projet. »

Ainsi en a jugé sa postérité spirituelle. Sadrâ Shîrâzî parle de Sohravardî comme du « chef de l'école des Orientaux » (*mashriqîyûn*), « résurrecteur des doctrines des Sages de la Perse concernant les principes de la Lumière et des Ténèbres ». Ces Orientaux sont en même temps caractérisés comme des Platoniciens. Sharîf Gorgânî définit les *Ishrâqîyûn* ou *Mashriqîyûn* comme les « philosophes dont le chef est Platon ». Abû'l-Qâsim Kâzerûnî (ob. 1014/1606) déclare : « De même que Fârâbî rénova la philosophie des Péripatéticiens, et pour cette raison mérita d'être appelé *Magister secundus,* de même Sohravardî ressuscita et rénova la philosophie des *Ishrâqîyûn* en de nombreux livres et traités. » Très tôt, le contraste a été acquis entre Orientaux (*Ishrâqîyûn*) et Péripatéticiens (*Mashshâ'ûn*). Le terme de « Platoniciens de Perse » désignera donc au mieux cette école dont une des caractéristiques sera d'interpréter les archétypes platoniciens en termes d'angélologie zoroastrienne.

4. Cette pensée directrice, Sohravardî la développe en une œuvre assez vaste (49 titres), si l'on pense à la brièveté de sa vie. Le noyau en est formé par une grande trilogie dogmatique, trois traités en trois livres chacun, comprenant la Logique, la Physique, la Métaphysique. Toutes les questions du programme péripatéticien y sont traitées, et cela pour deux raisons : d'abord à titre de propédeutique, parce qu'une solide

formation philosophique est nécessaire à quiconque veut s'engager dans la Voie spirituelle. S'il est vrai que ceux qui reculent devant celle-ci pourront se satisfaire de l'enseignement des Péripatéticiens, il faut ensuite, pour les autres justement, libérer la vraie théosophie de toutes les discussions inutiles dont les Péripatéticiens aussi bien que les *Motakallimûn,* les Scolastiques de l'Islam, ont encombré la voie. S'il arrive qu'au cours de ces traités, éclate çà et là la pensée profonde de l'auteur, c'est toujours en référence au livre auquel ceux-là introduisent, le livre qui recèle son secret, *Kitâb Hikmat al-Ishrâq.* Autour de la tétralogie formée par ce dernier et les trois précédents, s'organise tout un ensemble d'*Opera minora,* œuvres didactiques de moindre étendue, en arabe et en persan. Cet ensemble est complété par le cycle caractéristique des récits symboliques auxquels il a déjà été fait allusion; ils sont pour la plupart rédigés en persan et, conformément au plan de la pédagogie spirituelle du shaykh, fournissent quelques-uns des thèmes essentiels de méditation préparatoire. Le tout est couronné par une sorte de *Livre d'heures,* composé de psaumes et d'invocations aux êtres de lumière.

L'ensemble de cette œuvre procède d'une expérience personnelle que l'auteur atteste en faisant allusion à la « conversion advenue dans sa jeunesse ». Il avait commencé par prendre la défense de la physique céleste des Péripatéticiens, limitant les Intelligences, les êtres de lumière, au nombre de dix (ou de cinquante-cinq). C'est cet univers spirituel clos qu'il vit éclater au cours d'une vision d'extase, où lui fut montrée la multitude de ces « êtres de lumière que contemplèrent Hermès et Platon, et ces irradiations célestes, sources de la *Lumière de Gloire* et de la *Souveraineté de Lumière* (*Ray wa Khorreh*) dont Zarathoustra fut l'annonciateur, celles vers qui un ravissement spirituel enleva le roi très fidèle, le bienheureux Kay Khosraw ».

La confession extatique de Sohravardî nous réfère ainsi à l'une des notions fondamentales du zoroastrisme : le *Xvarnah,* la Lumière de Gloire (en persan *Khorreh*). C'est à partir d'ici qu'il faut tenter de ressaisir brièvement la notion d'*Ishrâq,* la structure du monde qu'elle ordonne, la forme de spiritualité qu'elle détermine.

2. *L'Orient des Lumières (Ishrâq).*

1. En rassemblant les indications données par Sohravardî et ses commentateurs immédiats, on constate que la notion d'*Ishrâq* (nom verbal signifiant la splendeur, l'illumination du soleil à son lever) se montre sous un triple aspect : 1) On peut entendre la sagesse, la théosophie, dont l'*Ishrâq* est la source comme étant à la fois l'illumination et la révélation (*zohûr*) de l'être, et l'acte de la conscience qui, en le dévoilant (*kashf*), l'amène à apparaître (en fait un *phainomenon*). De même donc que dans le monde sensible, le terme désigne la splendeur du matin, le premier éclat de l'astre, de même il désigne au Ciel intelligible de l'âme l'instant épiphanique de la connaissance. 2) En conséquence, on entendra par philosophie ou théosophie *orientale,* une doctrine fondée sur la Présence du philosophe à l'apparition matutinale des Lumières intelligibles, à l'effusion de leurs aurores sur les âmes en état d'esseulement de leur corps. Il s'agit donc d'une philosophie qui postule vision intérieure et expérience mystique, d'une connaissance qui, s'originant à l'Orient des pures Intelligences, est une connaissance *orientale.* 3) On peut encore entendre ce dernier terme comme désignant la théosophie des *Orientaux* (*Ishrâqîyûn = Mashriqîyûn*), ce qui veut dire celle des Sages de l'ancienne Perse, non pas seulement en raison de leur localisation à la surface terrestre, mais parce que

leur connaissance était *orientale* en ce sens qu'elle était fondée sur la révélation intérieure (*kashf*) et la vision mystique (*moshâhadat*). Aussi bien telle était aussi, selon les *Ishrâqîyûn,* la connaissance des anciens Sages grecs, à l'exception des disciples d'Aristote qui s'appuyaient uniquement sur le raisonnement discursif et l'argumentation logique.

2. Nos auteurs n'ont donc jamais envisagé l'opposition artificielle qu'avait voulu établir Nallino entre l'idée d'une « philosophie illuminative » qui aurait été celle de Sohravardî, et l'idée d'une « philosophie orientale » qui aurait été celle d'Avicenne. Les termes *ishrâqîyûn* et *mashriqîyûn* sont employés indifféremment. Il faudrait un terme unique pour dire à la fois « orientale-illuminative », en ce sens qu'il s'agit d'une connaissance qui est *orientale* parce qu'elle est elle-même l'*Orient* de la connaissance (certains termes se présentent spontanément : *Aurora consurgens, Cognitio matutina*). Pour la décrire, Sohravardî réfère à une période de sa vie où le problème de la connaissance le surmenait, sans qu'il pût le résoudre. Certaine nuit, il eut en songe, ou dans un état intermédiaire, l'apparition d'Aristote, avec qui il engagea un dialogue très serré. Le récit en occupe plusieurs pages d'un de ses livres (*Talwîhât*).

Mais l'Aristote avec lequel s'entretient Sohravardî est un Aristote franchement platonicien, que personne ne saurait rendre responsable des fureurs dialectiques des Péripatéticiens. Sa première réponse au chercheur qui l'interroge, est celle-ci : « Eveille-toi à toi-même. » Commence alors une initiation progressive à la connaissance de soi comme à la connaissance qui n'est ni le produit d'une abstraction, ni une re-présentation de l'objet par l'intermédiaire d'une forme (*sûrat*), d'une *species,* mais un Connaître qui est identique à l'âme même, à la subjectivité personnelle, existentielle (*anâ'îyat*), et qui est donc par essence vie, lumière, épiphanie, conscience de soi (*hayât, nûr, zohûr, sho'ûr bi-dhâti-hi*). Par opposition à la connaissance *représentative,* qui est la connaissance de l'universel abstrait ou logique (*'ilm sûrî*), il s'agit de la connaissance *présentielle,* unitive, intuitive, d'une essence en sa singularité ontologique absolument vraie (*'ilm hodûrî, ittisâlî, shohûdî*), une illumination présentielle (*ishrâq hodûrî*) que l'âme, comme être de lumière, fait se lever sur son objet; elle se le rend présent en se rendant présente à elle-même. Sa propre épiphanie à soi-même est la Présence de cette présence, et c'est en cela que consiste la Présence épiphanique ou orientale (*hodûr ishrâqî*). La vérité de toute connaissance objective est ainsi reconduite à la conscience que le sujet connaissant a de soi-même. Ainsi en est-il pour tous les êtres de lumière de tous les mondes et intermondes : par l'acte même de leur conscience de soi, ils se rendent présents les uns aux autres. Ainsi en est-il pour l'âme humaine, dans la mesure où elle s'arrache à la Ténèbre de son « exil occidental », c'est-à-dire au monde de la matière sublunaire. Aux dernières questions du chercheur, Aristote répond que les philosophes de l'Islam n'ont pas égalé Platon d'un degré sur mille. Puis, voyant sa pensée occupée par les deux grands soufis Abû Yazîd Bastâmî et Sahl Tostarî (*supra* VI, 2 et 5), il lui déclare : « Oui, ce sont eux les philosophes au sens vrai. » La « théosophie orientale » opère ainsi la conjonction de la philosophie et du soufisme, désormais inséparables.

3. Ces « splendeurs aurorales » nous réfèrent au Flamboiement primordial qui en est la Source, et dont Sohravardî atteste avoir eu la vision qui lui dévoila l'authentique « Source orientale ». C'est la « Lumière de Gloire » que l'Avesta désigne comme *Xvarnah* (persan *Khorreh,* ou sous la forme parsie *Farr, Farreh*). Sa fonction est primordiale dans la cosmologie et l'anthropologie du mazdéisme. Elle est la majesté flamboyante des êtres de lumière; elle est aussi l'énergie qui

cohère l'être de chaque être, son Feu vital, son « ange personnel » et son destin (le mot a été traduit en grec à la fois par Δόξα et par Τυχή. Elle se présente chez Sohravardî comme l'irradiation éternelle de la Lumière des Lumières (*Nûr al-anwâr*); sa force souveraine, en illuminant la totalité de l'être-lumière procédant d'elle, la lui rend éternellement présente (*tasallot ishrâqî*). C'est précisément l'idée de cette force victorieuse, de cette « victorialité » (persan *pêrôzîh*), qui explique le nom par lequel Sohravardî désigne les Lumières souveraines : *Anwâr qâhira,* Lumières « victoriales », dominatrices, archangéliques (« michaëliennes », cf. Michaël comme *Angelus victor*).

Par cette « victorialité » de la Lumière des Lumières, procède d'elle l'être de lumière qui est le premier Archange, et que notre shaykh désigne sous son nom zoroastrien de *Bahman* (Vohu Manah, le premier des *Amahraspands* ou Archanges zoroastriens). La relation éternellement éclose entre la Lumière des Lumières et le Premier Emané est la relation archétypique du premier Aimé et du premier Amant. Cette relation s'exemplifiera à tous les degrés de procession de l'être, ordonnant par couples tous les êtres. Elle s'exprime comme une polarité de domination et d'amour (*qahr* et *mahabbat,* cf. le néo-Empédocle en Islam, *supra* V, 3 et *infra* VIII, 1), ou comme la polarité de l'illumination et de la contemplation, de l'indépendance (*istighnâ'*) et de l'indigence (*faqr*), etc. Ce sont là autant de « dimensions » intelligibles qui, entrant en composition les unes avec les autres, débordent l'espace « bi-dimensionnel » (du nécessaire et du possible) de la théorie avicennienne des Intelligences hiérarchiques. S'engendrant les unes les autres de leurs irradiations et de leurs réfléchissements, les hypostases de Lumière atteignent à l'innombrable. Par-delà le ciel des Fixes de l'astronomie péripatéticienne ou ptoléméenne, sont pressentis d'innombrables univers merveilleux. A l'inverse de ce qui se passera en Occident où l'essor de l'astronomie éliminera l'angélologie, c'est ici l'angélologie qui entraîne l'astronomie au-delà du schéma classique qui la limitait.

3. *La hiérarchie des univers.*

1. Une triple hiérarchie ordonne le monde de ces Pures Lumières. A partir de la relation initiale de la Lumière des Lumières et de la première Lumière émanée, par la multiplication des « dimensions » intelligibles entrant en composition les unes avec les autres, procède éternellement l'univers des Lumières Dominatrices Primordiales; parce qu'elles sont causes les unes des autres et procèdent les unes des autres, elles forment une hiérarchie descendante, celle que Sohravardî appelle l'« Ordre longitudinal » (*tabaqat al-Tûl*). Ce sont ces univers d'Archanges qu'il désigne comme Lumières souveraines suprêmes (*Osûl A'laûn*), comme le « monde des Mères » (*Ommahât,* ne pas confondre avec l'usage de ce terme, quand il est rapporté aux Eléments). Cette hiérarchie du monde archangélique des Mères aboutit à un double avènement dans l'être.

D'une part, leurs « dimensions positives » (domination, indépendance, contemplation active) produisent un nouvel Ordre d'archanges qui ne sont plus causes les uns des autres, mais à interégalité dans la hiérarchie de l'Emanation. Ces Lumières forment l'« Ordre latitudinal » (*tabaqat al-'Ard*); ce sont les Archanges-archétypes ou « seigneurs des espèces » (*arbâd al-anwâ'*), identifiés aux archétypes platoniciens, non pas comme universaux réalisés, s'entend, mais comme hypostases de Lumière. Les noms des Archanges zoroastriens, ceux de quelques Anges (*Izad*) sont expressément cités, sous leur forme authentique, par Sohravardî. Dans cet « Ordre latitudinal » figure également l'Ange de l'humanité, l'Esprit-Saint, Gabriel, l'Intelligence agente des *falâsifa.*

D'autre part, les dimensions intelligibles « négatives » de l'« Ordre longitudinal » (dépendance, illumination passive, amour qui est indigence) produisent le Ciel des Fixes qui leur est commun, et dont les innombrables individuations stellaires sont (comme dans le schéma avicennien, chaque orbe céleste l'est à l'égard de l'Intelligence dont il émane) autant d'émanations qui matérialisent, en une matière céleste encore toute subtile, la part de non-être que recèle, si on le considère fictivement isolé de son Principe, leur être émané de la Lumière des Lumières.

Enfin, de ce second ordre d'Archanges émane un nouvel Ordre de Lumières par l'intermédiaire desquelles les Archanges-archétypes gouvernent et régissent les Espèces, du moins dans le cas des Espèces supérieures. Ce sont les Anges-Ames, *Animae cælestes* et *Animæ humanæ* de l'angélologie avicennienne. Mais Sohravardî les désigne d'un nom emprunté à l'ancienne chevalerie iranienne : Lumières *Espahbad* (commandant d'armée); désignation et fonction ne sont pas sans évoquer l'*hegemonikon* des Stoïciens.

2. Même esquissée ainsi à grands traits, l'angélologie sohravardienne se révèle comme bouleversant profondément le schéma du monde (physique, astronomique et métaphysique) reçu depuis Fârâbî et Avicenne. Ce n'est plus l'orbe de la Lune qui, comme dans le péripatétisme, marque la limite entre le monde céleste et le monde matériel en devenir. C'est le Ciel des Fixes qui symbolise la limite entre l'univers angélique de la Lumière et de l'Esprit (*Rûhâbâd*) et l'univers matériel et obscur des *barzakh.* Ce mot typique signifie dans l'eschatologie l'entre-deux, et en cosmologie l'intermonde (le *mundus imaginalis*). Dans la philosophie sohravardienne de l'*Ishrâq,* il prend un sens plus général; il désigne en général tout ce qui est corps, tout ce

qui est *écran* et *intervalle,* et qui par soi-même est Nuit et Ténèbres.

Le concept que connote le terme de *barzakh* est donc fondamental pour toute la physique de Sohravardî. Le *barzakh* est Ténèbre pure; il pourrait exister comme tel, même si la Lumière s'en retirait. Ce n'est donc pas même une lumière en puissance, une virtualité au sens aristotélicien; il est à l'égard de la Lumière négativité pure (la négativité *ahrimanienne* telle que la comprend Sohravardî). Il serait donc aberrant de vouloir édifier sur cette négativité l'explication causale d'un fait positif quelconque. Toute espèce est une « icône » de son Ange, une théurgie opérée par lui dans le *barzakh* qui par soi-même est mort et nuit absolue. C'est un acte de lumière de l'Ange; mais cette lumière n'entre pas en composition hylémorphique avec la Ténèbre. D'où toute la critique développée par Sohravardî contre les notions péripatéticiennes d'être en puissance, de matière, de formes substantielles, etc. Sa physique est, certes, dominée par le schéma de la cosmologie mazdéenne partageant l'univers de l'être en *mênôk* (céleste, subtil) et *gêtîk* (terrestre, dense), mais son interprétation est plutôt d'inspiration manichéenne. Cette perception du monde comporte structurellement, chez Sohravardî, une métaphysique qui est une métaphysique des *essences*; l'*exister* n'est qu'une manière de considérer (*i'tibâr*) l'essence, la quiddité, mais ne lui ajoute rien *in concreto.* On a déjà indiqué que Sadrâ Shîrâzî donnera la version « existentielle » de l'*Ishrâq,* par sa métaphysique posant l'antérioté et la préséance de l'*exister* sur l'essence.

3. Le schéma des univers s'ordonne en conséquence selon un quadruple plan : 1) Il y a le monde des pures Intelligences (les Lumières archangéliques des deux premiers Ordres, Intelligences chérubiniques, les « Mères », et Intelligences-archétypes); c'est le monde du *Jabarût.* 2) Il y a le monde des Lumières régissant

un corps (une « forteresse », *sîsiya*), monde des Ames célestes et des Ames humaines; c'est le monde du *Malakût.* 3) Il y a le double *barzakh* constitué par les Sphères célestes et le monde des Eléments sublunaires; c'est le monde du *Molk.* 4) Il y a le *mundus imaginalis* (*'âlam al-mithâl*). C'est le monde intermédiaire entre le monde intelligible des êtres de pure Lumière et le monde sensible; l'organe qui le perçoit en propre est l'Imagination active. Ce n'est pas le monde des Idées platoniciennes (*Mothol Iflâtûnîya*), mais le monde des Formes et Images « en suspens » (*mothol mo'allaqa*); l'expression veut dire qu'elles ne sont pas immanentes à un substrat matériel (comme la couleur rouge, par exemple, est immanente à un corps rouge), mais elles ont des « lieux épiphaniques » (*mazâhir*) où elles se manifestent comme l'image « en suspens » dans un miroir. C'est un monde où se retrouve toute la richesse et la variété du monde sensible, mais à l'état subtil, un monde de Formes et Images subsistantes, autonomes, qui est le seuil du *Malakût.* Là sont les cités mystiques de Jabalqâ, Jâbarsâ et Hûrqalyâ.

Sohravardî est bien le premier, semble-t-il, à avoir fondé l'ontologie de cet intermonde, et le thème en sera repris et amplifié par tous les gnostiques et mystiques de l'islam. Son importance est en effet capitale. Il est au premier plan de la perspective qui s'ouvre au devenir posthume de l'être humain. Sa fonction est triple : c'est par lui que s'accomplit la résurrection, car il est le lieu des « corps subtils »; c'est par lui que sont réellement vrais les symboles configurés par les prophètes aussi bien que toutes les expériences visionnaires; par conséquent, c'est par lui que s'accomplit le *ta'wîl*, l'exégèse qui « reconduit » à leur vérité « spirituelle littérale » les données de la Révélation qorânique. Sans lui, on ne fait plus que de l' « allégorie ». Par cet intermonde se résout le conflit entre la philosophie et la théologie, le savoir et le croire, le symbole et l'histoire. Il n'y a plus à opter entre la préséance spéculative de la philosophie ou bien la préséance autoritaire de la théologie. Une autre voie s'ouvre, celle de la théosophie « orientale » précisément.

Ce monde de la conscience imaginative, Sadrâ Shîrâzî l'intègre au *Malakût*, et c'est pourquoi la perspective des univers s'ordonne en fait sur un triple plan. Mais l'on discerne dès maintenant ce que peut signifier la perte de cet intermonde, perte qui sera la conséquence de l'averroïsme (*infra* VIII, 6). C'est pourquoi l'on peut y discerner comme la ligne de clivage entre l'Orient où prédomineront l'influence de Sohravardî et celle d'Ibn'Arabî, et l'Occident où le « péripatétisme arabe » évoluera en « averroïsme politique ». Tandis que les historiens se sont habitués à voir dans l'averroïsme le dernier mot de la « philosophie arabe », de l' « arabisme », la « philosophie islamique » offre en revanche bien d'autres ressources et richesses.

4. *L'exil occidental.*

1. C'est sur la perspective de l'intermonde qu'il faut situer le sens et la fonction des Récits symboliques d'initiation spirituelle composés par Sohravardî. Leur dramaturgie s'accomplit en effet dans le *'âlam al-mithâl.* Le mystique y ressaisit le drame de son histoire personnelle au plan d'un monde suprasensible qui est celui des événements de l'âme, parce que l'auteur, en configurant ses propres symboles, retrouve spontanément le sens des symboles des révélations divines. Il ne s'agit pas d'une suite d' « allégories », mais de la hiéro-histoire secrète, invisible aux sens extérieurs, s'accomplissant dans le *Malakût*, « avec lequel symbolisent » les événements extérieurs et fugitifs.

Celui de ces Récits qui en fait entendre le plus clairement la note fondamentale, s'intitule *Récit de l'exil occidental* (*Qissat al-ghorbat al-gharbîya*). La théosophie « orientale » doit en effet amener le gnostique à prendre conscience de son « exil occidental », conscience de ce qu'est en réalité le monde du *barzakh* comme « Occident » opposé à l' « Orient des Lumières ». Le Récit forme donc une initiation reconduisant le mystique à son *origine*, à son *Orient*. Or, l'événement réel qui s'accomplit par cette initiation, présuppose l'existence autonome du *mundus imaginalis* et la valeur noétique plénière de la conscience imaginative. Ici particulièrement, est à comprendre comment et pourquoi, si l'on se prive de ce monde et de cette conscience, l'imaginatif se dégrade en imaginaire, et les récits symboliques ne sont plus que du roman.

2. La grande affaire qui préoccupe le gnostique « oriental », est de savoir comment l'exilé peut retourner *chez lui*. Le théosophe *ishrâqî* est essentiellement un homme qui ne sépare ni n'isole l'une de l'autre la recherche philosophique et la réalisation spirituelle. Mollâ Sadrâ en une page très dense de son vaste commentaire de l'ouvrage de Kolaynî (le *Kâfî*, un des ouvrages shî'ites fondamentaux, cf. *supra* II, prélim.), caractérise la spiritualité des *Hokamâ Ishrâqîyûn* (les « théosophes orientaux ») comme étant elle-même un *barzakh*, c'est-à-dire un entre-deux conjoignant et réunissant la méthode des Soufis, tendant essentiellement à la purification intérieure, et la méthode des philosophes tendant à la connaissance pure. Pour Sohravardî, une expérience mystique, sans formation philosophique préalable, est en grand danger de s'égarer; mais une philosophie qui ne tend ni n'aboutit à la réalisation spirituelle personnelle, est vanité pure. Aussi le livre qui est le vade-mecum des philosophes « orientaux » (le *Kitâb Hikmat al-Ishrâq*) débute-t-il par une réforme de la Logique, pour s'achever sur une sorte de mémento d'extase. Et c'est aussi le plan de beaucoup d'autres livres semblables.

Dès le début, dans le prologue, l'auteur classe les Sages, les *Hokamâ*, selon qu'ils possèdent simultanément la connaissance spéculative et l'expérience spirituelle, ou bien excellent dans l'une, mais sont déficients quant à l'autre. Le *hakîm ilâhî* (étymologiquement, on le rappelle, le *théosophos*, le Sage de Dieu) est celui qui excelle en l'une *et* en l'autre; il est le *hakîm mota'allih* (l'idée de *ta'alloh* correspond au grec *theôsis*). C'est pourquoi ce sera un adage répété par tous nos penseurs, que la théosophie *ishrâqî* est à la philosophie ce que le soufisme est au *Kalâm* (la scolastique dialectique de l'Islam). La généalogie spirituelle que se donne Sohravardî est significative. D'une part, le « levain éternel » passe par les anciens Sages grecs (présocratiques, pythagoriciens, platoniciens) et se transmet aux soufis Dhû-'l-Nûn Misrî et Sahl Tostarî; d'autre part, le « levain » de la sagesse des anciens Perses se transmet par les soufis Abû Yazîd Bastâmî, Hallâj, Abû'l-Hasan Kharraqânî. Et les deux courants se rejoignent dans la théosophie de l'*Ishrâq*. Sans doute est-ce une « histoire » thématisée par la conscience, mais elle n'en est que plus éloquente. Elle nous confirme (après l'entretien mystérieux avec Aristote) que désormais l'on ne peut plus séparer philosophie et soufisme dans la haute spiritualité de l'Islam, sans même qu'il y ait à envisager une appartenance quelconque à une *tarîqat* (congrégation soufie). Sohravardî n'a jamais appartenu à aucune.

3. Par là même nous est indiqué ce que signifie l'effort à la fois réformateur et créateur de Sohravardî en Islam. Si on prétend limiter l'Islam à la religion extérieure, légalitaire et littéraliste, cet effort est une « insurrection ». C'est le seul aspect que certains historiens ont vu dans le cas de Sohravardî comme dans le cas des Ismaéliens et de tous les gnostiques shî'ites, comme dans le cas d'Ibn'Arabî et son école. En revanche, si l'Islam intégral est l'Islam spirituel (englobant la

sharî'at, la *tarîqat* et la *haqîqat*), alors l'effort généreux de Sohravardî se situe au sommet de cette spiritualité et est alimenté par elle. C'est le sens spirituel de la Révélation qorânique qui explique et transfigure les révélations prophétiques et sagesses antérieures, comme manifestant leur sens caché. Or cet Islam spirituel intégral, c'est cela même que fut le shî'isme dès les origines (*supra* II). Il y a donc un accord préétabli, sinon mieux encore, entre théosophes *ishrâqîyûn* et théosophes shî'ites. Dès avant l'école d'Ispahan avec Mîr Dâmâd et Mollâ Sadrâ, cet accord est sensible chez un penseur shî'ite *ishrâqî* comme Ibn Abî Jomhûr (dont l'influence est sensible dans l'école shaykhie, jusqu'à nos jours). C'est qu'il y a même effort de part et d'autre vers le *bâtin*, l'ésotérique, le sens intérieur et spirituel. D'où aussi la même répulsion pour les discussions abstraites et stériles des *Motakallimûn*. L'effort de Sohravardî conjoint la philosophie et le soufisme; l'effort de Haydar Amolî au VIIIe/XIVe s. (comme déjà l'Ismaélisme après Alamût) fait se rejoindre shî'ites et soufis devenus oublieux de leurs origines et de leur vocation. Les concepts de *hikmat ilâhîya* (théosophie) et *'irfân-e shî'î* (gnose shî'ite) se recouvrent.

Sohravardî met en effet au sommet de sa hiérarchie des Sages, celui qui excelle également en philosophie et en expérience spirituelle. C'est celui-là qui est le *pôle* (le *Qotb*) et sans la présence duquel le monde ne pourrait continuer d'exister, dût-il n'y être qu'*incognito*, complètement inconnu des hommes. Or, c'est là même un des thèmes shî'ites majeurs (cf. un entretien du Ier Imâm avec son familier Komayl ibn Ziyâd). Le « pôle des pôles » en termes shî'ites, c'est l'Imâm. Son existence *incognito* présuppose à la fois l'idée shî'ite de la *ghaybat* (l'occultation de l'Imâm) et l'idée du cycle de la *walâyat* succédant au cycle de la prophétie, postérieurement au « Sceau des prophètes ». Cette *walâyat*, nous le savons (*supra* II A), n'est autre que le nom, en Islam, de la « prophétie ésotérique » (*nobowwat bâtinîya*) permanente. Aussi bien les docteurs de la loi, à Alep, ne s'y sont pas trompés. Lors du procès de Sohravardî, la thèse incriminée qui entraîna sa condamnation fut d'avoir professé que Dieu peut en tout temps, maintenant encore, créer un prophète. Même s'il ne s'agissait pas d'un prophète-législateur mais de la *n. bâtinîya*, la thèse décelait au moins un crypto-shî'isme. Ainsi, par l'œuvre de sa vie et par sa mort en martyr de la philosophie prophétique, Sohravardî vécut jusqu'au bout la tragédie de l' « exil occidental ».

5. *Les « Ishrâqîyûn ».*

1. Les *Ishrâqîyûn* forment la postérité spirituelle de Sohravardî; elle s'étend, en Iran du moins, jusqu'à nos jours. Le premier en date est Shamsoddîn Shahrazûrî, qui se signale par sa dévotion envers la personne du *shaykh al-Ishrâq.* Un paradoxe veut que la biographie de ce penseur à qui l'on doit une *Histoire des philosophes,* soit à peu près complètement inconnue. Nous savons que lorsque Sohravardî fut emprisonné dans la citadelle d'Alep, un jeune disciple du nom de Shams lui tint compagnie. Mais il est impossible de dire s'il s'agit du même personnage, surtout si l'on admet que Shahrazûrî, comme il semble, ne mourut qu'au cours du dernier tiers du VIIe/XIIIe siècle. Quoi qu'il en puisse être, nous devons à Shahrazûrî deux commentaires prenant l'importance d'amplifications personnelles : le premier est le commentaire du *Livre des Elucidations* (*Talwîhat*) de Sohravardî, le second un commentaire du *Livre de la Théosophie orientale* (*K. Hikmat al-Ishrâq*). Il semble bien que Shahrazûrî ait été largement mis à profit par deux de ses successeurs : Ibn Kammûna (ob. 683/1284), dans

son commentaire du premier de ces ouvrages, et Qotboddîn Shîrâzî dans son commenaire du second (terminé en 694/1295).

On doit à Shahrazûrî trois autres ouvrages : 1) Une *Histoire des philosophes*, comprenant les philosophes antérieurs à l'Islam et les philosophes de l'Islam; la biographie de Sohravardî qui y figure est la plus complète que nous ayons. 2) Un *Livre des symboles* (*K. al-romûz*) où l'auteur insiste sur certains motifs néopythagoriciens. 3) Une immense encyclopédie philosophique et théologique, récapitulant l'enseignement de ses devanciers, et intitulée *Traités de l'arbre divin et des secrets théosophiques* (*Rasâ'il al-shajarat al-ilâhîya wa'l-asrâr al-rabbânîya*). Ikhwan al-Safâ, Avicenne, Sohravardî y sont abondamment cités. Elle fut achevée en 680/1281 (donc quelque quatre-vingt-dix ans après la mort de Sohravardî. Il en existe six ou sept manuscrits, comprenant plus d'un millier de pages in-folio).

2. Sohravardî avait vu très loin. Il se représentait quelque chose comme un « *Ordre des Ishâqîyûn* », groupés autour de son livre essentiel (*Hikmat al-Ishrâq*). Transposant l'expression qorânique *Ahl al-Kitâb* (communauté ayant un Livre révélé du Ciel, *supra* I, 1), il désigne l' « Ordre des *Ishrâqîyûn* » comme *Ahl hadhâ'l-Kitâb* (communauté groupée autour du présent livre, c'est-à-dire le livre de la Théosophie orientale). Un autre trait est encore plus significatif. Il y aura à la tête de cette communauté un *Qayyim bi'l-Kitâb*, un « Mainteneur du Livre », auquel il conviendra de recourir pour le sens caché des pages difficiles (Shahrazûrî se savait en droit de revendiquer pour lui-même cette qualification). Or l'expression de *Qayyîm al-Kitâb* sert dans le shî'isme à désigner l'Imâm et sa fonction essentielle (*supra* II A, 4). Ce n'est certainement pas un hasard, si après avoir mentionné dans le prologue de son grand livre le rôle du *Qotb* (le *pôle*),

Sohravardî recourt de nouveau à une expression shî'ite caractéristique. En fait, il y a toujours eu des *Ishrâqîyûn* en Iran; il n'en manque pas de nos jours, bien que leur communauté n'ait aucune organisation extérieure et que l'on ne connaisse pas le *Qayyim bi'l-Kitâb*.

3. Il y eut en effet, tout au long des siècles, ceux que la pensée du shaykh al-Ishrâq influença à un degré ou à un autre, et ceux qui furent des *Ishrâqîyûn* tout en professant une doctrine enrichie d'apports successifs. Il reste à rechercher l'influence que les thèses de l'*Ishrâq* eurent, par exemple, sur Nasîr Tûsî, sur Ibn 'Arabî et sur les commentateurs iraniens shî'ites de ce dernier (cf. 2e partie). La synthèse de l'*Ishrâq*, d'Ibn 'Arabî et du shî'isme est chose faite chez Moham. Ibn Abî Jomhûr. Aux confins de nos XVe et XVIe siècles se produit un essor extraordinaire. Les œuvres de Sohravardî sont amplement commentées. Jalâl Dawwânî (ob. 907/1501) et Ghiyâthoddîn Mansûr Shîrâzî (ob. 949/1542) commentent le « Livre des Temples de la Lumière ». Wadûd Tabrîzî commente le « Livre des Tablettes dédiées à 'Imâdoddîn » (930/1524). Le prologue et la seconde partie (la plus importante) du grand livre de la *Théosophie orientale* sont traduits et amplifiés en persan, ainsi que le commentaire de Qotb Shîrâzî, par un soufi de l'Inde, Mohammad Sharîf Ibn Harawî (l'œuvre est datée de 1008/1600). Mîr Dâmâd (ob.1040/1631), le grand maître de l'école d'Ispahan, prend comme « nom de plume » *Ishrâq*. Son célèbre disciple, Mollâ Sadrâ Shîrâzî (ob.1050/1640) donne toute une série de leçons très personnelles sur le livre de la « Théosophie orientale »; le recueil en forme un ouvrage considérable.

A cette même époque, la pieuse et généreuse initiative de l'empereur mongol Akbar (ob.1605) suscita un courant d'échanges spirituels intenses entre l'Inde et l'Iran, avec de multiples allées et venues de philosophes et de soufis. Tous les collaborateurs d'Akbar sont imprégnés des doctrines de l'*Ishrâq.* C'est dans ce « climat » que naît la grande entreprise de traductions du sanskrit en persan (Upanishads, Bhagavat-Gita, etc.). Fut également mêlé à la grande tentative et au grand rêve religieux d'Akbar tout un groupe de zoroastriens de Shîrâz et des environs, qui, en compagnie de leur grand-prêtre, Azar Kayvân, émigrèrent dans l'Inde aux confins des XVIe et XVIIe siècles. Parmi eux se détache la personne de Farzâneh Bahrâm-e Farshâd qui, entièrement dévoué aux œuvres de Sohravardî, en traduit une partie en persan. C'est ainsi, dans le « climat » créé par Akbar, que les zoroastriens retrouvaient leur bien chez Sohravardî, « résurrection de la sagesse de l'ancienne Perse ».

Ces quelques lignes suffiront à suggérer l'influence extraordinaire de l'œuvre de Sohravardî au cours des siècles. Son influence aujourd'hui en Iran est inséparable de celle des penseurs shî'ites qui l'ont assimilée, avant tout celle de Mollâ Sadrâ et de ses continuateurs (jusqu'à 'Abdollah Zonûzî, Hâdî Sabzavârî, sans oublier la position originale de l'école shaykhie). Aujourd'hui l'on est rarement un *ihsrâqî,* sans être, à un degré ou l'autre, de l'école de Mollâ Sadrâ Shîrâzî. Ainsi l' « avenir » de Sohravardî en Iran est lié au renouveau de la métaphysique traditionnelle qui se dessine autour de l'œuvre du maître de Shîrâz.

VIII

En Andalousie

Nous atteignons maintenant une région tout autre du monde islamique, celle de son extrême pénétration en Occident. Le « climat » culturel y diffère de celui que nous avons rencontré en Orient, nommément en Iran. Il faudrait le replacer dans le contexte historique des vicissitudes de l'Islam dans la péninsule ibérique. On ne peut pas même esquisser ici cette histoire; on doit se limiter à signaler quelques noms et quelques œuvres de première grandeur. Ce simple aperçu permettra d'entrevoir avec quelle facilité les idées et les hommes circulaient d'un bout à l'autre du *Dâr al-Islam.*

1. *Ibn Masarra et l'école d'Almeria.*

1. L'importance de cette école tient au double fait qu'elle représente, à l'extrémité occidentale du monde islamique, cet Islam ésotérique que nous avons déjà appris à connaître en Orient, et que son influence fut considérable. Du fait de cette école, nous constatons, à l'une et l'autre extrémité géographique de l'ésotérisme islamique, le rôle dévolu à l'enseignement d'un Empédocle transfiguré en héraut de la théosophie prophétique. D'autre part, Asin Palacios se plaisait à voir dans les disciples d'Ibn Masarra les continuateurs de la gnose de Priscillien (IVe s.). Si l'on en retient les traits principaux (idée d'une matière universelle coéternelle à Dieu, origine divine de l'âme, union avec le corps matériel comme conséquence d'une faute commise dans l'outre monde, sa rédemption et son retour à la patrie comme effets d'une purification rendue possible

par la prédication des prophètes, exégèse du sens spirituel des Ecritures), tous ces traits se retrouvent en effet chez Ibn Masarra et dans son école.

D'après ses biographes, Ibn Masarra, né en 269/883, n'était pas de race arabe. On note que déjà l'aspect physique de son père 'Abdallah, bien qu'originaire de Cordoue, le faisait passer au cours de son voyage en Orient, à Basra par exemple, pour un Normand de Sicile. Mais ce qui est plus important, c'est que ce père, passionné de spéculation théologique et ayant fréquenté en Orient les cercles mo'tazilites et ésotériques, s'attacha à transmettre à son fils les traits de sa propre physionomie spirituelle. Malheureusement il mourut, en accomplissant son pèlerinage à La Mekke, dès 286/899. Son fils avait à peine dix-sept ans, et était pourtant déjà entouré de disciples. Il se retira avec eux dans un ermitage qu'il possédait dans la Sierra de Cordoue. Très vite les soupçons du petit peuple s'aggravèrent à son égard. Quand on passe pour enseigner la doctrine de certain Sage antique du nom d'Empédocle, on peut évidemment s'attendre à être dénoncé pour athéisme. De plus, la situation politique de l'émirat de Cordoue était alors des plus critiques. Ibn Masarra préféra s'exiler en compagnie de deux disciples de prédilection.

Il va jusqu'à Médine et La Mekke, prenant contact avec les écoles orientales. Il ne revient dans sa patrie que sous 'Abd al-Rahmân III, dont la politique était plus libérale. Mais instruit par son contact avec les cercles ésotériques (*bâtinî*) de l'Orient, Ibn Masarra garde une extrême prudence. Il retrouve son ermitage dans la Sierra de Cordoue, et là ne révèle qu'à un petit nombre de disciples le sens de ses doctrines en forme de symboles. Il élabora toute une philosophie et une méthode de vie spirituelle. Malheureusement nous ne connaissons ni le nombre de ses livres ni leur titre exact. Deux seulement peuvent être cités avec certitude : un *Livre de l'explication pénétrante* (*Kitâb al-tabsira*) qui contenait sans doute la clef de son système ésotérique, et un *Livre des lettres* (*Kitâb al-horûf*) traitant de cette algèbre mystique déjà signalée ici (*supra* IV, 2 et 5). Ces livres circulaient de main en main, échappant à la vigilance des *foqahâ* tout en exacerbant leur colère, et pénétrèrent jusqu'en Orient, où deux soufis « orthodoxes » entreprirent de les réfuter. Il ne semble pas que les choses soient allées jusque devant les tribunaux ni qu'il y eût d'autodafé, au moins du vivant d'Ibn Masarra. Epuisé par sa tâche, le Maître mourut entouré de ses disciples, dans son ermitage de la Sierra, en 319/931 (le 20 octobre), à peine âgé de cinquante ans.

2. On comprend que le voile sous lequel il cachait sa doctrine, le nombre restreint de ses disciples, l'imputation d'hérésie et d'impiété que l'on a attachée à son nom, sont autant de circonstances qui expliquent la pauvreté des moyens dont on dispose aujourd'hui pour reconstituer son système. Cette reconstitution a pourtant été menée à bien par le patient labeur du grand arabisant espagnol Miguel Asin Palacios. La tâche était double. D'une part la doctrine d'Empédocle s'est présentée à Asin Palacios comme l'axe autour duquel grouper les doctrines masarriennes les plus caractéristiques. D'autre part, il fallait reconstituer le système d'Ibn Masarra à l'aide des longues citations qui en sont faites principalement chez Ibn 'Arabî.

La première tâche était relativement facile, grâce aux historiens et aux doxographes (notamment Shahrastânî, Shahrazûrî, Ibn Abî 'Osaybi'a, Qiftî). La légende hagiographique du néo-Empédocle connu en Islam (cf. déjà *supra* V, 3 et VII, 2) contient, certes, quelques traits de la biographie authentique, mais amplifiés et transfigurés. D'après nos auteurs, Empédocle est le premier en date des cinq plus grands philosophes de la Grèce (Empédocle, Pythagore, Socrate, Platon, Aristote). On se le représente comme un hiérophante, un prophète, voué à l'enseignement et aux pratiques spirituelles. Il vit retiré du monde, voyage en Orient, refuse tous les honneurs. Bref, on voit en lui un de ces prophètes antérieurs à l'Islam que le cadre de la prophétologie islamique était assez ample pour contenir. Sa physionomie morale est celle d'un soufi; on connaît et l'on cite certains de ses livres.

3. Quant aux doctrines qui lui sont attribuées, elles ressortissent principalement aux thèmes suivants : précellence et ésotérisme de la philosophie et de la psychologie (conduisant à la rencontre de la *rûhânîya*, la personne ou réalité spirituelle de l'être caché); absolue simplicité, ineffabilité, mobile immobilité de l'Etre premier; théorie de l'Emanation; les catégories d'âmes; les âmes individuelles comme émanations de l'Ame du monde; leur préexistence et leur rédemption. L'ensemble est d'une très grande richesse à la fois gnostique et néoplatonicienne.

Le seul point sur lequel on puisse insister ici, est la théorie de l'Emanation hiérarchique des cinq subtances : l'Elément primordial ou *Materia prima*, qui est la première des réalités intelligibles (à ne pas confondre avec la matière corporelle universelle); l'Intelligence; l'Ame; la Nature; la Matière seconde. Si l'on se réfère à la hiérarchie plotinienne (l'Un, l'Intelligence, l'Ame, la Nature, la Matière), on s'aperçoit immédiatement de la différence entre Plotin et le néo-Empédocle islamique. La première des hypostases plotiniennes, l'Un, a été éliminée du schéma et remplacée par l'Elément premier ou *Materia prima.* Certes, il y a nettement chez Plotin (*Ennéades* II, 4, 1 et 4) l'idée d'une matière existant dans le monde intelligible, distincte de notre matière et antérieure à elle, et fournissant le sujet, le *formé* que présuppose toute forme. Mais il y a cette différence que le néo-Empédocle pose cette matière intelligible comme ayant, en tant que telle, une réalité actuelle, et il en fait la première Emanation divine (on pensera ici au livre *De Mysteriis Ægyptorum* où Porphyre explique la vertu magique des images et des temples, parce qu'ils ont été faits de cette matière pure et divine). Or précisément, l'idée de cette Matière intelligible universelle forme le théorème caractéristique de la doctrine d'Ibn Masarra. Trois brèves remarques seront faites ici :

a) L'exhaussement de la première hypostase plotinienne au-dessus du schéma des cinq substances s'accorde avec l'exigence ismaélienne exhaussant le Principe au-dessus de l'être et du non-être. Il vaut la peine de le souligner, étant donné l'affinité de l'école et des doctrines d'Ibn Masarra avec celles de l'ésotérisme islamique connues par ailleurs, nommément les doctrines shî'ites et ismaéliennes.

b) Avec la théorie de la Matière intelligible reparaît la notion empédocléenne des deux énergies cosmiques désignées comme amour (φιλία, φιλότης) et discorde (νεῖκος). Le premier de ces deux termes a son équivalent dans l'arabe *mahabba,* mais l'équivalent donné au second en modifie essentiellement la teneur. *Qahr, ghalaba* (équivalents non pas du grec νεῖκος mais de κρατεῖν, d'un usage courant en astrologie) connotent l'idée de domination, victoire, souveraineté. Chez Sohravardî *qahr* et *mahabba* sont deux « dimensions » du monde intelligible (*supra* VII, 2); *qâhir* est la qualification des « Lumières victoriales », les pures Lumières archangéliques. Bien loin que *qahr* soit l'empreinte que portent en propre les êtres de matière corporelle, Sohravardî en dérive la qualification du *Xvarnah* avestique, Lumière de Gloire, souveraineté de Lumière. Il y a donc dans le néo-empédoclisme une différence capitale à l'égard de l'Empédocle classique; elle appelle encore des recherches.

c) La doctrine d'une Matière intelligible primordiale eut une influence considérable. On ne la retrouve pas seulement chez le philosophe juif Salomon ben Gabirol (ob. entre 1058 et 1070), mais dans l'œuvre d'Ibn 'Arabî qui justement permit à Asin Palacios la reconstitution partielle de celle d'Ibn Masarra. Le théorème métaphysique des cinq substances ou principes de l'être chez le néo-Empédocle de Ibn Masarra, a pour corrolaire chez Ibn 'Arabî la hiérarchie descendante des cinq significations du terme de « matière » : 1) Matière spirituelle commune à l'incréé et au créaturel (*haqîqat al-haqâ'iq*, Essence des essences). 2) Matière spirituelle commune à tous les êtres créés, spirituels et corporels (*Nafas al-Rahman*). 3) Matière commune à tout corps, céleste ou sublunaire. 4) Matière physique (la nôtre), commune à tout corps sublunaire. 5) Matière artificielle commune à toutes les figures accidentelles. Finalement l'idée d'une « matière spirituelle » (cf. la *spissitudo spiritualis* de Henry More) aura une importance fondamentale dans l'eschatologie de Mollâ Sadrâ Shîrâzî et de l'école d'Ispahan.

4. On ne peut indiquer ici les vicissitudes par lesquelles passa l'école d'Ibn Masarra qui fut la première des sociétés mystiques à se constituer en Espagne musulmane. L'école eut à vivre dans une ambiance d'intolérance et de suspicion, de tracasseries et d'anathèmes. Les « Masarriens », obligés de suivre un ésotérisme strict, formèrent une organisation hiérarchique secrète ayant à sa tête un Imâm. Le nom le plus célèbre, au début du ve/xie siècle, est celui d'Ismâ'îl ibn 'Abdillah al-Ro'aynî, dont la propre fille avait parmi les adeptes la réputation d'une culture théologique extraordinaire. Malheureusement, du vivant d'Ismâ'îl, il se produisit un schisme après lequel on perd la trace de l'école comme socialement organisée. Quoi qu'il en fût, l'orientation mystique des idées masarriennes ne cessa d'agir en profondeur.

L'attestation la plus probante de l'esprit mystique d'Ibn Masarra agissant au sein du soufisme espagnol, est l'énorme influence exercée par le foyer ésotérique de l'école d'Almeria. Après la mort d'Ismâ'îl al-Ro'aynî, et au début du VIe/XIe siècle, en pleine domination almoravide, Almeria devint comme la métropole de tous les soufis espagnols. Abû'l-'Abbâs ibn al-'Arîf composa une nouvelle règle de vie spirituelle (*tarîqa*) fondée sur la théosophie d'Ibn Masarra. Trois grands disciples la répandirent : Abû Bakr al-Mallorquin à Grenade; Ibn Barrajân (dont le nom sera inséparable de celui d'Ibn'Arabî) à Séville (mais il est déporté au Maroc en compagnie d'Ibn al-'Arîf; tous deux y meurent vers 536/1141); Ibn Qasî organise les adeptes de l'école masarrienne, dans les Algarbes (au sud du Portugal), en une sorte de milice religieuse portant le nom mystique de *Muridîn*. Doctrine théosophique et organisation présentent des traits significatifs en commun avec celles de l'Ismaélisme. Pendant dix ans, Ibn Qasî règne en Imâm souverain dans les Algarbes. Il meurt en 546/1151. Quatorze ans après sa mort (560/1165) naît Ibn'Arabî, dont un des grands ouvrages sera un commentaire de la seule œuvre d'Ibn Qasî qui nous soit parvenue (commentaire théosophico-mystique de l'ordre perçu par Moïse devant le Buisson ardent : « Retire tes sandales », Qorân 20/12).

2. *Ibn Hazm de Cordoue.*

1. A Cordoue appartient également l'une des personnalités les plus marquantes de l'Islam d'Andalousie aux Xe et XIe siècles, personnalité complexe dont les aspects multiples sont projetés dans son œuvre. Il y a Ibn Hazm le poète; il y a Ibn Hazm le penseur, le théologien, historien critique des religions et des écoles philosophiques et théologiques; il y a le moraliste; il y a le juriste. *Vir immensæ doctrinæ*, disait de lui R. Dozy. C'est le platonicien et l'historien des religions qui nous

intéressent essentiellement ici. Abû Mohammad 'Alî Ibn. Hazm naquit en 383/994, d'une famille jouissant d'un haut rang social; lui-même se plaisait à faire remonter son ascendance jusqu'à un certain Persan, Yazîd. Son père étant le vizir du khalife al-Mansûr, le jeune Ibn Hazm put facilement recevoir l'enseignement des plus célèbres maîtres de Cordoue dans toutes les disciplines : le *hadîth*, l'histoire, la philosophie, le droit, la médecine, la littérature.

Malheureusement en 403/1013 (avril), tout un quartier de Cordoue est mis à sac par les Berbères. En juin de la même année, Ibn Hazm perd son père. La révolte grondant contre la souveraineté des Omeyyades, Ibn Hazm est expulsé de Cordoue, ses biens sont confisqués. Nous le voyons ainsi, lors de sa vingtième année, entièrement engagé dans la politique, prenant rang parmi les plus fidèles soutiens de la dynastie omeyyade. Il se réfugie à Almeria, prend la tête du mouvement en faveur du prince 'Abd al-Rahmân IV, prétendant légitime au khalifat, contre Ibn Hammûd. Mais le prince est tué au cours d'un combat où son armée est mise en déroute, tandis qu'Ibn Hazm est fait prisonnier. On lui rendra cependant la liberté.

Nullement découragé, Ibn Hazm se réfugie à Shâtiba (Xativa). Là il trouve assez de sécurité et de paix pour écrire son admirable livre d'amour, le *Collier de la Colombe* (*Tawq al-Hamâma*), qui est en même temps un journal de son expérience de la vie, où il révèle, entre autres, une blessure jusqu'alors gardée secrète, son amour juvénile pour la fille adoptive de ses parents. Il reste toujours fidèle à la cause des nobles Omeyyades, comme seule dynastie légitime. Il est le plus ferme soutien du prince 'Abd al-Rahmân V qui réussit à monter sur le trône, sous le nom d'al-Mostazhir, en 413/1023, et Ibn Hazm devient son vizir. Pour peu de temps, hélas ! Deux mois plus tard, en février de la même année, al-Mostazhir est tué, et Ibn Hazm de nouveau banni de Cordoue. Tout espoir d'une restauration omeyyade est désormais perdu. Ibn Hazm renonce à toute activité politique et se consacre désormais à la science. Il quittera ce monde en 454/1063.

2. Par le livre qu'il intitule le *Collier de la Colombe*, Ibn Hazm prend rang parmi les adeptes de ce platonisme de l'Islam où il a pour illustre prédécesseur Mohammad ibn Dâwûd Ispahânî (ob. 297/909), dont nous avons signalé ci-dessus (VI, 6) l'admirable *Kitâb al-Zohra.* Il est probable que dans la bibliothèque du château de Xativa, Ibn Hazm disposa d'une copie du livre d'Ibn Dâwûd Ispahânî. Il réfère expressément au passage du livre où Ibn Dâwûd fait allusion au mythe platonien du *Banquet* : « Certains adeptes de la philosophie ont pensé que Dieu créa chaque esprit en lui donnant une forme sphérique; ensuite il le scinda en deux parts, plaçant chaque moitié dans un corps. » Le secret de l'amour est la réunion de ces deux membres dans leur totalité initiale. L'idée de la préexistence des âmes est d'ailleurs affirmée expressément par un *hadîth* du Prophète. Ibn Hazm s'y réfère, mais il préfère l'interpréter dans le sens d'une réunion quant à l'élément supérieur des âmes isolées et dispersées en ce monde; il s'agit d'une affinité entre les impulsions qui les meuvent et qui sont écloses dès leur préexistence dans le monde supérieur. L'amour est la mutuelle approche de la forme qui les parachève. Le semblable cherche son semblable. L'amour est une adhésion spirituelle, une interfusion des âmes.

Quant à la cause pour laquelle le plus souvent éclôt l'amour, l'analyse qu'en donne Ibn Hazm présente une nette réminiscence du *Phèdre* de Platon. Cette cause « c'est une forme extérieurement (*zâhir*) belle, parce que l'âme est belle et désire passionnément tout ce qui est beau, et incline vers les images parfaites. Si elle voit une telle image, elle se fixe sur elle; et si elle discerne ensuite dans cette image quelque chose de sa propre nature, elle en subit l'irrésistible attirance, et l'amour au sens vrai se produit. Mais, si elle ne discerne pas au-delà de l'image quelque chose de sa propre nature, son affection ne va pas au-delà de la forme. » Il est important de relever une telle analyse chez Ibn Hazm qui est un *zâhirite* (c'est-à-dire un *exotériste* en matière canonique, attaché à la validation de la lettre, de l'apparence), à côté de réflexions comme celles-ci : « O perle cachée sous la forme humaine ! » « Je vois une forme humaine, mais quand je médite plus profondément, voici qu'elle me semble être un corps venu du monde céleste des Sphères. » Ce sont là des pensées que l'on pourrait rencontrer chez les *ésotéristes* comme Rûzbehân de Shîrâz et Ibn 'Arabî, attentifs à percevoir chaque apparence comme une « forme théophanique ». La limite entre les uns et les autres est donc assez floue; de part et d'autre l'*apparence* devient *apparition.* Et c'est quelque chose dont il faudra se souvenir dans le cas du *zâhirisme* du théologien Ibn Hazm.

On doit à l'arabisant A. R. Nykl à la fois la première édition du texte arabe du livre d'Ibn Dâwûd, et la première traduction en langue occidentale (anglais) du livre d'Ibn Hazm. Une question d'un intérêt que l'on peut dire passionnant, a été également traitée par A. R. Nykl, à savoir l'étroite ressemblance entre la théorie de l'amour chez Ibn Hazm et certaines idées qui apparaissent dans la « Gaie Science » chez Guillaume IX d'Aquitaine, et en général, jusqu'à la croisade contre les Albigeois, dans les principaux thèmes du répertoire des troubadours. On ne peut que signaler ici le problème. La portée en est très vaste (géographiquement, typologiquement, spirituellement), car il ne s'agit pas seulement de questions de forme et de thématisation, mais de quelque chose de commun entre les *Fedeli d'amore* et la religion d'amour professée par certains soufis. Mais il nous faut alors différencier avec soin les positions (cf. déjà ci-dessus VI, 6). Pour le platonicien

Ibn Dâwûd, pour Jâhiz, pour le théologien néo-hanbalite Ibn Qayyim, la voie d'amour est sans issue divine; elle n'*émerge* pas. Pour le platonisme des soufis, pour Rûzbehân de Shîrâz comme pour Ibn 'Arabî, elle *est* précisément cette émergence Toute la spiritualité de ceux des soufis qui les suivent, prend une tonalité différente de celle de leurs prédécesseurs. L'amour *'odhrite* n'est pas simplement le modèle de l'amour de Dieu, car il n'y a pas à passer d'un *objet* humain à un *objet* qui serait divin. C'est une transmutation de l'amour humain lui-même qui se produit, car il est « l'unique pont franchissant le torrent du *Tawhîd* ».

Le livre d'Ibn Hazm sur *Les caractères et les comportements* (*Kitâb al-akhlâq wa'l-siyar*), traduit en espagnol par Asin Palacios, est encore précieux pour la lecture du livre précédent, car l'auteur y précise la terminologie technique dont il use pour analyser les aspects de l'amour. C'est en outre un ouvrage qui, lui aussi, ressortit plus ou moins au « journal » personnel. L'auteur y consigne, sans aucun plan préétabli, ses observations, méditations et jugements sur les hommes et sur la vie. C'est un livre éminemment révélateur de l'homme et de la société andalouse du ve/xie siècle.

3. Comme canoniste, Ibn Hazm se signale par un livre (*Kitâb al-Ibtâl*, partiellement édité par I. Goldziher) où il traite des cinq sources reconnues par les différentes écoles pour établir une décision juridique : l'analogie (*qiyâs*), l'opinion personnelle (*ra'î*), l'approbation (*istihsân*), l'imitation (*taqlîd*), la motivation (*ta'lîl*). Dans un autre livre (*Kitâb al-mohallâ*), il critique sévèrement les principes de l'école shâfi'ite. Ces livres établissent avec la doctrine *zâhirite*, les bases de la discussion avec les autres auteurs.

Mais l'œuvre de beaucoup la plus importante du théologien Ibn Hazm est son traité sur les religions et les écoles de pensée (*Kitâb al-fisal wa'l-nihal*, éd. du Caire, 321/1923, traduit en espagnol également par

Asin Palacios). L'œuvre volumineuse est considérée à juste titre comme le premier traité d'histoire comparée des religions qui ait été écrit tant en arabe que dans une autre langue. Le Maître de Cordoue y donne toute la mesure de son génie et de ses vastes connaissances. Il y expose, avec les diverses religions, les différentes attitudes de l'esprit humain en présence du fait religieux, aussi bien celle du sceptique qui met en doute toutes les valeurs sacrées, que celle du simple croyant de souche populaire.

En fonction de leur attitude, il partage les êtres et les doctrines en plusieurs catégories. Il y a la catégorie des athées, qui englobe également les sceptiques et les matérialistes. Il y a la catégorie des croyants, qui englobe ceux qui croient à une divinité personnelle et ceux qui croient à une divinité impersonnelle, abstraite, sans relation aucune avec l'humanité. Le premier groupe se subdivise en monothéistes et en polythéistes. Parmi les premiers, il faut encore distinguer ceux qui possèdent un Livre révélé du Ciel par un prophète, et ceux qui n'ont pas de Livre. Ceux qui ont un Livre (les *Ahl al-Kitâb*, cf. *supra* I, 1) présentent encore deux cas différents : il y a ceux qui ont conservé fidèlement au cours des siècles le texte sacré, sans altération aucune; et il y a ceux qui ont altéré le texte. Le critère de la vérité du faut religieux consiste donc, pour Ibn Hazm, dans l'attestation de l'Unité divine (*tawhîd*) et dans la conservation intégrale, à travers les siècles, du texte de la Révélation. Ainsi compris, le fait religieux est essentiellement fondé sur le sens du divin, du sacré, et l'authenticité de ce sens dépend de l'affirmation de l'Unité transcendante, elle-même garantie par la Révélation prophétique. Pour que cette Révélation conserve son action permanente, il importe donc qu'elle soit conservée textuellement, de siècle en siècle, puisque ce texte est le seuil même par lequel le fidèle s'approche du mystère du divin.

Telles sont les grandes lignes de l'univers religieux tel que le conçoit Ibn Hazm, et en fonction duquel il fonde son système *exotérique* (*zâhirî*) comme l'unique voie de la vérité spirituelle. A l'appui de ce qui a été suggéré plus haut concernant ce zâhirisme, on rappelle qu'Ibn 'Arabî, un des plus grands *ésotéristes* (*bâtinî*) de tous les temps, était, lui aussi, un Andalou et juridiquement un *zâhirî* !

3. *Ibn Bâjja (Avempace) de Saragosse.*

1. Avec Abû Bakr Mohammad ibn Yahyâ ibn al-Sâyigh Ibn Bâjja (Aven Bâddja, *Avempace* de nos Scolastiques latins) nous nous transférons, du moins pour un court moment, dans le nord de la péninsule. Par sa profondeur de pensée, son influence sur Averroës et sur Albert le Grand, ce philosophe, dont la courte existence fut traversée de tribulations, mérite une attention particulière. Il était né à Saragosse, à la fin du ve/xie siècle, mais en 512/1118 Saragosse est prise par Alphonse Ier d'Aragon. C'est pourquoi l'on retrouve, la même année, Ibn Bâjja réfugié à Séville, où il exerce la médecine, puis à Grenade. Il se rend ensuite au Maroc, est tenu en haute estime à la cour de Fès, où il aurait même rempli les fonctions de vizir. Mais en 533/1138, les médecins de Fès décidèrent, dit-on, de se débarrasser par le poison de ce concurrent jeune et envié. Un de ses disciples et amis, un certain Abû'l-Hasan 'Alî de Grenade, écrivit dans l'introduction du recueil qu'il avait composé des traités de son maître, que celui-ci avait été le premier à faire fructifier réellement en Espagne l'enseignement des philosophes orientaux de l'Islam. Il y a peut-être, si l'on pense à Ibn Masarra, quelque exagération dans cet éloge. En outre le philosophe juif Salomon ben Gabirol (Avicebron) lui est

antérieur; il est vrai que ses écrits restèrent ignorés des philosophes musulmans.

2. On cite d'Ibn Bâjja plusieurs commentaires de traités d'Aristote (Physique, Météorologie, *De generatione*, Histoire des animaux). Ses principaux écrits philosophiques sont restés inachevés, comme le signale expressément Ibn Tofayl (*infra* VIII, 5) en rendant hommage à sa profondeur d'esprit et en déplorant son destin malheureux. Ils comprenaient divers traités de Logique, un traité sur l'âme, un traité sur la conjonction de l'intellect humain avec l'Intelligence agente, thème repris dans la *Lettre d'adieux* (adressée à l'un de ses jeunes amis, à la veille d'un voyage, l'épître traitait du véritable but de l'existence et de la connaissance, et est citée dans la version latine des œuvres d'Averroës comme *Epistula expeditionis*); enfin le traité qui lui valut sa réputation et qui s'intitule le *Régime du solitaire* (*Tadbîr al-motawahhid*). Comme Fârâbî, l'Oriental solitaire et contemplatif dont il était prédisposé par affinité à subir l'influence, Ibn Bâjja avait un goût particulier pour la musique et jouait lui-même du luth.

On note également ses connaissances étendues en médecine, en mathématiques et en astronomie. C'est ainsi que par son intérêt pour l'astronomie, il se trouva mêlé à la lutte contre les conceptions de Ptolémée. On se rappelle le *status quæstionis* évoqué ci-dessus à propos d'Ibn al-Haytham (*supra* IV, 8). Tant que les Sphères célestes sont considérées comme des fictions mathématiques, à l'usage des géomètres pour calculer les mouvements des planètes, les philosophes n'ont pas à intervenir. Mais, dès qu'elles sont considérées comme des corps concrets, solides ou fluides, les hypothèses doivent satisfaire aux lois de la physique céleste. Or la physique céleste généralement professée était celle d'Aristote; elle exigeait des Sphères homocentriques, dont le mouvement circulaire ait pour centre le centre du monde, ce qui excluait l'idée des épicycles et des excentriques. Pendant tout le XIIe siècle, les philosophes les plus éminents de l'Espagne islamique, Ibn Bâjja, Ibn Tofayl, Averroës, prirent part à la lutte antiptolé-méenne, laquelle finit par produire le système d'al-Bitrôgî (*Alpetragius* des Latins); celui-ci aura jusqu'au XVIe siècle ses défenseurs contre le système de Ptolémée. C'est par le grand philosophe juif Moïse Maïmonide (ob. 1204) que l'on connaît la substance d'un traité d'astronomie composé par Ibn Bâjja. Pour des raisons pertinentes, une fois admises, bien entendu, les lois du mouvement définies par la physique péripatéticienne, Ibn Bâjja y prend position contre les épicycles et propose ses propres hypothèses. Elles auront de l'influence sur Ibn Tofayl, dans la mesure où celui-ci, au témoignage d'Averroës et d'al-Bitrogî lui-même, s'intéressa aussi à l'astronomie.

En fait, on l'a souligné ci-dessus (IV, 8), il s'agissait là d'une *Imago mundi* résultant moins d'exigences expérimentales que de la perception *a priori* de l'univers. Aussi cette perception fait-elle corps avec l'ensemble des conceptions du philosophe, et aide à le situer dans le « plérôme » des philosophes de l'Islam. Cette situation, il l'éclairait lui-même en prenant position à l'égard de Ghazâlî (cf. *supra* V, 7). Celui-ci en effet lui semble avoir simplifié le problème en affirmant que dans la solitude, la contemplation du monde spirituel dispensée par l'illumination divine, lui procurait une douce délectation. C'est qu'en fait encore, le mysticisme essentiellement religieux de Ghazâlî est étranger à Ibn Bâjja; la contemplation du philosophe tend à quelque chose de plus détaché. Il est exact de dire que, par son influence sur Averroës, Ibn Bâjja imprima à la philosophie en Espagne une direction parfaitement étrangère à l'esprit de Ghazâlî. Seul, l'effort de la connaissance spéculative peut conduire l'homme à la connaissance de soi et de l'Intelligence agente ou active. Il n'en reste pas moins que les termes qui ont la prédilection d'Ibn

Bâjja, ceux de *solitaire*, d'*étranger*, ne sont autres que des mots typiques de la gnose mystique en Islam. Ainsi l'on peut plutôt dire qu'il s'agit d'un même type d'homme spirituel, réalisé dans des individualités chez lesquelles la perception du but commun diffère, comme diffère par conséquent l'option concernant les voies permettant de l'atteindre. L'une de ces voies est, en Espagne, celle d'Ibn Masarra; elle sera suivie par Ibn 'Arabî. Une autre est celle d'Ibn Bâjja; elle sera reprise par Averroës.

3. S. Munk a donné jadis une longue analyse de l'œuvre majeure d'Ibn Bâjja, dont l'original, resté inachevé, n'a été retrouvé que récemment par Asin Palacios. Heureusement, le philosophe juif Moïse de Narbonne (XIVe s.) l'avait lui-même analysée et longuement citée dans son commentaire en hébreu sur le *Hayy ibn Yaqzân* d'Ibn Tofayl. Des seize chapitres subsistants de l'œuvre, d'une densité vraiment peu commune, on ne peut extraire ici (non sans difficulté) que quelques thèses essentielles. L'idée directrice en peut être décrite comme un *itinerarium* menant l'homme-esprit à se conjoindre avec l'Intelligence agente.

Tout d'abord l'auteur s'explique sur les deux mots du titre : le *Régime du solitaire.* Qui dit régime (*tadbîr*) dit « plusieurs actions disposées selon un certain plan et pour un certain but. » Or « le concours réglé d'actions, demandant la réflexion, ne peut se trouver que chez l'homme *seul.* Le régime du solitaire doit être l'image du régime politique de l'Etat parfait, de l'Etat modèle ». Ici se fait sentir, avec l'influence de Fârâbî, l'affinité avec Abû'l-Barakât Baghdâdî. Notons bien que cet Etat idéal n'est posé ni *a priori* ni comme résultant d'un coup d'Etat politique. Il ne peut résulter que d'une réforme préalable des mœurs, et cette réforme est beaucoup plus qu'une réforme « sociale »; elle commence vraiment par le commencement, et tend à réaliser tout d'abord dans chaque individu la plénitude de l'existence humaine, celle du solitaire, car, pour reprendre un jeu de mots un peu facile, ce sont les solitaires au sens d'Ibn Bâjja qui, seuls, font des solidaires.

Ces solitaires, ce sont des hommes qui ayant atteint à l'union avec l'Intelligence active, peuvent alors former un Etat parfait où il n'y ait besoin ni de médecins, parce que les citoyens ne se nourriront que de la manière la plus convenable, ni de juges, puisque chaque individu aura atteint la plus grande perfection dont un être humain soit capable. Pour le moment, dans tous les Etats imparfaits où ils vivent, les *solitaires*, sans autre médecin que Dieu, ont pour tâche de devenir les éléments de la Cité parfaite, ces *plantes* que doit précisément cultiver et développer le *régime* préconisé par le philosophe Ibn Bâjja, comme devant conduire à la béatitude du *solitaire.* Ce mot, donc, s'applique aussi bien à l'individu isolé qu'à plusieurs à la fois, car tant que la communauté n'aura pas adopté les mœurs de ces solitaires, ils resteront des hommes qu'Ibn Bâjja, en se référant à Fârâbî et aux soufis, désigne comme des *étrangers* dans leur famille et dans leur société, étant les citoyens des républiques idéales que leur audace spirituelle anticipe. L'étranger (*gharîb*), l'allogène ! Le mot vient de l'ancienne Gnose, traverse les propos des Imâms du shî'isme, domine le *Récit de l'exil occidental* de Sohravardî, et nous atteste, chez Ibn Bâjja, que la philosophie en Islam se sépare difficilement de la gnose.

4. Pour expliquer sur quoi est fondé le régime de ces solitaires, il faut tout d'abord classer les actions humaines en fonction des *formes* auxquelles elles visent, et corollairement déterminer les *fins* de ces actions en fonction des formes auxquelles respectivement elles visent. D'où Ibn Bâjja développe, avec une vigueur spéculative extraordinaire, une théorie des *formes spiri-*

tuelles que l'on ne peut évoquer ici qu'allusivement. En résumant à l'extrême, on dira qu'elle distingue entre les formes intelligibles qui ont à être abstraites d'une matière, et les formes intelligibles qui, étant essentiellement en elles-mêmes séparées de la matière, sont perçues sans avoir à être abstraites d'une matière. Le régime du solitaire le conduira à percevoir les premières dans un état et dans des conditions qui, finalement, reproduisent l'état et les conditions des secondes.

Les formes qui ont à être abstraites de la matière, c'est ce que l'on appelle les intelligibles hyliques (*ma'qûlât hayûlânîya*). L'intellect possible (ou hylique) de l'homme ne les possède qu'en puissance; c'est l'Intelligence agente qui les fait passer à l'acte. Une fois qu'elles sont en acte, elles sont perçues dans leur universalité, c'est-à-dire dans le rapport universel qu'une essence entretient avec les individus matériels qui l'exemplifient. Mais le but ultime du solitaire est sans référence à la matière (*hylé*). Pour cette raison, il faudra que ce rapport universel disparaisse lui-même en fin de compte, et que le solitaire perçoive les formes en elles-mêmes, sans qu'elles aient immané à une matière, ni qu'elles aient eu à en être abstraites. Son intellect saisit en quelque sorte les idées des idées, les essences des essences, y compris la propre essence de l'homme, grâce à quoi l'homme se comprend soi-même comme être-intelligence. C'est que les formes devenues intelligibles en acte, sont alors elles-mêmes intellect en acte, et c'est ce que désigne ici le terme d'*intellect acquis* ou intellect émané de l'Intelligence agente. Ces formes sont, comme celle-ci, sans relation avec la matière (la *hylé*), car c'est l'intellect en acte qui est lui-même le *substrat* de l'intellect acquis.

En d'autres termes, lorsque les intelligibles en puissance ont été abstraits de la matière et qu'ils deviennent désormais objets de la pensée, à ce moment leur être est celui de formes qui ne sont plus dans une matière;

intelligibles en acte, ils sont cet intellect acquis qui est la *forme* de l'intellect en acte. On comprend alors comment, devenues intelligibles en acte, les formes des êtres sont le terme suprême de ces êtres et, comme telles, sont elles-mêmes des êtres. Et l'on admettra avec Fârâbî que les choses pensées, du fait qu'elles sont devenues intelligibles en acte, c'est-à-dire intellect en acte, pensent également à leur tour, en tant qu'intellect en acte.

Le but du solitaire se dessine nettement. Il est d'arriver à produire cette opération qui ne consiste plus à abstraire les formes d'un substrat, c'est-à-dire de sa matière (*hylé*). « Lorsque l'intellect est en acte par rapport à toutes les choses intelligibles en acte, il ne pense d'autre être que lui-même, mais il se pense lui-même sans abstraction » (c'est-dire sans avoir à abstraire une forme d'une matière. Toute cette théorie serait à comparer avec celle de la « connaissance présentielle » chez les *Ishrâqîyûn, supra* VII).

5. Un dernier pas reste à faire. « Il y a des êtres qui sont de pures formes sans matière, des formes qui n'ont jamais été dans une matière. » D'où ces êtres, quand on les pense, n'ont pas à devenir, mais sont déjà des choses intelligibles pures, tels qu'ils l'étaient avant d'être pensés par cet intellect, sans avoir à être abstraits d'une matière. L'intellect, étant en acte, les trouve eux-mêmes séparés de toute matière et en acte; il les pense tels qu'ils existent en eux-mêmes, c'est-à-dire comme des choses intelligibles et immatérielles; leur existence ne subit aucun changement. Il faut alors dire ceci : de même que l'intellect acquis est la forme de l'intellect en acte, de même ces formes intelligibles deviennent des formes pour l'intellect acquis, lequel est alors lui-même comme le substrat (la « matière ») de ces formes, tout en étant lui-même aussi une forme pour l'intellect en acte qui est comme son substrat.

Maintenant, chacune des formes qui se trouvent

aujourd'hui *in concreto* immanentes à leur matière, existent dans et pour l'Intelligence agente comme une unique Forme séparée, immatérielle, sans, bien entendu, qu'elles aient dû être abstraites par elle de leur matière respective, mais tel qu'il en est pour l'intellect en acte. C'est pourquoi justement l'homme, en ce qui fait son essence, est ce qu'il y a de plus proche de l'Intelligence agente, car à son tour, on vient de le voir, l'intellect acquis est capable, par lui-même, du même mouvement que l'intellect en acte pour se penser soi-même. Alors éclôt « la véritable conception intelligible, c'est-à-dire la perception de l'être qui, par son essence même, est intellect en acte, sans avoir eu besoin, ni maintenant ni auparavant, de quelque chose qui le fît sortir de l'état de puissance ». On a là-même ce qui définit l'Intelligence agente séparée (*'Aql fa''âl*) comme active et toujours en acte de s'intelliger soi-même, et tel est le terme de tous les mouvements.

Ce bref résumé suffira peut-être à faire pressentir la profondeur de pensée d'Ibn Bâjja. Si l'on se réfère à ce qui a été dit ici de l'Intelligence agente comme Esprit-Saint, à propos de la philosophie prophétique, de l'avicennisme et de Sohravardî, on peut dire qu'Ibn Bâjja se signale, par sa rigueur admirable, entre tous les philosophes qui ont esquissé comme lui en Islam, quelque chose comme une phénoménologie de l'Esprit. L'œuvre est inachevée; elle s'arrête avec son chapitre XVI. Averroës, non sans raison, la trouvait obscure, et nous ne saurons jamais comment, de ce chapitre culminant, Ibn Bâjja eût conclu son *Régime du solitaire.*

4. *Ibn al-Sîd de Badajoz.*

1. Ce philosophe contemporain d'Ibn Bâjja a été redécouvert par Asin Palacios, après avoir longtemps passé, par la faute des biographes, pour un grammai-

rien et un philologue. Sa vie se situe dans la période critique de transition entre le règne des petites dynasties locales et l'invasion almoravide. Né en 444/1052 à Badajoz (en Estrémadure, d'où son surnom *al-Batalyûsî*, c'est-à-dire de Badajoz), il fut obligé par la situation de chercher un refuge à Valence, puis à Albarracin où il remplit les fonctions de secrétaire à la petite cour de l'émir 'Abd al-Malik ibn Razin (1058/1102), enfin à Tolède où il se fixa plusieurs années. Il dut également résider à Saragosse, puisqu'il y soutint avec Ibn Bâjja une polémique sur des questions de grammaire et de dialectique, qu'il récapitula dans son *Livre des Questions* (*Kitâb al-Masâ'il*). Mais, comme Ibn Bâjja, il dut s'enfuir en 1118, lors de la prise de la ville par les chrétiens. Il mourut en 521/1127, ayant consacré ses dernières années à la rédaction de ses œuvres et à la direction de ses disciples.

Des onze ouvrages mentionnés par Asin, on n'insiste ici que sur le dernier, le *Livre des cercles*, qui vaut à notre auteur de prendre rang parmi les philosophes. Longtemps le livre ne fut connu que chez les philosophes juifs, parce que déjà le célèbre Moïse ibn Tibbon (1240-1283) en avait donné une version en hébreu, initiative qui témoigne de l'estime dans laquelle il tenait l'œuvre d'Ibn al-Sîd. On peut dire de celle-ci qu'elle reflète admirablement l'état des connaissances et des problèmes philosophiques en Espagne musulmane, à l'époque même où Ibn Bâjja rédigeait ses propres œuvres, et plusieurs années avant qu'Ibn Tofayl et Averroës n'eussent projeté les leurs. Déjà dans son *Livre des Questions*, Ibn al-Sîd avait été amené à prendre une position typique de ce qui se passe lorsque, l'ésotérisme (celui de l'école d'Almeria, par exemple) étant laissé à l'écart, religion et philosophie tâchent de s'accommoder de leur tête-à-tête : pour notre philosophe, religion et philosophie ne diffèrent ni quant à leur objet ni quant à la fin de leurs doctrines respectives;

elles cherchent et enseignent la même vérité par des méthodes différentes et en s'adressant à des facultés différentes chez l'homme.

2. C'est de cette philosophie qu'Ibn al-Sîd donne un exposé dans le *Livre des cercles.* Une philosophie émanatiste, certes, mais qui, à la différence de celle des avicenniens, ne se contente pas de reproduire la hiérarchie des hypostases plotiniennes comme principes premiers; elle la systématise avec des arguments d'ordre mathématique, ce qui donne à tout le système, comme l'a relevé Asin, une certaine résonance néopythagoricienne. Les nombres sont les symboles du cosmos; le rythme de la durée des choses a son explication génétique dans la décade, essence de tout nombre; l'Un pénètre tous les êtres, en est la vraie essence et la fin ultime. Il n'est pas douteux qu'intervienne ici l'influence des *Ikhwân al-Safâ* (*supra* IV, 3), dont les écrits circulaient en Andalousie depuis déjà plus d'un siècle. Aussi bien Ibn al-Sîd semble-t-il professer pour les diagrammes la même inclination que les Ismaéliens.

Trois cercles symbolisent les trois étages de l'Emanation : 1) La décade des Intelligences ou Formes pures sans matière, dont la dixième est l'Intelligence agente. 2) La décade des Ames, à savoir neuf pour les Sphères célestes, plus l'Ame universelle, émanation directe de l'Intelligence agente. 3) La décade des êtres matériels (la forme, la matière corporelle, les quatre éléments, les trois règnes naturels, l'Homme). Dans chacun des cercles, le dixième rang est donc occupé respectivement par l'Intelligence agente, par l'Ame universelle, par l'Homme. Le premier chapitre du livre a pour titre : « Explication de la thèse des philosophes énonçant que l'ordre dans lequel les êtres procèdent de la Cause première, ressemble à un cercle idéal (*dâ'ira wahmîya*), dont le point de retour à son principe est dans la forme de l'Homme. »

5. *Ibn Tofayl de Cadix.*

1. Ce philosophe a déjà été nommé ci-dessus (VIII, 3) à propos de la lutte des Péripatéticiens contre l'astronomie de Ptolémée; Averroës et al-Bitrôgî reconnaissaient sa compétence. Abû Bakr Mohammad ibn'Abd al-Malik Ibn Tofayl était né à Cadix (*Wâdî-Ash*) dans la province de Grenade et dans les premières années de notre XIIe siècle. Il fut, comme tous ses confrères, un savant encyclopédique, médecin, mathématicien et astronome, philosophe et poète. Il exerça les fonctions de secrétaire auprès du gouverneur de Grenade, puis passa au Maroc où il fut l'ami intime, le vizir et le médecin du second souverain de la dynastie des Almohades, Abû Ya'qûb Yûsof (1163-1184). Peu d'autres détails extérieurs sont connus sur sa vie. On signale cependant qu'il fit confier à son ami Averroës le soin d'entreprendre, sur le désir du souverain, une analyse des œuvres d'Aristote. Averroës a même laissé un récit circonstancié de la première entrevue avec le souverain. Ibn Tofayl mourut au Maroc en 580/1185.

Nos Scolastiques latins, pour qui le nom d'Abû Bakr était devenu *Abûbacer*, ne l'ont connu que par une critique d'Averroës (*De anima*, V) reprochant à Ibn Tofayl d'identifier l'intellect possible de l'homme avec l'imagination. Ibn Tofayl professait que l'imagination, convenablement exercée, a l'aptitude à recevoir les intelligibles, sans qu'il soit nécessaire de supposer encore un autre intellect. On déplore la disparition d'une œuvre qui eût permis non seulement de mieux comprendre les intentions de son « roman philosophique », mais aussi d'instituer des comparaisons fructueuses avec la théorie de l'imagination amplement développée chez les penseurs de l'Islam oriental.

2. Mais c'est surtout à ce « roman philosophique » intitulé *Hayy ibn Yaqzân*, resté inconnu des Scolasti-

ques latins, qu'Ibn Tofayl dut ensuite sa célébrité. L'ouvrage fut traduit en plusieurs langues (en hébreu d'abord, par Moïse de Narbonne, au XIVe siècle; en latin au XVIIe siècle par E. Pococke, sous le titre de *Philosophus autodidactus*; cf. *in fine* bibliographie). Comme on a pu le constater, toute la vie spéculative de nos philosophes est ordonnée à cet être spirituel qui est l'Intelligence agente, dixième Ange de la première hiérarchie spirituelle, Esprit-Saint de la philosophie prophétique. Mais la théorie est si profondément vécue par eux jusqu'aux limites, disons de leur transconscience (*sirr*) plutôt que de leur subconscience, qu'elle éclôt en une dramaturgie dont les personnages sont les propres symboles du philosophe dans l'*itinerarium* le conduisant à cette Intelligence. Ainsi en fut-il pour Avicenne (*supra* V, 4), ainsi en fut-il pour Sohravardî (*supra* VII, 4). Or, Ibn Tofayl est contemporain de Sohravardî, et leur dessein respectif offre un parallélisme frappant. D'une part, Sohravardî puise l'inspiration de ses récits symboliques dans une expérience qui le conduit à réaliser cette « philosophie orientale » jusqu'à laquelle, selon lui, Avicenne n'avait pu atteindre. D'autre part, Ibn Tofayl, dans le prologue de son roman philosophique, réfère à la « philosophie orientale » et aux récits avicenniens, parce qu'il sait que la première, dans l'état des textes d'Avicenne, est à chercher dans les seconds. Un même thème est commun à nos philosophes; chacun le développe en suivant la vocation de son génie propre.

Ce qu'Ibn Tofayl doit à Avicenne, ce sont essentiellement les noms des personnages, les *dramatis personæ.* Il y a tout d'abord le récit avicennien de *Hayy ibn Yaqzân* (*Vivens filius Vigilantis*). On ne signale que pour mémoire une hypothèse qui s'est rapidement effondrée. Egarés par un *lapsus* d'Ibn Khaldûn, quelques chercheurs suggérèrent qu'il y aurait eu un troisième roman du même titre, œuvre d'Avicenne également, et qui aurait servi de modèle à Ibn Tofayl. Non. La tradition iranienne, remontant à l'entourage même d'Avicenne, est sans équivoque sur ce point. Le récit avicennien, tel que nous le connaissons, est bien celui auquel réfère Ibn Tofayl. Seulement, chez Ibn Tofayl, Hayy ibn Yaqzân typifie non plus l'Intelligence agente, mais le *solitaire* selon le cœur d'Ibn Bâjja, dont l'idée est alors poussée jusqu'à l'extrême limite. Le récit d'Ibn Tofayl est une œuvre originale; il n'est nullement une simple amplification du récit avicennien.

Les noms de deux autres personnages proviennent du récit avicennien de *Salâmân et Absâl.* Sous ce même titre figure d'une part, un récit hermétiste traduit du grec : c'est la version amplifiée par le poète Jâmî (ob. 898/1492) en une vaste épopée mystique en persan. Et d'autre part, figure le récit avicennien que nous ne connaissons plus que par les citations et le résumé qu'en a donné Nasîroddîn Tûsî (ob. 672/1274). Nous savons aussi que, selon les propres termes d'Avicenne, « Salâmân ne fait que te typifier toi-même, tandis qu'Absâl typifie le degré que tu as atteint en gnose mystique ». Ou, selon l'interprétation de Nasîr Tûsî, ce sont les deux faces de l'âme : Salâmân est l'intellect pratique, Absâl est l'intellect contemplatif. On verra que c'est précisément ce sens qu'Ibn Tofayl, de son côté, avait déjà retenu.

3. La scénographie de son roman philosophique, disons plus exactement de son « récit d'initiation », est constituée principalement par deux îles. Sur l'une de ces îles, l'auteur fait vivre une société humaine avec ses lois et ses conventions; sur l'autre, un *solitaire*, un homme qui a atteint la pleine maturité spirituelle sans le secours d'aucun maître humain et en dehors de tout milieu social. Les hommes composant la société de la première île, vivent sous la contrainte d'une Loi qui leur reste tout extérieure, une religion dont le mode d'expression se maintient au niveau du monde sensible.

Deux hommes cependant se distinguent parmi eux; ils se nomment Salâmân et Absâl (en accord avec la majorité des manuscrits et d'après la référence même d'Ibn Tofayl, il importe de préférer la forme authentique *Absâl* à la forme mutilée *Asâl*). Ces deux hommes donc s'élèvent à un niveau de conscience supérieure. Salâmân, esprit pratique et « social », s'adapte à la religion populaire et s'arrange pour gouverner le peuple. Mais Absâl, nature contemplative et mystique, ne peut s'adapter (on trouve ici la réminiscence du récit avicennien transposé). Exilé en son propre pays, Absâl décide d'émigrer dans l'île d'en face qu'il croit complètement inhabitée, afin de s'y vouer à la vie spéculative et aux exercices spirituels.

En fait, cette île inhabitée est « peuplée » par un solitaire, Hayy ibn Yaqzân. Il y est apparu de façon mystérieuse : par génération spontanée d'une matière rendue spirituellement active par l'Intelligence agente, ou parce que, tout petit enfant abandonné sur les eaux, il aborda miraculeusement en cette île. Toujours est-il que le petit enfant trouve son premier secours en une gazelle qui, vivant exemple de la sympathie unissant tous les êtres vivants, le nourrit et l'élève. Commence alors une mystérieuse pédagogie, sans maître humain visible, rythmée en semaines d'années, et qui de septenaire en septenaire conduit Hayy ibn Yaqzân jusqu'à la maturité du parfait philosophe (on résume ici à l'extrême). Ibn Tofayl décrit comment le solitaire acquiert les premières notions de la physique; apprend à distinguer la matière de la forme; à partir de la notion de corps, s'élève jusqu'au seuil du monde spirituel; s'interroge, en contemplant les Sphères, sur l'éternité du monde; découvre la nécessité du Démiurge; en réfléchissant sur la nature et les états de son propre intellect, prend conscience de la véritable et inépuisable essence de l'homme, et de ce qui est pour lui la source de la souffrance ou de la félicité; s'efforce, pour ressembler à Dieu, de ne laisser subsister que la pensée seule; puis, de conséquence en conséquence, est conduit jusqu'à l'état indicible où il perçoit l'universelle Théophanie. Le solitaire perçoit l'apparition divine resplendissant dans les Intelligences des plus hautes Sphères, s'affaiblissant graduellement jusqu'au monde sublunaire; enfin, descendant jusqu'au fond de soi-même, il perçoit qu'il existe une multitude d'essences individuelles semblables à la sienne, les unes entourées de lumière et de pureté, les autres dans les Ténèbres et les tourments.

4. C'est au sortir de cette vision d'extase, alors que sept septenaires, sept fois sept années ont passé, le solitaire étant entré dans sa cinquantième année, que Absâl le rejoint dans son île. La première approche est difficile. Il y a des méfiances réciproques. Mais Absâl réussit à apprendre la langue de Hayy, et voici l'étonnante découverte qu'ils font ensemble : Absâl s'aperçoit que tout ce qui, dans l'île des hommes, lui fut enseigné en fait de religion, Hayy, le philosophe solitaire, sous la seule conduite de l'Intelligence agente, le connaît déjà, mais le connaît sous une forme plus pure. Absâl découvre ce que c'est qu'un symbole, et que toute la religion est le symbole d'une vérité et d'une réalité spirituelle inaccessible aux hommes, sinon sous ce voile, parce que la vision intérieure des hommes est paralysée, autant par leur attention tournée exclusivement vers le monde sensible, que par les habitudes sociales.

Mais en apprenant que sur l'île en face, il y a des hommes qui vivent dans l'aveuglement spirituel, Hayy éprouve le noble désir d'aller leur faire connaître la vérité. Absâl accepte de l'accompagner, mais avec regret. Les deux solitaires, grâce à un navire qui par hasard aborde le rivage de leur île, se rendent donc dans l'île autrefois habitée par Absâl. Ils y sont tout d'abord reçus avec de grands honneurs, mais au fur et à mesure que progresse leur prédication philosophique, ils s'aperçoivent que l'amitié fait place à la froideur, puis à une hostilité croissante à leur égard, tant les hommes sont incapables de comprendre. En revanche, les deux amis comprennent, eux, que la société humaine est incurable; ils retournent dans leur île. Ils savent maintenant par expérience que la perfection, par conséquent le bonheur, n'est accessible qu'à un petit nombre : ceux qui ont la force d'être des renonciateurs.

5. De nombreuses opinions ont été exprimées quant à la signification du récit et l'intention profonde d'Ibn Tofayl. Il n'y a pas à les recenser ici, car le propre des symboles est de receler des sens inépuisables; à chaque lecteur d'extraire sa vérité. Il est faux d'y chercher un roman à la Robinson Crusoé. Tout épisode extérieur doit être compris ici sur le plan spirituel. Il s'agit de l'autobiographie spirituelle du philosophe, et l'intention d'Ibn Tofayl concorde avec celle d'Avicenne comme avec celle de tous ses confrères. La pédagogie qui conduit à la pleine conscience des choses, n'est pas l'œuvre d'un maître humain extérieur. Elle est l'illumination de l'Intelligence agente, mais celle-ci n'illumine le philosophe qu'à la condition qu'il se dépouille de toutes les ambitions profanes et mondaines, et vive, au milieu même du monde, la vie du solitaire selon le cœur d'Ibn Bâjja. Solitaire, car le sens dernier du récit d'Ibn Tofayl semble être celui-ci : le philosophe peut comprendre l'homme religieux, mais la réciproque n'est pas vraie; l'homme religieux tout court ne peut pas comprendre le philosophe.

De ce point de vue, Averroës classera les hommes en trois catégories d'esprits (les hommes de la démonstration apodictique, les hommes de la dialectique probable, les hommes de l'exhortation). Le retour de Hayy ibn Yaqzân et d'Absâl en leur île signifie-t-il que le conflit entre philosophie et religion, en Islam, est désespéré et sans issue ? Peut-être est-ce ce que l'on a l'habitude d'envisager avec l'averroïsme, lorsque l'on en parle comme du « dernier mot » de la philosophie en Islam. Mais il n'y a là qu'une petite partie du champ de la philosophie islamique. Pour en embrasser l'ensemble et comprendre ce qui en sera l'avenir, il faut se reporter à ce qui a été esquissé ici au début (chap. II) : le shî'isme et la philosophie prophétique.

6. *Averroës et l'averroïsme.*

1. En prononçant le nom d'Averroës, on évoque une puissante personnalité, certes, et un philosophe authentique dont tout le monde en Occident a, peu ou prou, entendu parler. Le malheur est justement que l'optique occidentale ait ici manqué de perspective. Comme nous l'avons déjà déploré, on a répété et recopié qu'Averroës était le plus grand nom, le plus éminent représentant de ce que l'on appelait la « philosophie arabe », et qu'avec lui, celle-ci avait atteint son apogée et sa fin. On perdait ainsi de vue ce qui se passait en Orient, où précisément l'œuvre d'Averroës passa autant dire inaperçue. Ni Nasîr Tûsî, ni Mîr Dâmâd, ni Mollâ Sadrâ, ni Hâdî Sabzavârî, n'ont soupçonné le rôle et la signification que nos manuels attribuent à la polémique Averroës-Ghazâlî. En les leur expliquant on aurait provoqué leur étonnement, comme on provoque aujourd'hui celui de leurs successeurs.

Abû'l-Walîd Mohammad ibn Ahmad ibn Mohammad *ibn Roshd* (Aven Roshd, devenu *Averroës* pour les Latins) est né à Cordoue en 520/1126. Son aïeul et son père avaient été des juristes célèbres, investis de la dignité de juge suprême (*qâdî al-qodât*) et personnages politiques influents. Le jeune Averroës reçut, bien entendu, une formation complète : théologie et droit (*fiqh*), poésie, médecine, mathématiques, astronomie et philosophie. En 548/1153 il est au Maroc, puis en 565/1169-1170 on le trouve *qâdi* de Séville. Il achève cette année-là son *Commentaire sur le Traité des animaux* et son *Commentaire moyen sur la Physique*; ce fut dans sa vie une période de productivité intense. En 570/1174, il achève ses *Commentaires moyens sur la Rhétorique et sur la Métaphysique*, et tombe gravement malade. Guéri, il reprend les voyages auxquels l'obligeaient ses fonctions. En 574/1178 il est au Maroc, d'où il date le traité traduit plus tard en latin sous le titre *De substantia orbis*, et en 578/1182 le souverain almohade, Abû Ya'qûb Yûsof (à qui il avait été présenté par Ibn Tofayl), le nomme son médecin, puis lui confère la dignité de Qâdî de Cordoue. Averroës jouit de la même faveur auprès du successeur du souverain, Abû Yûsof Ya'qûb al-Mansûr.

Mais déjà à cette époque, bien qu'il observe extérieusement toutes les prescriptions de la *sharî'at*, ses opinions philosophiques lui attirent les soupçons des docteurs de la Loi. Il semble qu'en avançant en âge, Averroës se soit retiré des affaires publiques pour se vouer entièrement à ses travaux philosophiques. Cependant ses ennemis réussirent à le perdre dans l'esprit d'al-Mansûr qui, lors de son passage à Cordoue en 1195, l'avait encore comblé d'honneurs. Il fut mis en résidence surveillée à Lucena (Elisâna), près de Cordoue, où il eut à subir les affronts, les satires, les attaques des « orthodoxes », théologiens et populace. S'il est vrai qu'al-Mansûr le rappela au Maroc, ce ne fut pas pour lui rendre sa faveur, car c'est autant dire dans un état de réclusion que le philosophe mourut, sans avoir revu l'Andalousie, le 9 Safar 595/10 décembre 1198, à l'âge de 72 ans. Ses restes mortels furent transférés à Cordoue. Ibn 'Arabî, qui tout jeune avait connu Averroës, assista aux funérailles et en a laissé une relation pathétique.

2. L'œuvre d'Averroës est considérable; on ne peut

entrer ici dans le détail. Il a écrit des commentaires sur la plupart des ouvrages d'Aristote, le but de sa vie de philosophe ayant été de restaurer la pensée d'Aristote dans ce qu'il estimait en être l'authenticité. Pour certains traités il y a même trois séries de commentaires : grand commentaire, commentaire moyen, paraphrase. D'où le mot de Dante : *Averrois che'l gran commento feo.* Parfois l'exposé est plus libre, et Averroës parle en son propre nom, comme dans son *Epitome de la métaphysique.* Outre ses commentaires, il a écrit un certain nombre d'autres œuvres d'importance majeure.

Avant tout l'on nommera le *Tahâfot al-Tahâfot*, monumentale réplique aux critiques par lesquelles Ghazâlî pensait ruiner la philosophie, et dont on a dit ci-dessus (V, 7) pourquoi on préférait en traduire le titre par « Autodestruction de l'autodestruction » (la traduction latine de Kalo Kalonymos donne *Destructio Destructionis*). L'ouvrage est maintenant parfaitement accessible même aux philosophes non orientalistes, grâce à la traduction de M. Simon van den Berg (cf. bibliographie), enrichie de notes dévoilant le détail des références, implications et allusions. Averroës y suit pas à pas le texte de Ghazâlî et le réfute au fur et à mesure, prenant parfois un malin plaisir, en référant à ses autres livres, à le mettre en flagrante contradiction avec lui-même. Il faut beaucoup d'optimisme pour recueillir de ce livre l'impression que, telles étant les positions assumées respectivement par les philosophes et les théologiens devant les mêmes problèmes, ils sont plutôt séparés par des formules que par l'essence des choses. On ne peut en outre signaler ici que les dissertations de physique réunies (dans les éditions latines) sous le titre de *Sermo de substantia orbis* (cf. déjà ci-dessus); deux traités sur le problème central pour nos philosophes, de la conjonction de l'Intelligence agente séparée (c'est-à-dire immatérielle) avec l'intellect humain; trois traités concernant l'accord de la religion avec la philosophie.

On relèvera, avec S. Munk, que si un bon nombre des œuvres d'Averroës sont venues jusqu'à nous, on en est redevable aux philosophes juifs. Les copies arabes en furent toujours très rares, car l'acharnement avec lequel les Almohades traquèrent la philosophie et les philosophes, en empêcha la multiplication et la diffusion. En revanche, les savants rabbins de l'Espagne chrétienne et de la Provence les recueillirent, en firent des versions en hébreu, voire des copies de l'original arabe en caractères hébreux. Quant à l'averroïsme latin, les origines en remontent aux traductions latines des commentaires d'Averroës sur Aristote établies par Michel Scot, probablement pendant son séjour à Palerme (1228-1235), en qualité d'astrologue de la cour de l'empereur Frédéric II Hohenstaufen.

3. Ces indications sommairement rappelées, disons qu'il est d'autant plus redoutable d'avoir à traiter d'Averroës en quelques lignes que, semble-t-il, le souci dominant de chaque historien a été très souvent de montrer qu'Averroës appartenait à son propre camp, dans le grand débat mettant en cause les rapports de la philosophie et de la religion. Renan fit de lui un libre penseur avant la lettre; par réaction, des travaux plus ou moins récents tendent à le montrer comme un apologiste du Qorân, voire comme un théologien, le plus souvent sans prendre le soin de s'expliquer sur la portée précise de ce dernier mot. Or, on ne redira jamais trop que certains problèmes qui ont absorbé la chrétienté (après avoir été posés par les traductions de l'arabe en latin), n'ont pas forcément la même forme ni leur équivalent exact en Islam. On doit avant tout préciser quel terme arabe l'on traduit, dans le cas présent, par théologien, sans jamais oublier que la situation du philosophe-théologien en Islam connaît à la fois des

facilités et des difficultés différentes de celles que rencontre son « homologue » dans le christianisme.

En fait, le propos d'Averroës est déterminé par un rigoureux discernement des esprits. Il suffit de se reporter au début de la présente étude, pour constater qu'Averroës n'est pas le premier en Islam à affirmer que le texte du Livre divin révélé par le Prophète comporte une lettre exotérique (*zâhir*) et un ou plusieurs sens ésotériques (*bâtin*). Comme tous les ésotéristes, Averroës a la ferme certitude que l'on provoquerait les pires catastrophes psychologiques et sociales, en dévoilant intempestivement aux ignorants et aux faibles le sens ésotérique des prescriptions et des enseignements de la religion. Nonobstant cette réserve, il sait qu'il s'agit toujours d'une même vérité se présentant à des plans d'interprétation et de compréhension différentes. Il était donc abusif d'attribuer à Averroës lui-même l'idée qu'il pût y avoir là deux vérités contradictoires; la fameuse doctrine de la « double vérité » fut en fait l'œuvre de l'averroïsme politique latin.

Pour confondre cette doctrine avec l'ésotérisme d'Averroës, il faudrait tout ignorer des caractères de cette opération mentale qui s'appelle le *ta'wîl*, c'est-à-dire cette exégèse spirituelle que nous avons située ici au début comme l'une des sources de la méditation philosophique en Islam (I, 1). Vérité ésotérique et vérité exotérique ne sont nullement deux vérités contradictoires. Plus précisément dit, on ne peut étudier et apprécier le *ta'wîl* pratiqué par Averroës, sans connaître comment il fut mis en œuvre ailleurs, chez un Avicenne, chez un Sohravardî, dans le soufisme et dans le shî'isme, par excellence dans l'Ismaélisme. Il y a quelque chose de commun de part et d'autre, certes, mais aussi des différences fondamentales dans la mise en œuvre du *ta'wîl*, celles-là même qui font que la situation du philosophe Averroës et de l'averroïsme en

Occident, n'est pas celle de l'ésotérisme en Islam oriental.

4. La comparaison technique et détaillée reste à faire. Sur un point essentiel, elle dégagerait non seulement les motifs mais les conséquences de la cosmologie d'Averroës, en tant que cette cosmologie aboutit à détruire la seconde hiérarchie de l'angélologie avicennienne, celle des *Angeli* ou *Animæ cælestes.* En effet, ce monde des *Animæ cælestes,* le *Malakût,* c'était, comme y insiste toute la tradition de l'*Ishrâq,* le monde des Images autonomes perçues en propre par l'Imagination active. C'est le monde par lequel sont authentifiées les visions des prophètes et des mystiques, aussi bien que le sens de la Résurrection et la pluralité des sens de la Révélation symbolisant les uns avec les autres. Avec la disparition de ce monde intermédiaire, qu'en adviendra-t-il de la nouvelle naissance de l'âme dont l'événement est lié, nommément dans la gnose ismaélienne, à la progression de l'âme dans la nuit des symboles ? Peut-être le *ta'wîl* dégénérera-t-il en une pure technique ? En tout cas, il ne convient pas de s'interroger sur le « rationalisme » d'Averroës, en présupposant chez lui les données qui furent propres aux conflits internes de la pensée chrétienne. Il importe de rapporter la question au seul contexte qui lui donne son sens vrai.

Parce que son propos est de restaurer une cosmologie qui soit dans le pur esprit d'Aristote, Averroës reproche à Avicenne son schéma triadique qui interpose l'*Anima cælestis* entre la pure Intelligence séparée et l'orbe céleste (cf. *supra* V, 4). Le moteur de chaque orbe est une vertu, une énergie finie, acquérant une puissance infinie par le désir qui le meut vers un être qui n'est ni un corps, ni une puissance subsistant dans un corps, mais une Intelligence séparée (immatérielle), laquelle meut ce désir comme en étant la cause finale. C'est par homonymie, pure métaphore, selon Averroës, que l'on peut donner le nom d'*âme* à cette énergie motrice, à ce désir qui est un acte d'intellection pure. Ce qui motive cette critique, c'est une prise de position fondamentale contre l'émanatisme avicennien, contre l'idée d'une procession successive des Intelligences à partir de l'Un. Car il y a encore quelque chose qui apparente l'idée d'émanation à l'idée de création. Or, cette idée de création est inintelligible pour un péripatéticien de stricte observance; pour lui il n'y a pas de cause créatrice.

5. S'il existe une hiérarchie dans la cosmologie, c'est parce que le moteur de chaque orbe désire non seulement l'Intelligence particulière à son Ciel, mais désire également l'Intelligence suprême. Celle-ci peut alors en être dite la cause, non point comme cause émanatrice, mais au sens où « ce qui est compris » (intelligé) est cause de « ce qui le comprend » c'est-à-dire comme cause finale. De même que toute substance intelligente et intelligible peut en ce sens être cause de plusieurs êtres, puisque chacun de ces êtres le comprend à sa manière, de même le *Primun movens* le peut-il être, puisque de Ciel en Ciel le moteur de chaque orbe le comprend différemment, c'est-à-dire à sa manière propre. Ainsi donc il n'y a ni création ni procession successive; il y a simultanéité dans un commencement éternel.

Le principe rigoureux *Ex Uno non fit nisi Unum*, qui régit le schéma néoplatonicien d'Avicenne, est désormais dépassé, superflu et aboli (il avait été ébranlé d'autre part par la métaphysique de la lumière de Sohravardî, mise à profit dans le même sens par Nasîr Tûsî). Corollairement Averroës rejette l'idée avicennienne de l'Intelligence agente comme *Dator formarum*. C'est que les formes ne sont pas des réalités idéales extrinsèques à leur matière. Ce n'est pas l'agent qui les y insère; la matière a en elle-même en puissance ses innombrables formes; celles-ci lui sont inhérentes (cette position est cette fois à l'antipode de celle de Sohravardî).

6. Maintenant une fois abolie la notion d'*Anima cælestis*, qu'en sera-t-il du principe qui était au fondement de l'anthropologie avicennienne : l'homologie entre *Anima cælestis* et *anima humana* ? l'homologie entre le rapport de l'âme humaine avec l'Intelligence angélique active et le rapport de chaque *Anima cælestis* avec l'Intelligence vers laquelle la meut son désir ? Comment serait encore possible le voyage mystique vers l'Orient en compagnie de Hayy ibn Yaqzân ? Il faut ici encore remonter jusqu'aux options décisives. Averroës maintient, en accord avec Alexandre d'Aphrodise, l'idée d'une Intelligence séparée, mais refuse, contrairement à lui, l'idée que l'intelligence humaine en puissance soit une simple disposition liée à la complexion organique. C'est pourquoi averroïsme et alexandrisme vont départager les esprits en Occident, comme si le premier représentait une idée religieuse, et le second l'incrédulité. Pour la première des deux thèses, Averroës sera accablé d'injures (lui, le péripatécien !) par les antiplatoniciens de la Renaissance (Georges Valla, Pomponazzi). Mais, après tout, ceux-ci ne prolongeaient-ils pas le refus opposé par Duns Scot, rejetant l'idée que l'Intelligence agente soit une substance séparée, divine et immortelle, qui se peut conjoindre à nous par l'Imagination, et d'une manière générale le refus déjà opposé à l'avicennisme latin et à son idée de l'Intelligence agente ?

D'autre part, cette intelligence humaine en puissance, dont l'indépendance à l'égard de la complexion organique est affirmée contre Alexandre d'Aphrodise, n'est pas pour autant celle de l'individu personnel. A celui-ci, en tant que tel, ne reste qu'une disposition à recevoir les intelligibles, et cette disposition disparaîtra avec l'existence du corps. Tandis que Mollâ Sadrâ Shîrâzî, par exemple, avicennien *ishrâqî*, démontre encore avec force que le principe d'individuation est dans la forme, Averroës accepte que la matière soit le principe d'individuation. Dès lors, l'individuel s'identifie au corruptible, l'immortalité ne peut être que générique. Tout ce que l'on peut dire, c'est qu'il y a de l'éternité dans l'individu, mais ce qu'il y a d'« éternisable » en lui appartient totalement à la seule Intelligence agente, non pas à l'individu.

On sait combien fut médité par chaque gnostique et mystique de l'Islam le verset qorânique 7 :139, dans lequel Moïse demande à Dieu de se montrer à lui et reçoit cette réponse : « Tu ne me verras pas; regarde plutôt cette montagne; si elle reste immobile à sa place, tu me verras. Mais lorsque Dieu se manifesta sur la montagne, il la réduisit en poussière, et Moïse tomba évanoui. » Rien de plus significatif que le *ta'wîl* averroïste de ce verset, tel que le dégage Moïse de Narbonne (en commentant la version hébraïque du traité sur la possibilité de l'union avec l'Intelligence agente). L'intellect hylique de l'homme n'a pas, *ab initio*, la possibilité de percevoir l'Intelligence agente. Il doit devenir intellect en acte, alors seulement « tu me verras ». Mais dans cette union, ce n'est finalement que l'Intelligence agente qui se perçoit elle-même en se particularisant momentanément dans une âme humaine, comme la lumière se particularise dans un corps. Cette union marque l'effacement de l'intellect passif (comme la montagne de Moïse); elle n'est pas le gage et la garante de la surexistence individuelle. Ce qui nous met très loin de l'avicennisme, où la garantie inaliénable de l'individualité spirituelle est précisément dans cette conscience de soi qu'elle réussit à atteindre par son union avec l'Intelligence agente.

Transition.

1. Tandis que l'avicennisme, en Occident pour une courte durée, en Iran jusqu'à nos jours, tendait à fructifier en vie mystique, l'averroïsme latin aboutissait à l'averroïsme politique de Jean de Jandun et de Marsile de Padoue XIVe siècle). De ce point de vue, les noms d'Avicenne et d'Averroës pourraient être pris comme les symboles des destinées spirituelles respectives qui attendaient l'Orient et l'Occident, sans que la divergence de celles-ci soit imputable au seul averroïsme.

On a vu comment Abû'l-Barakât Baghdâdî (*supra* V, 6) poussait à la limite la gnoséologie avicennienne, en reconnaissant pour chaque individu, ou tout au moins pour les individus composant une même famille spirituelle, une Intelligence agente distincte, qui est une entité spirituelle « séparée ». Les solutions données au problème de l'Intelligence agente, nous l'avons déjà relevé, sont hautement significatives. Lorsque saint Thomas d'Aquin, par exemple, accorde à chaque individu un intellect agent, mais sans que cet intellect soit une entité spirituelle « séparée », du même coup se trouve brisée la relation immédiate de l'individu avec le monde divin, telle qu'elle était fondée par la doctrine avicennienne de l'Intelligence agente, celle-ci identifiée avec l'Esprit-Saint ou l'Ange de la Révélation. Une fois brisée cette relation qui, sans intermédiaire terrestre, établissait l'autonomie de l'individualité spirituelle, l'autorité de l'Eglise se substitue à la norme personnelle de Hayy ibn Yaqzân. Au lieu que la norme religieuse, en tant qu'initiation essentiellement individuelle, signifiât liberté, c'est désormais contre elle, parce que socialisée, que se dresseront les insurrections de l'esprit et de l'âme. Il arrivera que cette norme, une fois socialisée, cesse d'être religieuse, vire du monothéisme au monisme, de l'idée d'Incarnation divine à celle d'Incarnation sociale. Alors ici surtout, il faut être attentif aux différences.

S'il convient d'insister sur le fait que la religion islamique est dépourvue des organes d'un Magistère dogmatique, c'est parce qu'elle ne peut léguer l'idée ni la chose à la société laïcisée qui prendrait sa suite, comme il arrive là où, pour une « orthodoxie » laïcisée, le « déviationisme » se substitue à l'« hérésie ». En chrétienté, ce fut la philosophie qui mena la lutte contre le Magistère, lequel avait peut-être bien préparé les armes qui se retournèrent contre lui. En revanche, ce n'est pas quelque chose comme un averrroïsme politique qui pouvait conduire les Spirituels de l'Islam à se libérer d'une orthodoxie opprimante, du littéralisme légalitaire de la *sharî'at*, mais cette voie du *ta'wîl* dont il faudrait analyser toutes les implications dans l'ésotérisme islamique en général, pour en situer les analogues en Occident.

2. En citant ce mot d'Averroës : « O hommes ! je ne dis pas que cette science que vous nommez science divine soit fausse, mais je dis que, moi, je suis sachant de science humaine », on a pu dire que c'était là tout Averroës et que « l'humanité nouvelle qui s'est épanouie à la Renaissance est sortie de là » (Quadri). Peut-être. Dans ce cas, il serait vrai pour autant de dire que quelque chose a fini avec Averroës, un quelque chose qui ne pouvait plus vivre en Islam, mais qui devait orienter la pensée européenne, à savoir cet averroïsme latin qui récapitule tout ce que l'on désigna jadis sous le nom d'« arabisme » (ce terme a pris de nos jours une tout autre signification). En revanche, si la carrière du péripatétisme averroïste était terminée en Islam occidental, la méditation philosophique avait encore longue carrière devant elle en Orient, nommément en Iran. Là même, si ce que l'effort spéculatif a poursuivi jusqu'à nos jours, la *hikmat ilâhîya (philosophia divina*), mérite mieux, nous l'avons rappelé,

quant à l'étymologie et au concept, le nom de théosophie, c'est parce qu'en fait on y a ignoré la laïcisation métaphysique entraînant la séparation de la théologie comme telle et de la philosophie comme telle. Cette séparation fut accomplie en Occident par la Scolastique elle-même. D'autre part, comme on a pu le constater tout au long de ces pages, la conception fondamentale qui prévaut chez nos philosophes, est moins une conception éthique ressortissant à une norme sociale, que l'idée d'une perfection spirituelle, une τελειωσις ; celle-ci, l'individu humain ne peut l'atteindre en suivant le sens *horizontal* de la chose politique et sociale, mais en suivant le sens *vertical* qui le relie à des hiérarchies transcendantes, suprêmes garanties de son destin personnel. C'est pourquoi le « régime du solitaire » inspiré à Ibn Bâjja par Fârâbî, reste fort loin de l'averroïsme politique latin.

3. En s'arrêtant à la mort d'Averroës, la première partie de cette étude n'est pas en synchronisme avec les divisions généralement adoptées pour l'histoire de la philosophie occidentale, où le XVe siècle est considéré comme un « tournant décisif ». Mais cette périodisation familière à l'Occident n'est pas transposable dans le calendrier de l'ère islamique. L'état des choses, tel que nous le laissons à la fin du VIe/XIIe siècle, est marqué d'une part en Islam occidental par la mort d'Averroës (595/1198), d'autre part en Orient par celle de Sohravardî (587/1191). Mais déjà, à ce moment, Ibn' Arabî est entré en scène, et l'influence de son œuvre colossale sera décisive. C'est pourquoi la dernière décennie de notre XIIe siècle nous montre la naissance d'une ligne de partage, de part et d'autre de laquelle se développeront, en Occident chrétien, l'alexandrisme et l'averroïsme politique; en Orient islamique, nommément en Iran, la théosophie de la Lumière, celle de Sohravardî, dont l'influence se conjuguant avec celle d'Ibn 'Arabî se perpétue jusqu'à nos jours. Ici, rien qui appelât quelque

chose comme le thomisme, que l'on juge celui-ci comme un triomphe ou comme un échec.

Dans la mesure où il peut être vrai de typifier l'opposition entre Ghazâlî et Averroës comme l'opposition entre la philosophie du cœur et la pure philosophie spéculative (tout en prenant garde que l'équivalent du mot arabe *'aql* n'est pas *ratio*, mais *intellectus, Noûs*), l'opposition en tout cas, ne pouvait être surmontée que par quelque chose qui ne renoncerait ni à la philosophie ni à l'expérience spirituelle du soufisme. Telle fut en son essence, nous l'avons vu, la doctrine de Sohravardî. Ne disons pas qu'il a voulu surmonter le conflit Ghazâlî-Avicenne, Ghazâlî-Averroës. C'est seulement aux yeux d'un Occidental que ce conflit peut apparaître aussi décisif que le conflit Kant-Aristote; Sohravardî, comme les penseurs iraniens, se situe au-delà de ce conflit. Et nous avons déjà relevé combien il est remarquable qu'en conjoignant les noms de Platon et de Zarathoustra, il ait devancé de trois siècles le dessein du grand philosophe byzantin Gémiste Pléthon.

4. On a fait allusion plus haut à la présence d'Ibn 'Arabî assistant au transfert des cendres d'Averroës à Cordoue. Le souvenir qu'il en garda est poignant. D'un côté de la monture on avait chargé le cercueil; de l'autre, les livres d'Averroës. « Un paquet de livres équilibrant un cadavre ! » Pour comprendre le sens de la vie spéculative et scientifique de l'Orient islamique traditionnel, il faut avoir présente à l'esprit cette image, à la façon d'un symbole inverse de sa quête et de son option : « une science divine » qui triomphe de la mort.

Il est déplorable que la philosophie islamique ait été si longtemps absente de nos histoires générales de la philosophie, ou du moins qu'elle y ait été considérée le plus souvent sous l'angle de ce qui fut connu de nos Scolastiques latins. Comme nous l'avons annoncé au début, il nous reste, pour achever la présente étude, à considérer deux périodes : l'une conduira, à travers la « métaphysique du soufisme », depuis Ibn 'Arabî jusqu'à la Renaissance safavide en Iran; l'autre, depuis celle-ci jusqu'à nos jours. Nous serons amenés à nous poser cette question : quel est, dans le monde islamique, l'avenir de la métaphysique traditionnelle ? Et partant, quel est son sens pour le monde tout court ?

Le type de philosophie prophétique esquissé ici au début, nous a fait pressentir le sens qu'il convient d'attacher au fait que ce soit en Islam shî'ite, non pas ailleurs, que se soit produit le grand essor de pensée qui s'est prolongé en Iran depuis la période safavide. L'interroger sur son avenir, c'est d'abord l'interroger à titre de témoin. C'est ce témoin que nos histoires de la philosophie n'ont guère appelé jusqu'ici à témoigner. Il aurait à nous apprendre, pourquoi ce qui se dessinait en Occident dès le XIIIe siècle, ne s'est pas produit chez lui, alors qu'il est lui aussi, comme nous nous glorifions de l'être, un fils de la Bible et de la sagesse grecque. Une science capable de la conquête illimitée du monde extérieur, mais exigeant pour rançon la crise effroyable de toute philosophie, la disparition de la personne et l'acceptation du néant, cette science pèsera-t-elle plus lourd, devant ce témoin, qu'un « paquet de livres équilibrant un cadavre » ?

Deuxième partie

DEPUIS LA MORT D'AVERROËS JUSQU'À NOS JOURS

APERÇU D'ENSEMBLE

Il peut sembler paradoxal de rassembler huit siècles de philosophie (du XIIIe au XXe siècle) en une période unique. Mais ce paradoxe fait simplement apparaître la difficulté qu'il y a à établir une périodisation de la philosophie islamique qui concorde avec celle qui nous est coutumière en histoire de la philosophie. Remarquons tout d'abord que, si nous nous exprimons selon le comput islamique, cet intervalle s'étend du VIIe siècle de l'hégire jusqu'à la fin du XIVe siècle, et que le sentiment de la temporalité historique et de ses périodes ne peut être tout à fait le même dans le cas où la vie intérieure du penseur est axée et située selon l'ère de l'hégire, et dans le cas où elle est axée et située selon l'ère chrétienne. Notre schéma Antiquité - Moyen Age - Temps modernes ne peut trouver de bases qui lui correspondent dans le temps de l'ère islamique. Nous pouvons, certes, établir des concordances de calendriers; elles sont tout extérieures, purement pragmatiques; elles ne concernent pas la contemporanéité réelle, existentielle. Le premier problème se montre donc comme celui d'une périodisation satisfaisante.

Averroës meurt en 595/1198. Longtemps on a considéré que ses funérailles avaient été également celles de la philosophie islamique. On avait raison, en ce sens qu'avec lui s'achevait cette phase de la philosophie islamique que l'on a désignée comme « péripatétisme arabe ». Mais on n'en avait pas moins complètement tort, parce que l'on perdait de vue qu'avec la mort d'Averroës commençait quelque chose de nouveau, quelque chose qui est symbolisé par les noms de Sohravardî (587/1191) et de Mohyîddîn Ibn 'Arabî (638/1240). C'est là même le fait nouveau, ce quelque chose qui, dans le développement de la pensée islamique, marque une articulation décisive, en ce sens que ce qui fait son apparition avec Ibn 'Arabî, et dont les sources remontent jusqu'à l'école d'Almeria (influences shî'ites et ismaéliennes), va dominer l'univers de la pensée islamique jusqu'à nos jours.

Par la théosophie « orientale » de Sohravardî comme par la théosophie mystique d'Ibn 'Arabî, prend fin le tête-à-tête où s'affrontaient en Islam sunnite théologiens du *Kalâm* et philosophes hellénisants. Le courant qui prend naissance avec Ibn 'Arabî diffère, quant à ses prémisses et ses implications, autant de la théologie du *Kalâm* que de la philosophie hellénisante; il diffère de l'une et de l'autre tout autant que celles-ci diffèrent l'une de l'autre. Il s'agit là même d'un type de pensée, de méditation et d'expérience philosophique, dont l'originalité est proprement islamique. En revanche ce courant recroise, par de multiples recoupements, celui de la pensée ismaélienne antérieure, comme il recroise celui de la philosophie *ishrâqî* (« orientale ») de Sohravardî et celui de la philosophie shî'ite imâmite. Le courant issu de Sohravardî (l'*Ishrâq*) est également, à l'égard des philosophes hellénisants logiciens, d'une originalité qui a donné naissance à cet adage courant : l'*Ishrâq* est à l'égard de la philosophie ce que le soufisme est à l'égard du *Kalâm*. Telles sont, à grands traits, les données sur lesquelles se fonde une périodisation interne de la philosophie islamique avant et après la mort d'Averroës.

Certes nous pouvons proposer, et nous l'avons fait précédemment, une périodisation qui rythmerait cette séquence de huit siècles, en marquant notamment un nouveau temps avec la Renaissance safavide et l'école d'Ispahan, à partir de notre XVIe siècle. Elle serait justifiée du fait que si, dès les origines, les Iraniens ont pris une part essentielle à l'essor de la méditation philosophique en Islam, on peut dire aussi qu'avec la mort d'Averroës la scène de la philosophie islamique se transfère définitivement de l'Islam occidental, de l'Andalousie, en Islam oriental, en Iran. Cependant ce serait là encore, sans doute, une périodisation extérieure, exotérique. Il n'y pas entre un Haydar Amolî (XIVe siècle) et un Mîr Dâmâd ou ses élèves (XVIe siècle et suivants) la différence qu'il peut y avoir entre un de nos scolastiques du XIVe siècle et un penseur de notre Renaissance. Il faudrait plutôt penser à une école de Chartres qui se perpétuerait et s'enrichirait jusqu'à nos jours. Mais cette comparaison n'est pas un moyen de « refaire » l'histoire.

L'espace dont nous disposons ici étant très limité, il serait à craindre qu'à trop morceler les périodes, nous ne morcelions la vision d'ensemble. Déjà il nous sera impossible de donner, pour chacun des philosophes que nous nommerons, une idée complète de son œuvre; pour beaucoup nous en serons réduit à une nomenclature, et il y aura, par la force des choses, un certain nombre d'absents. Ces lacunes ont aussi bien leurs causes dans l'état de nos recherches. Quelle tâche serait celle d'un historien de la philosophie allemande, si, de Kant à Heidegger, il devait travailler presque uniquement sur les œuvres manuscrites dispersées dans les bibliothèques, ou bien sur de rares éditions lithographiées, quand il ne devrait pas se faire lui-même l'éditeur des œuvres en question ? Telle est à peu près la situation de l'historien de la philosophie islamique, et c'est à l'équivalent d'une vaste bibliothèque qu'il a affaire.

Précisons encore que, non seulement pour la raison

susdite, mais par fidélité au concept même de « philosophie islamique », il ne s'agira ici que de philosophie traditionnelle. Tous les efforts que l'on peut grouper sous la qualification de « modernisme » inaugurent et constituent un chapitre à part. L'intérêt qu'ils présentent est souvent atténué, dans la mesure où ils résultent de l'impact de philosophies occidentales plus ou moins bien assimilées par leurs auteurs. En revanche, la philosophie traditionnelle islamique trouve un prolongement dans les efforts de ceux qui, en Occident, d'une manière ou d'une autre, s'inspirent du concept de tradition et des normes qu'il implique. Dans toute la mesure où une « tradition » ne se transmet à l'état vivant que par une perpétuelle « renaissance », il apparaît, dans l'état actuel des choses, que la renaissance, en Orient même, de la tradition « orientale » ne sera menée à bien que par les efforts conjugués de ceux qui, en Orient et en Occident, sont les « Orientaux » au sens vrai du mot, c'est-à-dire au sens métaphysique, tel que l'entendent les *Ishrâqîyûn.* Quant aux pseudo-ésotérismes qui foisonnent de nos jours en Occident, ils forment un pendant déplorable aux pseudo-occidentalisations de la pensée en Orient. Le mot « ésotérisme », entendu en son sens étymologique, désigne, dans les trois rameaux de la communauté abrahamique, un phénomène créant entre eux une communauté spirituelle, dont il incombe aux philosophes d'être les gardiens, les mainteneurs, fût-ce à rebours des forces « exotériques » qui édifient la façade de l'Histoire. A leur origine commune permane le « phénomène du Livre saint », impliquant le rang privilégié de la prophétologie, sous toutes les amplifications que peut lui donner la philosophie.

C'est précisément à partir de ce « phénomène du Livre saint », sur lequel nous avons axé précédemment le concept de « philosophie islamique », que nous voyons se déterminer les familles d'esprits entre lesquelles seront réparties les pages qui suivent. On a montré précédemment comment le clivage entre le sunnisme et le shî'isme était à concevoir essentiellement à partir du « phénomène du Livre saint », c'est-à-dire de la révélation qorânique, non pas simplement pour cette raison que, selon le shî'isme, le *Qorân* qui est aujourd'hui dans nos mains est un *Qorân* mutilé, mais parce que la vérité du Livre saint que nous possédons est à chercher au cœur de ses profondeurs cachées, en la pluralité de ses sens ésotériques. La clef de ses profondeurs, c'est la doctrine shî'ite de l'Imâm et de la *walâyat* (charisme initiatique des « Amis de Dieu ») comme ésotérique de la prophétie. De ce point de vue, l'œuvre philosophique est fondamentalement herméneutique.

A très grands traits, la répartition des familles d'esprits, telle qu'elle est proposée ici, prend origine au cœur de l'attitude fondamentale qui intéresse le philosophe. Il y a l'attitude des représentants de ce que l'on appelle le *Kalâm* (littéralement « discours »), c'est-à-dire de la scolastique islamique. Tels qu'ils apparaissent aux yeux d'un Mollâ Sadrâ Shîrâzî, par exemple, ce sont les penseurs chez qui sujet et objet de la connaissance s'affrontent en un face à face, que leur dialectique prolonge tout au long d'exposés discursifs d'où semble absent tout pressentiment d'une attitude autre que théorique. Ce sont les penseurs qui ont mis en œuvre, à l'appui du dogme islamique, les ressources dialectiques qu'ils devaient à la philosophie grecque; ils ont eu surtout à faire face à une tâche apologétique. Le *Kalâm* sunnite, ash'arite ou mo'tazilite, a excellé dans cette tâche. En face d'eux, ils trouvaient les philosophes hellénisants (*falâsifa*), plus ou moins en porte à faux. Il y a aussi, certes, un *Kalâm* shî'ite, mais dans la mesure même où la situation du philosophe diffère dans le sunnisme et dans le shî'isme, parce que les données traditionnelles (*hadîth*) du shî'isme recèlent une gnose qui appelle et stimule la méditation philosophique, le *Kalâm* shî'ite ne prétend pas se suffire à lui-même.

Il y a des connexions profondes entre la spéculation philosophique, le commentaire du *Qorân* et les problèmes juridiques. Il y a, par exemple, chez un penseur sunnite comme Fakhroddîn Râzî, une connexion entre ses grands ouvrages de théologie du *Kalâm* et son monumental *Tafsîr* qorânique. La nature de cette connexion détermine précisément la position théologique et philosophique dont un Haydar Amolî et un Sadrâ Shîrâzî n'auraient jamais pu se contenter. Le malaise se discerne aussi bien dans la répartition des canonistes shî'ites entre les deux grandes écoles des *Akhbârîyûn* et des *Osûlîyûn,* car en fait les prémisses ne se limitent pas au droit canonique, elles débordent sur la philosophie. Ce n'est pas un hasard si de grands théosophes shî'ites, comme Mohsen Fayz et Qâzî Sa'îd Qommî, furent des *Akhbârîyûn.* C'est dans toute la mesure où est pressenti et désiré un autre degré de certitude que la certitude résultant de la dialectique du *Kalâm,* que l'attitude des théologiens du *Kalâm* se trouve d'ores et déjà dépassée par celle des métaphysiciens-théosophes.

Entre le *Kalâm* d'une part, et ce qui d'autre part est désigné comme *hikmat ilâhîya* (métaphysique, littéralement « philosophie divine », étymologiquement *theosophia*), *'irfân* (théosophie mystique), *hikmat ishrâqîya* (théosophie « orientale »), *hikmat yamânîya* (théosophie « yéménite », par interférence entre le mot Yémen et le mot *îmân,* foi), il y a toute la distance qui sépare la certitude de la connaissance théorique (*'ilm al-yaqîn*) et la certitude de la connaissance personnellement réalisée et vécue (*haqq al-yaqîn*). A grands traits encore, en suivant l'enseignement de Mollâ Sadrâ Shîrâzî, nous dirons que le parcours de cette distance présuppose une métamorphose du sujet connaissant.

Celui-ci, en prenant conscience de son indigence ontologique, c'est-à-dire de son incapacité à se suffire par soi-même dans l'être, à avoir par soi-même de quoi être, prend simultanément conscience de son impuissance à connaître, tant qu'il reste livré à soi-même, puisque le connaître est la forme même de l'être. Tant qu'il y a d'un côté un sujet, moi, retiré dans son égoïté (*anânîya*), et en face de lui un objet, toi, un Etre divin retiré, abstrait dans son incognoscibilité, il ne peut y avoir, quels que soient les Noms et Attributs qui lui sont conférés, une connaissance qui fasse droit à cet objet.

Il ne peut y être fait droit qu'à la condition que cet objet soit non pas affronté dialectiquement, mais révélé au sujet connaissant par ce sujet lui-même. Cette épiphanie substitue *eo ipso* au sujet primitif le Sujet absolu qu'il essayait d'intelliger comme objet de sa connaissance. Dieu n'est jamais un objet; il ne peut être connu que par lui-même comme Sujet absolu, absous de toute fausse objectivité. C'est le Sujet divin qui est en fait le sujet actif de toute connaissance de Dieu. C'est lui-même qui se pense dans la pensée que l'intellect humain a de lui, parce que dans cette pensée, c'est le « Trésor caché » qui se révèle à lui-même. Ainsi en est-il de tout intelligible (l'arbre intelligible, par exemple, c'est l'arbre qui se pense soi-même dans la forme qui en est actualisée dans l'intellect humain). Et cette identité profonde vaut aussi bien pour le métaphysicien que pour le mystique; aussi bien la frontière entre les deux est-elle indécise. L'un et l'autre expérimentent la vérité du *hadîth* inspiré : « Je suis l'œil par lequel il voit, l'oreille par laquelle il entend », etc.

Il n'y a rien ici qui ne soit familier au lecteur d'Ibn 'Arabî ou des penseurs qui lui sont apparentés. Disons, pour orienter sommairement le lecteur occidental qui aborderait pour la première fois cette région de la pensée islamique, qu'elle présente certaines analogies avec la pensée des théologiens-philosophes que l'on désigna, dans la première moitié du XIXe siècle, comme la « droite hégélienne », et qui sont rentrés, sinon dans l'oubli total, du moins dans l' « occultation », et cela, pour les mêmes raisons peut-être qui ont rendu tant de chercheurs occidentaux inattentifs, incompréhensifs ou injustes à l'égard de ce qui représente le courant issu d'Ibn 'Arabî en Islam. Disparition de la théologie spéculative de la « droite hégélienne » en Occident, perpétuation de la théosophie d'Ibn 'Arabî en Islam : deux symptômes en contraste, dont les raisons respectives seraient sans doute à rechercher dans ce qui, en définitive, différencie l'un de l'autre le phénomène chrétien et le phénomène islamique.

Tout le schéma des théologiens-philosophes de la « droite hégélienne » était axé sur le dogme nicéen de la Trinité. Or, en théosophie islamique, la Pensée dans laquelle le Sujet divin, en se pensant soi-même, se détermine comme être et comme être révélé (*Deus revelatus*) n'est point une « seconde personne » consubstantielle à la « première ». Loin de toute idée d' « homoousie » (consubstantialité), cette théosophie suit la voie de la christologie qorânique, elle-même modelée sur la christologie d'Arius. La théophanie initiale est la première et la plus sublime des créatures (le *Protoktistos*), mais c'est une créature, quel que soit le nom par lequel on la désigne (*Haqq makhlûq,* Dieu créé; *Haqîqat mohammadîya,* Réalité mohammadienne métaphysique; *Nûr mohammadî,* Lumière mohammadienne; *'Aql awwal,* Première Intelligence du Plérôme). D'un autre point de vue, on remarquera que l'orthodoxie orientale, en refusant le *filioque,* maintenait l'équilibre entre fonction sacerdotale et fonction prophétique, mais les théologiens de la « droite hégélienne » n'étaient pas des théologiens de l'orthodoxie orientale. Cependant, *mutatis mutandis,* de l'équilibre ainsi maintenu on peut discerner une analogie dans l'équilibre que la théosophie shî'ite maintient au cœur du concept de la *Haqîqat mohammadîya* : équilibre entre ses deux faces, exotérique et ésotérique, ce qui veut dire entre les deux aspects que constitue la Loi religieuse révélée par un prophète et l'Esprit qui en est l'herméneute, entre la vocation du Prophète et la vocation de l'Imâm dont la *walâyat* est « l'ésotérique de la prophétie ». Chacun des douze Imâms peut dire, selon les *hadîth,* qu'il est la Face de Dieu révélée à l'homme, la théophanie; simultanément il est la Face que l'homme montre à Dieu, puisqu'il est la forme de sa foi. Il reste que la théophanie pose le problème de l'être non pas comme infinitif (être) ni comme substantif (l'étant), mais le pose à l'impératif (*esto*). Le *Protoktistos,* comme théophanie initiale, est lui-même cet Impératif primordial, et c'est pourquoi la théophanie est, par essence, créaturelle. De tout cela résulte une différence capitale dans la conception de l' « histoire ».

On peut faire une « philosophie de l'histoire » avec le dogme de l'Incarnation comme événement rentrant dans l'histoire. Il est difficile de faire une philosophie de l'histoire avec des théophanies comme événements visionnaires. Ce que celles-ci appellent en propre, c'est une « historiosophie ». Une philosophie de l'histoire peut même être franchement agnostique; elle peut finalement ne considérer qu'une causalité immanente à la trame des événements perçus au niveau du monde empirique. Elle réalise alors la sécularisation de l'Esprit absolu. En revanche, métaphysique et historiosophie ne sont conciliables avec aucune forme d'agnosticisme. L'historiosophie présuppose une perception des événements à un niveau autre que le monde empirique (nos auteurs diront : au niveau visionnaire du *Malakût*); elle est essentiellement à la trace des énergies spirituelles et des univers supérieurs imprimant leurs vestiges dans notre monde. Les données de l'historiosophie sont celles d'une hiérohistoire : périodisation shî'ite du cycle de la prophétie et du cycle de la *walâyat* ou de l'initiation spirituelle, typologie des prophètes chez Ibn 'Arabî, autant de façons de thématiser des données qui ne relèvent pas de ce qui, en Occident, est désigné comme « philosophie de l'histoire », mais d'une historiosophie. Autant de délimitations qui s'imposent à toute phénoménologie comparative, lorsqu'il s'agit de situer la pensée et les penseurs dont il sera question ici.

Il y a encore lieu de dire qu'en mettant en correspondance ce qui s'est appelé « théologie spéculative » en Occident avec ce qui, en Islam, constitue la métaphysique théosophique de l'ésotérisme, on fait apparaître l'insuffisance de nos termes « philosophie » et « théologie », d'autant plus grave que se trouvent ainsi séparées deux choses qui, pour nos penseurs, ne peuvent être isolées l'une de l'autre. Le vrai sens du mot « spéculatif » ne s'entend que rapporté à *speculum :* l'intelligence de la théologie spéculative remplit la fonction d'un miroir qui réfléchit Dieu, un miroir dans lequel Dieu se révèle (spéculer c'est refléter, *spekulieren heisst spiegeln,* F. von Baader). De tout cela nous avons l'équivalent parfait en théosophie islamique : le miroir (*mir'at*), thème fondamental, c'est l'homme intérieur à qui, par qui et pour qui se produit la théophanie (*tajallî, zohûr*) et qui en est le lieu et la forme (le *mazhar*). Epiphanie, non pas incarnation : une image se montre dans le miroir, elle ne s'incarne pas dans le miroir. L'idée de miroir comporte aussi l'idée d'intériorité, d'ésotérique. Le spéculatif est l'ésotérique. Et c'est pourquoi, répondant à la composition du terme *hikmat ilahîya,* c'est le terme « théosophie » qui en est la traduction adéquate, plutôt que philosophie ou théologie. Ce simple rappel pare toute objection prétendant exclure la théosophie du programme de la philosophie. Ici le théosophe entend porter la philosophie à sa limite, faute de quoi nos penseurs estiment que la philosophie n'en vaut plus la peine. L'exercice philosophique de l'intellect (*'aql*), la mise en œuvre théologique des traditions transmises (*naql*) ne trouvent leur achèvement que par un troisième mode d'activité : *kashf*, découverte, révélation, perception intuitive, visionnaire, de ce qui se révèle dans le « miroir ».

Nous ne pourrons ici vérifier la mise en œuvre de ce schéma chez tous ceux de nos penseurs qui sont des « spéculatifs ». Du moins l'esquisse que l'on vient de tenter suggérera au philosophe quelle épopée mystique de l'Esprit représente le cours de la philosophie islamique depuis Sohravardî et Ibn 'Arabî, et l'aidera à s'orienter dans le labyrinthe des indications qui seront forcément ici concises et allusives. Ce que l'on vient de rappeler concernant l'épiphanie divine et la fonction épiphanique de l'être et des formes de l'être, peut se vérifier aussi bien dans la théosophie shî'ite, imâmite ou ismaélienne, que dans la métaphysique du soufisme. Il y a cependant quelques différences.

La première tient au fait qu'en raison de la répartition arithmétique, la majorité du soufisme est localisée dans le sunnisme majoritaire. Cependant le soufisme est là même regardé par les théosophes shî'ites comme y étant, *volens nolens*, le représentant de la pensée et de la spiritualité issues de l'enseignement des saints Imâms. C'est ce que se chargera de nous rappeler avec force Haydar Amolî. Le chercheur de nos jours ne peut, pour sa part, que se rappeler ce que fut l'école d'Almeria pour Ibn 'Arabî. Aux yeux d'un shî'ite, certains aspects de la métaphysique du soufisme apparaissent comme ceux d'une imâmologie qui ne peut plus ou qui n'ose plus dire son nom.

En second lieu, il y a eu en abondance, certes, des soufis shî'ites. Le mot *tarîqat* veut dire « voie », et c'est le nom que l'on donne aux congrégations soufies comme « matérialisations » de la voie. Il y a eu et il y a encore, très vivantes, des *tarîqat* soufies shî'ites. Mais il y a eu et il y a encore maints théosophes shî'ites qui parlent la même langue que les soufis, mais entendent ne pas être confondus avec eux et n'ont jamais fait profession d'appartenir à une *tarîqat* constituée. La première raison, nous l'avons dite antérieurement, c'est que le fidèle shî'ite, à la différence du fidèle sunnite, se trouve engagé sur la voie spirituelle ou mystique, du fait même qu'il accueille l'enseignement ésotérique des Imâms. Une seconde raison, c'est qu'un certain soufisme a pu, par une sorte de pieux agnosticisme (cela existe), mépriser la connaissance. Mollâ Sadrâ lui-même dut écrire un livre contre eux; ce fut un des symptômes de la crise du soufisme en Iran pendant la période safavide. Il en résulte que la notion de *tasawwof* ou soufisme ne recouvre pas la totalité du phénomène mystique (mystique spéculative et mystique expérimentale) en Islam, comme nous le pensons habituellement en Occident. D'où l'usage courant des termes *'irfân* et *'orafâ,* préférés de nos jours encore en Iran.

Découlant de cet aperçu sommaire, l'ordre que nous nous proposons de suivre dans l'exposé non moins sommaire donné ici, se présentera sous trois têtes de chapitres.

Premièrement, la pensée sunnite, groupant tous les penseurs qui suivent la tradition des *falâsifa* aussi bien que les scolastiques du *Kalâm* et leurs adversaires.

Deuxièmement, la métaphysique du soufisme, s'entendant de la métaphysique « spéculative » rappelée ci-dessus, laquelle ne consiste pas à délibérer sur les concepts logiques abstraits, mais à pénétrer dans les mondes et les événements suprasensibles. Nous y trouvons les spirituels sunnites et les spirituels shî'ites, aussi bien que ceux dont l'appartenance est ambiguë. Ce chapitre formera une vaste articulation avec le troisième.

Troisièmement, la pensée shî'ite, depuis Nasîroddîn Tûsî, atteignant son sommet avec l'école d'Ispahan aux XVIe et XVIIe siècles, dont l'effort s'est propagé pendant quatre siècles et dont l'exemple a, de nos jours, la vertu d'un appel à une palingénésie.

I

La pensée sunnite

A. LES PHILOSOPHES

1. *Abharî.*

En suivant l'ordre chronologique tout extérieur, tel que le détermine la date à laquelle nos philosophes ont quitté ce monde, nous nommons en premier lieu Athîroddîn Mofazzal al-Abharî, mort vers 663/1264, philosophe, mathématicien et astronome. On sait très peu de chose sur sa vie qu'il semble avoir passée en partie à Mossoul et en partie en Asie Mineure. Ses livres, peu nombreux, ont cependant une grande importance, car ils ont servi de *text-book* et furent fréquemment commentés. C'est ainsi que l'on a de lui un *Kitâb al-Isâgûghî,* qui est une adaptation de l'*Isagogue* de Porphyre, et qui fut commenté par Shamsoddîn al-Fanârî (834/1470). Son *Guide de la philosophie* (*Hidâyat al-hikmat*) en trois parties (logique, physique, métaphysique) fut commenté entre autres par Mîr Hosayn Maybodî (en 880/1475). Mais le plus important de tous et de beaucoup le plus lu en Iran est le commentaire très personnel rédigé par Mollâ Sadrâ Shîrâzî. Un autre ouvrage d'al-Abharî, le *Kashf al-haqâ'iq* (découverte des réalités métaphysiques), décèle les affinités *ishrâqî* de notre philosophe. L'ouvrage est construit dans un ordre qui inverse l'ordre le plus couramment suivi; il expose d'abord la logique, ensuite la métaphysique, pour finir avec la physique. Il est remarquable que la partie eschatologique de la métaphysique reproduise littéralement certaines pages de Sohravardî, *shaykh al-Ishrâq.*

2. *Ibn Sab'în.*

Avec ce philosophe nous disons un dernier adieu à l'Andalousie. Mohammad ibn 'Abdil-Haqq Ibn Sab'în est né à Murcie en 614/1217-1218. Il est donc partiellement contemporain d'Ibn 'Arabi, né lui-même à Murcie en 560/1165, et comme celui-ci il émigra en Orient. Il séjournera d'abord à Ceuta, au Maroc, puis ira mourir à La Mekke en 669/1270. Rien ne manque à son destin de philosophe audacieux et tourmenté : ni l'éclat que projette sur sa mémoire l'attachement de disciples et d'admirateurs fidèles, ni l'ombre des haines tenaces, des tracasseries et persécutions qui sont en ce monde le lot de ses semblables. L'attestation de son ascendance wisigothique achève de consacrer son rang parmi les plus illustres et authentiques représentants de la civilisation islamique d'Andalousie.

La vigueur de sa personnalité se révèle dans le fait que son enseignement détermina l'éclosion d'une école aux tendances propres, bien qu'elle incorporât le bien commun aux philosophes et aux mystiques de l'Islam. Les disciples de cette école étaient désignés du nom de leur maître comme des *Sab'înîyûn.* Au premier rang d'entre eux figure Shoshtarî (668/1269), « poète d'une spontanéité verlainienne » (L. Massignon) qui, né à Cadix, vécut et mourut au Maroc. Un de ses poèmes nous révèle l'*isnâd,* la généalogie spirituelle que se donnaient les *Sab'înîyûn.* Non seulement le nom de Sohravardî y figure avec celui d'Ibn 'Arabî, mais en revendiquant comme Sohravardî l'ascendance spirituelle d'Hermès, l'école d'Ibn Sab'în révèle ses affinités avec les tendances des *Ishrâqîyûn* (voir *infra* III, 3). Il faut espérer que les recherches futures nous apporteront quelque discrète lumière sur le secret de la mort qu'Ibn Sab'în choisit librement. Il se suicida à La Mekke, dit-on, « par désir de s'unir à Dieu ». Il se fit ouvrir les veines, laissa couler son sang et expira le 2 Shawwal 669/19 mai 1270, trente ans donc après la mort survenue à Damas (1240) de son illustre compatriote de Murcie, Ibn 'Arabî.

C'est pendant son séjour à Ceuta qu'Ibn Sab'în fut chargé par le souverain almohade 'Abdol-Wâhid de répondre à un questionnaire, émanant de l'empereur Frédéric II Hohenstaufen, roi de Sicile. D'où le titre donné à l'ouvrage : *Discours sur les questions siciliennes* (al-Masâ'il al-siqîlîya). A vrai dire, c'est cet ouvrage qui a fait jusqu'ici la notoriété d'Ibn Sab'în en Occident. Quatre questions étaient posées par l'empereur, à savoir : sur l'existence du monde *ab aeterno;* sur les prémisses et l'essence de la théologie; sur les Catégories; sur la nature et l'immortalité de l'âme. A cette dernière question se rattache, sous forme d'appendice, une interrogation de l'empereur sur les divergences entre Aristote et son commentateur Alexandre d'Aphrodise. Le sens de cette correspondance serait à approfondir en la replaçant d'une part dans le contexte des œuvres d'Ibn Sab'în et celui de la philosophie islamique, et d'autre part dans son contexte occidental : les curiosités illimitées de Frédéric II comme chercheur, son rêve d'une « théologie impériale » axée sur l'idée de l'Homme Parfait, comme centre du monde, *imperator* du cosmos, et aussi sur un messianisme qui ne pouvait recroiser celui des joachimites (les disciples de Joachim de Flore), sans s'y heurter avec violence.

Mais pour le contexte des œuvres d'Ibn Sab'în il nous faut attendre encore les éditions espérées. Son principal ouvrage, le *Bodd al-'ârif* (quelque chose comme *L'Echappée du gnostique*), avec la clef du même ouvrage (*Miftâh Bodd al-'ârif*, conservé en un *unicum,* Eminiye, Brousse), abonde en aperçus originaux et audacieux. Ses portraits de Fârâbî, Avicenne, Ghazâlî, Averroës sont, en philosophie islamique, un premier essai d'interprétation psychologique. Tout cela devrait être édité depuis longtemps [éd. du *Bodd al-'ârif*, parue à Beyrouth, 1978]. De l'Andalousie, les philosophes qui suivent vont nous reconduire en terre iranienne.

3. *Kâtibî Qazvînî.*

Najmoddîn 'Alî Kâtibî Qazvînî (675/1276), connu à la fois sous la forme arabe de son surnom, *Kâtib* (l'écrivain, le secrétaire) et sous sa forme persane, *Dabîrân,* figure parmi les philosophes, astronomes et mathématiciens éminents de l'époque. Il fut, en philosophie, l'un des maîtres de 'Allâmeh Hillî et de Qotboddîn Shîrâzî, et lui-même élève de Nasîroddîn Tûsî (voir *infra* III, 1). En 657/1259 il participa au projet de construction de l'observatoire de Marâgheh, en Azerbaïdjan, projet dû à l'initiative du souverain mongol Hûlâgû Khân. Il enseigna longuement à Qazvîn. Comme il était shafi'ite, et que ce rite est particulièrement en affinité avec le shî'isme, il semble avoir éprouvé une forte inclination pour celui-ci, stimulée encore par son admiration pour Nasîroddîn Tûsî. On lui doit un certain nombre d'ouvrages sur les sciences philosophiques. Son *Kitâb Hikmat al-'ayn,* qui embrasse l'ensemble des questions métaphysiques et mystiques, fut commenté par 'Allâmeh Hillî et plusieurs autres. L'ouvrage le plus souvent cité est sa *Risâlat al-shamsîya,* sur la logique, *text-book* qui fut l'objet de nombreux commentaires, entre autres ceux de Sa'd Taftazânî et de Qotboddîn Râzî.

4. *Rashîdoddîn Fazlollah.*

Rashîdoddîn Fazlollah était né à Hamadan vers 645/1247 et mourut tragiquement à Tabrîz en 718/1318 (exécuté à la suite d'intrigues de ses adversaires, sur l'ordre de Soltan Abû Sa'îd, neuvième Ilkhân de Perse). Génie universel, il a été connu surtout jusqu'ici par son œuvre d'historien éminent. Il avait d'abord exercé la médecine sous le règne du souverain mongol Abâghâ Khân (1265-1282), puis était devenu historien de la cour sous Ghâzân Khân (1295-1304). C'est sur l'ordre de celui-ci qu'il entreprit la rédaction de son œuvre historique monumentale, intitulée *Jâmi' al-tawârîkh* (*La Synthèse des chroniques*). Bientôt le concept de l'ouvrage s'élargit et prit les proportions d'une histoire universelle, mais l'œuvre ne fut qu'incomplètement réalisée (il en existe des manuscrits aux splendides miniatures). Il y fait preuve des mêmes extraordinaires connaissances qui avaient fait sa réputation de médecin, allant toujours aux sources, en quête d'informations de première main, recueillies près d'un *bhikshu,* quand il s'agit de l'Inde, près de lettrés chinois, quand il s'agit de la Chine. Emule d'un Léonard de Vinci par la variété de ses recherches surprenantes, il compose un grand ouvrage, malheureusement non retrouvé jusqu'ici, où il traite de météorologie, d'arboriculture, d'apiculture, d'architecture, de construction de navires (*Kitâb al-ahyâ' wa'l-âthâr*).

Outre cet ensemble, suffisant déjà à illustrer son activité créatrice, toute une partie de son œuvre, restée jusqu'ici inédite, est celle qui intéresse plus directement le philosophe et l'histoire de la philosophie. Cette partie forme un groupe de quatre ouvrages, traitant de philosophie et de théologie mystique, de commentaires qorâniques, etc., plus un recueil de lettres où alternent les questions de théologie et de médecine.

En novembre 1969 fut tenu aux universités de Téhéran et de Tabrîz un congrès d'iranologues pour commémorer le six cent cinquantième anniversaire de la mort de Rashîdoddîn. Les résolutions qui y furent prises permettent d'espérer, dans un délai raisonnable, la publication de ces œuvres inédites.

5. *Qotboddîn Râzî.*

Qotboddîn Râzî (Mohammad ibn Alî Ja'far), mort en 766/1364, est un philosophe de l'époque, au nom particulièrement bien connu. Son ascendance remontait aux princes bouyides du Daylam selon les uns, à la grande famille shî'ite des Bâbûyeh de Qomm (dont le célèbre Shaykh Sadûq) selon d'autres. Il fut un des plus célèbres élèves de 'Allâmeh Hillî. On lui doit une quinzaine d'ouvrages et de commentaires, dont le plus important pour l'histoire de l'avicennisme iranien est son *Kitâb al-mohâkamât* (littéralement *Livre des citations à comparaître*) dans lequel il se propose d'établir le bilan et de statuer sur les divergences des deux grands commentaires composés sur le *Livre des directives* (*Ishârât*) d'Avicenne, respectivement par Fakhroddîn Râzî et par Nasîroddîn Tûsî.

Cependant les éloges que son maître 'Allâmeh Hillî décerne à son disciple Qotboddîn, dans le diplôme personnel de licence (*ijâzat*) qu'il lui confère, n'empêchèrent point 'Abdorrazzâq Lâhîjî, élève de Mollâ Sadrâ Shîrâzî, et lui-même auteur d'un vaste commentaire très personnel sur les *Ishârât*, d'estimer que Qotboddîn Râzî n'avait pas réellement la capacité requise pour saisir les intentions profondes de Nasîroddîn Tûsî dans sa méditation de l'œuvre avicennienne.

B. LES THÉOLOGIENS DU KALÂM

1. *Fakhroddîn Râzî.*

Le nom *Râzî* indique toujours une origine personnelle ou familiale remontant à l'antique cité de Ray (Ragha de l'*Avesta,* Raghès du *Livre de Tobie*), à une douzaine de kilomètres au sud de Téhéran. Né à Ray en 543/1149, Fakhroddîn fut un grand voyageur; on le trouve au Khwârezm et en Transoxiane, où il soutient de vives controverses, avec les Mo'tazilites; il séjourne à Bokharâ puis à Hérat, où il ouvre une école, puis à Samarkand, puis aux Indes, puis finalement et définitivement à Hérat, où il meurt en 606/1209.

Personnalité complexe, Fakhroddîn Râzî s'attache à dominer et à concilier les différents courants de pensée en Islam. En avait-il la force ? Sohravardî, *shaykh al-Ishrâq,* qui l'avait fort bien connu dans sa jeunesse, n'en était pas certain. A la fois ash'arite, mais adversaire de l'atomisme, et ayant une connaissance approfondie des philosophes hellénisants (Fârâbî, Avicenne, on relève en outre dans son œuvre d'importantes citations d'Abû'l-Barakât Baghdâdî), Fakhroddîn Râzî utilise toutes les ressources de leur dialectique pour édifier sa vaste synthèse dogmatique. « La réconciliation de la philosophie avec la théologie s'effectue pour lui sur le plan d'un système platonisant qui dérive en dernier lieu de l'interprétation du *Timée* » (P. Kraus). Pour en juger, il convient de reprendre à sa source toute sa métaphysique de l'être. D'une part, reconnaissance de la Logique comme ayant de plein droit accès aux essences ou quiddités (ce que l'on peut appeler tendance platonicienne); d'autre part, une ontologie qui reste dans la ligne de la métaphysique de l'essence, et considère l'existence comme s'ajoutant de l'extérieur aux essences. Sans doute, parce que la quiddité, en « étant » telle ou telle quiddité, est déjà pourvue d'un certain être, cet acte d'être suffirait à la constituer comme cause active de son existence. Mais l'être n'est pas intrinsèque à la quiddité; c'est pourquoi la pensée différencie entre essence et existence. Cependant, en tant que constituée, la quiddité possède ce qui suffit pour exister. Le problème est saisi en toute liberté d'esprit à l'égard d'Avicenne. Mais, tel que le résout Fakhroddîn Râzî, la solution échapperait difficilement à la critique d'un Mollâ Sadrâ Shîrâzî qui devait opérer une révolution radicale dans la métaphysique de l'être.

Fakhr Râzî a laissé une œuvre considérable; une quinzaine de titres couvrent le *Kalâm,* la philosophie, l'exégèse qorânique, en outre la médecine, l'astrologie, l'alchimie, la physiognomonie, la minéralogie. Nous devons nous limiter à mentionner ici : premièrement, son commentaire des *Ishârât* (*Livre des directives*) d'Avicenne et la critique approfondie que Nâsir Tûsî a faite de ce commentaire. Qotboddîn Râzî essayera ensuite, nous l'avons signalé ci-dessus, d'« arbitrer » entre les deux; deuxièmement, une « Somme » (*Mohassal*) des doctrines des philosophes (*hokamâ'*) et des scolastiques du *Kalâm* (*Motakallimûn*), anciens et récents; troisièmement, un très grand ouvrage intitulé *Questions orientales* (*Mabâhith mashriqîya*), mais où le sens du mot « oriental » reste imprécisé, étranger en tout cas à l'acception technique des *Ishrâqîyûn.* C'est une somme de *Kalâm* en trois livres : sur l'être et ses propriétés, sur les grandes catégories de l'être non nécessaire, sur l'Etre Nécessaire (théologie rationnelle);

quatrièmement, une autre Somme (inédite) en quatre chapitres, écrite pour son fils aîné Mahmûd; cinquièmement, un livre rapportant les controverses (*monâzarât*) qu'il eut à soutenir à peu près partout, au cours de ses voyages, avec des représentants d'à peu près toutes les écoles; sixièmement, son immense commentaire qorânique (*Mafâtîh al-ghayb*) en huit forts volumes in-quarto, qui, par la multiplication des questions et des recherches, s'exhausse, lui aussi, au rang d'une Somme. Il n'y a pas lieu de s'étonner si, comme pour tant d'autres penseurs prolifiques, on ne dispose encore d'aucune étude d'ensemble.

La conciliation tentée par Fakhr Râzî est « peut-être moins une tentative pour accorder les doctrines [...] qu'un effort pour offrir à des esprits différents un champ commun de pensée. [...] C'est une réconciliation moins entre raison et foi, qu'entre philosophe et croyant » (R. Arnaldez). Peut-être est-ce là un excellent programme de « philosophie comparée ». Mais pour cette tentative, Fakhr Râzî ne disposait que des ressources du *Kalâm,* dialectique apologétique, n'atteignant point à cette métamorphose du sujet que produit la philosophie spéculative ou ésotérique (au sens technique de ces mots, rappelé ci-dessus dans notre aperçu d'ensemble). Alors qu'il eût fallu atteindre ce niveau pour que le problème fût surmonté, Fakhr Râzî ne met en œuvre que les ressources de l'intellect discursif, sans qu'intervienne en fait l'union transformante entre l'intellect humain et l'Intelligence agente comme Esprit-Saint. Un trait des plus significatifs : Fakhr Râzî ne semble pas même soupçonner le concept métaphysique de l'Imâm et de l'Imâmat, tel que le professent les philosophes shî'ites. La critique détaillée que Sadrâ Shîrâzî lui adressera sur ce point est particulièrement exemplaire.

Bref Fakhroddîn Râzî est un *Motakallim* typique, le parfait scolastique de la dialectique du *Kalâm.* Il fut beaucoup lu. Son *Mohassal* fut étudié par Ibn Taymîya, par Ibn Khaldûn. Ibn 'Arabî correspondit avec lui. Jusqu'en Occident, le dominicain espagnol Raymond Martin (XIIIe siècle) le cite dans son *Pugio fidei.*

2. *Ijî.*

Eminent représentant, iranien lui aussi, de la philosophie et de la théologie du *Kalâm,* Adododdîn Ijî était né vers 700/1300 à Ij, près de Shîrâz, dans le Fârs (la Perside) à une époque où avait déjà reflué la première vague de l'invasion mongole. Il fut juge (*qâdî*) et professeur (*modarris*) à Shîrâz; il mourut en 756/1355, emprisonné dans la forteresse de Diraimiyan, sur la montagne qui domine son pays natal. Parmi les influences dont a procédé sa pensée philosophique et théologique, il faut noter en premier lieu celle de son maître, Ahmad ibn Hasan Jârabardî (746/1345), et l'œuvre de Baydawî (vers 685/1286), lequel, outre un commentaire du *Qorân* demeuré classique, composa un compendium de *Kalâm* intitulé *Matâli' al-anwâr* (*Les Levers des lumières*; ici encore il n'y a dans ce terme aucune allusion *ishrâqî*). Son ouvrage essentiel est une Somme de *Kalâm*, le *Kitâb al-Mawâqif* (*Livre des stations*), comprenant six grandes divisions (ou « stations »). 1) Théorie de la connaissance. – 2) Principes généraux concernant la science de l'être. – 3) Théorie des accidents, c'est-à-dire des catégories autres que la substance. – 4) Les substances, théorie des corps simples et des corps composés, des Eléments, des corps célestes. – 5) Théorie de l'âme, de l'intellect et des Intelligences angéliques, Théologie rationnelle (Essence divine, Noms et Attributs divins, opérations divines). – 6) Prophétologie et eschatologie (avec les commentaires, l'édition des *Mawâqif,* parue au Caire en 1325 h, forme huit tomes en quatre grands volumes in-quarto).

Peut-on dire que Ijî a réellement construit une « Somme » de *Kalâm*, au sens du mot « Somme », tel que nous le suggèrent aussi bien l'œuvre de saint Thomas d'Aquin que l'œuvre d'un Mollâ Sadrâ Shîrâzî, et présupposant l'idée d'un système personnel où dominent souverainement d'un bout à l'autre les pensées propres à l'auteur ? Cette force constructive, peut-être aucun *Motakallim* ne l'a-t-il possédée, pas même Fakhroddîn Râzî. Nonobstant cette réserve, on constatera que Ijî a compilé une encyclopédie philosophico-théologique de l'époque, dans le domaine et sous l'horizon du *Kalâm* s'entend. Il n'est pas injuste de considérer que le *Kalâm,* tel qu'il se réduit à lui-même, arrive à l'époque à l'épuisement. Mais deux autres considérations ne doivent pas être perdues de vue : il ne faut pas reprocher à nos penseurs de multiplier les commentaires et les gloses. Comme il y aura occasion de le redire, c'était là pour eux que se faisait la « recherche ». S'accrocher à un texte n'était pas le signe d'une incapacité de pensée personnelle, mais le moyen le plus direct d'exprimer celle-ci sur un certain nombre de points donnés. Ensuite, il faut considérer que Ijî était contemporain d'un Semnânî, chez qui la métaphysique du soufisme atteint un sommet; d'un Haydar Amolî, chez qui la philosophie shî'ite, en contact avec la pensée d'Ibn 'Arabî, prend un nouvel essor. Peut-être, réduit à lui-même, le *Kalâm* s'ensable-t-il dans une scolastique de *madrasa.* Mais c'est qu'il faut chercher la pensée vivante dans d'autres courants. Les métaphysiciens shî'ites domineront à la fois le *Kalâm,* la métaphysique des philosophes et la théosophie des mystiques. Le *Kalâm* pourra alors poursuivre sa vie à titre d'une propédeutique féconde.

Les *Mawâqif* d'al-Ijî furent commentés par ses élèves, parmi lesquels le plus célèbre est Sa'doddîn Taftazânî. Mais le commentaire classique de l'œuvre provient d'un penseur qui n'appartenait pas au cercle immédiat des élèves, à savoir Mîr Sharîf Gorgânî.

3. *Taftazânî.*

Sa'doddîn Taftazânî, le disciple et commentateur d'al-Ijî, était né en 722/1322 à Taftazân, bourgade du Khorassan (Iran du Nord-Est), et mourut à Samarkand en 792/1390. Il rédigea plusieurs manuels restés en usage jusqu'à nos jours dans les *madrasa,* entre autres sa célèbre *Risâlat al-shamsîya,* commentaire sur le traité de logique, composé par Kâtibî Qazvînî. C'est un ash'arite, mais qui s'attaque en toute liberté d'esprit aux questions explosives traînant dans le sillage des polémiques. Il faut signaler en particulier la position qu'il adopte dans la grave question du libre arbitre et de la prédestination, passionnément discutée en Islam, sans que l'on ait jamais mis en doute que l'homme est investi d'une responsabilité morale et est responsable de soi devant Dieu. Il y a participation de l'homme et de Dieu dans les actes humains; aucun de ces actes ne constitue une opération monolithique, mais un processus très complexe. Taftazânî a la véhémente certitude que Dieu et l'homme y participent non pas en un sens métaphorique, mais en un sens réel. Dieu est le créateur des actes humains, en ce sens qu'il donne à l'homme le pouvoir concomitant d'accomplir l'action qu'il a choisie. Peut-être sur ce point Taftazânî est-il plus proche de l'école de Mâtoridî que de l'école ash'arite.

Les relations entre philosophes ne sont pas toujours faciles. Taftazânî avait pris l'initiative de présenter son collègue et ami, Mîr Sharîf Gorgânî, à Shâh Shojâ', à Shîrâz en 779/1377. Quand Tamerlan (Teymour Lang) eut pris la ville, tous deux furent emmenés à Samarkand. Les deux amis furent invités à tenir une grande joute oratoire, une grande séance d'« argumentation » publique, en présence de Tamerlan. Leur amitié n'y survécut pas.

4. *Gorgânî.*

Mîr Sayyed Sharîf Gorgânî, issu d'une famille originaire d'Astarâbâd, naquit en Gorgân en 740/1339 (au sud-est de la mer Caspienne; *Jorjân, Jorjânî,* sont des transcriptions correspondant à la prononciation arabe des mots persans). Ce fut un des grands noms de l'époque; il avait été l'élève de Qotboddîn Râzî; il fut le maître de Jalâloddîn Dawwânî. Grand voyageur, on le trouve, en 766/1365, à Hérat, puis en Egypte; il visite Constantinople (776/1374), se rend à Shîrâz où il est nommé professeur par Shâh Shojâ' en 779/1377. On a rappelé, il y a quelques lignes, sa migration forcée à Samarkand et ses conséquences. A la mort de Tamerlan (1405) il retourne à Shîrâz, où il meurt en 816/1413. Existence fort bien remplie. Aux voyages s'ajoute la composition de quelque vingt-cinq ouvrages qui ont fait la célébrité de Mîr Sharîf, parce que ce sont principalement des ouvrages techniques qui, pendant plusieurs siècles, ont servi de manuels aux jeunes philosophes et théologiens. On a signalé ci-dessus son grand commentaire des *Mawâqif* de Ijî. Nous ne pouvons faire mention en outre ici que de son *Livre des définitions* (*Kitâb al-ta'rifât*); cet ouvrage, extrêmement précieux encore aujourd'hui, est l'embryon du futur grand dictionnaire de la terminologie technique des philosophes en arabe, entreprise qui, exigeant le dépouillement de milliers et de milliers de pages, ne pourra vraisemblablement pas être tentée avant longtemps.

Qâzî Nûrollâh Shoshtârî, dans sa ferveur shî'ite, rallie dans son grand ouvrage (*Majâlis al-mu'minîn, Les*

Assemblées des croyants) le plus grand nombre possible de savants à la cause imâmite. Ainsi fait-il pour Mîr Sharîf Gorgânî, parce que Sayyed Mohammad Nûrbakhsh (869/1465), éponyme de la dynastie (*silsila*) soufie des *Nûrbakhshîya*, et Ibn Abî Jomhûr Ahsâ'î font de lui un shî'ite. Il semble cependant qu'il fut sunnite. En revanche, son fils, Sayyed Shamsoddîn, fut shî'ite, tandis que son petit-fils, Mîrzâ Makhdûm, était sunnite. Comme il y aura occasion de le redire, la « discipline de l'arcane » observée par les shî'ites, en raison des vicissitudes des temps, rend souvent difficiles à résoudre les questions d'appartenance.

C. LES ADVERSAIRES DES PHILOSOPHES

Ibn Taymîya et ses disciples.

Le philosophe ne peut ignorer complètement les attaques de ceux qui contestent, pour une raison ou une autre, la légitimité de sa recherche; leur contestation présente en quelque sorte une vision en négatif de l'histoire de la philosophie. Sous cet aspect, l'agnosticisme est peut-être de tous les temps, tout en se différenciant par les motifs du refus qu'il perpétue. Ces motifs peuvent apparaître en situation contradictoire les uns par rapport aux autres; il n'en résulte pas moins entre eux, aux yeux du philosophe, une connivence de fait. Il y a l'agnosticisme moderne, issu des multiples formes de la critique et du positivisme, recourant à la psychanalyse, à la sociologie, à la linguistique, pour interdire à tout philosophème de signifier un au-delà réel, parce qu'il est entendu, une fois pour toutes, que le « réel » est exclu de ce dont traite la métaphysique. Mais il y a aussi l'agnosticisme des pieux croyants, refusant les questions posées par les philosophes, dénonçant comme « rationalisme » toute tentative de les poser, cela même dans le cas où la démarche du philosophe s'affirme comme un défi porté au « rationalisme ». Ces pieux agnostiques ont eu leurs représentants dans toutes les « communautés du Livre » (*Ahl al-Kitâb*), dans les trois rameaux de la tradition abrahamique. La connivence « objective » qui s'établit ainsi entre les différentes formes d'agnosticisme serait à étudier de plus près. Le métaphysicien ne peut espérer convaincre ni les uns ni les autres; toute discussion est stérile; ce n'est pas question d'argument, mais d'aptitude. Il ne peut que porter témoignage pour la vision du monde qui s'impose à lui, parce qu'il en est l'organe. Ainsi pourra-t-il assurer la *traditio lampadis.*

Ibn Taymîya, né à Harran (Mésopotamie) en 661/1263, mort en prison à Damas en 728/1328, fut un théologien hanbalite, par conséquent un représentant de la tendance la plus opposée à celle des philosophes. Polémiste et batailleur, il s'en prend avec fougue et courage à tout et à tous. A le lire, le métaphysicien comprend du moins ce qui, de son effort, restera à jamais incompréhensible au non-philosophe. Et lorsqu'un personnage comme Ibn Taymîya a suscité par ses écrits, quelques siècles plus tard, ce que l'on a pu appeler la renaissance hanbalite moderne, à savoir le mouvement wahhâbite au XVIIIe siècle, puis la réforme *salafî* au XIXe siècle, le philosophe doit convenir que le personnage exige de sa part une vigilance toute particulière.

Parmi ses maîtres les plus célèbres, il y eut le shaykh Shamsoddîn al-Maqdisî, qui fut le grand *qâdî* des hanbalites à Damas, à partir de 663/1265. L'œuvre d'Ibn Taymîya est considérable; elle a été étudiée en détail par H. Laoust. On n'en peut malheureusement mentionner ici que quelques titres. Il y a son traité contre la confrérie soufie des *Rifâ'îya,* à Damas, écrit avant son départ pour l'Egypte en 705/1305. Pendant sa période égyptienne (705/1305-712/1312), il compose sa célèbre *Réfutation des logiciens* (*Radd al-Mantiqîyîn*), qui s'efforce de ruiner la logique grecque et les thèses majeures des grands philosophes, notamment Fârâbî, Avicenne, Ibn Sab'în. Mais l'ouvrage le plus important et le plus caractéristique est son *Minhaj al-Sunna* (*La*

Voie du sunnisme), rédigé entre 716/1316 et 720/1320. C'est une polémique méthodique, massive, contre le *Minhaj al-Karâma* (*La Voie du charisme*) composé par 'Allâmeh Hillî (726/1326), le célèbre théologien shî'ite, élève de Nasîroddîn Tûsî.

Bien entendu, le shî'isme a parfaitement survécu à l'attaque, aussi vigoureusement que la philosophie, de son côté, survivait à l'attaque de Ghazâlî. Mais l'ouvrage est d'un grand intérêt pour comprendre le contraste fondamental entre conception sunnite et conception shî'ite de l'Islam. L'instrument de comparaison est toutefois incomplet, car tout se passe ici au niveau du *Kalâm,* non pas au niveau de la métaphysique théosophique d'un Haydar Amolî ou d'un Sadrâ Shîrâzî. Nonobstant cela, on en retire de nombreuses informations sur les écoles de pensée, telles que l'auteur les comprenait et en alimentait son indignation. Il critique, à propos d'Avicenne, ceux qui font du Créateur l'Etre absolu, conditionné par son absoluité même; il critique, chez Ibn Sab'în, ceux qui conçoivent le rapport entre l'Etre Nécessaire et l'être non nécessaire, créaturel, à la façon du rapport entre la matière et la forme. A propos d'Ibn 'Arabî, il s'en prend à ceux qui distinguent entre existence en acte et simple réalité positive des essences (contre les *a'yân thâbita,* les héccéités éternelles, chez Ibn 'Arabî). A propos de Sadroddîn Qonyawî, il attaque ceux qui identifient l'Etre Nécessaire avec l'être absolu et comme tel inconditionné, etc.

Parmi ses disciples, on nommera du moins ici le plus fidèle, le hanbalite Ibn Qayyim Jawzîya (751/1350) qui enseigna et commenta ses œuvres, et le suivit deux fois en prison. Mentionnons son *Kitâb al-Rûh,* un grand *Livre de l'Esprit,* traitant des Esprits (*arwâh*) des morts et des vivants. Comme ses autres ouvrages (il y en a sept ou huit), il mériterait mieux qu'une simple analyse.

D. LES ENCYCLOPÉDISTES

1. *Zakarîyâ Qazvînî.*

Place doit être faite ici à ceux que nous groupons sous la désignation large d'« encyclopédistes », dont les deux premiers, notamment, illustrent le même « phénomène du monde » que les philosophes, mais en approfondissant les détails et les points de vue que ceux-ci n'avaient pas à envisager dans leurs traités de physique et de métaphysique, bien que plusieurs d'entre eux, nous l'avons constaté ci-dessus, aient été des esprits vraiment encyclopédiques. Ces détails ont leur importance pour la recherche phénoménologique qui se règle sur la devise *sôzeïn ta phainomena,* sauver les phénomènes, c'est-à-dire rendre compte de ce qui fonde les phénomènes tels qu'ils se montrent à ceux à qui ils se montrent. Ce n'est pas aux données matérielles comme telles que s'attache le phénoménologue; de ces données il est trop facile de dire qu'elles sont « dépassées » (celles de nos sciences modernes le sont encore plus facilement dix ans plus tard). Ce que le phénoménologue tente de découvrir, c'est l'Image primordiale, l' *Imago mundi a priori,* qui est l'organe et la forme de perception de ces phénomènes. L'intérêt de nos auteurs reste ainsi permanent.

De ce point de vue l'œuvre de Zakarîyâ Qazvînî est d'une rare munificence. Né à Qazvîn (à quelque cent cinquante kilomètres à l'ouest de Téhéran), élève de

Athîroddîn Abharî, et mort en 682/1283, notre auteur fut un esprit d'une curiosité insatiable, éveillé à tous les phénomènes qui se présentaient, toujours en quête d'informations nouvelles. Son œuvre est difficile à classer. C'est une « cosmographie » entendue au sens étymologique le plus large du mot, englobant, avec le cosmos, toutes les sciences traitant de ce qui se montre de monde en monde.

Deux grands ouvrages : primo, *Athâr al-bilâd wa akhbâr al-'ibd* (quelque chose comme *Les Monuments et les hommes*), vaste recueil rassemblant toute information possible sur ce qu'annonce le titre : les « vestiges » qui subsistent dans les pays, les informations que l'on a sur les hommes; secundo, *'Ajâ'ib al-makhlûqât wa-gharâ'ib al-wojûdât* (*Les Merveilles de la création et les étrangetés des êtres,* ou mieux : *Les Créatures merveilleuses et les êtres étranges*). Rédigé en arabe, il en existe des traductions persanes. Le mieux que nous puissions faire ici en quelques lignes est de donner un très bref aperçu de cette « cosmographie ».

L'ouvrage est divisé en deux grands livres, le premier traitant des réalités des mondes d'en haut, le second traitant des réalités des mondes d'en bas. Pour remplir son programme encyclopédique, le Livre Ier débute par un long exposé d'astronomie, traitant des particularités de chacune des neuf Sphères célestes, et débouche sur les deux sciences qui ont partie liée avec l'astronomie : l'angélologie, traitant des différentes catégories d'Anges et d'Esprits célestes, et la chronologie, laquelle est la science du temps en son essence et dans ses manifestations, à savoir les différentes sortes de computs, d'ères et de calendriers. Le Livre II traite du monde des Eléments : la sphère du Feu et les météores; la sphère de l'Air et la météorologie générale (pluies, vents, foudre); la sphère de l'Eau, comportant la description des océans, des mers et des animaux qui les peuplent; la sphère de la Terre, exposant la géographie générale (les sept climats, l'orographie); puis la minéralogie (les métaux, les minéraux); la botanique et les propriétés des plantes; la zoologie; l'anthropologie sous tous ses aspects : l'essence de l'homme et de l'âme pensante, l'éthique, l'embryologie, l'anatomie et la physiologie de l'homme, les organes de perception externes et internes, les facultés intellectives, chapitre où l'on retrouve la théorie des intellects exposée par les philosophes : intellect inné, intellect *in habitu,* intellect acquis, intellect en acte; les races et les nations avec leurs coutumes; les actes et les activités humaines (voir *infra* III, 8, l'œuvre de Mîr Fendereskî); les instruments scientifiques (l'astrolabe, les talismans); la chimie; les parfums; la défense contre les animaux nuisibles et contre les opérations des génies et des démons malfaisants; les animaux fantastiques et surnaturels.

C'est donc bien un « miroir » de toute la connaissance du monde, tel que l'*Imago* immanente à la conscience permettait alors de le percevoir. Ajoutons qu'avec les manuscrits de l'épopée persane (sous sa triple forme : héroïque, romanesque, mystique), les manuscrits de l'œuvre de Qazvînî sont, par excellence, de ceux qui ont stimulé l'art des miniaturistes, et cela jusqu'à l'époque qâjare. De ce point de vue également, ils présentent pour le philosophe l'extrême intérêt de montrer à l'œuvre l'Imagination active.

2. *Shamsoddîn Mohammad Amolî.*

On ne connaît pas les dates exactes de naissance et de décès de cet autre penseur encyclopédique, originaire d'Amol (province du Tabarestan, au sud de la mer Caspienne; ne pas le confondre avec Sayyed Haydar Amolî, dont il sera question page 455). Contemporain d'al-Ijî, avec qui il eut des échanges de vues et des discussions, c'est un homme du VIIIe/XIVe siècle. De plus, comme il en va pour beaucoup de ses contemporains observant la « discipline de l'arcane » du shî'isme, certains de ses propos ont pu être interprétés tantôt comme étant ceux d'un sunnite, tantôt comme étant ceux d'un shî'ite. En 716/1316, à la fin du règne d'Oljaytu (Soltân Mohammad Khodâbendeh), frère de Soltân Mohammad Ghâzân Khân, il fut professeur à la *madrasa* de Soltâniyeh, en Azerbaïdjan. Il a rédigé un commentaire de l'encyclopédie médicale de Sharafoddîn Ilâqî et du *Qânûn* médical d'Avicenne. Mais il est surtout connu grâce à sa vaste encyclopédie intitulée *Nafâ'is al-fonûn* (quelque chose comme *Les Sciences précieuses* ou *recherchées*).

L'ensemble de cette encyclopédie totalise la description, l'histoire de l'analyse de cent vingt-cinq sciences (l'ancienne édition lithographiée formait un volume in-folio de plus de cinq cents pages; la nouvelle édition typographique de Téhéran, trois forts volumes in-8°). L'ouvrage se présente en deux grandes parties : la première traite des sciences des Anciens, c'est-à-dire des sciences classiques provenant des Grecs et qui ont poursuivi ou développé leur vie en Islam. La seconde partie traite des sciences proprement islamiques, celles qui sont écloses de par les exigences de l'Islam. La place nous manque pour en donner, comme dans le cas de Zakariyâ Qazvînî, un aperçu même sommaire. Une étude analytique répondrait à un besoin urgent, ne serait-ce que pour en comparer le propos avec celui de Mîr Fendereski, plus tardif et infiniment plus restreint, et plus immédiatement avec le propos poursuivi par Ibn Khaldûn.

3. *Ibn Khaldûn.*

Cet éminent penseur mérite de figurer ici parmi les encyclopédistes, tant par l'envergure de son esprit que par l'ampleur de l'œuvre réalisée. Il le mérite d'autant mieux que les historiens occidentaux lui ont fait un sort extraordinaire (la bibliographie est considérable). Il était entendu qu'après Averroës la philosophie islamique se perdait dans les sables. De ce désert n'émergeait plus, quelque deux siècles plus tard, que le personnage unique d'Ibn Khaldûn. On le célébrait comme un précurseur qui, en rupture avec la culture islamique traditionnelle, n'avait malheureusement été suivi par personne, avant que les Occidentaux n'en découvrent les mérites. Après lui, de nouveau régnait le désert. Or si les historiens occidentaux ont été fascinés par ce qu'ils considèrent comme la grandeur d'un précurseur, ce fut dans la mesure même où la pensée du précurseur cessait d'être proprement islamique. Ils trouvaient enfin en lui ce qu'ils regardaient comme étant de la « philosophie », mais qui malheureusement, aux yeux des philosophes traditionnels, n'en était plus, tandis que la majorité des questions figurant au programme des philosophes traditionnels, les Occidentaux de nos jours les considèrent comme ne ressortissant pas à la philosophie. Bref le malentendu est total, et l'œuvre d'Ibn Khaldûn, grâce à l'appréciation dont elle a bénéficié en Occident, est un des lieux par excellence où l'on peut analyser ce malentendu, quant à ses sources et ses conséquences lointaines.

C'est que ces conséquences vont très loin. On a facilement fait un mérite à Ibn Khaldûn d'une certaine « ironie voltairienne » avant la lettre, et toute une jeune *intelligentsia* du monde islamique s'est mise à l'unisson. On a salué en lui le fondateur de la critique historique, le précurseur de la sociologie moderne; agnosticisme et historicisme, positivisme et sociologisme auraient déjà fait éclosion en Islam avant que n'existent les mots pour les désigner. La question que pose le phénomène est celle-ci : quelles prémisses sont supposées présentes, quelles autres doivent être absentes, pour que la philosophie, renonçant à elle-même et à son objet, se réduise à une sociologie de la philosophie ? Notre Moyen Age latin a parlé d'une philosophie *ancilla theologiae.* Au bénéfice de qui le triomphe, si elle devient *ancilla sociologiae* ? Ce que l'on a pris comme le signal de l'aube n'était peut-être que la tombée du crépuscule. Et si l'écho de l'œuvre n'est pas parvenu ailleurs en Islam, c'était peut-être que l'ombre du crépuscule ne se prolongeait pas ailleurs. C'est au moment où l'on nous parle de l'épuisement de la culture islamique que la métaphysique du soufisme et celle du shî'isme (avec un Semnânî, un Haydar Amolî, un Ibn Abî Jomhûr, etc.) connaissent un prodigieux renouveau, préparant l'essor de l'école d'Ispahan. Il nous faut alors être attentif à la vertu stimulante du shî'isme pour la méditation philosophique, à une eschatologie sans laquelle il n'est pas d'historiosophie. On reconnaîtra volontiers au cas d'Ibn Khaldûn une grandeur tragique, mais cette grandeur n'est peut-être pas là où d'autres se sont plu à la voir.

Ibn Khaldûn était né à Tunis en 732/1332; il mourut au Caire en 808/1406. L'œuvre monumentale qui a fait sa réputation, ce sont ses *Prolégomènes* (*Moqaddima*), récemment encore traduits en anglais. L'auteur les composa à l'âge de quarante ans; politiquement compromis par toute une série d'expériences malheureuses, il s'était établi avec sa famille dans la solitude, au château fort des Banî Salâma (dans l'ancien département de Tiaret, en Algérie). Il composa en outre une histoire universelle (*Kitâb al-'ibar, Livre traitant des événements qui signifient un avertissement, une leçon*); une autobiographie; un traité intitulé *Shifâ al-'Sâ'il* (*La Guérison du chercheur*) qui est peut-être de lui et se propose peut-être de traiter de mystique, mais qui n'a certainement pas été écrit par un mystique.

Les *Prolégomènes* se présentent comme une encyclopédie des connaissances nécessaires à l'historien, pour qu'il puisse satisfaire à sa tâche, telle que la conçoit Ibn Khaldûn. Sur ce point, Ibn Khaldûn a conscience, à juste titre, de fonder une science nouvelle et indépendante, une science qui se définit par son objet même, lequel est l'ensemble de la civilisation humaine (*al-'omrân al-basharî*) et des faits sociaux. En six grandes sections, les *Prolégomènes* traitent de la société humaine (ethnologie, anthropologie); des civilisations rurales; des formes de gouvernement et des institutions; des sociétés de civilisation urbaine; des conditions et des faits économiques; des sciences et des lettres, bref de tout ce que nous désignons aujourd'hui comme « manifestations culturelles ».

Pareille enquête représente, certes, quelque chose de nouveau, excentrique à la recherche métaphysique qui est l'objet de la philosophie traditionnelle. Voir en lui le précurseur du positivisme « moderne » n'est peut-être pas le meilleur moyen pour juger de l'œuvre d'Ibn Khaldûn à l'intérieur de la culture islamique, plus précisément dit, de la philosophie islamique. Dire qu'il eut conscience que la civilisation à laquelle il appartenait vivait ses derniers jours, ressortit au genre de prophétie *post eventum,* et c'est perdre complètement de vue l'essor que devaient connaître ailleurs, nommément en Iran, une civilisation islamique, différente certes, et une philosophie islamique qui, l'une et l'autre, ont encore traversé les siècles. On fait un mérite à Ibn Khaldûn d'avoir, en ébranlant l'édifice de la philosophie spéculative, opté pour le « réel ». Encore faudrait-il s'entendre sur ce qu'est le « réel », et dire à quel terme arabe on pense pour le signifier. Car si d'emblée on réduit le « réel » aux dimensions qu'impose l'agnosticisme, on commet une pétition de principe. Le métaphysicien entend bien, lui aussi, avoir prise sur du « réel ». Seulement, il importera, nous l'avons rappelé au début, de différencier soigneusement entre historiosophie et philosophie de l'histoire. La première présuppose qu'interviennent en ce monde les énergies divines des mondes suprasensibles. La seconde peut se fonder sur une causalité éliminant toute transcendance; elle peut être une laïcisation radicale de la première, et l'œuvre d'Ibn Khaldûn représente une laïcisation ou sécularisation typique. La philosophie shî'ite a de son côté professé une historiosophie qui n'a guère retenu jusqu'ici l'attention des historiens de la philosophie. En revanche, les sarcasmes d'Ibn Khaldûn le montrent complètement étranger à ce que les métaphysiciens entendent et expérimentent par l'union de l'intellect humain avec l'Intelligence agente identifiée avec l'Esprit-Saint. A une phénoménologie de l'Esprit-Saint se trouve substituée une sociologie qui, au lieu de l'hypostase transcendante de l'Esprit-Saint, ne connaît qu'une raison universelle immanente à l'humanité historique.

Sur cette lancée, Ibn Khaldûn a pu apparaître à quelques enthousiastes comme un précurseur de Karl Marx, dans la mesure même où les différences entre les générations lui apparaissaient comme traduisant les différents modes de vie économique qui en sont dès lors l'explication. Est-il superflu de rappeler l'antithèse, de poser la question de savoir si l'humanité n'organise pas précisément sa vie sociale, économique, politique, en fonction de l'aperception première qui lui ouvre, avant toute donnée empirique, le sens de sa vie et de son destin ? A cette question ont répondu la philosophie et la spiritualité islamiques et décidé de l'axe d'orientation de l'homme. Il est significatif que sur un chapitre aussi décisif que l'alchimie, Ibn Khaldûn soit passé à côté de la vraie question. Il n'a vu en alchimie que des « souffleurs », alors que son contemporain Jaldakî élaborait un monument colossal de l'alchimie comme étant essentiellement une science spirituelle de la nature et de l'homme.

En bref, après la disparition d'Averroës, fut-ce Ibn Arabî ou bien était-ce Ibn Khaldûn qui indiquait à l'Islam spirituel sa finalité authentique ? La crise radicale de nos jours a-t-elle pour cause lointaine le fait qu'Ibn Khaldûn n'a pas été suivi ? Ou bien au contraire tient-elle au fait que la sécularisation moderne, en accomplissant le programme d'Ibn Khaldûn, irait de pair avec l'effacement de ce qu'a représenté et représente encore un Ibn 'Arabî ? Dans un cas comme dans l'autre, se pose au philosophe la question de savoir si la réduction des « sciences divines » aux « sciences humaines » répond au destin de l'homme. Ce n'est pas seulement le sort de la philosophie islamique qui est en cause, mais la vocation même de l'Islam en ce monde, la validité du témoignage que l'Islam porte en ce monde depuis quatorze siècles. La grandeur, tragique sans doute, de l'œuvre d'Ibn Khaldûn nous apparaît dans le fait qu'elle conduise la conscience à cerner ces questions.

II

La métaphysique du soufisme

Non seulement le soufisme propose autre chose qu'une philosophie, mais il a formulé la critique la plus vive de la philosophie, dans toute la mesure où celle-ci s'identifie pour lui avec un rationalisme limitatif. Et pourtant le soufisme comporte toute une métaphysique, tant il est vrai que philosophie et métaphysique ne s'identifient pas l'une avec l'autre. Comme l'annonçait notre aperçu d'ensemble, ce que l'on désigne ici comme « métaphysique du soufisme » correspond à ce que l'on entend en général par « mystique spéculative ». Pas plus qu'un Maître Eckhart ne saurait être absent d'une histoire de la philosophie allemande, pas plus un Ibn 'Arabî ne saurait être exclu d'une histoire de la philosophie islamique. Ce qui différencie cette métaphysique de celle des penseurs qui précèdent, c'est, très brièvement dit, la distance déjà signalée par les termes techniques *'ilm al-yaqîn* (certitude résultant d'une connaissance théorique, connaître les propriétés du feu, par exemple) et *haqq al-yaqîn* (certitude d'une vérité personnellement réalisée, être soi-même le feu). Nous trouvons, chez les métaphysiciens du soufisme, des schémas d'univers extrêmement complexes (v.g. les spéculations sur le Trône, qui rejoignent celles des Kabbalistes juifs), mais il ne s'agit jamais d'une connaissance théorique isolée de la vie spirituelle intérieure. De ce point de vue, métaphysique et anthropologie mystique sont inséparables, comme le sont les *modi essendi* et les *modi intelligendi.* Une mystique spéculative peut être aussi bien une mystique d'amour, de même que celle-ci peut comporter toute une métaphysique.

Il est vrai que la frontière est d'autant plus imprécise

que les *Ishrâqîyûn*, nous l'avons rappelé, occupent par rapport à la philosophie des Péripatéticiens le même *situs* spirituel que les soufis par rapport au *Kalâm*. Un *Ishrâqî* peut être considéré comme un soufi au sens large du mot; il est certes plus proche des soufis qu'il ne le sera jamais des *Motakallimûn* ou des philosophes rationalistes; cependant il ne peut être pris purement et simplement pour un soufi.

Dans le présent chapitre figureront des sunnites et des shî'ites, quelle que soit la thèse que l'on adopte quant à l'origine du soufisme. Les uns et les autres ont en commun leur soufisme; mais il ne s'agira nullement, au cours de ces brèves pages, de tenter une histoire des confréries soufies (*tarîqat*); celles-ci ne seront nommées qu'occasionnellement.

En outre, deux faits sont à relever ici, parce qu'ils nous imposent de considérer que le soufisme (*tasowwof*) ne recouvre pas à lui seul toute la spiritualité mystique en Islam. Il y a d'abord le fait des *Ishrâqîyûn* que l'on vient de rappeler; on les trouvera, surtout à partir de Mollâ Sadrâ, chez les shî'ites. Et il y a le fait de ces mêmes shî'ites dont la spiritualité (l'intériorisme, l'ésotérisme) a pour source l'enseignement transmis depuis les saints Imâms, et qui, depuis l'époque safavide, pour des raisons que l'on ne peut analyser ici, préfèrent employer les mots *'irfân* et *'orafâ* plutôt que les mots *tasawwof* et *sûfîya*. Dans toute la mesure aussi où le shî'isme est déjà, comme tel, pour le spirituel shî'ite, « la » *tarîqat*, sans que ce spirituel ait à entrer dans « une » *tarîqat* (congrégation), il y a, à l'intérieur du shî'isme, un soufisme qui ne laisse pas de traces matérielles, de documents d'archives.

Enfin, il faut éviter de se représener quelque chose comme des cloisons étanches. Depuis le XIIIe siècle jusqu'à nos jours, la doctrine d'Ibn 'Arabî se fait sentir chez les soufis aussi bien que chez les *Ishrâqîyûn*, chez les *hokamâ* aussi bien que chez les *'orafâ*.

1. *Rûzbehân Baqlî Shîrâzî.*

L'importance et le rôle de ce très grand mystique, son rang dans l'histoire du soufisme iranien, ne commencent à apparaître que depuis la publication récente de ses œuvres. Il était né à Pasâ, bourgade de la région de Shîrâz, en 522/1128; il mourut à Shîrâz en 606/1209. Il fut partiellement contemporain d'Ibn 'Arabî, et on lui doit la conservation du texte unique d'une œuvre de Hallâj. Cependant il ne suffirait pas de le situer entre Hallâj et Ibn 'Arabî pour définir sa personne et sa doctrine. Il se différencie des soufis antérieurs en repoussant un ascétisme qui opposerait amour humain et amour divin; il éprouve l'un et l'autre comme deux formes d'un seul et même amour; il n'y a pas de transfert d'un « objet » humain à un « objet » divin, mais métamorphose, transfiguration du « sujet ». Le livre intitulé *Le Jasmin des fidèles d'amour* expose, d'une part, le sens prophétique de la beauté, contemple le prophète de l'Islam comme prophète de la religion de la beauté, et d'autre part remonte, avec toutes les ressources d'une inspiration platonicienne, à l'origine préétrernelle de l'amour, pour orchestrer les grandes thèmes du Témoin éternel et de la Fiancée éternelle. D'où la typification de la métamorphose du sujet dans le couple de Majnûn et Layla (les Tristan et Yseult de l'épopée mystique en arabe comme en persan). Au paroxysme de son amour, Majnûn devient le « miroir de Dieu ». C'est Dieu même qui, par le regard de l'amant, contemple dans l'aimée son propre visage éternel.

A la source de cette doctrine, qui marque l'affinité de Rûzbehân avec Léon l'Hébreu comme avec les *Fedeli d'amore*, il y a l'intuition métaphysique que formule un des *hadîth* inspirés qui ont été l'aliment de tout le soufisme spéculatif : le « Trésor caché » aspire à être connu et crée le monde, afin d'être connu et de se connaître dans les créatures. L'Esprit est l'instauration initiale par laquelle subsistent les Esprits saints, individualités spirituelles prééternelles des êtres. Sans doute chaque atome d'être est-il un œil, tout entier absorbé dans la contemplation de la Lumière qui lui donna origine. Mais l'Etre divin éprouve alors de la jalousie à l'égard de soi-même; en se révélant, en s'objectivant à soi-même, il n'est plus identiquement son propre témoin à soi-même; il a un témoin en dehors de lui-même, un *autre* que lui-même. Et c'est le premier Voile. Aussi l'Etre divin cherche-t-il à se reprendre à soi-même; il détourne cet Esprit de le contempler et renvoie sa créature à la contemplation d'elle-même. Cette vision d'elle-même par soi-même est le second Voile. L'épreuve du Voile est le sens même de la Création et de la descente des Esprits saints en ce monde. Surmonter l'Epreuve consiste, pour le mystique, à découvrir sa connaissance de soi comme étant le regard même dont Dieu se contemple. Alors le voile devient miroir, car un monde *autre* que lui-même, Dieu ne l'a jamais contemplé depuis la Création; il en a horreur. Mais ceux qui atteignent à la conscience d'être les témoins par lesquels Dieu s'atteste à soi-même, ceux-là sont les yeux par lesquels Dieu regarde encore le monde. Nous sommes déjà assez proches d'Ibn 'Arabî.

Rûzbehân, à la demande d'un ami, rédigea, à l'âge de cinquante-cinq ans, le journal de ses songes depuis sa jeunesse. C'est un document peut-être unique dans la littérature mystique de tous les temps. Visions d'archanges, des formes célestes, de prophètes, d'aurores rougeoyantes, de jardins de roses : tout ce *diarium spirituale* est comme une suite de variations sur le thème de l'amphibolie (*iltibâs*) de l'Image humaine qui à la fois « est » et « n'est pas ». Tout le sensible, le visible, l'audible, est amphibolie, a un double sens, puisqu'il révèle l'invisible, l'inaudible, et c'est cela même la fonction théophanique de la beauté des créatures, sans contradiction avec le dépouillement de la pure Essence (*tanzîh*). La pensée de Rûzbehân progresse non par une dialectique conceptuelle, mais par une dialectique d'images; ses livres sont difficiles à traduire, mais d'un intérêt primordial pour toute métaphysique de l'imagination. Par son émotivité extrême, il fut l'homme des « paradoxes renversants », des outrances (*shathîyât*) proférées par les mystiques. Il a recueilli les principales d'entre celles des maîtres du soufisme, en arabe d'abord, puis, à la demande de ses élèves, les a amplifiées en persan : volumineux et difficile ouvrage, qui est une Somme du soufisme de son temps.

La lignée (la *tarîqat*) rûzbehânienne s'est maintenue à Shîrâz pendant plusieurs générations. Tout récemment, son mausolée a été magnifiquement restauré. Quiconque s'est imprégné de l'œuvre de Rûzbehân comprendra comment le *Dîwân* de son illustre compatriote, le grand poète Hâfez (791/1389), peut-être lu de nos jours encore comme une Bible mystique par les soufis iraniens.

2. *'Attâr de Neyshâpour.*

Rûzbehân était un homme du sud-ouest de l'Iran. Farîdoddîn 'Attâr est un homme du nord-est, un Khorassanien. Malheureusement, si l'on s'accorde à peu près sur la date de sa naissance à Neyshâpour en 513/1120, il y a quelque difficulté pour fixer la date exacte de son départ de ce monde. Une longue tradition fixe à l'année 627/1230 ou 632/1235 la date de sa mort, lui accordant ainsi une longévité extraordinaire. Hellmut Ritter proposait la date de 589/1193. Peut-être cette fois le délai est-il trop court. On ne tranchera pas la question ici.

Le regretté H. Ritter, qui voua l'œuvre de sa vie à

celui qui fut l'un des plus grands poètes mystiques de l'Iran, observait que l'œuvre de 'Attâr offre le cas assez rare, chez un poète oriental, d'une œuvre où il nous est possible de suivre les étapes d'un développement intérieur. A grands traits, nous distinguerons avec lui trois étapes dans la biographie intérieure de 'Attâr : premièrement, une période de jeunesse pendant laquelle le poète se rend progressivement maître de l'art du récit, rassemblant à cette fin un prodigieux matériel; deuxièmement, une période pendant laquelle éclôt, avec tous ses moyens, la technique de l'anaphore; l'art du poète se déploie dans des œuvres dont le nombre et surtout l'ampleur ne trouvent que difficilement des parallèles dans la littérature universelle; troisièmement, la période shî'ite de la vieillesse. Nous ne pouvons malheureusement insister ici sur le fait capital de ce passage de Farîdoddîn 'Attâr au shî'isme, pas plus que sur le détail des œuvres authentiques et des œuvres d'attribution douteuse (en raison de l'homonymie d'un 'Attâr II). Les premières sont faciles à déterminer, grâce à la mention que 'Attâr en fait lui-même dans son dernier ouvrage, *Lisân al-ghayb* (*La Langue du mystère*) : un peu plus d'une quinzaine. Les principales sont *Ilâhî-Nâmeh* (*Le Livre divin*), *Mantiq al-Tayr* (*Le Langage des oiseaux*), *Mosîbat-Nâmeh* (*Le Livre de l'épreuve*), *Asrâr-Nâmeh* (*Le Livre des secrets*), *Oshtor-Nâmeh* (*Le Livre du chameau*), etc. Après Hakîm Sanâ'î (mort vers 545/1151) que l'on en peut regarder comme le fondateur, 'Attâr est, avec Jâmî (voir *infra*, p. 427), le représentant le plus significatif de l'épopée mystique persane. Précisons que cette épopée peut former une histoire continue; elle peut aussi présenter la forme d'une rhapsodie mystique, soit que le thème en éclate en récits qui l'illustrent, soit que les histoires se succèdent, reliées entre elles par un fil invisible qu'il appartient à la divination du lecteur de découvrir.

Pour en donner quelque idée, comme *Le Livre divin*

et *Le Langage des oiseaux* (contenant le merveilleux épisode mystique de Sîmorgh) ont été traduits en français, nous proposons ici une très brève analyse du *Mosîbat-Nâmeh* pour lequel, comme pour tous les autres, il n'existe encore aucune traduction en quelque langue occidentale. C'est essentiellement le récit du voyage de l'âme dans la méditation mystique d'une période de retraite. Quarante stations correspondent aux quarante jours de cette retraite, le « voyage en esprit » étant le moyen par lequel l'homme découvre qu'il est plus qu'un être de chair et de sang, qu'il porte en lui l'univers, ou plutôt qu'il est lui-même l'univers. Le voyageur ne se repose ni nuit ni jour. Successivement, pour trouver un remède à la douleur qui ravage le cœur d'un exilé, il demande le secours des quatre archanges de la tétrade : Gabriel, Séraphiel, Michaël, Azraël; puis à l'Ange qui représente ceux qui portent le Trône cosmique (la Sphère des Sphères); puis au ciel des Fixes, puis à la « Table préservée » (l'Ame du monde), au Calame (l'Intelligence), au paradis, à l'enfer, au ciel, au Soleil et à la Lune, aux quatre Eléments, à la montagne sur laquelle l'Arche aborda; puis à la mer, aux minéraux, aux plantes, aux animaux sauvages, aux oiseaux, aux poissons, à Satan, aux esprits, à l'homme, à Adam et aux autres six grands prophètes jusqu'à Mohammad, enfin à la perception des sens, à la perception de l'intellect. Finalement il arrive à la station du cœur et à celle de l'âme, où il lui est dit : « Tu as en vain parcouru tout l'univers, avant d'aborder finalement au rivage de la mer qui est mienne. Ce que tu as cherché est en toi. Tu es toi-même l'obstacle qui t'en sépare. Plonge en cette mer qui est mienne, abîme-toi en elle. » Pourquoi lui a-t-il fallu aller si loin ? « Pour que tu apprennes à connaître ma valeur. » Un sage lui explique : « Tu dois comprendre que ta quête est une quête de l'Ami divin à la recherche de soi-même. » Le voyageur comprend alors que tous les univers sont en lui-même; il connaît enfin le mystère de son âme; jusque-là il avait voyagé vers Dieu; désormais il voyagera « en » Dieu. La conclusion rejoint non seulement l'épisode final des autres épopées, mais aussi la conclusion de tous les métaphysiciens mystiques (voir *infra* III, 9, les « quatre voyages spirituels » chez Mollâ Sadrâ).

Outre ses grandes épopées et un vaste ouvrage de biographies des mystiques (*Tadhkirat al-Awliyâ*), 'Attâr a laissé un immense recueil de pièces, un *Dîwân* de plusieurs milliers de distiques en persan. Certains ont la véhémence d'un défi : « Celui qui s'est fait assidûment le familier du " Temple des Mages " – De quelle confession serait-il ? A quel rite se plierait-il ? – Je suis au-delà de Bien et Mal, au-delà de mécréance et religion, au-delà de théorie et pratique – Car au-delà de toutes ces choses, multiples sont encore les étapes. »

On voit se constituer ici un réseau d'images actives provenant du mazdéisme zoroastrien de l'ancienne Perse, et décelant une affinité secrète avec l'*Ishrâq* de Sohravardî. Le Temple des Mages, le prieur et le prieuré des Mages, les fils des Mages, le vin des Mages, autant d'expressions pour désigner symboliquement concepts et pratiques du soufisme.

Certes, il est arrivé qu'en Occident on ait tendance à minimiser l'importance de ce lexique, parce qu'il était entendu *a priori* que le mazdéisme n'avait pu avoir aucune influence sur l'Islam iranien. Mais tout autre était justement l'avis des maîtres du soufisme iranien. Ces *ghazal* de 'Attâr au symbolisme mazdéanisant ont été pertinemment commentés par Shaykh Safîoddîn Ardabîlî (735/1334), celui que la dynastie iranienne des Safavides reconnaissait comme son ancêtre. Nous en faisons mention ici, parce que nous n'aurons plus le loisir d'y revenir au cours de ces pages, pas plus que nous ne pourrons insister sur les commentaires d'un autre shaykh d'entre les *'orafâ* iraniens, Shaykh Âzerî Tûsî (mort à Esfarâyîn en 866/1461-1462).

3. *'Omar Sohravardî.*

Bien qu'ils soient tous deux originaires de la même ville de Sohravard (dans le département de Zenjân, au nord-ouest de l'Iran), il importe de ne pas confondre Shihâboddîn 'Omar Sohravardî, grand shaykh du soufisme établi à Baghdâd, et Shihâboddîn Yahyâ Sohravardî (587/1191), le *shaykh al-Ishrâq*, résurrecteur de la philosophie et de la théosophie de l'ancienne Perse. Shihâboddîn 'Omar Sohravardî était né en 539/1145; il mourut à Baghdâd en 632/1234-1235. Ses premiers pas sur la voie mystique furent guidés par son oncle paternel, Abû'l-Najîb Sohravardî (mort en 563/1167-1168); tous deux sont à l'origine de la *tarîqat* soufie *sohravardîya* qui s'est perpétuée jusqu'à nos jours.

Tout en étant essentiellement un grand shaykh soufi, 'Omar Sohravardî intéresse l'histoire de la philosophie à plusieurs titres. Il écrivit un traité contre la philosophie grecque, ou, plus exactement dit, contre les « philosophes hellénisants », les *falâsifa* (ouvrage traduit en persan par Mo'inoddîn Yazdî en 774/1372-1373). Toute étude préalable faisant défaut et l'accès aux manuscrits demeurant difficile, on ne peut en esquisser ici le dessein. Toutefois on peut le pressentir par le fait qu'un des chapitres de l'ouvrage traite de la « seconde naissance » et que, d'autre part, l'excellente Somme de soufisme que 'Omar Sohravardî a composée sous le titre de *'Awârif al-Ma'ârif* (*Les Bienfaits des connaissances spirituelles*) comporte, elle aussi, sa propre doctrine philosophique; il n'est que d'en lire le chapitre LVI, traitant de l'esprit, de l'âme, de l'intellect, pour s'en convaincre. Cette Somme est elle-même restée à travers les siècles comme un manuel courant de soufisme.

Entre le XIIIe et le XVIe siècle elle fut l'objet de traductions et de commentaires en persan et en turc. Tous les soufis l'ont lue; malheureusement, bien que les manuscrits abondent, il n'y a pas encore de véritable édition critique.

Il y a un autre aspect de l'œuvre de 'Omar Sohravardî qui intéresse le philosophe : ce sont ses deux traités sur la *fotowwat.* Ce mot arabe, en persan *javânmardî,* signifie « jeunesse, juvénilité ». Le *fatâ,* le *javânmard,* c'est le jeune homme; mais dans son usage technique, le mot s'entend de la juvénilité spirituelle, non pas de l'âge physique. La *fotowwat,* c'est la forme que prit en propre, en Islam, la relation de l'ésotérisme avec la réalité sociale. Tel que les auteurs soufis le décrivent, le phénomène s'enracine originellement dans le soufisme et se prolonge dans les activités de métiers, la *fotowwat* correspondant simultanément à l'idée occidentale de la chevalerie et à celle du compagnonnage. Quant à l'histoire symbolique sous laquelle on s'en représente l'origine, il y aura lieu d'y revenir plus loin à propos de l'œuvre de Hosayn Kâshefî. On retiendra essentiellement ici qu'en débordant du soufisme, la *fotowwat* tend à sacraliser toutes les activités professionnelles, à en transformer les gestes en autant d'actes liturgiques. On entre dans la *fotowwat* par une cérémonie d'initiation, dont le rituel comporte trois modes d'engagement entre lesquels choisit le candidat : engagement par la parole donnée, par la réception de l'épée ou glaive, par la participation à la Coupe rituelle. L'activité des compagnons, liés entre eux par un pacte de fraternité, s'exhausse au niveau d'un service de chevalerie. Tout compagnon est un *javânmard.*

On rappellera que 'Omar Sohravardî fut le conseiller théologique du khalife abbasside Nâsir li-dîn Allâh (575/1180-652/1225). Le khalife, qui avait de fortes sympathies pour le shî'isme imâmite, voire pour l'ismaélisme, nourrit le grand projet de faire de la *fotowwat* le lien entre les familles spirituelles, d'une extrémité à l'autre du monde de l'Islam, quelque chose comme une *fotowwat* panislamique. Il se forma ce que l'on a appelé une *fotowwat* aristocratique, une « *fotowwat* de cour ». Mais ce n'est pas cette chevalerie aristocratique qui, à elle seule, justifierait l'identification avec un Ordre de chevalerie occidental. En fait, il suffit déjà de se reporter à la généalogie spirituelle que se donne la *fotowwat* et aux règles de son éthique pour le comprendre. Si malheureusement les invasions mongoles devaient ruiner le grand projet de Nâsir li-dîn Allâh, la catastrophe n'entraîna nullement la disparition de la *fotowwat* comme chevalerie spirituelle. Les livres de *fotowwat* s'échelonnent au long des siècles. Dans la lignée de ceux de 'Omar Sohravardî, on citera le *Fotowwat-Nâmeh* de Najmoddîn Zarkûb Tabrîzî (712/1313), qui lui-même appartenait à l'Ordre des *Sohravardîya*. Certes, tous ces traités portent l'empreinte du soufisme, mais c'est que la *fotowwat* marque la pénétration de l'idée de chevalerie spirituelle dans le soufisme (un phénomène semblable s'est produit en Occident, au XIVe siècle, dans la mystique de l'école rhénane). Simultanément la *fotowwat* a conscience, de par ses origines, d'être un rameau dérivé du soufisme. C'est par là même qu'elle put pénétrer les différents états et professions, en proposant à chacun une forme de *fotowwat* qui lui fût appropriée. Elle a vraiment marqué un sommet de l'idéal spirituel proposé à la société islamique.

En outre, on ne doit pas oublier que l'idée de la *fotowwat* apparaît comme inséparable de l'idée shî'ite de la *walâyat*. Il faut entendre sous ce mot le pacte d'amitié divine (persan *dûstî*), le pacte des « Amis de Dieu » (*Dûstân-e Haqq*), qui ordonne, sur le type d'un service chevaleresque, le rapport entre Dieu et l'homme. Malheureusment, si l'on persiste dans l'habitude de lire *wilâyât* et de traduire par « sainteté », tout se trouve altéré. La *walâyât* se transmet, par l'initiative divine, entre « Amis de Dieu ». On ne voit pas trop ce que signifierait une sainteté « transmissible ».

L'influence de 'Omar Sohravardî sur l'ensemble du soufisme a été considérable. Nous ne pouvons relever ici que deux noms : d'abord celui du fils de notre shaykh, Mohammad ibn 'Omar (le quatrième Sohravardî !) qui écrivit un petit manuel de soufisme intitulé *Zâd al-mosâfir* (*Le Viatique du voyageur*); puis celui d'un soufi iranien, 'Izoddîn Mahmûd Kâshânî (735/1334-1335) qui a laissé une œuvre importante en persan, intitulée *Misbâh al-hidâyat* (*Le Flambeau de l'orientation spirituelle*).

4. *Ibn 'Arabî et son école.*

Les personnages qui précèdent étaient partiellement contemporains d'Ibn 'Arabî; les dates auxquelles ils quittèrent ce monde nous les ont fait signaler tout d'abord. Nous abordons maintenant le rivage d'une mer sans limites, le pied d'une montagne au sommet se perdant dans les nues : toutes ces métaphores sont bonnes, tant est gigantesque l'ampleur de l'œuvre d'Ibn 'Arabî, un des plus grands théosophes visionnaires de tous les temps. Il importe de renverser radicalement une fausse perspective, issue d'on ne sait quel préjugé inavoué et qui voyait dans l'apparition de cette œuvre la fin de l'âge d'or du soufisme. Loin de là, nous pouvons dire qu'avec cette œuvre quelque chose de nouveau et d'original commence, si original que cela ne pouvait éclore qu'au sein de l'ésotérisme abrahamique, et parmi les trois rameaux de celui-ci, au sein de l'ésotérisme islamique. La philosophie des *falâsifa*, le *Kalâm* des scolastiques, l'ascèse des pieux soufis primitifs, tout cela est emporté dans le torrent d'une métaphysique spéculative et d'une puissance visionnaire sans précédent. Alors commence l'« âge d'or » de la théosophie mystique. La théosophie d'Ibn 'Arabî et la théosophie « orientale » (l'*Ishrâq*) de Sohravardî ont des connexions notoires. Lorsqu'elles opéreront ensemble leur jonction avec la théosophie shî'ite issue des saints Imâms, ce sera le grand essor de la métaphysique shî'ite en Iran (avec Haydar Amoli, Ibn Abî Jomhûr, Mollâ Sadrâ, etc.) dont les virtualités sont loin d'être épuisées de nos jours.

Ibn 'Arabî naquit dans le sud-est de l'Espagne, à Murcie, le 17 Ramadan 569/28 juillet 1165. Il y eut d'abord les années de formation et d'apprentissage en Andalousie. A l'âge de dix-sept ans, Ibn 'Arabî eut un dialogue extraordinaire avec le philosophe Averroës. Il ne devait plus y avoir d'autre rencontre entre eux, jusqu'au jour du transfert des cendres d'Averroës à Cordoue. Le jeune Ibn 'Arabî y assistait et improvisa à cette occasion quelques distiques poignants, dans lesquels on peut lire le présage de l'orientation qu'allaient prendre avec lui la philosophie et la spiritualité de l'Islam. L'école d'Almeria, celle d'Ibn Masarra, eut une grande influence sur sa formation. Cette école recelait l'enseignement des missionnaires ismaéliens et shî'ites. Aussi, lorsque plus tard l'école d'Ispahan, avec Mollâ Sadrâ, accueille les doctrines d'Ibn 'Arabî, c'est le circuit grandiose d'un retour aux origines que l'on voit se dessiner. En attendant, le séjour de l'Andalousie devenait impossible à quiconque s'écartait du littéralisme. Ibn 'Arabî préféra partir pour l'Orient; il accomplit une migration à laquelle il attachait la valeur d'un symbole. Après une existence admirablement remplie et une activité d'écrivain prolifique, il mourut paisiblement à Damas, entouré des siens, le 28 Rabî' II 638/16 novembre 1240. Il y est enseveli, avec ses deux fils, sur la pente du mont Qassioun, et sa tombe est jusqu'à nos jours visitée par de nombreux pèlerins.

Il ne peut être question de résumer en quelques lignes les doctrines d'Ibn 'Arabî. On suggérera, par quelques touches, quelques points essentiels. Disons qu'à la clef de voûte du système, si le terme est de mise, il y a, comme dans toutes les gnoses, le mystère d'une pure Essence inconnaissable, imprédicable, ineffable. C'est de cet Abîme insondable que s'éveille et se propage le torrent des théophanies et que procède la théorie des Noms divins. Ibn 'Arabî est en profond accord sur ce point avec la théosophie ismaélienne et celle du shî'isme duodécimain qui, l'une et l'autre, maintiennent avec rigueur la loi et les conséquences de la théologie apophatique (*tanzîh*). Se produit-il une faille lorsque Ibn 'Arabî décerne cependant le nom de Pure Lumière à cet Ineffable, ou bien l'identifie avec l'Etre absolu, alors que la théosophie ismaélienne maintient rigoureusment au-delà de l'être, comme super-être, la source de l'être ? De l'une ou l'autre interprétation découle le sens de l'unité transcendante de l'être (*wahdat al-wojûd*), à propos de laquelle on a commis bien des méprises.

Cet abîme divin recèle le mystère du « Trésor caché » aspirant à être connu, et créant les créatures afin de devenir en elles l'objet de sa propre connaissance. Cette révélation de l'Etre divin s'accomplit comme une succession de théophanies présentant trois degrés : épiphanie de l'Essence divine à soi-même, dont il n'est possible de parler que par allusion; une seconde théophanie qui est l'ensemble des théophanies dans lesquelles et par lesquelles l'Essence divine se révèle à soi-même sous les formes des Noms divins, c'est-à-dire dans les formes des êtres quant à leur existence dans le secret du mystère absolu; la troisième est la théophanie dans les formes des individus concrets, donnant existence concrète et manifestée aux Noms divins. De toute éternité existent dans l'Essence divine ces Noms qui sont cette Essence même, parce que les Attributs qu'ils désignent, sans être identiques avec l'Essence divine comme telle, n'en sont pourtant pas différents. Ces Noms sont désignés comme des « seigneurs » (*arbâb*) qui offrent toute l'apparence d'autant d'hypostases (que l'on pense ici à la procession des Noms divins dans le livre hébreu d'Enoch, dit le « IIIe Enoch »).

Expérimentalement, nous ne les connaissons que par notre connaissance de nous-mêmes : Dieu se décrit lui-même à nous-mêmes par nous-mêmes. Autrement dit, les Noms divins sont essentiellement relatifs à des êtres qui les nomment, tels que ces êtres les découvrent et les éprouvent dans et par leur propre mode d'être. C'est pourquoi ces Noms sont aussi désignés comme formant les niveaux ou plans de l'être (*hadarât, hazarât*, présences, « dignités », comme traduisait Raymond Lulle). Sept d'entre eux sont les Imâms des Noms; les autres sont désignés comme « gardiens du temple », templiers (*sadana*) : la théorie des Noms divins se modèle sur la théorie générale des *hazarât*. Les Noms divins n'ont donc de sens et de réalité plénière que par et pour des êtres qui en sont les formes épiphaniques (*mazâhir*). De toute éternité également, ces formes, supports des Noms divins, ont existé en l'Essence divine; ce sont nos propres existences latentes, en leur état de condition archétypique, « héccéités éternelles » (*a'yân thâbita*). Et ce sont ces individualités latentes qui, de toute éternité, aspirent à être révélées; c'est la nostalgie même du « Trésor caché » aspirant à être connu. Et c'est de là que procède éternellement le « Soupir de compatissance » (*al-Nafas al-Rahmânî*) qui suscite à l'être en acte les Noms divins encore inconnus et les existences par lesquelles et pour lesquelles ces Noms divins sont manifestés en acte. Chaque existant est ainsi dans son être caché un souffle de la Compatissance divine existentiatrice, et le nom divin *al-Lâh* est l'équivalent du nom *al-Rahmân*, le Compatissant, le Miséricordieux.

Ce « Soupir de compatissance » est l'origine d'une masse de constitution toute subtile, désignée sous le nom de Nuée (*'amâ*) : une Nuée primordiale qui à la fois reçoit toutes les formes et donne leurs formes aux êtres, est à la fois active et passive, constitutrice et réceptrice. Nuée primordiale, Compassion existentiatrice, Imagination active, absolue ou théophanique, ces mots désignent une même réalité originelle : le Dieu créé (*Haqq makhlûq*) et dont est créée toute créature. C'est le Créateur-créature, le Caché-manifesté, l'Esotérique-exotérique, le Premier-dernier, etc. C'est par cette Figure que la théosophie ésotérique en Islam se situe au rang de la « théologie spéculative » évoquée ci-dessus dans l'aperçu d'ensemble. Le Premier-créé (*Makhlûq awwal, Protoktistos*) au sein de cette Nuée primordiale est le Logos mohammadien, la réalité métaphysique du prophète (*Haqîqat mohammadîya*), dénommée encore Esprit-Saint mohammadien (*Rûh mohammadî*), source et origine d'une théologie du Logos et de l'Esprit qui reproduit, sous les traits qui lui sont propres, celle des néoplatoniciens, de la gnose, de Philon et de l'origénisme.

Le couple Créateur-créature (*Haqq-Khalq*) se répète à tous les niveaux des théophanies, à tous les degrés des « descentes de l'être ». Ce n'est ni monisme ni panthéisme, mais plutôt, si l'on veut, théomonisme et panenthéisme. Le théomonisme ne fait qu'énoncer la condition philosophique rendant solidaires Créateur et créature, mais cela au niveau des théophanies. C'est le secret de la divinité personnelle (*sirr al-robûbîya*), c'est-à-dire de l'intersolidarité entre les seigneur (*rabb*) et celui qui le choisit comme seigneur (*marbûb*), telle que l'un ne peut subsister sans l'autre. La déité (*olû-hîya*) est au niveau de la pure Essence; la *robûbîya* est la divinité du seigneur personnel auquel on recourt, parce que l'on répond pour lui en ce monde. *Al-Lâh* est le Nom qui désigne l'Essence divine qualifiée par l'ensemble de ses Attributs, tandis que le *rabb*, le seigneur, c'est l'Etre divin personnifié et particularisé sous l'un de ses Noms et Attributs; c'est tout le secret des Noms divins et de ce qu'Ibn 'Arabî désigne comme « le Dieu créé dans les croyances », ou plutôt le Dieu qui se crée soi-même dans ces croyances. Et c'est pourquoi la connaissance de Dieu est sans limites pour le gnostique, puisque la récurrence de la Création, les métamorphoses des théophanies, sont la loi même de l'être.

Ces quelques lignes ne tendent qu'à suggérer, non point à systématiser. Ibn 'Arabî fut un écrivain d'une fécondité colossale. Le répertoire de ses œuvres, que nous devons au labeur exemplaire d'Osman Yahia, comprend huit cent cinquante-six ouvrages, dont cinq cent cinquante nous sont parvenus et sont attestés par deux mille neuf cent dix-sept manuscrits. Son chef-d'œuvre le plus connu est l'immense ouvrage (quelque trois mille pages de grand in-quarto) intitulé *Le Livre des conquêtes spirituelles de La Mekke* (*Kitâb al-Fotûhat al-Makkîya*), dont la première édition critique est en cours par les soins d'Osman Yahia. L'ouvrage a été lu au long des siècles par tous les philosophes et spirituels de l'Islam. On peut en dire autant du compendium intitulé *Les Gemmes des sagesses des prophètes* (*Fosûs al-hikam*), lequel est, plutôt qu'une histoire des prophètes, une méditation spéculative contemplant en vingt-sept d'entre eux les archétypes de la Révélation divine. L'ouvrage ressortit lui-même au « phénomène du Livre révélé », car Ibn 'Arabî le présente comme lui ayant été inspiré du ciel par le Prophète. Il en existe des commentaires sunnites et des commentaires shî'ites. Osman Yahia en a recensé cent cinquante (dont cent trente environ sont l'œuvre de spirituels iraniens). Ces commentaires ne sont point des gloses inoffensives, car si l'œuvre d'Ibn 'Arabî a suscité l'admiration de disciples fervents, elle a provoqué aussi le courroux et les anathèmes d'adversaires passionnés.

Entre autres commentaires célèbres des *Fosûs*, il y a celui de Dâwûd Qaysarî (751/1350-1351), sunnite, et celui de Kamâloddîn 'Abdorrazzâq Kâshânî (mort entre 735/1334 et 751/1350-1351), célèbre penseur shî'ite, à qui l'on doit en outre un commentaire mystique du *Qorân*, un traité sur le lexique du soufisme et un traité sur la *fotowwat*. Il faut également mentionner l'ample commentaire shî'ite de Haydar Amolî, comportant une sévère critique de Dâwûd Qaysarî sur un point qui décide de toute la philosophie de la *walâyat*.

Simple question : comment concevoir une histoire intégrale de la philosophie islamique avant que tous ces textes aient été dépouillés ? Mais combien de temps faudra-t-il ?

Il ne peut être question d'esquisser ici, même sommairement, une histoire de l'école d'Ibn 'Arabî. Mais l'on ne peut omettre de mentionner le nom de Sadroddîn Qonyawî (c'est-à-dire de Qonya, Konia, Iconium, souvent écrit fautivement *Qonawî*). Sadroddîn (671/1272 ou 673/1273-1274) était à la fois le disciple et le beau-fils d'Ibn 'Arabî, dont les doctrines imprègnent sa pensée. Il a laissé un nombre d'œuvres importantes. Sa personne offre le grand intérêt de constituer en quelque sorte, à elle seule, un carrefour : il fut en rapport avec Jalâloddîn Rûmî, avec Sa'doddîn Hamûyeh (ou Hâmû'î) et fut en correspondance avec le grand philosophe shî'ite Nasîroddîn Tûsî ainsi qu'avec d'autres shaykhs. Aucun des textes nécessaires pour une analyse n'est encore édité.

5. *Najmoddîn Kobrâ et son école.*

On a signalé ci-dessus qu'Ibn 'Arabî attachait une valeur symbolique à sa migration géographique vers l'Orient. A la même époque se produit, devant l'invasion mongole de Tchengîz-Khân, un mouvement symétriquement inverse : le reflux du soufisme d'Asie centrale vers l'Iran, l'Anatolie et la Mésopotamie. Ce soufisme d'Asie centrale est dominé à l'époque par la grande figure de Najmoddîn Kobrâ; la rencontre de ses disciples avec ceux d'Ibn 'Arabî fut un fait d'une importance capitale et décisive pour l'avenir spirituel de l'Islam oriental. Symboliquement on pourrait situer, comme lieu géométrique de la rencontre, la théosophie « orientale » de la Lumière, de Sohravardî, car la doctrine de Najmoddîn Kobrâ est, elle aussi, une mystique expérimentale de la Lumière. On peut dire que, si la Renaissance en Occident, au XVIe siècle, eut pour cause prochaine le reflux des savants byzantins en Italie devant la conquête turque de Constantinople, un phénomène comparable se produit ici, quelque deux siècles et demi plus tôt. C'est pourquoi on ne peut appliquer à la philosophie islamique la périodisation courante en histoire de la philosophie occidentale. Toutefois, s'il est exact de parler de la Renaissance safavide en Iran, il serait tout à fait abusif de parler de « Renaissance mongole ». Ce qui est à considérer, c'est l'entrée en contact de maîtres et d'écoles, contacts dont la fructification compensera les malheurs des temps.

Najmoddîn Kobrâ, né en 540/1146, eut toute la première partie de sa vie occupée par de longs voyages (Neyshâpour, Hamadan, Ispahan, La Mekke, Alexandrie). Il revient à Khwârezm en 580/1184. Toute son activité s'exerce alors en Asie centrale, où il eut une foule de disciples, bien qu'il n'en ait admis que douze comme ses proches et familiers. Au moment du siège de Khwârezm, Tchengîz-Khân lui avait dépêché un message, l'invitant à se réfugier auprès de lui. Mais Najmoddîn Kobrâ ne put accepter d'abandonner les habitants avec qui il avait vécu de longues années, et selon le récit de Rashîdoddîn Fazlollah (voir *supra* p. 368), il mourut héroïquement (618/1221) en prenant part à la défense de la ville contre les Mongols.

Ce qui caractérise le soufisme d'Asie centrale, c'est que Najmoddîn fut le premier d'entre les maîtres du soufisme à fixer son attention sur les phénomènes visionnaires de couleur, les photismes colorés qu'il arrive au mystique de percevoir au cours de ses états spirituels. Il s'est attaché à décrire ces photismes en analysant les degrés de leur coloration comme autant d'indices de l'état du mystique et de son degré d'avancement spirituel. Bien entendu, il ne s'agit pas de perceptions physiques par les sens externes. A maintes reprises, Najmoddîn Kobrâ fait allusion à ces lumières colorées comme à quelque chose que l'on voit « en fermant les yeux », le phénomène ressortissant à la perception d'une *aura.* On pressent d'emblée que les faits ainsi médités vont s'intégrer à une métaphysique de la Lumière allant à la rencontre de celle de l'*Ishrâq* de Sohravardî, et postulant comme celle-ci une ontologie du *mundus imaginalis.*

Il y a, certes, affinité et correspondance entre couleurs physiques et couleurs « auriques », en ce sens que les couleurs physiques possèdent elles-mêmes une qualité morale et spirituelle « avec laquelle symbolise » ce qu'exprime l'*aura.* C'est cette correspondance qui permet à un maître spirituel de disposer d'un moyen de contrôle par lequel discriminer ces perceptions suprasensibles de ce que nous appellerions aujourd'hui des « hallucinations ». Techniquement, il convient de parler d'une « aperception visionnaire ». Le phénomène qui lui correspond est un phénomène premier et primaire, irréductible à quelque chose d'autre. Quant à l'organe de cette perception et au mode d'être qui la rend possible, ils ressortissent à ce que Najmoddîn Kobrâ désigne comme une philosophie des « sens subtils du suprasensible ». « Apprends, ô mon ami, que l'objet de la recherche, c'est Dieu, et que le sujet qui cherche c'est une lumière qui vient de lui. » Le chercheur n'est personne d'autre que la lumière elle-même captive, l'« homme de lumière ». A la rencontre de la flamme aurique qui s'élance de l'homme terrestre, descend un flamboiement du Ciel, et c'est dans leur embrasement que Najmoddîn Kobrâ discerne ou pressent la présence du « témoin céleste », du « guide personnel suprasensible ». L'œuvre de Najmoddîn Kobrâ (théorie des photismes colorés, métaphysique de la Lumière, physiologie des organes subtils) a été admirablement parachevée par 'Alaoddawleh Semnânî (voir ci-dessous).

Parmi les élèves immédiats de Najmoddîn Kobrâ, il faut nommer ici, trop rapidement hélas ! le propre père de Jalâloddîn Rûmi, Bahâ'oddîn Walad (628/1230-1231); Sa'doddîn Hamûyeh (ou Hâmû'î) (650/1252-1253), dont les œuvres, toutes encore inédites, sont d'une lecture aussi attachante que difficile. Sa'doddîn Hamûyeh pratiquait l'arithmosophie (la science de l'alphabet philosophique), l'art des diagrammes symboliques, et, fervent shî'ite, avait un lien de dévotion personnelle avec le XIIe Imâm, l'Imâm présentement caché.

Najmoddîn Dâyeh Râzî (654/1256) fut, lui aussi, un élève direct de Najmoddîn Kobrâ. Sur l'ordre de son shaykh, il prit refuge vers l'ouest, devant l'invasion de Tchengîz-Khân. A Qonya il fut en relation avec Sadroddîn Qonyawî et avec Jalâloddîn Rûmî. Dans un de ses livres en persan, d'une lecture courante aujourd'hui encore en Iran, le *Mirsâd al-'ibâd* (*La Grand route des hommes de Dieu*), il apporte sa contribution propre à la théorie des photismes colorés. On lui doit en outre un commentaire mystique du *Qorân*, qu'il ne put mener au-delà de la sourate 53 (l'Etoile). Semnânî l'acheva de façon très personnelle en un ouvrage qui est un chef-d'œuvre de l'ésotérisme, c'est-à-dire de l'intériorisation radicale des données qorâniques.

'Azîzoddîn Nasafî (vers 700/1300-1301) fut un élève de Sa'doddîn Hamûyeh. Plusieurs de ses œuvres en persan ont été éditées (*Kashf al-haqâ'iq, Mise à découvert des réalités métaphysiques*; *Maqsad-e aqsâ, Le But suprême*; le recueil de traités rassemblés sous le titre *al-Insân al-Kâmil, L'Homme Parfait*). Sa théosophie présente une théorie cyclique des périodes du monde s'accordant avec celle de la gnose ismaélienne, ce qui explique pourquoi les Ismaéliens d'Asie centrale le regardent comme un des leurs. Son théomonisme s'accorde avec celui d'Ibn 'Arabî. On trouve chez lui l'idée d'une triade divine exprimée sous les noms Allâh, al-Rahmân, al-Rahîm (Dieu, le Compatissant, le Miséricordieux), qui sera reprise par Haydar Amolî avec une tonalité plus nettement néoplatonicienne. Enfin, l'idée d'une ascension de la connaissance depuis le minéral jusqu'au niveau de la conscience humaine annonce une des intuitions les plus caractéristiques de Mollâ Sadrâ Shîrâzî.

6. *Semnânî.*

Dans la lignée des *Kobrawîya*, l'Ordre issu de Najmoddîn Kobrâ, 'Alaoddawleh Semnânî (736/1336) occupe un rang insigne; la brièveté des lignes qui suivent pourra être compensée par l'étude que nous lui avons consacrée ailleurs. Il était né en 659/1261 et entra à l'âge de quinze ans comme page au service d'Argoun, souverain mongol de l'Iran. A vingt-quatre ans, tandis qu'il campe avec l'armée d'Argoun devant Qazvîn, il passe par une crise spirituelle profonde. Il demande son congé et se voue au soufisme pour le reste de sa vie, principalement à Semnân (à deux cents kilomètres à l'est de Téhéran), où son mausolée n'a cessé d'être un lieu de pèlerinage. Son œuvre est considérable, tant en arabe qu'en persan, et tout entière encore inédite. Il a approfondi dans le détail la « physiologie de l'homme de lumière » inaugurée par Najmoddîn Kobrâ, et l'a insérée dans le schéma d'une cosmogonie et d'une cosmologie grandioses, qui procèdent, semble-t-il, en très grande partie de son intuition personnelle.

Peut-être convient-il de placer au sommet de cette œuvre le commentaire qorânique par lequel il achève l'œuvre de Najmoddîn Dâyeh Râzî, interrompue par la mort. C'est un monument de l'herméneutique spirituelle du *Qorân*, un chef-d'œuvre d'intériorité radicale, auquel ne peuvent être comparées qu'un petit nombre d'œuvres mystiques dans le christianisme et la gnose juive. De même que Schiller devait parler des « astres de ton destin » qui sont en toi, Semnânî parle des « prophètes de ton être », pour ramener chaque donnée émanant de l'un des prophètes de la tradition biblique et qorânique, à l'un des centres de la physiologie subtile typifié respectivement par l'un de ces prophètes. C'est à ces niveaux de l' « histoire intérieure » que les données de la prophétologie doivent être lues et comprises. Chacun des sept centres subtils est caractérisé ou s'annonce par une lumière ou *aura* colorée (dans l'ordre ascendant, depuis Adam jusqu'à Mohammad : gris fumée, bleu, rouge, blanc, jaune, lumière noire, vert émeraude). Quant à la cosmogonie dont relève la formation des organes subtils de cette anthropologie mystique, elle déploie tout un système de principes métaphysiques à partir des trois points primordiaux de l'Essence (l'être), de l'Unitude (la vie) et de l'Unité (la lumière) : il y a les protosubstances (le Trône ou Ame du monde, la *Materia prima*, la *Forma prima*) et il y a les réalités premières (l'Encrier de lumière ou Esprit-Saint mohammadien, l'Encre de lumière ou Lumière mohammadienne, le Calame, l'Intelligence, etc.). Chacun de ces principes aux désignations symboliques intervient, selon une proportion échelonnée, dans la genèse des organes subtils. L'œuvre de Semnânî est en outre parsemée de précieuses indications autobiographiques, éléments d'un extraordinaire *diarium spirituale.*

7. 'Alî Hamadânî.

Sayyed 'Alî Hamadânî (786/1385) est, lui aussi, une grande figure de la lignée des *Kobrawîya.* Comme son titre de *Sayyed* l'indique, il descendait de la famille du Prophète (par le IVe Imâm, 'Alî Zaynol-'Abidîn) et, comme son nom l'indique, il était originaire de Hamadan, l'ancienne Ecbatane, où il naquit en 714/1314. Il devint soufi dès l'âge de douze ans, et passa dès lors sa vie en longues migrations. Sur le tard, en 1380, il vint au Kashmir, sous le règne de Qotboddîn Hindol, quatrième souverain de la première dynastie islamique (laquelle s'y maintint jusqu'en 1561). Il y resta six ans, occupé à répandre le soufisme shî'ite, et mourut sur la route du retour vers la Perse, à Pakli (à la frontière indo-afghane). Son fils, Mîr Mahmûd Hamadânî, demeura douze ans au Kashmir et y consolida l'œuvre spirituelle de son père. Les œuvres et opuscules d' 'Alî Hamadânî sont nombreux, à peu près tous encore inédits.
Quelques lignes suggéreront ici la forme caractéristique de sa pensée; elles proviennent des prémisses métaphysiques d'un traité d'onirocritique dont on doit la connaissance à Fritz Meier qui l'a étudié. 'Ali Hamadânî y parle de trois formes de manifestation de l'être : une forme absolue, une forme négative, une forme relative. La première, non perceptible pour les hommes, est identifiée, par une allusion implicite au verset qorânique de la Lumière (24/35) et en accord avec la cosmologie mazdéenne, avec l'essence même de la Lumière. La

seconde forme est, elle aussi, non perceptible pour les hommes, parce que l'être y atteint son antipôle, le degré où il disparaît. Ce degré de non-présence de l'être, de non-être, est identifié avec la Ténèbre absolue. Entre les deux se trouve le jour, la clarté dans laquelle Lumière et Ténèbres se mélangent, tandis que diminue leur degré d'intensité respective, de sorte qu'il en résulte quelque chose de visible pour l'homme. Cette troisième forme dans la triade de manifestation de l'être, c'est l'être relatif et c'est la forme visible de Dieu. Un début aussi prometteur met le philosophe en droit d'attendre beaucoup des œuvres de Sayyed 'Alî Hamadânî, lorsqu'elles seront enfin éditées.

Postérieurement à 'Alî Hamadânî, l'Ordre des *Kobrawîya* de Najmoddîn Kobrâ se scinda en deux branches (voir p. 435, les *Zahabîs*).

8. Jalâloddîn Rûmî et les Mawlawîs.

Le nom que l'on vient d'écrire est prestigieux entre tous, connu depuis longtemps déjà en Occident comme étant celui de l'un des plus grands poètes soufis de langue persane. A quel titre intéresse-t-il la métaphysique ? C'est ce que l'on essayera de suggérer ici. Jalâloddîn Rûmî, que l'on désigne couramment en Orient comme *Mawlânâ* ou *Mawlawî* (notre maître, notre ami et guide), naquit en Asie centrale à Balkh, le 6 Rabî I 604/30 septembre 1207. On a signalé ci-dessus que son père, Bahâ'oddîn Mohammad Walad, avait été au nombre des disciples de Najmoddîn Kobrâ. Une tradition longtemps perpétuée veut que Bahâ'oddîn eut une discussion théologique pénible avec Fakhroddîn Râzî (lequel, nous l'avons dit, eut de ces discussions un peu partout) et que sur l'ordre du souverain du Khwârezm, Mohammad ibn Takâs, protecteur de Fakhr Râzi, Bahâ'oddîn dut s'exiler de Balkh en 609/1212. Le malheur est que Fakhr Râzî n'est peut-être jamais venu à Balkh, et qu'il mourut en 606/1209. Il est probable aussi que devant la menace mongole, le souverain du Khwârezm avait d'autres soucis en tête que les contestations entre théologiens et soufis.

Balkh fut enlevé par les Mongols en 617/1220. L'émigration de Bahâ'oddîn et de sa famille vers l'ouest dut avoir lieu peu de temps auparavant, et s'insérer dans le reflux général provoqué par l'invasion mongole, que nous avons évoqué ci-dessus à propos des soufis d'Asie centrale. Quoi qu'il en puisse être, la famille en migration séjourna à Baghdâd, à Damas, à La Mekke, avant de s'établir à Qonya, en Anatolie, à une date sur laquelle les sources ne sont pas d'accord. C'est sur l'itinéraire de cette migration que, selon une tradition vénérable, aurait eu lieu à Neyshâpour la rencontre avec Farîdoddîn 'Attâr, qui aurait prédit la future grandeur de Jalâloddîn, alors petit garçon. (Pour l'admettre, il faut, bien entendu, accorder à 'Attâr une extrême longévité, quelque peu douteuse, comme nous l'avons dit ici précédemment.) Une autre tradition veut qu'à Damas, Ibn 'Arabî ait initié le jeune Jalâloddîn au soufisme. Tous ces épisodes sont peut-être historiquement douteux, ils n'en recèlent pas moins une profonde vérité symbolique; ils ont la vertu de nous suggérer le lien de généalogie spirituelle que les soufis percevaient entre les trois grands maîtres. Aussi bien Jalâloddîn devait-il être, à Qonya, en relation d'amitié avec Sadroddîn Qonyawî, le disciple et beau-fils d'Ibn 'Arabî. Sadroddîn fut *eo ipso* le lien spirituel entre ce dernier et Jalâloddîn Rûmî. A la mort de son père, en 628/1230-1231, Jalâloddîn lui succéda à Qonya comme prédicateur et *moftî*, jusqu'à sa mort survenue le 5 Jomâda II 672/17 décembre 1273.

Entre-temps survinrent les grands événements qui orientèrent sa biographie spirituelle. Un an après la mort de Bahâ'oddîn vint à Qonya Borhânoddîn

Mohaqqiq, qui avait été jadis son élève. Il expliqua à Jalâloddîn que son père n'avait pas été seulement un prédicateur et un juriste, un maître en sciences religieuses exotériques, mais qu'il avait été aussi un profond mystique. C'est ainsi, par un élève de son propre père, que Jalâloddîn est initié à la doctrine mystique de celui-ci. De cette doctrine elle-même il nous reste un monument : un recueil (en persan) de sermons ou instructions (*Ma'ârif*) en trois livres, prenant le plus souvent comme texte un verset qorânique ou un *hadîth*, et qui furent recueillis et transcrits par les auditeurs. Ces sermons exposent une doctrine mystique aussi originale qu'attirante; ils développent tous les aspects de la contemplation intérieure, se maintenant dans une tonalité qui est un peu celle d'un quiétisme esthétique. Ce serait une tâche urgente, mais très complexe, que de comparer, dans le détail, l'enseignement des *Ma'ârif* du père avec celui de l'immense *Mathnawî* du fils.

En 642/1244-1245 arrive à Qonya le mystérieux personnage connu sous le nom de Shams-e Tabrîz, le jeune et beau derviche qui devint le « témoin de contemplation » absorbant désormais tous les instants de Jalâloddîn. Celui-ci fit mieux que de lui dédier son grand *Dîwân* ou recueil de poèmes mystiques, puisqu'il le publia sous le propre nom de Shams (soleil) comme nom de plume. Puis Shams-e Tabrîz disparut, les attaques inspirées par la jalousie l'ayant sans doute excédé. Mais par sa présence invisible, il devint pour Jalâloddîn le maître et guide intérieur, le *shaykh al-ghayb* dont parlaient Najmoddîn Kobrâ et ses disciples, et qui est pour les soufis ce qu'est pour les shî'ites l'Imâm invisible, présent à leur cœur. Cette présence, Soltân Walad, le fils de Jalâloddîn, l'a décrite en très beaux vers. Pourtant, Shams eut deux successeurs visibles : tout d'abord Salâhoddîn Zarkûb, et après la mort de celui-ci Hosamoddîn Hasan, qui fut l'inspirateur du *Mathnawî-e Mawlawî.*

Cette immense rhapsodie mystique persane que les soufis aiment à désigner comme le *Qorân persan* (*Qorân-e fârsî*), ne peut se résumer en quelques lignes. Le célèbre prologue en donne la note fondamentale : la plainte du roseau (la flûte) arraché à sa terre natale et aspirant au retour à sa demeure. Puis la rhapsodie enchaîne une longue suite d'histoires symboliques, qui sont l'épopée secrète de l'âme, en six livres totalisant plus de vingt-six mille distiques ou doubles vers. Il est traditionnel d'opposer cette doctrine du pur amour mystique à la démarche mentale des philosophes, et le *Mathnawî* contient plus d'une attaque acérée contre les philosophes. Mais lesquels ?

Le *Mathnawî* reproche aux philosophes leur asservissement à la dialectique et à la logique, leur incapacité à voir les réalités spirituelles. Ce que proclament la Terre, le Feu, l'Eau, il leur manque le sens du suprasensible pour le saisir; ce sont des « technocrates », comme l'on dirait aujourd'hui. Il leur faut des outils et des preuves; ils n'ont point de doctrine de l'Imagination active; tout ce qui relève de celle-ci, ils le considèrent comme phantasme chimérique. C'est pourquoi ceux qui ont la nostalgie et la vocation du paradis échappent aux méfaits de la philosophie et des philosophes.

Or, précisément, Mollâ Sadrâ déclarera que l'ésotériste se sent beaucoup plus proche du croyant naïf que du théologien rationaliste. Et tous les reproches que Jalâloddîn adresse aux philosophes, Sohravardî, le *shaykh-al-Ishrâq*, les avait déjà à peu près formulés. Ne fait-il pas dire à Aristote, lors de leur entretien en songe à Jâbarsâ, que les soufis sont les « philosophes du sens vrai » ? Il y a cette différence, sans doute, que Sohravardî entend que son disciple passe par tout l'enseignement des péripatéticiens, à titre d'épreuve, et pour ne pas s'égarer plus tard, une fois entré dans la vie mystique. Il importe donc bien de distinguer entre philosophie et métaphysique. Il peut y avoir une philosophie agnostique, il ne peut pas y avoir de métaphysique agnostique. Le soufisme n'est pas une philosophie, mais il y a une métaphysique du soufisme. Aussi bien les philosophes *Ishrâqîyûn* n'ont-ils jamais été gênés par l'antiphilosophisme du *Mathnawî*, pas plus qu'ils n'ont opposé, nonobstant leur différence, un Ibn 'Arabî et un Jalâloddîn Rûmî. Au XIXe siècle encore, Mollâ Hâdî Sabzavârî donnera, en profond théosophe *ishrâqî*, un volumineux commentaire du *Mathnawî*, qui prend dignement place à côté des nombreux commentaires produits par les soufis. Enfin, tout ce que nous appelons de nos jours phénoménologie des formes symboliques, métaphysique de l'imagination etc., tout cela trouve dans le *Mathnawî* une matière inépuisable, facilement accessible même au non-iraniste, grâce à la traduction anglaise intégrale de R. A. Nicholson.

Jalâloddîn Rûmî a laissé également des œuvres en prose (des lettres, des sermons, le recueil de *Logia* intitulé *Fî-hi mâ fî-hi*, c'est-à-dire « contenant ce qu'il contient »). Hosamoddîn succéda à Mawlânâ jusqu'à sa mort, en 684/1285-1286. Alors le fils de Jalâloddîn, Soltân Walad (mort en 712/1312-1313), qui avait refusé la succession immédiate, devint le shaykh de l'Ordre des *Mawlawîs*. Il déploya une activité systématique d'organisation et de propagande, composa un triple *Mathnawî* et un recueil de *Ma'ârif*, à l'exemple de celui de son grand-père. Avec lui commence la longue histoire de l'Ordre des *Mawlawîs*, en Turquie et hors de Turquie.

9. *Mahmûd Shabestarî et Shamsoddîn Lâhîjî.*

Mahmûd Shabestarî, un des grands shaykhs soufis de l'Azerbaïdjan, est une figure de premier plan dans l'histoire de la spiritualité iranienne. Né en 687/1288 à Shabestar, près de Tabrîz, il vécut principalement dans cette ville, capitale de l'Azerbaïdjan, à une époque où, sous ses souverains mongols, Tabrîz était un lieu de rencontre de nombreux savants et personnages éminents. Grand voyageur, il fut en contact ou en correspondance avec de nombreux spirituels. Et c'est à Tabrîz qu'il mourut, encore en pleine jeunesse, à l'âge de trente-trois ans, en 720/1320-1321.

Il a laissé plusieurs traités de soufisme en prose et en vers, mais il est surtout connu par son *Mathnawî* intitulé *La Roseraie du Mystère* (*Golshan-e Râz*). Il y répond à dix-sept questions que lui avait posées Mîr Hosaynî Sâdât Harawî sur la théosophie mystique (*irfân*) et la voie spirituelle (*solûk*). Ce poème, qui contient à peine mille distiques, mentionne tous les grands thèmes de la métaphysique du soufisme (la quête mystique et son objet, l'Homme Parfait, les symboles de l'heure de midi, du Sinaï, de Sîmorgh et la montagne de Qâf, l'*A'râf* et l'intermonde, le *Qorân* cosmique, les sept Imâms des Noms divins, le voyage en soi-même, etc.). Le poème, lu, relu et médité de génération en génération, a été une sorte de *vade-mecum* des soufis iraniens. Mais il est en fait écrit en « langage clus » et les allusions en sont à peu près indéchiffrables sans le secours des commentaires. Ces derniers sont au nombre d'une vingtaine; s'y sont distingués aussi bien les shî'ites imâmites que les Ismaéliens.

Parmi tous ces commentaires ressort par son importance celui de Shamsoddîn Mohammad Gîlânî Lâhîjî, qui est une véritable Somme de métaphysique du soufisme. On a rappelé ci-dessus que, postérieurement à 'Alî Hamadânî, l'Ordre des *Kobrawîya* se ramifia en deux branches. *La Roseraie du Mystère* eut également des commentateurs appartenant à la branche des *Zahabîya* (*Dhahabîya*). Shamsoddîn appartenait à la branche des *Nûrbakhshîya.* Comme son nom l'indique, il était originaire de Lâhîjân, petite ville du Gîlân, province riveraine de la mer Caspienne, au sud-ouest. Il fut disciple du célèbre Sayyed Mohammad Nûrbakhsh (869/1464-1465, le nom veut dire « donateur de lumière »). A la mort de celui-ci, il fut son plus célèbre successeur; il s'établit à Shîrâz, où il prit résidence dans le *Khanqâh Nûrîyeh* (encore une épithète de lumière, décernée cette fois à la loge soufie). Il y mourut en 912/1506-1507. Le philosophe, mathématicien et astronome, Maybodî Qâzî Mîr Hosayn (mort entre 904/1498 et 911/1505) le désigne comme un familier des quatre hautes demeures métaphysiques (*nâsût, lâhût, malakût, jabarût*). D'autres philosophes, comme Sadroddîn Dashtakî et Jalâl Dawwânî (voir page 450), formulent des éloges semblables. Son commentaire de *La Roseraie du Mystère* est un volumineux et compact ouvrage en persan, qui, nous venons de le dire, a les vertus d'une Somme. Il porte comme titre *Les Clefs de la cure miraculeuse, en commentaire de la Roseraie du Mystère* (*Mafâtîh al-'ijâz fî sharh-e Golshan-e Râz*). L'auteur a laissé en outre un traité de géomancie et un *dîwân* de poèmes mystiques, contenant environ cinq mille distiques.

Shams Lâhîjî portait toujours des vêtements noirs. Comme Shâh Ismâ'îl lui en demandait la raison, la réponse qu'il donna, tout en se référant au drame de Karbalâ et au deuil des cœurs shî'ites qui durera jusqu'à la fin de ce temps, dénote un sens du symbolisme des couleurs qui se situe dans la ligne de la métaphysique des photismes de l'école de Najmoddîn Kobrâ. Le thème de la « lumière noire » (*nûr-e siyâh*) joue un grand rôle dans son commentaire, et les conséquences en vont très loin. Comme le remarquait déjà Najmoddîn Dâyeh Râzî, la *coincidentia oppositorum* marquée ainsi annonce, comme par une réminiscence du mazdéisme zoroastrien, que Lumière et Ténèbres sont posées *ab initio* et simultanément, non pas que les Ténèbres se mettent à être à la suite d'une création médiate et dérivée. Dès lors se trouve dépassé le problème classique de la métaphysique de l'être, donnant la primauté d'origine tantôt à l'essence, tantôt à l'existence. C'est ainsi que la métaphysique de Shaykh Ahmad Ahsâ'î posera la simultanéité *ab initio* de l'existence et de la quiddité, mais c'est ce que refusera énergiquement Mollâ Hâdî Sabzavârî. Ici encore la métaphysique du soufisme est au cœur des grands problèmes.

10. *'Abdol-Karîm Gîlî.*

On sait fort peu de chose jusqu'ici sur la biographie de ce très important théosophe mystique. Le nom de 'Abdol-Karîm Gîlî ou Gîlânî (les formes Jîlî, Jîlânî, sont l'arabisation du nom) situe son origine familiale dans la province iranienne du Gîlân (comme précédemment Shamsoddîn Lâhîjî). Il rappelle aussi qu'il descend de 'Abdol-Qâdir Gîlî ou Gîlânî (mort en 560/1164-1165 ou 562/1166-1167), fondateur de l'Ordre soufi des *Qâdirîya.* 'Adbol-Karîm parle de celui-ci comme de « notre shaykh », ce qui semble impliquer son appartenance à l'Ordre. Il nous apprend lui-même qu'il vécut au Yémen avec son shaykh direct, Sharafoddîn Ismâ'îl Jabartî, et qu'il voyagea dans l'Inde. Il semble avoir quitté ce monde en 805/1403. Il a laissé une vingtaine d'œuvres encore inédites (en cours d'édition et d'étude), et il doit y en avoir, en outre, un bon nombre de perdues. Un de ses grands ouvrages (*al-Nâmûs al-a'zam*) devait comprendre quarante traités; il semble n'en subsister qu'une dizaine (à moins qu'il n'ait jamais été achevé). Mais l'ouvrage qui a fait jusqu'ici sa notoriété a pour titre *L'Homme Parfait* (*Kitâb al-Insân al-Kâmîl* ; une médiocre édition en a été donnée au Caire, il y a quelque quatre-vingts ans, en 1304 h).

L'Homme Parfait (*anthropos teleios*) réfléchit comme un miroir non seulement les puissances de la nature, mais les puissances divines. Ce miroir (*speculum*) est le lieu de la théosophie « spéculative ». On a, à juste titre, évoqué à ce propos l'*anthropos genikos*, l'homme générique de Philon (l'homme céleste comme *summun genus*, l'homme terrestre comme *summa species*). Gîlî professe le théomonisme d'Ibn 'Arabî (*wahdat al-wojûd*). L'Essence unique à laquelle se rapportent les Noms et Attributs présente deux faces : l'Etre pur qui est l'Etre divin (*Haqq*) et l'être conjoint au non-être qui est le monde des êtres créaturels (*khalq*). La pure Essence ne se revêt d'attributs qu'au cours de ses théophanies. De ce point de vue, il y a une différenciation entre l'Essence et les Attributs; cependant les deux finalement sont un, comme l'eau et la glace. Le monde phénoménal est ici le monde théophanique; aussi n'est-il nullement une illusion; il existe vraiment, puisqu'il est précisément la théophanie, l'autre soi de l'absolu. De ce point de vue, il n'y a pas de différence réelle entre l'Essence et les Attributs : l'être est identique avec la pensée. En accord avec Ibn 'Arabî, Gîlî peut écrire : « Nous sommes nous-mêmes les Attributs par lesquels nous décrivons Dieu. » (Dans leurs *hadîth*, les Imâms du shî'isme déclarent : « Nous sommes les Noms, les Attributs... », donnant ainsi son fondement imâmique à la théosophie spéculative.) L'Homme Parfait est la pensée cosmique, le microcosme dans lequel tous les Attributs sont réunis : c'est en lui que l'Absolu devient conscient de soi-même. Les théophanies présentent une triple phase : il y a la théophanie de l'Unitude (épiphanie des Noms avec lesquels s'unit l'Homme Parfait); la théophanie de l'Ipséité ou épiphanie des Attributs; la théophanie de l'Egoïté divine ou épiphanie de l'Essence. Alors l'Homme Parfait a atteint sa réalité plénière, l'Absolu est revenu à lui-même. A chaque époque il y a des Hommes Parfaits qui sont l'épiphanie de la pure Réalité métaphysique mohammadienne (*Haqîqat mohammadîya*), Logos mohammadien ou Réalité prophétique éternelle.

Cette dernière proposition fonde une prophétologie spéculative, issue en fait de la prophétologie shî'ite et reproduisant les grands traits de la prophétologie judéo-chrétienne primitive (le thème du *Verus Propheta*). Les quelques lignes qui précèdent feront comprendre, à leur tour, pourquoi ont été évoqués ici, dans l'aperçu d'ensemble, les « théologiens spéculatifs » de la « droite hégélienne » du début du XIXe siècle. Il y a, bien entendu, cette différence que le Logos johannique est ici conçu sur le même type que la christologie d'Arius. La tonalité du livre de Gîlî se caractérise en outre par un symbolisme dramatique, familier à tous les gnostiques. C'est une épopée de l'Esprit, une « métaphysique narrative ». Elle raconte comment l'Etranger qui est l'Esprit revient, de son long exil et de sa captivité, dans le pays de Yûh, et pénètre dans la vaste cité où Khezr (Khadir) règne sur les « hommes de l'invisible ». Il y a des affinités profondes entre Gîlî et Ibn 'Arabî; elles n'excluent pas les différences (on peut les observer à propos de la théorie des théophanies). Dans l'état actuel des recherches, il serait prématuré de fixer les unes et les autres.

11. *Ni'matollâh Walî Kermânî.*

Ce nom est inséparable de l'histoire du soufisme shî'ite en Iran depuis sept siècles. Amîr Nûroddin Ni'matollâh est né en 730/1329-1330, d'une famille de Sayyeds faisant remonter son ascendance au Ve Imâm, Mohammad al-Bâqir (115/733). Il était âgé de vingt-quatre ans lorsqu'il fit le pèlerinage de La Mekke, où il séjourna pendant sept ans et devint l'un des principaux disciples de Shaykh 'Abdollah al-Yâfi'î (768/1366-1367). Il vécut successivement à Samarkand,

Hérat, Yazd; il jouit de la faveur de Shâhrokh, le fils de Tamerlan, et finalement s'établit dans le sud-est de l'Iran, à Mahan, près de Kerman, où il passa les dernières années de sa vie et où affluèrent les disciples. Il y mourut le 22 Rajab 834/5 avril 1431, plus que centenaire. Certaines sources, il est vrai, fixent la date de son décès entre 820/1417 et 834/1431. Outre un *dîwân* de poèmes mystiques, il a laissé une centaine d'opuscules, dont l'ensemble totalise un millier de pages. Comme ils sont en cours d'édition, on ne peut encore en proposer le classement méthodique, nécessaire à l'esquisse d'une synthèse.

Ces opuscules traitent toujours de quelque thème courant en théosophie mystique (autour d'un verset qorânique, d'un *hadîth* des Imâms, d'un passage d'Ibn 'Arabî, etc.), et de préférence s'attachent à quelque motif spécifiquement shî'ite duodécimain (le XIIe Imâm, la *walâyat* comme dilection divine sacralisant les saints Imâms et qui est l'ésotérique de la prophétie). « L'ésotérique de la *walâyat* contient l'Unité Essentielle qui est l'*Absconditum* absolu. Mais la pluralité des connaissances est le niveau des heccéités éternelles, car l'éternellement Manifesté est revêtu de la pluralité. Les héccéités éternelles sont les formes des Noms divins au niveau de la connaissance, car l'épiphanie des Noms et Attributs divins, quant à leurs particularités propres, postule la multiplication des Noms. »

Mahan est aujourd'hui un sanctuaire du soufisme iranien, visité par d'innombrables pèlerins. Ni'matollah est honoré comme le roi (*shâh*) des derviches; il est « Shâh Ni'matollâh Walî ». On verra plus loin cette qualification se propager dans son Ordre, l'Ordre *ni'matollahî*, auquel se rattache la majorité des *tarîqat* shî'ites existant en Iran de nos jours, l'autre groupe étant celui des *Zahabîs* (voir *infra*, p. 435).

12. *Horoufis et Bektashis.*

On regrette de ne pouvoir signaler ici qu'en quelques lignes l'école des Horoufis, c'est-à-dire des adeptes pratiquant la « science philosophique des lettres » (*'ilm al-horûf*); on peut en parler comme d'une algèbre métaphysique dont le concept et les méthodes sont les mêmes que ce que nous en connaissons dans la Kabbale hébraïque. A vrai dire, la science de l'alphabet philosophique et l'arithmosophie sont présentes dès les origines; la tradition en attribue l'institution en Islam au VIe Imâm, Ja'far al-Sâdiq, et de siècle en siècle on en trouve la trace chez la plupart de nos théosophes mystiques. Mais lorsque l'on parle de l'école ou de la « secte » des Horoufis, on a en vue l'école particulière qui doit son origine à Fazlollah d'Astarâbâd, personnage au destin tragique, que Tamerlan fit exécuter en 804/1401-1402. Son enseignement met au sommet des degrés de l'être le degré du Verbe, comme étant le fond intime, ésotérique, de l'être et des êtres. Il faut que le Verbe soit proféré pour que cet ésotérique soit révélé, et pour cela il faut un « entrechoc ». Mais le phénomène de cette sonorité fondamentale a sa source non pas à l'extérieur des choses et des êtres entrechoqués; il émane de l'intérieur, de l'ésotérique des êtres et des choses.

Comme école constituée, la « secte » horoufie semble avoir disparu rapidement. De la Perse elle passa en Turquie, où les derviches bektashis devinrent les représentants et les dépositaires de ses doctrines. L'Ordre des Bektashis prend origine avec Hâjjî Bektash (738/1337-1338) et son rôle, malgré d'atroces persécutions, fut vraiment considérable dans la vie spirituelle et culturelle de l'ancienne Turquie, jusque dans le premier tiers de ce siècle. Mais l'Ordre a observé un rigoureux ésotérisme qui n'a pas facilité l'étude de ses doctrines, où l'on retrouve une forte empreinte du néoplatonisme et une perception des choses fondamentalement shî'ite duodécimaine. On notera la connexion entre l'étude du symbolisme des traits de la physionomie humaine et les plus étonnantes réalisations de la calligraphie. Ici encore s'offre une mine inépuisable pour la phénoménologie des formes symboliques.

13. *Jâmî.*

Ce sont également des formes symboliques que nous propose la partie poétique de l'œuvre de Mollâ Nûroddîn 'Abdorrahmân Jâmî, Iranien du Khorassan, né à Jâm en 817/1414, et qui, après de grands voyages (deux pèlerinages à Mashhad, à La Mekke, séjours à Baghdad, Damas et Tabrîz), s'établit à Hérat où il termine sa vie en 898/1492. « Ce fut un des génies les plus remarquables que produisit la Perse, car il fut à la fois un grand poète, un grand savant et un mystique » (E. G. Browne). Il appartenait à l'Ordre soufi des *Naqshbandîya*, ayant eu pour shaykh Sa'doddîn Mohammad Kashgarî, disciple et successeur de Khwâjeh Bahâ'oddîn Naqshband (790/1388), fondateur de l'Ordre.

L'ensemble de son œuvre intéresse la métaphysique du soufisme. Il y a de grands traités en prose, parmi lesquels un commentaire des *Lama'ât* (*Eclairs*) du célèbre Fakhroddîn 'Erâqî (mort vers 698/1289), petit traité que ce dernier avait composé à l'occasion des leçons de Sadroddîn Qonyawî, qu'il avait entendues à Qonya (voir page 408). 'Erâqî était un derviche migrateur (*qalandar*) typique, sans souci de sa réputation, uniquement attentif à la beauté humaine comme miroir de la beauté éternelle. Jâmî a composé en outre un grand recueil de biographies de soufis (*Nafahât al-ons, Les*

Souffles de la familiarité divine). Ses *opera minora* comprennent des commentaires d'Ibn 'Arabî et de Sadroddîn Qonyawî. Faute d'éditions et d'études préalables, une esquisse d'ensemble est encore difficile. Son œuvre poétique comprend principalement une « heptalogie » (*Haft Awrang, Les Sept Trônes*). Des sept moments qui la composent, il y a spécialement à mentionner ici trois épopées mystiques : *Joseph et Zolaykhâ* ; *Majnûn et Laylâ* (les Tristan et Iseult de l'épopée mystique persane); *Salâman et Absâl.* De cette dernière histoire symbolique, il existe deux versions : l'une qui est d'Avicenne et que nous connaissons par un résumé de Nasîroddîn Tûsî; l'autre qui est d'origine hermétiste. C'est la version hermétiste, non pas la version avicennienne, que Jâmî a orchestrée en un long poème.

14. *Hosayn Kâshefî.*

Hosayn Wâ'iz Kâshefî (910/1504-1505) fut un grand prédicateur et spirituel iranien de l'époque. Il a laissé une trentaine d'œuvres intéressant diverses questions de la théosophie mystique, entre autres un grand commentaire mystique du *Qorân*, un *Jardin (ou panégyrique) des martyrs* (*Rawzat al-shahadâ'*) commentant les persécutions subies par les prophètes et les Imâms, notamment le drame de Karbalâ. Cependant, bien que le génie persan excelle en métaphysique et en mystique plutôt qu'en éthique, les orientalistes occidentaux se sont surtout intéressés, au siècle dernier, à l'encyclopédie de philosophie pratique (*Akhlâq-e mohsinî*) composée par Hosayn Kâshefî, et qui prend la suite de deux autres modèles du genre, respectivement l'œuvre de Nasîroddîn Tûsî (*Akhlâq-e nasîrî*) et de Jalâloddîn Dawwânî (*Akhlâq-e jalâlî*).

Cependant, si nous le nommons ici, c'est principalement à cause d'un grand ouvrage, un *Fotowwat-Nâmeh*, dans lequel il traite à fond du thème que nous avons signalé ci-dessus à propos de l'œuvre de 'Omar Sohravardî, à savoir la *fotowwat*, la chevalerie spirituelle et le compagnonnage. Il récapitule l'ensemble des données dont la tradition dispose pour se représenter ce phénomène caractéristique de la société islamique. L'idée de la *fotowwat* apparaît comme essentiellement liée au rapport entre la mission prophétique et le charisme imâmique (la *walâyat* comme ésotérique de la prophétie), tel que se le représente le shî'isme. Sous cet aspect, la *fotowwat* a commencé avec Seth, le fils et Imâm d'Adam, le « premier soufi », en la personne de qui la *fotowwat* ne se différencie pas encore de la *tarîqat*, c'est-à-dire de la voie mystique ou soufisme (que l'on pense ici au rôle de Seth chez les gnostiques, à l'identification de Seth avec l'Agathodaïmon des hermétistes, on percevra de lointaines résonances). Quand les hommes n'eurent plus la force de porter le manteau du soufisme (la *Khirqa*), ce fut Abraham qui institua la *fotowwat* comme distincte du soufisme. En la personne d'Abraham, la mission prophétique est désormais assimilée à un service de chevalerie. En recroisant le cycle de la prophétie et le cycle de la *walâyat*, la *fotowwat* détermine la périodisation de l'historiosophie. Le cycle de la prophétie eut pour initiateur Adam; pour pôle, Abraham; comme Sceau clôturant le cycle, le prophète Mohammad. Le cycle de la *fotowwat* eut comme initiateur Abraham; comme pôle le Ier Imâm; comme Sceau, le XIIe Imâm, l'Imâm de la Résurrection, le Désiré (*montazar*) présentement invisible. Comme la *fotowwat* a compté des membres dans toutes les communautés du Livre (*Ahl al-Kîtâb*), Abraham est ainsi le père d'une chevalerie spirituelle (*Abû'l-fityân*) dont l'œcuménisme ésotérique rassemble les trois rameaux de la tradition abrahamique.

15. *'Abdol-Ghânî Nâblûsî.*

Le théosophe et mystique syrien, 'Abdol-Ghânî Nâblûsî (c'est-à-dire de Naplouse, Samarie), mort à Damas en 1143/1731, fut un écrivain prolifique dans la lignée d'Ibn 'Arabî (il a laissé un excellent commentaire des *Fosûs* en deux forts volumes in-quarto). Son œuvre ne comporte pas moins de cent quarante-quatre titres, touchant aux questions les plus diverses (son commentaire des Odes mystiques d'Ibn al-Fârid est célèbre). Il était affilié à la fois à deux Ordres soufis, *mawlawî* et *naqshbandî.* Il eut, comme disciple d'Ibn 'Arabî, à traiter de la question du théomonisme (*wahdat al-wojûd*), qui exige une bonne formation philosophique pour ne pas être manquée.

Cette unité transcendante, explique le shaykh, signifie que l'être non nécessaire (*khalq*, la Création) n'est point indépendant de l'Etre Nécessaire (*Haqq*, l'Etre divin) et ne peut être extrinsèque à l'être de celui-ci. Ils sont distincts l'un de l'autre, mais l'être par lequel tous deux existent est unique. C'est que l'existence de l'Etre Nécessaire est identique à son essence même, tandis que l'être qui a un commencement, qui se met à être, existe de par cette existence qui est identique à l'essence de l'Etre Nécessaire. Mais, pas plus que l'Etre Nécessaire n'est identique à l'essence de l'être qui a un commencement, pas plus l'être de celui-ci n'est identique à l'essence même du Nécessaire. Le même « exister » unique appartient, de par soi-même, à l'Etre Nécessaire; il appartient, par l'Etre Nécessaire, à l'être non nécessaire. Chez le premier, il est inconditionné, unique; chez le second, il est conditionné. Il serait à souhaiter qu'une édition complète des œuvres de Nâblûsî ainsi qu'une étude d'ensemble vissent bientôt le jour.

Signalons à la même époque, dans l'empire ottoman,

l'œuvre de Râghib Pâshâ (1176/1763), « grand vizir ottoman de 1756 à 1763; possesseur d'une belle bibliothèque, il nous a laissé un recueil de remarques intéressantes sur les problèmes principaux de la culture islamique » (L. Massignon).

16. *Nûr 'Alî-Shâh et la rénovation du soufisme à la fin du* XVIII*e* *siècle.*

On a déjà souligné ailleurs la situation paradoxale du shî'isme, mettant les ésotéristes professant le shî'isme intégral en devoir de pratiquer une stricte « discipline de l'arcane » à l'égard de ceux de leurs coreligionnaires se limitant à la religion légalitaire et exotérique. Cette discipline est peut-être plus effective encore, lorsqu'elle est pratiquée en dehors de toute appartenance à un Ordre soufi, tout signe extérieur disparaissant alors. De plus, dès le début de la dynastie safavide, qui portait inscrite dans son nom la trace de ses origines soufies (Safîoddîn Ardabîlî), il se produisit une contamination politique, et avec elle un relâchement de l'esprit et des mœurs du soufisme, à tel point que les mots de *tasawwof* et de soufi devinrent suspects et que l'on préféra désormais parler de *'irfân* (théosophie mystique) et de *'orafâ* (théosophes mystiques). C'est ainsi que le grand philosophe Sadrâ Shîrâzî, qui dans sa vie intérieure était un « soufi », dut écrire un livre contre tout un groupe de soufis libertins et ignorantins. Il faut en outre tenir compte de la situation déjà signalée : un spirituel shî'ite a conscience d'être d'ores et déjà entré dans la voie mystique, du fait de son attachement à suivre l'enseignement intégral des saints Imâms, sans avoir à adhérer à une *tarîqat* soufie constituée. Sous cet aspect il peut y avoir des *tarîqat* qui se transmettent d'individu à individu, des lèvres à l'oreille. Cela ne laisse ni traces matérielles ni archives.

Bref, alors que, grâce à ceux qui seront nommés ici dans le chapitre suivant, il y avait encore toute une vie philosophique et spirituelle, le soufisme iranien, à la fin de la période safavide, est dans une profonde décadence, caractérisée par l'affaiblissement et la désagrégation de toute *tarîqat* constituée. Il n'y avait plus guère que quelques soufis de l'Ordre *nûrbakhshî* à Mashhad, et quelques-uns de l'Ordre *zahabî* à Shîrâz.

C'est dans ces circonstances qu'un derviche ou soufi *ni'matollahî* de l'Inde, Ma'sûm 'Alî, aborda par mer la côte du Fârs (la Perside) et vint s'installer avec sa famille à Shîrâz entre 1190/1776 et 1193/1779. Il était missionné de l'Inde par son maître spirituel, le shaykh Shâh 'Alî Rezâ Dekkanî, afin de restaurer en Iran l'Ordre *ni'matollahî*, lequel doit son nom, certes, à Shâh Ni'matollâh Walî (voir page 424), mais par Ma'rûf Karkhî (200/815-816) peut faire remonter ses origines jusqu'au VIIIe Imâm des shî'ites, l'Imâm 'Alî Rezâ (203/818). Ma'sûm 'Alî-Shâh mena à bonne fin l'entreprise de restauration spirituelle. Ici intervient de nouveau une grande figure dans l'histoire du soufisme iranien : Nûr 'Alî-Shâh.

Nûr 'Alî-Shâh, né à Ispahan en 1170/1756-1757 ou 1172/1759, était le fils de Fayz 'Alî-Shâh (Mirzâ 'Abdol-Hosayn), lui-même fils de Mollâ Mohammad 'Alî, Imâm-Jom'eh de Tabas, grande oasis dans le nord-est du désert central. Les échos du *revival* provoqué par la venue de Ma'sûm 'Alî-Shâh parvinrent jusqu'à Ispahan; père et fils décidèrent de partir ensemble pour Shîrâz, où ils devinrent frères spirituels l'un de l'autre en s'affiliant à la *tarîqat* de Ma'sûm 'Alî-Shâh. D'après tout ce que l'on en raconte, il semble que la personne de Nûr 'Alî-Shâh, renommé pour sa beauté, ait été fascinante. L'enthousiasme et la fidélité des disciples furent, hélas ! compensés par la haine acharnée des pieux dévots et des exotéristes (*ahl-e zâhir*). Nûr 'Alî-Shâh mourut et fut enseveli à Mossoul, en 1212/

1797-1798, tout juste âgé d'une quarantaine d'années. Mentionnons qu'il épousa la sœur de Rônaq 'Alî-Shâh, qui était une femme douée de grands dons spirituels et poétiques; elle a elle-même composé un *diwân* de poèmes, sous le nom de plume de Hayyâtî.

Son œuvre comprend une dizaine d'ouvrages, parmi lesquels se distingue l'immense rhapsodie persane intitulée *Jannat al-wisâl* (*Le Paradis de l'Union mystique*), comprenant mille deux cent douze pages grand in-8° dans l'édition récente. Sont rassemblés dans ce monument, et traités d'une manière tout à fait propre à l'auteur (ou aux auteurs), les grands thèmes de la théosophie et de la mystique expérimentale du soufisme. L'ouvrage aurait dû comprendre huit livres (symboles des « huit portes » du paradis). En fait il resta inachevé. Nûr 'Alî-Shâh mourut avant même d'avoir achevé le Livre III. Ce fut son beau-frère et successeur, Rônaq 'Alî-Shâh (mort en 1225/1810 ou 1230/1814-1815), qui poursuivit l'œuvre, acheva le Livre III et composa les Livres IV et V. A son tour, Nezâm 'Alî-Shâh Kermânî (1242/1826-1827) composa les Livres VI et VII. Certains membres de l'Ordre ont été des écrivains très productifs. Mozaffar 'Alî-Shâh (1215/1800-1801, à Kermânshâh) a écrit, entre autres, un traité intitulé *Majma' al-bihâr* (*Le Confluent des mers*) où confluent l'enseignement d'Ibn 'Arabî et celui des *hadîth* shî'ites les plus chargés de gnose; un *Kibrît al-ahmar* (*La Pierre philosophale*); un *Bahr al-asrâr* (*Océan des secrets mystiques*), etc. Il avait été, à Kerman, le disciple de Moshtâq 'Alî-Shâh, lequel périt en martyr du soufisme (1206/1791-1792), lors d'un soulèvement de la populace.

Au cours de la première moitié du XIXe siècle, un derviche établi à Shîrâz compose lui aussi, sous le nom de plume de Sayyâf, une immense rhapsodie dont le titre rappelle celle de Nûr 'Alî-Shâh : *Kanz al-asrâr wa Jannat al-wisâl* (*Le Trésor des secrets mystiques et le paradis de l'Union*). L'œuvre est colossale : quelque trois mille pages dans la récente édition imprimée. Elle couvre en douze livres tout le champ de la gnose mystique; ce sont les *hadîth* provenant de l'un des Imâms qui le plus souvent servent de leitmotiv pour introduire le commentaire en vers. L'œuvre fut achevée en 1260/1844.

Un autre Ma'sûm 'Alî-Shâh, né à Shîrâz en 1270/1853-1854, décédé en 1344/1925-1926, a laissé, entre autres œuvres, une vaste encyclopédie générale du soufisme en persan (*Tarâ'iq al-haqâ'iq*, trois grands volumes dans l'édition récente).

Il importe de faire au moins mention ici de Safî 'Alî-Shâh, né à Ispahan en 1251/1835-1836. Il séjourna dans l'Inde avant de s'établir à Téhéran où il mourut, entouré de nombreux disciples, en 1316/1898-1899. Son influence sur la société iranienne de l'époque fut considérable. Entre autres œuvres il a laissé un monumental *tafsîr* mystique du *Qorân* en vers (huit cent trente-six pages in-folio dans l'édition de 1318 h.s./1950). La *tarîqat* de Safî 'Alî-Shâh est encore très vivante de nos jours. Mentionnons encore Soltân 'Alî-Shâh (1327/1909) de Gonâbâd, dans le Khorassan, à qui succéda son fils Nûr 'Alî-Shâh II (1337/1918-1919), dont l'influence fut énorme et l'œuvre considérable. Gonâbâd est encore aujourd'hui le quartier général d'un vaste réseau de soufisme qui pénètre tous les rangs de la société iranienne. Maints autres shaykhs *ni'matollahî* seraient à nommer ici. De nos jours, le *khânqâh-e ni'matollahî* à Téhéran a pour « pôle » le Dr Javâd Nûrbakhsh, d'une activité prodigieuse. Sous sa direction, le *khânqâh* a été reconstruit et agrandi aux dimensions d'une université soufie (bibliothèque de manuscrits, musée de calligraphie, etc.). Le Dr Nûrbakhsh multiplie les publications des anciens textes, et a fondé, au cours de ces dernières années, une cinquantaine de *khânqâh* nouveaux dans l'ensemble de l'Iran; à l'autorité du shaykh soufi il joint la compétence du médecin neuropsychologue, parfaitement informé des limites de la psychanalyse.

17. *Les Zahabîs.*

Comme on l'a rapporté ci-dessus, l'Ordre soufi des *Kobrawîya* se scinda en deux rameaux après la mort de Sayyed 'Alî Hamadânî. Son disciple, Khwâjeh Ishaq Khotallânî, avait désigné pour successeur Sayyed Mohammad Nûrbakhsh (795/1390-869/1464). Malheureusement, Mîr Shihâboddîn 'Abdollah Barzishâbâdî refusa de le reconnaître. Il y eut dès lors deux lignées distinctes : celle des *Nûrbakhshîya* et celle des *Zahabîya.* Ces derniers insistent sur leur ascendance spirituelle qui, par Ma'rûf Karkhî (200/815-816), les fait remonter (comme les Ni'matollahîs) au VIIIe Imâm, l'Imâm 'Alî Rezâ (203/818). Leur ferveur shî'ite duodécimaine est sensible dans leurs exposés de la métaphysique du soufisme.

Il faut citer particulièrement le shaykh zahabî Najîboddîn Rezâ : originaire de Tabrîz, il s'établit à Ispahan, où il mourut en 1080/1670 sous le règne de Shâh Solaymân (1666-1694). Deux importants ouvrages de lui ont été publiés : *Nûr al-hidâyat (La Lumière de l'orientation spirituelle*) et *Sa'b al-mathânî* (*mathnawî* sur le XIIe Imâm). Deux centres de publications zahabîs sont particulièrement actifs : à Shîrâz et à Tabrîz. A Shîrâz ont été publiées les œuvres du shaykh Aghâ Mîrzâ Abû'l-Qâsim, connu plutôt sous ses surnoms honorifiques et noms de plume, « Bâbâ-ye Shîrâzî » ou « Râz-e Shîrâzî », et à qui succéda son fils Majd al-Ashrâf (1264/1848-1330/1912). On lui doit, entre autres, deux importants traités de théosophie mystique. L'un est le commentaire d'un célèbre prône gnostique attribué au Ier Imâm (*Khotbat al-Bayân, Prône de la grande*

Déclaration). L'autre, intitulé *Manâhij anwâr al-ma'rifat* (*Les Sentiers des lumières de la gnose*), est le commentaire d'un traité attribué au VIe Imâm, Ja'far Sâdiq, *Misbâh al-sharî'at* (*La Lampe qui éclaire la religion littérale*). A Tabrîz, on a commencé la publication des œuvres d'un de ses disciples, Mîrzâ 'Abdol-Karîm Râyezoddîn Shîrâzî, ou, sous son nom de *tarîqat*, « A'jûbeh 'Arif 'Alî-Shâh » (1299/1882), entre autres une précieuse étude sur *La Roseraie du Mystère* de Mahmûd Shabestarî (voir p. 419). Il a laissé une œuvre manuscrite considérable, comprenant quelque quarante et un titres. Shamsoddîn Parvîzî a pris à tâche de les éditer.

Ces quelques pages auront peut-être donné une idée du soufisme et de sa métaphysique; elles auront sans doute encore mieux suggéré les tâches immenses qui restent à accomplir. C'est l'impression que voudrait communiquer encore le chapitre qui suit.

III

La pensée shî'ite

1. *Nasîroddîn Tûsî et le « Kalâm » shî'ite.*

Il y a un *Kalâm* shî'ite, le mot désignant cette méthode d'exposition discursive qui met les ressources de la dialectique héritée des philosophes grecs au service des concepts religieux que proposent le *Qorân* et le *hadîth* (tradition). Le *Motakallim* exclusif représente typiquement le théologien exotérique. Cependant un même thème religieux peut être traité du point de vue exotérique du *Kalâm* ; il peut être également mis en œuvre avec toutes les ressources de la théosophie mystique, dont la métaphysique du soufisme vient de nous offrir d'illustres exemples. Un même penseur peut cumuler à la fois les capacités du *Motakallim*, et celles du philosophe et du théosophe mystique, qui ne peut se contenter de délibérer sur les concepts. C'est le cas le plus courant dans le shî'isme; on en peut trouver une première raison dans l'enseignement même des saints Imâms. Nasîroddîn Tûsî en est un cas exemplaire.

Homme au génie universel (sa bibliographie comprend quelque quatre-vingts titres), tel que le permet la culture de l'époque, Khwâjeh Nasîr (Maître Nasîr, forme sous laquelle son nom est le plus couramment cité) était né à Tûs, dans le Khorassan, le 11 Jomâda I 597/18 février 1201, et mourut à Baghdâd le 18 Dhû'l-Hijjâ 672/26 janvier 1274. Ses années de jeunesse furent aventureuses; il fut au service de princes ismaéliens dans le Qohestân, ce qui explique son séjour au château fort d'Alamût et la composition d'un traité ismaélien que l'on rappellera plus loin. Situation scabreuse lorsque les Mongols s'emparèrent d'Alamût (654/1256), mais dont Khwâjeh Nasîr se tira fort habilement, au point de devenir le conseiller de Hûlâgû Khân, d'être auprès de lui l'intercesseur des shî'ites imâmites et d'épargner à ces derniers bien des horreurs lors de la prise de Baghdâd (656/1258). Ce fut lui qui persuada ensuite le souverain mongol de construire le grand observatoire de Marâgheh en Azerbaïdjân.

Khwâjeh Nasîr fut un mathématicien et un astronome (il a commenté les *Eléments* d'Euclide, l'*Almageste* de Ptolémée, composé un traité des questions d'optique géométrique et physiologique). En philosophie, il composa sur les *Ishârât* d'Avicenne une étude en forme de commentaire que 'Abdorrazzâq Lâhîjî, quatre siècles plus tard, considérait comme le meilleur traité d'avicennisme qui ait été produit. Khwâjeh Nasîr prend la défense d'Avicenne contre Fakhroddîn Râzî, comme il la prend encore dans un traité spécial écrit en réponse à Shahrastânî. On peut dire que si, à la différence de l'avicennisme latin trop tôt péri, l'avicennisme iranien s'est perpétué jusqu'à nos jours, Nâsîr Tûsî en fut le premier artisan. En théologie shî'ite, ses principaux ouvrages sont *Tajrîd al-'aqâ'id* (*Dégagement des articles de foi*), *Qawâ'id al-'aqâ'id* (*Les Fondements des articles de foi*), les *Fosûl* (« chapitres », en persan). Les grands thèmes de la pensée shî'ite (imâmat, XIIe Imâm, etc.) y sont systématisés. Les deux premiers ont fait l'objet de quelque soixante-dix études et commentaires, au long des siècles, et il serait urgent d'en faire l'inventaire, l'analyse et l'histoire. L'œuvre et la physionomie spirituelle de Khwâjeh Nasîr trouvent leur couronnement non pas tant dans la philosophie pratique (le traité intitulé *Akhlâq-e nasîri*) que dans un soufisme aussi profondément mystique que shî'ite, exposé dans le petit traité *Awsâf al-ashrâf* (*Caractérologie des âmes nobles*). Le shî'isme récapitulant les aspirations de la conscience religieuse iranienne, d'autre part la philosophie expirant dans le reste du *Dâr al-*

Islâm, mais se perpétuant vigoureusement dans les écoles iraniennes, on comprend que Khwâjeh Nasîr soit la « figure de proue » de la pensée shî'ite.

Parmi les disciples et les hommes les plus proches de Khwâjeh Nasîr, il convient de nommer Kamâloddîn Maytham Bahrânî (678/1279-1280). Un propos traditionnel veut que, s'il fut en philosophie l'élève de Nasîr Tûsî, celui-ci fut son élève en droit canonique (*fiqh*). Il fut en outre un des maîtres de 'Allâmeh Hillî (voir ci-dessous). On lui doit une quinzaine d'ouvrages (les manuscrits n'en sont même pas encore tous repérés), dont plusieurs concernent les problèmes de l'imâmat des Imâms du shî'isme. Il est surtout connu par son double commentaire (en plus de vingt volumes) sur le recueil des propos, sermons, lettres du Ier Imâm, intitulé *Nahj al-balâgha.* Maytham Bahrânî fut un de ces penseurs shî'ites qui cumulèrent le *Kalâm*, la philosophie et la mystique (*'irfân*). Haydar Amolî le met au nombre de ces vrais philosophes qui sont les héritiers des prophètes et ne peuvent se contenter du savoir exotérique.

« Parmi eux le parfait shaykh Maytham al-Bahrânî qui, dans son double commentaire, majeur et mineur, sur le *Nahj al-balâgha* préféra aux méthodes des savants et professionnels de la philosophie celles des gnostiques théomonistes, lesquels font remonter leurs sources et leur manteau (*Khirqa*) au Ier Imâm. De même dans son commentaire du recueil des propos du Ier Imâm intitulé *Centiloquium*, il professe que la vérité en laquelle il n'est point de doute est la voie des théomonistes d'entre les hommes de Dieu appelés soufis. »

Le plus célèbre élève de Khwâjeh Nasîr fut sans doute 'Allâmeh Hillî (de son nom complet : Jamâloddîn Abû Mansûr Hasan ibn Yûsof ibn Motahhar al-Hillî), né en 648/1250-1251 à Hilla, et mort là même en 726/1326. Il eut encore, entre autres maîtres, Kâtibî (Dabîrân) Qazvînî (voir page 368) et Maytham Bahrânî. Comme celui-ci et comme Khwâjeh Nasîr, il fut contemporain de la tourmente mongole, et il joua un rôle analogue à celui de son maître. Au témoignage des historiens shî'ites, son influence fut décisive, lors des conférences auxquelles Oljaytu convia les chefs des différentes confessions religieuses; l'autorité de ses réponses fit qu'à ce moment le shî'isme fut reconnu comme religion officielle de la Perse et put sortir de la clandestinité. 'Allâmeh Hillî fut un écrivain prolifique (sa bibliographie comprend quelque cent vingt titres; certaines de ses œuvres sont publiées; pour d'autres, on en est encore à chercher des manuscrits).

Comme on l'a rappelé précédemment, un de ses ouvrages sur le concept de l'imâmat shî'ite (*Minhaj al-Karâma*) fut l'objet d'une véhémente attaque sunnite de la part d'Ibn Taymîya (voir *supra* p. 379). Outre quelques traités de droit canonique, 'Allâmeh a instauré une systématisation de la science des traditions (*hadîth* et *akhbâr*), dont les principes mettront plus tard aux prises les *Osûlîyûn* et les *Akhbârîyûn* (voir p. 483). En *Kalâm*, il a donné un commentaire (*Anwâr al-Malakût*) d'un des tout premiers traités produits par l'un des plus anciens *Motakallimîn* imâmites (Abû Ishaq Ibrâhîm Nawbakhtî, mort vers 350/961). De même, il a commenté les deux traités de Khwâjeh Nasîr mentionnés ci-dessus (*Tajrîd* et *Qawâ'id*), et ces commentaires ont été lus et relus, étudiés et commentés, par des générations de chercheurs. Il a donné un résumé du vaste commentaire de son maître, Maytham Bahrânî, sur le *Nahj al-balâgha*. En déployant à la fois les ressources de l'homme du *Kalâm* et du philosophe, il a donné des études sur les *Ishârât* (*Directives*) et le *Shifâ* (*Guérison*) d'Avicenne; un essai de solution des difficultés (*hill al-moshkilât*) des *Talwîhât* (*Livre des Elucidations*) de Sohravardî; un traité comparatif (*tanâsob*) entre les ash'arites et les sophistes; deux traités encyclopédiques : *Les Secrets cachés* (*al-Asâr al-*

khafîya) dans les sciences philosophiques (l'autographe est à Najaf), et un *Enseignement complet* (*Ta' lîm tamm*) sur la philosophie et le *Kalâm*, etc. Il met en doute le principe *Ex Uno non fit nisi Unum* (de l'Un ne peut procéder que l'Un), comme l'avait fait son maître Nasîr Tûsî en s'inspirant de Sohravardî; il admet un mouvement instrasubstantiel, qui annonce la théorie de Mollâ Sadrâ.

Bref, si son œuvre attend encore des études détaillées, préalables à une monographie d'ensemble, on peut dire dès maintenant que son exemple et ses livres ont été décisifs pour que la philosophie soit « chez elle » dans le shî'isme, et pour la prémunir contre les attaques des docteurs de la Loi exotérique.

Longue est la lignée issue de 'Allâmeh Hillî, nous conduisant jusquà l'affrontement tragique du *Kalâm* shî'ite et du *Kalâm* sunnite, en la personne de trois hommes que la nomenclature shî'ite désigne du même nom honorifique de *shahîd* (martyr), c'est-à-dire morts en témoins véridiques de la cause des saints Imâms. *Shahîd-e awwal*, le « protomartyr », fut le shaykh Shamsoddîn Mohammad qui, en 751/1350, à l'âge de dix-sept ans, avait été l'élève de Fakhrol-Mohaqqiqîn, fils de 'Allâmeh Hillî. Il a laissé une vingtaine d'ouvrages et fut exécuté à Damas en 786/1384. *Shahîd-e thânî*, le second martyr, est le shaykh Zaynoddîn ibn 'Alî, élève des élèves de 'Allâmeh Hillî (à la sixième génération); il a laissé une œuvre assez vaste (quelque quatre-vingts titres) et fut exécuté à Istanbul en 966/1558-1559 sur l'ordre du sultan Selim. Notoire entre tous est Qâzi Nûrollâh Shoshtarî, dont la famille remontait au IVe Imâm, Zaynol-'Abidîn. Philosophe et *Motakallim*, mathématicien et poète, il a laissé quelque soixante-dix ouvrages, dont le plus connu est, en persan, le grand livre des *Majâlis al-mu'minîn* (*Les Assemblées des croyants*), donnant en douze chapitres des notices sur les shî'ites éminents de toutes catégories (philosophes, théologiens, soufis, etc.). Il participa au va-et-vient entre l'Inde et l'Iran qui se produisit au temps de la généreuse réforme de Shâh Akbar, souverain mongol de l'Inde (1556-1605). Il résida un certain temps à Lahore.

Un sunnite ash'arite, Fazlollah ibn Rûzbehân Ispahânî, avait lancé une véhémente attaque contre un des traités de 'Allâmeh Hillî (celui qui a pour titre *Nahj al-haqq wa-Kashf al-sidq, La Voie frayée à la vérité et la mise à découvert de la sincérité*). L'ouvrage de Fazlollah avait pour titre *Ibtâl al-bâtil, Livre où l'on anéantit l'erreur.* Nûrollâh lui donna la réplique en une volumineuse réponse (un in-folio de cinq cents pages), intitulée *Ihqâq al-haqq, Livre où l'on rend son droit à la vérité.* Le livre fut dénoncé par des notables sunnites; Jahângir (1605-1628), successeur de Shâh Akbar, fit comparaître l'auteur; l'on obtint la condamnation de Qâzî Nûrollâh à un cruel martyre, en 1019/1610-1611; il fut ainsi le *shahîd-e sovvom*, le troisième martyr. L'ouvrage intitulé *Ihqâq al-haqq* comporte une partie juridique, mais aussi une ample et abondante partie philosophique. Que l'on évoque ensemble l'attaque d'Ibn Taymîya et celle de Fazlollâh ibn Rûzbehân contre 'Allâmeh Hillî, l'intervention de Nûrollâh Shoshtarî et son dénouement tragique, on comprendra que tout cela mériterait une étude d'ensemble approfondie, faute de laquelle cet important chapitre de philosophie islamique ne peut que rester allusif.

On fera mention ici d'Ibn Yûnus Nabatî 'Amilî (877/1472-1473). C'est un philosophe shî'ite dont la réputation tient principalement à deux grands ouvrages, l'un sur l'imâmat (*Kitâb al-sirât al-mostaqîm, Le Livre de la voie droite*), l'autre intitulé *La Porte ouverte sur ce que l'on dit concernant l'âme (nafs) et l'esprit (rûh).* C'est un ouvrage que Majlisî cite parmi ses sources dans sa grande encyclopédie des *hadîth* shî'ites, le *Bihâr al-Anwâr.* Ibn Yûnus a écrit d'autres traités sur la logique, le *Kalâm*, l'imâmat, les Noms divins.

Enfin, il est un philosophe très original, Afzaloddîn Kâshânî, que nous classerons ici, non point qu'il ait été un *Motakallim*, mais à cause de ses relations avec Nasîroddîn Tûsî, lesquelles, dans l'état actuel des recherches, restent mal définies. Peut-être était-il, selon certaines traditions, son oncle maternel. Sa vie se situe dans les deux premiers tiers de notre XIIIe siècle, sans que l'on sache les dates exactes de sa naissance et de sa mort. Il vécut au temps de Hûlâgû Khân, et joua, dit-on, auprès des Mongols le même rôle bénéfique que Khwâjeh Nasîr; il réussit en effet à préserver sa ville de Kâshân de la destruction.

Qu'il fut au nombre des familiers de Nasîr Tûsî, celui-ci l'atteste par deux distiques à l'éloge d'Afzaloddîn. On a constaté aussi que le *ta'wîl*, l'herméneutique symbolique des versets qorâniques et des *hadîth* mise en œuvre par Afzaloddîn, présentait quelques réminiscences ismaéliennes; cela s'accorderait fort bien avec certaine déclaration de Khwâjeh Nasîr, faisant allusion à son propre ésotérisme comme dérivant d'un disciple d'Afzaloddîn. Celui-ci, philosophe et poète (sous le nom de plume de Bâbâ Afzal) a laissé une œuvre intégralement écrite en persan. Elle comprend une douzaine de traités dont on ne nommera ici que les *Madârij al-Kamâl* (*Les Degrés de la perfection*), excellent exposé d'anthropologie philosophique; le *Jâvdân-Nâmeh* (*Livre de l'éternel*), le plus original peut-être, où, après avoir traité de la connaissance de soi, le philosophe traite des origines et de la fin des choses comme d'un « prologue et épilogue dans le ciel ». On relèvera qu'Afzaloddîn a traduit en persan le *Liber de pomo* (traité pseudo-aristotélicien) et le *Yanbû'al-Hayât* (*La Source de la Vie*), traité hermétiste existant d'autre part en arabe (édité sous le titre de la traduction latine *De castigatione animae*); certains passages parallèles ont pu être retrouvés dans le texte grec du *Corpus hermeticum*. Déjà cet intérêt pour Hermès (identifié avec Idrîs, avec Enoch) annonce une affinité avec Sohravardî, *shaykh al-Ishrâq*.

Dans l'histoire critique des philosophes qu'il esquisse au cours de son grand livre, le *Jâmi' al-asrâr*, Haydar Amolî fait expressément mention d'Afzaloddîn parmi ceux qui, après avoir approfondi la philosophie et les sciences officielles exotériques, sont revenus vers « la voie des hommes de Dieu ». « Afzaloddîn, dit-il, fut l'un des plus grands. »

2. *Les Ismaéliens.*

Les origines de l'ismaélisme et les leitmotive de la métaphysique ismaélienne ont été esquissés précédemment. On rappelle en quelques lignes les grands faits : à la mort du khalife fâtimide al-Mostansir Bi'llâh (487/1094), sa succession détermina un schisme dans la communauté ismaélienne. Primo, il y eut ceux qui reconnurent la légitimité de l'Imâm al-Mosta'lî; ils perpétueront jusqu'à nos jours l'ancienne *da'wat* fâtimide. Mais depuis l'assassinat du khalife al-Amîr (524/1130), dernier Imâm en titre, ils sont pratiquement, comme les shî'ites duodécimains, en période d'occultation de l'Imâm. Ils se retirèrent au Yémen; au XVIe siècle, leur quartier général fut transféré dans l'Inde, où ils sont connus sous le nom de *Bohras*. Secundo, il y eut ceux qui restèrent fidèles à la légitimité de l'Imâm Nizâr; le petit-fils de celui-ci, miraculeusement sauvé par des adeptes fidèles, fut mis en lieu sûr au château fort d'Alamût, en Iran. Là même, le 8 août 1164, l'Imâm Hasan *'alâ dhikri-hi's-salâm* (toujours désigné par ces mots signifiant : « Salut à la mention de son nom ») proclama la Grande Résurrection, qui faisait de l'ismaélisme une gnose pure, une pure religion personnelle de la Résurrection. Quant au sens de cette proclamation, il convient par excellence de redire ici : *Resurrectio non est factum historicum, sed mysterium liturgicum.* A peine un siècle plus tard (1256), le château fort d'Alamût et les autres commanderies ismaéliennes en Iran sont ruinés par les Mongols. Le dernier Imâm, Raknoddîn Shâh, est assassiné, mais son fils et ses descendants survivent, sous le manteau du soufisme, dans le Caucase du Sud d'abord, puis à Anjûdan (entre Hamadan et Ispahan). C'est la lignée des Imâms de l'ismaélisme réformé d'Alamût qui s'est perpétuée jusqu'à nos jours, jusqu'à Karîm Aghâ-Khân IV. Cette branche est implantée principalement dans les centres iraniens, sur les hauts plateaux de l'Asie centrale, dans l'Inde où ses adeptes sont connus sous le nom de *Khojas.*

Impossible de saisir sans ce schéma la situation de l'ismaélisme au regard de l'histoire de la philosophie. La littérature d'Alamût a été détruite lors de la destruction de sa bibliothèque. La production depuis lors a été très faible, tant les circonstances étaient défavorables. En revanche, la branche des *Bohras* a conservé des collections entières. La tragédie aux yeux du philosophe est celle-ci : les *Khojas,* plus libéraux, sont prêts à publier des textes pour faire connaître l'ismaélisme. Malheureusement, tous les manuscrits sont en possession des *Bohras,* qui continuent d'observer une telle discipline du secret que, sur les quelque sept cent soixante-dix titres recensés par le regretté W. Ivanow (y compris les textes druzes), seules quelques dizaines d'ouvrages ont été accessibles jusqu'ici.

La branche *mosta'lî,* depuis la fin des Fâtimides, a compté un certain nombre d'auteurs prolifiques, d'abord au cours de la période que l'on appelle néo-yéménite. On doit se limiter ici à citer les noms de quelques grands *dâ'î* yéménites dont le principal travail a consisté à élever des Sommes massives de la métaphysique et de l'imâmologie ismaéliennes : le 2e *dâ'î*, Ibrâhîm ibn al-Hosayn al-Hâmidî (557/1162); le 3e *dâ'î*, Hâtim ibn Ibrâhîm; le 5e *dâ'î*, 'Alî ibn Mohammad ibn al-Walîd (612/1215), à qui l'on doit, entre autres, un massif ouvrage (le *Dâmigh al-bâtil*, dont le manuscrit comporte douze cents pages, en cours d'étude et d'édition) qui constitue la réponse ismaélienne au grand ouvrage de polémique anti-ismaélienne de Ghazâli (le *Mostazhirî*); le 8e *dâ'î*, Hosayn ibn 'Alî (657/1268), a laissé, entre autres, un *compendium* sur la métaphysique et l'eschatologie ismaélienne (édité); le 19e *dâ'î*, Idrîs 'Imâdoddîn (872/1468) a laissé une œuvre considérable comme historien et comme philosophe (principalement son *Zahr al-mâ'ânî*, en cours d'étude et d'édition). Tout cela nous conduit jusqu'à la période indienne, où nous signalerons, de Hasan ibn Nûh al-Hindî al-Bharûchî (939/1533), une Somme énorme, en sept grands volumes dont le sommaire est connu et où nous retrouverons tout l'essentiel de l'histoire et de la métaphysique ismaéliennes, le jour où un manuscrit nous en sera enfin accessible. Au cours de cette période, la branche *mosta'lî* se ramifie en deux subdivisions : *Dâwûdî* et *Solaymânî*. Ici encore, des dizaines de titres d'ouvrages sont connus, mais ne sont, hélas ! jusqu'ici pour les chercheurs que des titres.

De la littérature *nizârî*, celle de l'ismaélisme réformé d'Alamût, toute en persan, ont été préservés heureusement deux traités de Nasîroddîn Tûsî, dont ont été rappelées ci-dessus les « fréquentations » ismaéliennes (il n'y a aucune raison décisive d'infirmer l'authenticité de ces deux traités, dont le plus important est intitulé *Rawzat al-taslîm*). C'est sous le manteau (la *khirqa*) du soufisme que l'ismaélisme survécut en Iran après la destruction d'Alamût, et il y a toujours eu depuis lors une ambiguïté dans la littérature même du soufisme. Le grand poème de Mahmûd Shabestarî (voir *supra* p. 419) dénote des réminiscences ismaéliennes, et il existe un commentaire ismaélien partiel de *La Roseraie du Mystère* (édité). Aussi bien est-ce souvent sous la forme de traités versifiés que se poursuit la littérature *nizârî* de la tradition d'Alamût. Qohestânî (mort vers 720/1320) semble avoir été le premier à user de la terminologie soufie pour exprimer les doctrines ismaéliennes. L'Imâm Jalâloddîn Mostansir Bi'llâh II (880/1480), résidant et enseveli à Anjûdan (sous son surnom de Shâh Qalandar), rédigea une *Exhortation à la chevalerie spirituelle* (*Pandiyat-e javânmardî*), concept dont on a dit précédemment la signification pour le shî'isme et pour le soufisme. Sayyed Sohrâb Walî Badakhshânî (qui écrivait en 856/1452) et Abû Ishaq Qohestânî (seconde moitié du XVe siècle) ont laissé l'un et l'autre un bon exposé de philosophie ismaélienne. Khayr-Khwâh (le *Benevolens*) de Hérat (mort après 960/1553), auteur prolifique, est pricipalement responsable du *Kalâm-e Pîr* (*Discours du Sage*), qui est une amplification des *Sept chapitres* d'Abû Ishaq Qohestânî, et constitue, avec le *Rawzat al-taslîm* de Nasîr Tûsî, le plus complet aperçu que nous ayons de la philosophie ismaélienne de tradition *alamûtî*. Khâkî Khorasânî (qui écrivait en 1056/1645) et son fils Raqqâmî Dîzbâdî laissent de longs poèmes philosophiques. Gholâm 'Alî d'Ahmadnagar (1110/1690) laisse une œuvre versifiée, les *Lama'ât al-Tâhirîn* (*Les Eclairs des Très-Purs*), ne comprenant pas moins de onze cents pages, quelque peu chaotiques, où les leitmotive philosophiques sont énoncés en prose. Pîr Shihâboddîn Shâh Hosaynî (fils aîné d'Aghâ-Khân II), né en 1850, mort en pleine jeunesse en 1884, a laissé plusieurs traités qui sont au moins d'excellentes récapitulations de la gnose ismaélienne.

Telles sont les principales œuvres de cet ismaélisme d'Alamût, qui est apparemment le seul que connaissent nos auteurs shî'ites duodécimains de la même période.

Cela ne fait peut-être pas exactement contrepoids aux œuvres massives des *dâ'î* néo-yéménites. La tragédie, aux yeux du philosophe, nous l'avons dite ci-dessus. Elle a pour conséquence que l'ismaélisme qui fut, aux Xe et XIe siècles de notre ère, à l'avant-garde des audaces de la pensée métaphysique en Islam, est depuis des siècles pratiquement rentré dans le silence. Il aurait à faire entendre aujourd'hui une voix à la fois originale et traditionnelle. Il semble que de jeunes ismaéliens en aient le souci.

3. *Le courant ishrâqî.*

Issu de la réforme fondamentale opérée par Sohravardî, *shaykh al-Ishrâq* (587/1191), dans son *Livre de la Théosophie orientale* (*Hikmat al-Ishrâq*), avec le propos de ressusciter la théosophie des sages de l'ancienne Perse, le courant *ishrâqî*, celui des *Ishrâqiyân-e Irân* (les « Platoniciens de Perse »), contribuera, avec l'intégration d'Ibn 'Arabî à la métaphysique shî'ite, à donner sa physionomie caractéristique à la philosophie de l'Islam iranien, au cours des siècles qui suivent. C'est pourquoi l'on rassemble ici les penseurs qui, même s'ils ne sont pas tous d'obédience nommément shî'ite, ont contribué par leurs œuvres à la formation de ce courant. Leurs œuvres ont fructifié dans la pensée shî'ite, et il vaut mieux ne pas disloquer leur apport respectif.

Vient en tête de cette lignée des « Platoniciens de Perse » Shamsoddîn Shahrazûrî (VIIe/XIIIe siècle). Il est paradoxal que nous ne sachions rien sur la vie de ce philosophe, alors qu'il a consacré lui-même tout un ouvrage aux biographies des philosophes (*Nozhat al-arwâh*), en recueillant, sans trop le dire, le matériel de ses devanciers. On lui doit principalement une énorme Somme de toute la philosophie produite en Islam jusqu'à son temps; elle est intitulée : *Traités de l'Arbre divin et des secrets théosophiques*, et aurait mérité d'être éditée et étudiée depuis longtemps (elle fut achevée en 680/1282; une indication de copiste permet de croire que l'auteur était encore en vie en 687/1288). On lui doit en outre deux massifs commentaires de deux grands ouvrages de Sohravardî, à savoir le *Livre des Elucidations* (*Talwîhât*) et le *Livre de la Théosophie orientale*, commentaires dont on retrouve de nombreuses pages transcrites chez les autres commentateurs. C'était un *Ishrâqî* de cœur. Il a conscience d'être en personne, pour son temps, celui que Sohravardî désignait par avance comme « le Mainteneur du Livre » (*Qayyim bi'l-Kitâb*). On soulignera, car ce n'est probablement pas un hasard, que le « Mainteneur du Livre de la Théosophie orientale » bénéficiait ainsi d'une qualification en résonance avec celle que le shî'isme confère aux Imâms comme « Mainteneurs du Livre » (le *Qorân*) dans son intégralité exotérique et ésotérique.

Ibn Kammûna (Sa'd ibn Mansûr) est également un grand philosophe de l'époque (mort en 683/1284). Lui-même israélite, ou d'ascendance israélite par son grand-père (Hibatollah, Nathanaël), certains indices relevés dans ses livres permettent aux répertoires shî'ites de le considérer comme un philosophe imâmite duodécimain. Il a composé sur les trois parties (logique, physique, métaphysique) du difficile *Livre des Elucidations relatives à la Table et au Trône* de Sohravardî, un commentaire très original et des plus sérieux (achevé en 667/1268). Il a laissé en outre une douzaine d'œuvres, parmi lesquelles une *Mise au point des discussions (tanqîh al-abhâth) concernant l'examen des trois religions*, judaïsme, christianisme et Islam. L'ouvrage lui attira de sérieux tracas à Baghdâd, de la part des éléments sunnites. L'auteur s'y inspirait, semble-t-il, d'un œcuménisme abrahamique.

Qotboddîn Shîrâzî (Mahmûd ibn Mas'ûd), né à Shîrâz en 634/1237, mort à Tabrîz en 710/1311, est peut-être la figure la plus notoire parmi les philosophes de l'époque. Mathématicien, astronome, philosophe et soufi, il avait eu des maîtres renommés : Nasîroddîn Tûsî, Sadroddîn Qonyawî, Kâtibî Qazvînî. Il a composé une quinzaine d'ouvrages, entre autres une encyclopédie philosophique en persan, faisant pendant à celle de Shahrazûrî en arabe, intitulée *Dorrat al-Tâj* (*La Perle de la couronne*), en deux parties (éditée à Téhéran, 1320 h.s./1942) : primo, prolégomènes sur la connaissance; la logique; la philosophie première; la physique; la métaphysique et la théologie rationnelle; secundo, géométrie d'Euclide; astronomie; arithmétique; musique. Il a composé sur le *Livre de la Théosophie orientale* de Sohravardî un commentaire magistral, qui est resté jusqu'à nos jours un *text-book*, indispensable pour la compréhension du texte très concis de Sohravardî.

Jalâloddîn Dawwânî, né à Dawwân près de Shîrâz, en 830/1426-1427 et mort là même en 907/1501-1502, fut un auteur prolifique, sollicité par de nombreuses questions de *Kalâm*, de philosophie, de théologie et de mystique. Il étudia à Shîrâz et voyagea un peu partout : en Perse, en Inde et en Iraq, et se convertit au shî'isme à la suite d'un songe. On retiendra principalement ici son commentaire du *Livre des Temples de la Lumière* (*Hayâkil al-Nûr*) de Sohravardî, dont il existe de nombreux manuscrits, parce que tout chercheur en philosophie avait lu ce livre, et cela d'autant plus qu'il provoqua un contre-commentaire de Ghiyâthoddîn Mansûr Shîrâzî (949/1542, voir p. 459); ce n'est d'ailleurs pas le seul point sur lequel éclata l'antagonisme des deux philosophes.

Nommons au passage un des élèves de Jalâloddîn Dawwânî (qui en eut un grand nombre), Amîr Hosayn Maybodî (Maybod est une bourgade proche de Shîrâz), mort en 904/1498-1499 ou 911/1505-1506, et que la majorité des répertoires regardent, non sans raison, comme ayant été shî'ite. Il a laissé une dizaine d'œuvres, entre autres deux études, l'une sur le *Kitâb al-hidâyat* d'Athîroddîn Abharî (voir *supra* p. 365), l'autre sur le *Dîwân* du Ier Imâm, dont les prolégomènes lui permettent de déployer les grands thèmes de la métaphysique du soufisme.

Deux personnages de Tabrîz, peu connus, sont à nommer ici. Wadûd Tabrîzî écrit, en 930/1524, un commentaire systématique sur l'ouvrage de Sohravardî intitulé *Livre des Tablettes dédiées à 'Imâdoddîn* (émir seldjoukide d'Anatolie). Un contemporain de Wadûd, moins connu encore, Najmoddîn Mahmûd Tabrîzî, écrit des gloses sur le *Livre de la Théosophie orientale*. Enfin, si Sohravardî avait écrit un certain nombre d'*opera minora* en persan, ses grands traités avaient été écrits en arabe. En 1008/1600, un certain Mohammad Sharîf Ibn Harawî élabore en persan non seulement le prologue et les cinq livres constituant la seconde partie du *Livre de la Théosophie orientale*, mais également le commentaire de Qotboddîn Shîrâzî. La connaissance des choses de l'Inde que révèle le traducteur suggère de rattacher son initiative aux préoccupations généreuses qui inspiraient la réforme religieuse tentée par Shâh Akbar, souverain mongol de l'Inde, déjà mentionné ci-dessus. La philosophie *ishrâqî* eut en effet une influence considérable sur le projet de « religion œcuménique » conçu par Shâh Akbar.

A la même fermentation d'idées philosophiques et religieuses se rattache l'épisode d'Azar Kayvân, grand prêtre zoroastrien à Shîrâz, qui, aux confins de nos XVIIe et XVIIIe siècles, émigre en Inde avec sa communauté. Un grand ouvrage en persan, écrit à l'époque, le *Dabestân-e madhâhib* (*L'Ecole des sciences religieuses*), est seul à nous fournir quelques renseignements sur la situation prévalant alors en milieu zoroastrien, où fait éclosion un livre comme le *Dasâtîr-Nâmeh* (*La*

Bible des anciens prophètes de l'Iran). Ce livre ne peut que décevoir l'historien ou le philosophe qui y chercheraient un document du zoroastrisme primitif. En revanche, il intéresse au plus haut point le philosophe, car il témoigne de la diffusion de la philosophie *ishrâqî* dont il porte des traces précises. Le groupe d'Azar Kayvân comprenait de fervents admirateurs et traducteurs de Sohravardî, notamment Farzâneh Bahrâm qui vivait en 1048/1638 et, outre ses traductions non retrouvées, a laissé un gros ouvrage en persan intitulé *La Cité aux quatre jardins* (*Shârestân-e tchahâr tchaman*). Un autre livre en persan, éclos dans le même groupe, a pour titre *Ayîn-e Hushang* (*La Religion de Hushang*, protoprophète iranien). Les Parsis se sont suffisamment intéressés à ces livres pour les éditer; ils regardent le *Dasâtîr* comme un livre « semi-parsi », et l'on ne saurait formuler un meilleur jugement que le leur. Nous avons donc là une littérature zoroastrienne *ishrâqî* (en cours d'étude) qui répond de façon émouvante au dessein de Sohravardî, et témoigne de l'influence de sa philosophie dans l'Inde du XVIIe siècle.

Bien entendu, la force du courant *ishrâqî* ne se limite pas à ceux qui ont expressément commenté une œuvre ou l'autre du *shaykh al-Ishrâq.* Nous rappellerons plus loin que Mollâ Sadrâ Shîrâzî a écrit sur le *Livre de la Théosophie orientale* un grand volume de gloses magistrales. Mais l'influence de l'*Ishrâq* ira en grandissant chez nombre de penseurs iraniens qui seront nommés ici. Déjà un commentateur d'Ibn 'Arabî comme 'Abdorrazzâq Kâshânî, dans son commentaire des *Fosûs*, est attentif aux affinités hermétistes des *Ishrâqiyûn.* La jonction du courant *ishrâqî* et du courant issu d'Ibn 'Arabî avec les grands thèmes de la théosophie shî'ite donnera sa forme décisive à la philosophie irano-islamique. Cette jonction est déjà un fait accompli chez Ibn Abî Jomhûr (voir page 458).

4. *Shî'isme et alchimie : Jaldakî.*

A la théosophie « spéculative » qui sera ainsi instaurée (celle où le sujet a conscience d'être le miroir, *speculum*, où s'accomplissent les choses et les événements), correspond une théosophie de la Nature que comporte en propre la « philosophie prophétique » et qui trouve son sommet dans l'alchimie. C'est ce lien que marque admirablement le grand alchimiste Aydamor Jaldakî. Au lien qui unit à la gnose ismaélienne l'alchimie de Jâbir ibn Hayyân correspond le lien qui unit à la théosophie prophétique du shî'isme duodécimain l'alchimie de Jaldakî. Celui-ci avait une conscience très vive de l'alchimie comme science spirituelle, tout en décrivant les procédés de l'alchimie opérative. A la fois opérative et symbolique, l'œuvre alchimique s'accomplit à la fois dans la *materia prima* et dans l'être intime de l'homme. Il y a un lien essentiel entre l'idée alchimique et l'imâmologie shî'ite, et par celle-ci entre l'œuvre alchimique et la *fotowwat* comme service de chevalerie spirituelle exhaussé jusqu'à l'exigence d'un salut cosmique. L'alchimie n'est pas la préhistoire de la chimie de nos jours.

Aydamor Jaldakî (telle est la vocalisation exacte, non pas Jildakî) était un Iranien originaire de Jaldak, bourgade distante de quelque dix-huit kilomètres au nord de Mashhad, dans le Khorassan. Il vécut à Damas, puis au Caire, où il mourut entre 750/1349-1350 et 762/1360-1361. Il a laissé une quinzaine d'ouvrages relatifs à l'alchimie, à peine étudiés jusqu'ici. On ne peut mentionner ici que son *Livre de la démonstration concernant les secrets de la science de la Balance* (*Kitâb al-borhân fî asrâr 'ilm al-mîzân*). C'est un immense ouvrage en arabe, comprenant quatre parties en quatre grands volumes.

On est frappé, à première lecture, par le rôle qu'y

jouent les prônes (*Khotba*) les plus gnostiques attribués au Ier Imâm, entre autres la célèbre *Khotbat al-Bayân* déjà nommée ici. Au chapitre v de la seconde partie, Jaldakî explique ceci : l'alchimie n'est affermie que chez ceux qui ont une haute connaissance de la philosophie (*hikmat*) et donnent leur assentiment au message des prophètes. C'est que celui-ci englobe les impératifs exotériques de la Loi en même temps que certains secrets de la sagesse philosophale supérieure. Aussi le Ier Imâm a-t-il dit que l'alchimie est la « sœur de la prophétie », la connaissance de l'alchimie étant au nombre des connaissances possédées par les prophètes. En disant « sœur de la prophétie », l'Imâm sous-entend qu'elle est une manière de désigner la *hikmat* (la philosophie, la Sagesse théosophique). Or il n'est pas douteux que la *hikmat* est la sœur de la prophétie. Cela dit, ce même chapitre s'achève sur l'annonce d'une composition ou combinaison (*tarkîb*) dont l'explication doit être demandée à l'exposé de celui qui parle du haut de l'arbre de la *fotowwat* et de la « Niche aux lumières de la prophétie », c'est-à-dire l'Imâm. Ces lignes servent de transition conduisant au chapitre suivant, où l'on trouve le commentaire d'un livre d'Apollonios de Tyane, le *Livre des sept statues*, qui a la tournure d'un roman initiatique (cf. *Annuaire* de l'Ecole pratique des hautes études, section des sciences religieuses, rapport sur les cours 1972-1973).

On signalera plus loin encore deux opuscules sur l'alchimie, l'un de Mîr Fendereskî, l'autre de Bîdâbâdî. De même, chez Shaykh Ahmad Ahsâ'î et dans l'école shaykhie, les problèmes posés par le « corps de résurrection » sont traités en référence aux phases successives de l'opération alchimique.

5. *L'intégration d'Ibn 'Arabî à la métaphysique shî'ite.*

Que les penseurs shî'ites aient retrouvé leur propre bien dans l'œuvre d'Ibn 'Arabî est un des faits signalés ci-dessus comme fondamentaux. Il porte naturellement à s'interroger sur la formation première que reçut Ibn 'Arabî en Andalousie. D'autre part, la vénération pour la personne et l'œuvre du *Doctor maximus* (*al-Shaykh al-akbar*) n'excluait nullement le refus de certains points de doctrine d'une importance décisive pour tout penseur shî'ite. On en verra un exemple chez Haydar Amolî.

Chronologiquement, on mentionnera tout d'abord un groupe de deux ou trois personnages appartenant à une même famille shî'ite, originaire de Khojand, dans le Turkestan, et venue s'établir définitivement à Ispahan. Sadroddîn Abû Hamîd Mohammad Torkeh Ispahânî (VIIe-VIIIe/XIIIe-XIVe siècle, dates exactes non connues) est de ceux que mentionne avec éloge Haydar Amolî parmi les penseurs qui n'ont pu se satisfaire d'une philosophie purement théorique. « Il revint, lui aussi, de sa science et de sa philosophie à la science et aux hommes du soufisme, et il a composé plusieurs livres et traités sur ce sujet, entre autres le livre sur l'être absolu. » Haydar Amolî cite alors une longue page de cet ouvrage de notre philosophe. Sadroddîn a en effet laissé plusieurs ouvrages traitant de métaphysique, parmi lesquels le plus important a pour titre : *Les Thèses de base concernant le tawhîd.*

Son petit-fils Sâ'inoddîn 'Alî Torkeh Ispahânî (mort entre 830/1426-1427 et 836/1432-1433) a donné un commentaire de ce traité particulièrement abstrus sous le titre de *Développement des thèses de base concernant l'être absolu* (*Tamhîd al-qawâ'id fî'l-wojûd al-motlaq*), dont l'ensemble est d'un extrême intérêt pour l'étude de la métaphysique du shî'isme. Sâ'inoddîn a laissé un grand nombre d'ouvrages de caractère très personnel, tant en arabe qu'en persan : un commentaire des *Fosûs al-hikam* d'Ibn 'Arabî, un *Livre des approfondissements* (*mafâhis*); une étude sur le verset qôranique (54/I) de l' « éclatement de la Lune », dont le sens ésotérique lui permet d'esquisser une typologie religieuse originale, où prennent place les principales écoles de son temps. On lui doit encore des études sur Mahmûd Shabestarî, sur une ode (*qasîda*) d'Ibn al-Fârid, etc. (L'édition de ses œuvres persanes, une quarantaine de traités, est en cours à Téhéran.)

Mentionnons que son cousin, Afzaloddîn Mohammad Sadr Torkeh Ispahânî, se signala par une traduction persane du grand ouvrage de Shahrastânî sur les religions et les écoles philosophiques (*Kitâb al-milal*). Le travail fut terminé à Ispahan, en 843/1439-1440, et complété par une étude personnelle sur le même ouvrage. L'entreprise fait date, certes, dans l'histoire de la philosophie irano-islamique. Malheureusement elle valut à son auteur d'être exécuté sur l'ordre de Shâhrokh, fils de Tamerlan, en 850/1447, mauvaise action qui ne porta point bonheur à Shâhrokh, lequel mourut quatre-vingts jours plus tard.

Une autre œuvre, celle de Rajab Borsî (originaire de Bors, en Iraq), se situe dans la seconde moitié du VIIIe/XIVe siècle (dates exactes non connues). L'œuvre est, elle aussi, de première importance pour cette phase de la philosophie shî'ite. Entre les quelque huit titres de sa bibliographie, les *Mashâriq al-Anwâr* (*Les Orients des Lumières*) sont une excellente introduction à la théosophie shî'ite, rassemblant les prônes gnostiques les plus caractéristiques attribués aux Imâms. L'ouvrage a fait l'objet d'une énorme amplification, paraphrase persane en quelque mille pages in-folio, par les soins d'un savant originaire de Sabzavâr et établi à Mashhad, al-Hasan al-Khâtib al-Qâri', qui termina son travail en 1090/1680, sur l'ordre de Shâh Solaymân Safavî

(1666/1694). L'ouvrage met particulièrement en valeur le thème du Logos mohammadien, de la Réalité prophétique éternelle (*Haqîqat mohammadîya*), qui recèle « tous les mots du livre de l'être ». Ce Logos est le miroir montre-Dieu, Lumière unique à deux dimensions : dimension exotérique qui est la mission prophétique, dimension ésotérique qui est la *walâyat*, la dilection divine investie dans l'Imâm.

Mais pour le phénomène d'intégration, considéré dans son élaboration méthodique, l'œuvre de premier plan et d'importance décisive est celle de Sayyed Haydar Amolî. Nous n'avons pu reconstituer que récemment sa biographie et une partie de son œuvre; celle-ci, tout en se limitant à quelque trente-cinq titres (en arabe et en persan), est d'une dimension accablante. Les seuls prolégomènes de son commentaire sur les *Fosûs* d'Ibn 'Arabî (*Le Texte des textes, Nass al-Nosûs*) constituent une remarquable Somme doctrinale occupant tout un grand volume. Né en 720/1320 à Amol, capitale du Tabarestan (sud de la mer Caspienne), et appartenant à une très ancienne famille shî'ite, Sayyed Haydar eut une jeunesse brillante; à l'âge de trente ans, il passe par une profonde crise spirituelle; il rompt avec toutes les ambitions mondaines et va s'établir aux lieux saints shî'ites, en Irâq. L'ouvrage le plus tardif connu de lui est daté de 787/1385.

De même que Sohravardî avait voulu opérer la rejonction de la théosophie des anciens Perses avec la philosophie islamique, Haydar Amolî opère la rejonction entre le shî'isme et la métaphysique du soufisme. Sa doctrine du *Tawhîd* est fondée sur le théomonisme d'Ibn 'Arabî. Il y a un *tawhîd* théologique exotérique (il n'y a de dieu que « ce » Dieu) attestant l'Unité divine; c'est celui auquel ont appelé les prophètes. Et il y a un *tawhîd* ontologique ésotérique (il n'y a que Dieu à « être ») attestant l'Unité de l'être; c'est celui auquel appellent les « Amis de Dieu ». De la mise en œuvre des *hadîth* des Imâms découle toute la situation de la prophétologie et de l'imâmologie, le rapport d'intériorité croissante entre le missionnement prophétique (*risâlat*), l'état prophétique (*nobowwat*) et la *walâyat* qui est l'ésotérique de la prophétie et le charisme propre aux Imâms. Il y a un cycle de la prophétie, désormais clos, mais auquel succède le cycle de la *walâyat* ou de l'initiation spirituelle. Le Sceau de la prophétie fut le dernier prophète-envoyé, Mohammad. Le Sceau de la *walâyat* est l'Imâmat mohammadien, en la double personne du Ier Imâm (Sceau de la *walâyat* absolue) et du XIIe Imâm (Sceau de la *walâyat* postmohammadienne). C'est sur ce point que, malgré toute sa vénération pour Ibn 'Arabî, Haydar Amolî lui oppose une critique véhémente et méthodique, pour avoir fait de Jésus le Sceau de la *walâyat* absolue ou universelle (répétons que le concept shî'ite de *walâyat*, en persan *dûstî*, est celui du charisme de l'amitié divine; il ne s'identifie pas tout à fait avec le concept de *wilâyat* courant dans le soufisme et que l'on a l'habitude de traduire inexactement par « sainteté »). Il serait contradictoire qu'un prophète fût le Sceau de la *walâyat* universelle. Ce qui est en cause, comme nous le marquions ci-dessus dans notre aperçu d'ensemble, c'est plus qu'une philosophie de l'histoire, c'est toute l'historiosophie du shî'isme, une périodisation de la hiérohistoire qui va désormais prédominer, et qui trouverait son point de comparaison, en Occident, avec l'historiosophie de Joachim de Flore et des joachimites.

Avec Ibn Abî Jomhûr (804/1401-1402) et son grand livre (*Kitâb al-Mojlî*), la parfaite cohésion entre la théosophie de l'*Ishrâq* de Sohravardî, celle d'Ibn 'Arabî et la tradition shî'ite, est désormais assurée. Tout comme Haydar Amolî, Ibn Abî Jomhûr identifie nommément le XIIe Imâm, l'Imâm présentement invisible et dont la parousie est attendue, avec le Paraclet annoncé dans l'*Evangile de Jean*. La théosophie shî'ite prend alors une résonance paraclétique et johannique. C'est pourquoi nous venons de faire allusion au joachimisme en philosophie occidentale.

6. *Sadroddîn Dashtakî et l'école de Shîrâz.*

Ici, comme dans le cas de la famille Torkeh d'Ispahan, nous rencontrons une dynastie familiale de philosophes. Le père, Sadroddîn Mohammad Dashtakî Shîrâzî (surnommé Amîr Sadroddîn ou Sadroddîn Kabîr « le Grand », qu'il importe de ne pas confondre avec Mollâ Sadrâ qui était, lui aussi, un Sadroddîn Mohammad Shîrâzî), fut un des éminents penseurs imâmites du IXe/XVe siècle. Né en 828/1424-1425, il fut assassiné par les Turcomans, en 903/1497, et enseveli à Shîrâz. Il avait un grand don d'argumentateur, qui mit fortement à l'épreuve Jalâl Dawwânî (voir page 450). Il a laissé une dizaine d'ouvrages, dont deux groupes d'études sur le *Tajrîd* de Nasîroddîn Tûsî et ses commentaires. Mollâ Sadrâ, dans son grand ouvrage (les *Asfâr*, voir p. 468), mentionne et discute ses positions de thèses concernant l'être existant dans la pensée, l' « existence mentale » (*wojûd dhihnî*).

Son fils, Ghiyâthoddîn Mansûr Shîrâzî (mort en 940/1533 ou 949/1542), auquel certains biographes donnent le surnom un peu pompeux de « Onzième Intelligence » (on l'a donné aussi à d'autres), a laissé une œuvre philosophique et théologique, tant en arabe qu'en persan, comprenant une trentaine de titres, ouvrages concernant principalement le *Kalâm*, la philosophie, le soufisme, mais aussi l'astronomie et la médecine. Il passa presque toute sa vie à Shîrâz, où il enseignait à la Madrasa Mansûrîya, que le souverain safavide Shâh Tahmasp (1524-1576) avait fondée pour lui. La formation qu'il reçut en sa jeunesse nous donne la meilleure idée de l'activité intellectuelle et philosophique qui régnait alors à Shîrâz. Son père, Sadroddîn, organisait des séances de discussions auxquelles le fils participait avec ardeur. Les plus célèbres interlocuteurs furent le philosophe Dawwânî, souvent malmené, et le juriste imâmite 'Alî ibn 'Abdol-'Alî Karkî (surnommé Mohaqqiq Karkî, mort en 940/1533). Ce sont les résultats de ces séances qui ont été enregistrés dans un grand nombre de ses livres, celles, par exemple, concernant le *Tajrîd* de Nasîr Tûsî. Mais le plus célèbre est son commentaire du *Livre des Temples de la Lumière* de Sohravardî, en réplique à celui de Dawwânî. L'ouvrage se signale non seulement par l'intérêt de la polémique, mais parce qu'il atteste à la fois la pénétration de l'*Ishrâq* dans la philosophie de l'époque et l'inclination de l'auteur pour le soufisme. En ce sens, il annonce la synthèse qu'il était réservé à Mollâ Sadrâ Shîrâzî d'édifier; aussi bien celui-ci avait-il Ghiyâthoddîn Mansûr en haute estime. On soulignera ici combien ces penseurs mériteraient d'être édités et étudiés, s'il ne fallait le répéter pour tous ceux qui vont suivre.

Le petit-fils de Sadroddîn Dashtakî et fils de Ghiyâthoddîn eut également une certaine réputation. On le désigne couramment comme Amîr Sadroddîn II (mort vers 961/1553-1554). Comme son grand-père, il s'intéressait à la minéralogie et on lui doit un livre en persan sur les propriétés des pierres précieuses (*Jawâhir-Nâmeh*).

Un des plus célèbres élèves de Sadroddîn Dashtakî fut Shamsoddîn Mohammad Khafarî (935/1528-1529 ou 957/1550) qui jouit d'une grande réputation comme philosophe et semble avoir exercé une grande influence morale à l'époque, à Shîrâz. Mohaqqiq Karkî, ci-dessus nommé, aimait à lui rendre visite, lors de ses voyages. Khafarî a laissé une dizaine d'ouvrages en philosophie, outre un commentaire sur le verset du Trône (*âyat al-Korsî*). Il convient de faire mention aussi d'un de ses élèves, Shâh Tâher ibn Razîoddîn Ismâ'îlî Hosaynî, qui finalement alla s'établir dans l'Inde où il mourut (952/1545-1546 ou 956/1549). Il n'a laissé que peu d'ouvrages, dont une recherche sur la métaphysique du *Shifâ* d'Avicenne. Fervent imâmite duodécimain, il contribua efficacement à propager la pensée shî'ite dans l'Inde.

Enfin, bien que son seul lien avec les personnages précédents soit d'avoir appartenu, lui aussi, au milieu de Shîrâz, il convient de mentionner ici un personnage extraordinaire, Khwâjeh Mohammad ibn Mahmûd Dehdâr (son fils étant Mahmûd ibn Mohammad, les répertoires ne distinguent pas très clairement ce qui appartient à l'un et ce qui appartient à l'autre). Biographiquement, tout ce que l'on peut dire, c'est qu'il vivait en 1013/1604-1605, et qu'il est enseveli à la *Hâfezîya*, à Shîrâz. Il représente par excellence la théosophie mystique du shî'isme, dans la lignée de Rajab Borsî. Il pratiquait en outre le *jafr*, l'arithmosophie, bref ces sciences qui sont en gnose islamique l'équivalent des techniques de la Kabbale. Il a laissé une dizaine d'ouvrages qui mériteraient tous d'être étudiés. On ne signale ici que *La Perle de l'orphelin et La Lettre* alif *comme symbole de la forme humaine*, traitant de la connaissance des degrés de l'âme jusqu'au degré de l'homme cosmique ou macrocosme. On y lit ceci : « Sache que la réalité métaphysique de l'homme est la réalité métaphysique de Mohammad. Je commencerai donc par le *tafsîr* de deux sourates dont l'une est la sourate " le Matin " : " Ton seigneur ne t'a-t-il pas trouvé orphelin et ne t'a-t-il pas donné l'hospitalité ? " (93/6). »

Or, c'est la sourate sur laquelle la gnose ismaélienne fonde le sens ésotérique de l'aumône comme étant le don de la gnose à qui est capable d'en être l'hôte, et toute la « chevalerie » ismaélienne est le support de ce concept. On pressent ainsi de nombreuses résonances.

7. *Mîr Dâmâd et l'école d'Ispahan.*

Avec la restauration de l'empire iranien et le règne de Shâh Abbâs Ier (1587-1629), Ispahan devient la métropole des arts et des sciences islamiques, le centre de la culture spirituelle en Iran. Nous avons déjà proposé ailleurs de grouper sous le titre d' « Ecole d'Ispahan » le foisonnement de penseurs que l'on voit alors éclore en Iran. Certes, à l'intérieur de l'Ecole ainsi dénommée il y a maintes directions différentes; on s'en apercevra ci-dessous. D'autre part, elle ne fut nullement une génération spontanée; les penseurs précédemment nommés ici en avaient déjà produit les prémisses. Mais, le shî'isme définitivement sorti de la clandestinité, nous voyons paraître alors d'énormes ouvrages (ceux de Mollâ Sadrâ, de Qâzî Sa'îd Qommî et d'autres) où la méditation philosophique recueille le fruit des *hadîth* des Imâms; ce qui ne veut pas dire que les philosophes aient été désormais à l'abri de tout tracas.

Les grands thèmes qui vont se proposer seront, par excellence, le problème du temps, de l'événement, la réalité du monde imaginal (*'âlam-al-mithâl, barzakh*) et corollairement une gnoséologie nouvelle comportant, chez Mollâ Sadrâ, une révolution de la métaphysique de l'être, une valorisation de l'Imagination active, un concept du mouvement intrasubstantiel rendant compte des métamorphoses et des palingénésies, une historiosophie fondée sur la double « dimension » du Logos mohammadien, Lumière ou Réalité métaphysique mohammadienne (exotérique de la prophétie, ésotérique de l'imâmologie), édifice grandiose plus proche des grands « systèmes » philosophiques de l'Occident au début du XIXe siècle que de ce que proposait Ibn Khaldûn.

Nos répertoires bio-bibliographiques iraniens se contentent trop souvent d'une classification sommaire entre Péripatéticiens (*Mashshâ'ûn*) et Platoniciens (*Ishrâqîyûn*). Tout d'abord le terme « péripatéticiens » n'a pas tout à fait, chez nos philosophes, le sens que nous lui donnons, ne serait-ce qu'à cause de la *Théologie* dite d'Aristote, qui était leur livre de chevet. D'autre part, il est presque exceptionnel, et pour cette raison même, de trouver ici un péripatéticien à l'état pur, un philosophe qui ne soit pas peu ou prou imprégné de néoplatonisme et qui ne soit pas *eo ipso*, d'une façon ou d'une autre, quelque peu *ishrâqî*. Un premier et illustre exemple est celui de Mîr Dâmâd (Mohammad Bâqir Astarâbâdî, mort en 1040/1631-1632), le « maître à penser » de plusieurs générations de philosophes shî'ites, le nom qui vient en tête de notre « Ecole d'Ispahan ». Souvent on le classe parmi les *Mashshâ'ûn*, et ce n'est pas faux; mais ce « péripatéticien » nous a laissé des confessions extatiques d'une beauté poignante, où l'on retrouve la trace très nette de Sohravardî, et il a choisi comme nom de plume *Ishrâq*. Le collège où il enseignait, la Madrasa Sadr, existe toujours avec son grand jardin et continue de fonctionner à Ispahan.

Mîr Dâmâd a laissé une quarataine d'œuvres, tant en arabe qu'en persan, réputées pour leur abscondité et en majeure partie inédites, comme si celles de son brillant élève, Mollâ Sadrâ, les avaient quelque peu éclipsées. On nommera ici son *Livre des charbons ardents* (*Qabasât*) en arabe, somme de recherches avicenniennes; son *Livre des tisons ardents* (*Jadhawât*, en persan, ces titres-images n'affectent en rien l'extrême sérieux du contenu), où il donne plus d'essor peut-être à sa vision personnelle. Un problème qui l'occupa, entre autres, fut celui de trouver une issue au dilemme de la cosmologie : un monde *ab aeterno* ou un monde qui se met à être dans le temps (comme le voulaient les *Motakallimûn*), sans qu'il y ait encore de temps ? Entre l'éternellement advenu et l'événement advenant dans le temps, il cherche une issue dans l'idée d'un éternellement advenant (*hodûth dahrî*), événement éternellement nouveau, notion grosse de conséquences pour les événements de la hiérohistoire et entraînant celle d'un « temps imaginaire » qui suscitera d'ardentes polémiques.

D'entre les nombreux élèves de Mîr Dâmâd, on ne peut nommer ici, outre Mollâ Sadrâ Shîrâzî (voir p. 467), que quelques-uns des principaux. En premier lieu Sayyed Ahmad ibn Zaynol-'Abidîn 'Alawî (mort entre 1054/1644 et 1060/1650) qui était son jeune cousin, devint son élève, puis son gendre. On lui doit une œuvre philosophique importante, constituée par une dizaine d'ouvrages; outre des commentaires sur les traités difficiles de son maître, un vaste *opus* sur le *Shifâ* d'Avicenne intitulé *La Clef du Shifâ*, où l'auteur se réfère expressément à la « philosophie orientale » d'Avicenne; une longue introduction à un *tafsîr* philosophique et théosophique du *Qorân* (en persan *Latâ'if-e ghaybî*), etc.

Un autre élève a produit sur le *Livre des charbons ardents* (*Qabasât*) un commentaire monumental de mille deux cents pages in-folio, œuvre de toute une vie. De cet élève nous ne connaissons malheureusement jusqu'ici que le nom, Mohammad ibn 'Alî-Rezâ Ibn Aqâjânî, et la date à laquelle il acheva son travail (1071/1661). Comme nous en connaissons l'autographe, nous pouvons en dire l'intérêt et notre espoir qu'il trouve un éditeur. Le plus fort est qu'il semble avoir été doublé par un autre élève de Mîr Dâmâd, dont le nom nous échappe car le manuscrit est mutilé du début, tout en ayant les mêmes proportions. Ces commentaires sont de vraies recherches dans lesquelles les auteurs laissent libre cours à leur inspiration philosophique personnelle.

A un autre élève de Mîr Dâmâd, Qotboddîn

Mohammad Ashkevârî (désigné aussi comme Sharif Lâhîjî, mort après 1075/1664-1665), on doit une vaste rhapsodie arabo-persane, répartissant en trois grands cycles les traditions, citations et commentaires concernant les anciens sages antérieurs à l'Islam, les philosophes et spirituels de l'Islam sunnite, enfin les Imâms et les grandes figures de penseurs et spirituels du shî'isme. Le chapitre sur Zoroastre contient un remarquable rapprochement entre le XIIe Imâm des shî'ites et le *Saoshyant* ou Sauveur eschatologique des zoroastriens. On lui doit aussi un traité sur le *mundus imaginalis* et un commentaire du *Qorân* mettant en œuvre l'herméneutique symbolique (*ta'wîl*) shî'ite.

Nous nommerons enfin Mollâ Shamsâ Gîlânî dont l'œuvre (une quinzaine de traités), restée jusqu'ici dans le silence des bibliothèques, nous apparaît d'une importance croissante au fur et à mesure de sa reconstitution. Iranien originaire des rivages de la mer Caspienne, il suivit pendant de longues années les leçons de Mîr Dâmâd, et ce sont les doctrines de celui-ci qu'il amplifie dans ses livres. Ce fut un grand voyageur (il avait visité à peu près tout l'Iran, puis l'Irâq, la Syrie, le Hedjâz). Condisciple plus jeune de Mollâ Sadrâ, il reste, à la différence de celui-ci, fidèle à la métaphysique de l'essence. Les critiques émises dans leurs livres respectifs n'ont nullement empêché une correspondance amicale entre l'un et l'autre. Nous citerons ici son *Traité des voies de la certitude*, son *Traité de la manifestation de la perfection aux compagnons de la Vérité*, son *Traité de l'avènement du monde*, où il soutient la thèse de Mîr Dâmâd sommairement indiquée ci-dessus.

8. *Mîr Fendereskî et ses élèves.*

Mîr Abû'l Qâsim Fendereskî (1050/1640-1641), qui enseigna, à Ispahan, à plusieurs générations d'élèves, les sciences philosophiques et théologiques, fut une forte personnalité qui reste enveloppée d'un certain mystère. Eu égard à sa grande notoriété, l'œuvre qu'il a laissée est d'une exiguïté surprenante. Il fut mêlé à l'entreprise de traduction de textes sanskrits en persan, dans laquelle se signala le prince Dârâ Shakûh. Son œuvre principale est un traité très original en persan sur les actes et activités humaines; il en donne une classification hiérarchique qui culmine dans le cas des philosophes et des prophètes, associés ensemble dans un même chapitre de « philosophie prophétique ». Ce chapitre débouche sur l'herméneutique et l'ésotérisme, et le tout s'achève sur une systématisation des degrés de l'échelle de l'être où nous voyons, sans surprise, reparaître chez un philosophe iranien le nom et l'ombre d'Ahriman. On le classe parmi les « péripatéticiens »; de fait, il a écrit sur le mouvement un traité qui se veut antiplatonicien. Mais d'autre part, ce contemporain de Michael Maier a également écrit un traité sur l'alchimie, qui semble contenir son enseignement ésotérique.

Parmi ses auditeurs et élèves, on cite habituellement Mollâ Sadrâ; rien n'est moins sûr pourtant, car jamais Mollâ Sadrâ n'en dit un mot. En revanche, il est sûr que Rajab 'Alî Tabrîzî (voir p. 472) suivit ses leçons. Parmi les autres élèves dont il fut le maître en philosophie, il convient de citer principalement Hosayn Khwânsârî (né en 1076/1607-1608, mort à Ispahan en 1098/1686-1687), personnage à qui ses compétences en mathématiques et en astronomie, en philosophie et en sciences religieuses (le droit, le *tafsîr*, le *Kalâm*, le *hadîth*) avaient valu le surnom de « professeur de tout en tout ». On lui doit une quinzaine d'ouvrages, principalement un traité sur le serf arbitre et le libre arbitre, des études sur le *Shifâ* et les *Ishârât* d'Avicenne, sur le *Tajrîd* de Nasîroddîn Tûsî, sur le traité d'astronomie de Qûshtchî, un commentaire sur les leçons du Protomartyr (*Shahîd-e awwal*, voir page 441).

Il eut à son tour de nombreux élèves, parmi lesquels ses deux fils : Sayyed Jamâloddîn Khwânsârî (mort en 1121/1709 ou 1125/1713) et Sayyed Râzî Khwânsârî; Mollâ Masîhâ Pasâ'î Shîrâzî (mort en 1130/1717-1718 ou 1115/1703-1704), dont on connaît principalement deux ouvrages : un traité sur l'Etre Nécessaire et une paraphrase persane de l'*Irshâd* de Shaykh Mofîd; Mohammad Bâqir Sabzavârî (surnommé Mohaqqiq Sabzavârî, mort en 1098/1686-1687), qui a laissé des études sur le *Shifâ* et les *Ishârât* d'Avicenne, sur l'*Irshâd* de Shaykh Mofîd, et un grand ouvrage de culture générale, *Le Jardin des lumières*, dédié à Shâh Solaymân; Mîrzâ Rafî'â Nâ'înî (mort en 1080/1669-1670 ou 1082/1671-1672) à qui l'on doit une dizaine de traités, principalement des recherches philosophiques sur les grands ouvrages shî'ites : le *Kâfî* de Kolaynî (complété par une étude personnelle en persan, *al-Shajarat al-ilâhîya dar Osûl-e Kâfî*), sur l'*Irshâd* de Mofîd, sur le « psautier » du IVe Imâm, sur le commentaire des *Ishârât* par Nasîroddîn Tûsî.

9. *Mollâ Sadrâ Shîrâzî et ses élèves.*

Nous atteignons ici le haut sommet de la philosophie irano-islamique de ces derniers siècles. Sadroddîn Mohammad Shîrâzî, couramment désigné comme Mollâ Sadrâ (né en 979/1571-1572, mort en 1050/1640-1641), a mené à bien une puissante synthèse personnelle des différents courants auxquels on a fait allusion jusqu'ici. Sa pensée a marqué de son empreinte personnelle jusqu'à nos jours toute la philosophie iranienne, plus largement dit, la conscience shî'ite au niveau de son expression philosophique. L'œuvre qu'il a laissée est monumentale; plus de quarante-cinq titres d'ouvrages, parmi lesquels plusieurs in-folio. Le commentaire écrit en marge de la métaphysique du *Shifâ* d'Avicenne annonce sa réforme; celui qu'il consacre *à La Théosophie orientale* de Sohravardî assure à l'*Ishrâq* un fondement éprouvé. Son chef-d'œuvre, *Les Quatre Voyages de l'Esprit* (*al-Asfâr al-arba'a*, mille pages in-folio), est une Somme sur laquelle ont vécu, depuis lors, la plupart des penseurs de l'Iran. Impossible d'énumérer ici en détail les titres des autres œuvres. Rappelons seulement le grand ouvrage, resté malheureusement inachevé, qui est le commentaire des « Sources » (*Osûl*) du *Kâfî* de Kolaynî, un des livres fondamentaux du shî'isme. Nous y voyons celui qui fut sans doute le plus illustre des « Platoniciens de Perse » édifier un monument de la « philosophie prophétique », où s'affirme une connivence entre shî'isme et platonisme qui remonte au « symbole de foi » rédigé par Shaykh Sadûq Ibn Bâbûyeh. Il faut également mentionner les commentaires de plusieurs sourates du *Qorân*, autre monument qui fait de Mollâ Sadrâ le témoin par excellence nous permettant de comprendre comment la philosophie put maintenir et renouveler son essor en Islam shî'ite, alors que dans le reste du *Dâr al-Islâm*, elle est rentrée dans le silence.

Mollâ Sadrâ a opéré une véritable révolution en métaphysique de l'être, en substituant à la traditionnelle métaphysique des essences une métaphysique de l'exister, donnant priorité *ab initio* à l'existence sur la quiddité. Qu'il n'y ait pas d'essences immuables, mais que chaque essence soit déterminée et variable en fonction du degré d'intensité de son acte d'exister, cette position de thèse en appelle une autre : celle du mouvement intrasubstantiel ou transsubstantiel qui introduit le mouvement jusque dans la catégorie de la substance. Mollâ Sadrâ est le philosophe des métamorphoses, des transsubstantiations. Son anthropologie est en parfait accord avec ce que postule l'eschatologie du shî'isme, s'exprimant dans l'attente de la parousie du XIIe Imâm comme avènement de l'Homme Parfait. Cette anthropologie est liée elle-même à une cosmogonie et à une psychogonie grandioses : chute de l'Ame dans l'abîme des abîmes; sa lente remontée de degré en degré jusqu'à la forme humaine, qui est son point d'émergence au seuil du *Malakût* (le monde spirituel transphysique); prolongement de l'anthropologie en une physique et métaphysique de la résurrection. Le concept de matière ne sera ni celui du matérialisme, ni celui du spiritualisme. La matière passe par une infinité d'états : il y a une matière subtile, spirituelle (*mâdda rûhânîya*), voire divine. Sadrâ est sur ce point en profond accord avec les platoniciens de Cambridge, comme avec F. C. Oetinger (*Geistleiblichkeit*).

Il y a un triple mode d'existence pour tout être et pour toute chose : au niveau du monde sensible, au niveau du *mundus imaginalis* (*'âlam al-mithâl*), au niveau du monde des pures Intelligences. Sohravardî avait assuré l'ontologie du *mundus imaginalis.* Sadrâ a conscience de donner à la doctrine du *Shaykh al-Ishrâq* son parachèvement indispensable, en fondant l'immatérialité de l'Imagination active; celle-ci n'est plus une faculté dépendant de l'organisme physique et périssant avec lui, mais une faculté purement spirituelle, en quelque sorte l'enveloppe subtile de l'âme. Dès lors Sadrâ admet la « créativité » (*kallâqîya*) de l'âme, chaque âme étant créatrice de son paradis ou de son enfer. C'est qu'en effet tous les niveaux de modes d'être et de perception sont régis par la même loi d'unité qui, au niveau de l'intelligence, est l'unité de l'intellection, du sujet qui intellige et de la Forme intelligée, même unité que l'unité de l'amour, de l'amant et de l'aimé. Sur cette perspective on entrevoit ce que signifie pour Sadrâ l'union unitive de l'âme humaine, en la suprême conscience de ses actes de connaître, avec l'Intelligence agente qui est l'Esprit-Saint. Jamais il ne s'agit d'une unité arithmétique, mais d'une unité intelligible, permettant la réciprocité qui nous fait comprendre que, dans l'âme qu'elle métamorphose, la Forme (l'Idée) intelligée par l'Intelligence agente est une Forme qui s'intellige soi-même, et que partant, l'Intelligence agente ou Esprit-Saint s'intellige soi-même dans l'acte d'intellection de l'âme, tandis que réciproquement l'âme, comme Forme s'intelligeant soi-même, s'intellige comme Forme intelligée par l'Intelligence agente. Mollâ Sadrâ est un authentique représentant de la philosophie « spéculative » (au sens rappelé dans notre aperçu d'ensemble); cette philosophie débouche sur une phénoménologie de l'Esprit-Saint.

On ne s'étonnera pas que son œuvre si dense ait jusqu'à nos jours provoqué un foisonnement de ce que nous appellerions études et recherches, et qui chez nos auteurs s'appelle gloses et commentaires. Mollâ Sadrâ a eu un très grand nombre d'élèves. Nous ne pouvons nommer ici que trois disciples immédiats, de grand renom : les deux premiers ont été non seulement ses élèves mais aussi ses gendres.

Celui qui fut le plus proche de lui fut certainement Mollâ Mohsen Fayz Kâshânî (mort en 1091/1680), figure éminemment représentative du type de philosophe et théosophe shî'ite formé par l'enseignement de Mollâ Sadrâ. Il enseigna lui-même, à Ispahan, à la Madrasa 'Abdollah Shûshtarî, laquelle fonctionne encore de nos jours et où l'on peut encore visiter l'appartement qu'il y occupait. Ce fut un écrivain prolifique, tant en arabe qu'en persan; sa bibliographie comprend plus de cent vingt titres. On ne peut pas même donner idée ici de leur variété, car ils couvrent tout le champ d'études figurant au programme. Mentionnons qu'il a récrit entièrement du point de vue shî'ite l'*Ihyâ' al-'olûm* (*La Revivification des sciences religieuses*), le grand ouvrage de Ghazâlî pour lequel il avait une admiration qui ne gênait en rien celle qu'il avait vouée à Ibn 'Arabî. Un autre de ses grands ouvrages (*'Ayn al-yaqîn, La Certitude du témoin oculaire*) édifie une synthèse personnelle, complétant son grand commentaire du *Kâfî* de Kolaynî, ainsi que son Commentaire qorânique.

Le beau-frère de Mollâ Mohsen, Mollâ 'Abdorrazzâq Lâhîjî (mort à Qomm en 1072/1661-1662), apparaît comme une nature tout autre. Il avait suivi longuement les leçons de son beau-père Mollâ Sadrâ, mais il ne semble pas avoir trouvé dans l'ensemble des thèses sadriennes une satisfaction à sa philosophie personnelle. En fait, il semble osciller parfois entre les extrêmes, comme déchiré par un combat intérieur, ou comme intimidé par le monde extérieur et l'entourage social. En tout cas, il serait beaucoup trop sommaire de le classer purement et simplement comme « péripatéticien », ainsi que le font certains répertoires. Comme le montre son livre *Gawhar-e morâd* (*La Substance de ce que l'on se propose*), il avait sans aucun doute une expérience personnelle du soufisme. Il a laissé une douzaine d'ouvrages. Son commentaire sur le *Tajrîd* de Nasîr Tûsî (édité en deux volumes in-folio) est regardé comme le meilleur qui ait été produit en ce domaine. Encore inédites sont ses gloses sur la physique du commentaire des *Ishârât* d'Avicenne; elles contiennent des prises de position très originales. Mentionnons qu'un de ses fils, Mîrzâ Hasan Lâhîjî (mort en 1121/1709-1710), a laissé une douzaine d'ouvrages concernant particulièrement la philosophie de l'Imâmat shî'ite.

Un autre élève direct de Mollâ Sadrâ, Hosayn Tonkabonî (mort en 1104/1692-1693, au retour d'un pèlerinage, entre La Mekke et Médine), fut, lui, un philosophe *ishrâqî* exemplaire, fidèle interprète de Mollâ Sadrâ. On lui doit plusieurs traités (sur l'avènement du monde, sur l'unité transcendante de l'être), ainsi que des recherches sur le *Shifâ* d'Avicenne, le *Tajrîd* de Nasîr Tûsî et sur le *text-book* de Khafarî cité cidessus.

10. *Rajab 'Alî Tabrîzî et ses élèves.*

Avec Rajab 'Alî Tabrîzî (mort en 1080/1669-1670), originaire de Tabrîz, comme son nom l'indique, et contemporain de Shâh'Abbâs II (1642-1666) qui l'honora plusieurs fois de ses visites, on aborde un climat philosophique différent de celui de Mollâ Sadrâ; il est même assez piquant de voir notre philosophe prendre le contre-pied des grandes thèses sadriennes (négation de la métaphysique « existentielle », du mouvement transsubstantiel, de l'existence mentale comme existence de plein droit, etc.).

C'est que Rajab 'Alî se signale *ab initio* par une métaphysique de l'être qui professe non pas l'analogie mais l'équivocité radicale du concept de l'être, quand il est rapporté à l'Etre Nécessaire et aux étants non nécessaires; il ne saurait donc y avoir participation commune au concept, mais homonymie pure dans l'usage du terme, car notre concept d'être n'atteint en fait que du fait-être, de l'être créaturel. Le principe et source de l'être reste transcendant à l'être; on ne peut le cerner que de loin, *per viam negationis* (*tanzîh*), c'est-à-dire par la théologie apophatique. Il ne saurait donc être question de théomonisme, d'une unité transcendante de l'être englobant l'incréé et le créaturel. Rajab 'Alî sait fort bien qu'on va lui opposer que personne n'a jamais professé une telle métaphysique de l'être. Il réplique que l'on a forgé des calomnies affreuses pour en effacer la tradition. Il sait qu'il a pour lui la tradition des saints Imâms, mais il ne se doute pas qu'il rejoint sur ce point la voie de la gnose ismaélienne et qu'il sera lui-même rejoint par la théosophie de l'école shaykhie (voir p. 481). Cela ne l'empêche nullement de professer une doctrine de la « connaissance présentielle », fort proche de celle de Sohravardî.

Il eut de nombreux élèves. Le plus célèbre fut Qâzî Sa'îd Qommî (voir ci-dessous). Il y eut en outre principalement Mohammad Rafî' Pîr-Zâdeh (dates non précisées), qui fut le *famulus* et le secrétaire de son maître. L'âge étant venu, il était pénible à celui-ci de rédiger lui-même; le disciple rédigea sur les instructions de son maître un grand ouvrage intitulé *al-Ma'ârif al-ilâhîya* (*Les Grands Thèmes de la métaphysique*) qui à la fois conserve et prolonge l'enseignement de Rajab 'Alî Tabrîzî. Il y eut encore 'Abbâs Mawlawî (mort après 1101/1689-1690) qui a laissé deux grandes Sommes récapitulatives de la philosophie shî'ite, dédiées à Shâh Solaymân (1666-1694), à savoir *al-Anwâr al-solaymânîya* (*Le Livre des lumières, dédié à Solaymân*, achevé en 1101/1689-1690), et *al-Fawâ'id al-osûlîya* (*Les Enseignements fondamentaux*, achevé en 1084/1673-1674). Deux autres élèves de moindre notoriété : Mollâ Mohammad Tonkabonî et Mîr Qawâm Râzî.

11. *Qâzî Sa'îd Qommî.*

L'importance de ce penseur et spirituel est telle qu'il faut lui réserver un chapitre à part, même réduit ici à quelques lignes. Qâzî Sa'îd naquit à Qomm en 1043/1633, y passa la plus grande partie de sa vie en enseignant, et y mourut en 1103/1691-1692. Il fut, à Ispahan, l'élève de Rajab 'Alî Tabrîzî, mais il fut aussi l'élève de Mohsen Fayz et de 'Abdorrazzâq Lâhîjî (près de qui il étudia la *Théosophie orientale* de Sohravardî), si bien qu'il cumule en sa personne et en sa pensée une double tradition.

Il est éminemment représentatif de la théosophie mystique du shî'isme duodécimain; c'est un *Ishrâqî* shî'ite, dont les œuvres devraient être toutes éditées depuis longtemps. En faire le compte est assez difficile car, dans la pensée de l'auteur, ses traités devaient former plusieurs recueils, et ces recueils sont restés inachevés. C'est ainsi qu'après le traité persan *Kalîd-e behesht* (*La Clef du paradis*), où il reprend toute la théorie de l'équivocité de l'être professée par son maître Rajab 'Alî, il entreprend la composition d'un *Commentaire de quarante hadîth*, commentaire d'une densité exceptionnelle, mais qui ne dépasse pas le vingt-huitième *hadîth*; un *Livre aux quarante traités*, mais dont dix seulement, ou peut-être onze, ont été écrits. Il a laissé un cahier de gloses sur la *Théologie* dite d'Aristote, laquelle n'a jamais cessé d'être lue chez nos philosophes. Enfin, il y a son *magnum opus*. De même que Mollâ Sadrâ a édifié une véritable Somme de la métaphysique théosophique du shî'isme en commentant le *Kâfî* de Kolaynî, de même Qâzî Sa'îd édifie sa propre Somme en commentant le *Tawhîd* de Shaykh Sadûq Ibn Bâbûyeh. Elle est restée, elle aussi, inachevée. Mais les trois volumes que Qâzî Sa'îd a pu composer sont un monument.

L'ouvrage de Sadûq recueille un vaste ensemble de traditions des Imâms, fondamentales aussi bien pour la théologie apophatique que pour l'imâmologie qui en découle. Ces traditions forment parfois des traités autonomes qui s'amplifient à l'intérieur du commentaire. Il en est ainsi pour l'étude que donne Qâzî Sa'îd des sens ésotériques des cinq prescriptions religieuses de base. De la structure cubique du Temple de la Ka'ba, Qâzî

Sa'îd dégage la structure de l'Imâmat des douze Imâms. Le Temple de pierre, transfiguré en Temple spirituel de l'Imâmat, devient le secret même de la vie humaine, la *qibla* (l'axe d'orientation) d'un pèlerinage qui s'identifie avec les étapes de la vie. De nouveau la philosophie devient une « philosophie narrative » (conforme au vœu de Schelling). Le *hadîth* des « Douze Voiles de lumière » associe l'imâmologie avec la cosmogonie aussi bien qu'avec la théosophie de l'histoire et de la métahistoire, en décrivant symboliquement les pérégrinations de la Lumière mohammadienne dans le Plérôme, puis ses « descentes » de monde en monde, à travers soixante-dix mille Voiles, jusqu'à ce monde-ci. Les douze Voiles de lumière sont les douze Imâms et leurs douze univers respectifs, « chiffrés » comme douze millénaires. Ces douze univers sont l'archétype du cycle de la *walâyat*, lequel en présente l'image inversée, parce qu'elle se réinvolue dans le sens du retour et de la remontée. Il y a là comme une résurgence des antiques théologies gréco-iraniennes de l'*Aiôn*. Qâzî Sa'îd développe une conception du temps solidaire de l'ontologie du *mundus imaginalis* et du corps subtil. Il y a pour chaque être un *quantum* (*miqdâr*) de temps propre, un temps personnel, auquel il peut arriver ce qui arrive à un morceau de cire, lorsqu'on le comprime ou qu'au contraire on l'allonge. Le *quantum* est constant, mais il y a un temps compact et dense, celui du monde sensible; un temps subtil, qui est celui du « monde imaginal »; un temps supra-subtil qui est celui du monde des pures Intelligences. Les dimensions de la contemporanéité croissent en fonction de la « subtilité » du mode d'exister : le *quantum* de temps imparti à une individualité spirituelle peut alors embrasser l'immensité de l'être, avoir au présent le passé et l'avenir. De ce point de vue, le commentaire du *hadîth* ou récit du « Nuage blanc » est saisissant.

12. *De l'école d'Ispahan à l'école de Téhéran.*

Nous atteignons maintenant une période qui fut difficile pour les philosophes, et qui le reste pour leurs confrères qui veulent être leurs historiens, tant la situation est chaotique, les manuscrits dispersés et ne reparaissant qu'au fur et à mesure de la publication des catalogues. La situation est dominée par la catastrophe qui mit fin à l'Ispahan des Safavides et au règne de Soltân Hosayn : la prise de la ville par les Afghans, après un siège aux cruautés sans nom (1135/21 octobre 1722), dont une page du philosophe Ismâ'îl Khwâjû'î nous donne un écho poignant. La domination afghane ne dura que huit ou neuf ans; la dynastie safavide survécut nominalement en la personne de Tahmasp II et de 'Abbâs III, jusqu'en 1736. Il y eut le règne de Nâder Shâh; à Shirâz, celui de la dynastie Zend. Bref, il y eut une longue période de trouble et d'instabilité jusqu'à l'avènement de la dynastie qâjare (le règne d'Aghâ Mohammad Khân commença, en fait, en 1779, mais il ne fut couronné qu'en 1796). Avec le second souverain qâjar, Fath 'Alî-Shâh (1797-1834), le centre de la vie intellectuelle et culturelle de l'Iran se trouvera définitivement transféré d'Ispahan à Téhéran. Du point de vue philosophique, cette période se caractérise par une influence grandissante de la pensée de Mollâ Sadrâ, que ses contemporains n'avaient pas très bien comprise ni très bien accueillie. Pour introduire quelque clarté, on groupera provisoirement ici les philosophes en quatre familles.

Premièrement, il y a ceux dont le temps se situe encore tout proche de la catastrophe. En premier lieu, Mohammad Sâdiq Ardestânî (mort en 1134/1721-1722, l'année du siège d'Ispahan). Ce philosophe, qui fut aussi un grand spirituel, connut de dures épreuves, car il s'était attiré le courroux de Shâh Soltân Hosayn. On a de lui principalement deux ouvrages. Le plus important est la *Hikmat sâdiqîya* (la philosophie personnelle de l'auteur, Sâdiq Ardestânî) qui traite de l'âme et de ses facultés suprasensibles, prend nettement position, à la suite de Mollâ Sadrâ, contre Avicenne et les avicenniens en général, en faveur de l'immatérialité de l'Imagination active (*tajarrod-e khayâl*). Mais il semble avoir rencontré plus de difficultés pour expliquer l'attache de l'Ame universelle avec les corps. Cette attache consiste en une épiphanie (*tajallî, zohûr*) et les âmes pensantes individuelles sont chacune un rayon de l'irradiation de l'Ame universelle. Mais en quoi consiste essentiellement cette épiphanie, cette « descente » maintenant en suspens (*tadallî*, voir *Qorân* 53/8) l'Ame universelle ? L'ouvrage fut en fait rédigé, d'après les leçons du maître, par un de ses élèves, Mollâ Hamza Gîlânî (mort en 1134/1721-1722, également pendant le siège d'Ispahan), tandis qu'un autre, Mohammad 'Alî ibn Mohammad Rezâ, écrivait une longue introduction.

Un autre contemporain fut 'Inayatollah Gîlânî, qui enseignait les livres d'Avicenne. Fazel Hindî Ispahânî (1135/1722-1723) a laissé une quinzaine d'ouvrages. Mîrzâ Mohammad-Taqî Almâsî (1159/1746) était le petit-fils de Mohammad Taqî Majlisî (1070/1659-1660), le père de Mohammad-Bâqir Majlisî (1111/1699-1700), auteur de la grande encyclopédie shî'ite *Bihâr al-Anwâr*, ainsi que d'ouvrages d'histoire et d'édification qui ont été abondamment lus en Iran jusqu'à nos jours. Almâsî a laissé, entre autres, un livre sur la « Grande occultation du XIIe Imâm ». Qotboddîn Mohammad Nayrîzî Shîrâzî (1173/1759-1760) est un pur *ishrâqî* : « La logique des péripatéticiens n'est pas immunisée contre l'erreur; elle ne se suffit pas à elle-même; elle est la source de l'égarement. Quant à moi, je prends la logique des gnostiques comme étant en vérité la logique de la métaphysique. » Ismâ'îl Khwâjû'î (mort à Ispahan en 1171/1757-1758 ou 1173/1759-1760), qui connut les horreurs du siège, avait composé quelque cent cinquante traités sur l'ensemble des questions philosophiques, des diverses sciences et des grands thèmes shî'ites (un traité sur l'Imâmat). Il est surtout connu par un vigoureux traité contre le concept de « temps imaginaire » (*zamân mawhûm*, non pas « imaginal »), dirigé contre Jamâloddîn Khwânsârî (voir page 466) et dans lequel se trouve impliquée la théorie de Mîr Dâmâd.

Deuxièmement, Aghâ Mohammad Bîdâbâdî (1198/1783-1784) et ses élèves. Le shaykh Bîdâbâdî avait été lui-même l'élève de Mîrzâ Mohammad-Tâqî Almâsî et d'Ismâ'îl Khwâjû'î. Il enseignait à Ispahan les livres de Mollâ Sadrâ; le texte de ses leçons sur les *Asfâr* a été conservé. Comme Mîr Fendereskî, il a composé un traité sur l'alchimie qui fut amplement commenté, en 1209/1794-1795, par un médecin d'Ispahan, Mîrzâ Mohammad Rezâ ibn Rajab 'Alî. Il eut un grand nombre d'élèves, parmi lesquels Mollâ Mihrâb Gîlânî (1217/1802-1803); Abû'l-Qâsim Khâtûnâbâdî (1203/1788-1789), qui a principalement écrit sur les thèmes shî'ites (v. g. sur le *Kâfî* de Kolaynî); Mahdî Narâqî (1209/1794-1795), qui fut également l'élève d'Ismâ'îl Khwâjû'î. Forte personnalité, homme d'action, n'épargnant aucun effort, Mahdî Narâqî se montra aussi compétent en philosophie, en morale, en mathématiques qu'en sciences juridiques (il prit vigoureusement parti pour les *Osûlîyûn* contre les *Akhbârîyûn*). Il a laissé une douzaine d'ouvrages portant tous sa marque personnelle, jusque dans les questions classiques comme celle de l'être et de l'essence. Son grand traité de morale (*Jâmi'al-sa'âdât*) est encore d'une lecture courante. Il faut encore faire mention ici de Mîrzâ Ahmad Ardakânî Shîrâzî, auteur d'un important commentaire sur le *Kitâb al-Mashâ'ïr* de Mollâ Sadrâ, et dont on peut seulement dire qu'il travaillait à Shîrâz en 1225/1810.

Troisièmement, Mollâ 'Alî ibn Jamshîd Nûrî (1246/1830-1831) et ses élèves. Mollâ'Alî Nûrî fut l'un des plus célèbres élèves de Mohammad Bîdâbâdî et l'un des professeurs les plus réputés de l'époque. Il avait étudié au Mazandéran et à Qazvîn, avant de se fixer à Ispahan. On lui doit d'importantes leçons sur plusieurs ouvrages de Mollâ Sadrâ, sur les *Fawâ'id* (enseignements) de Shaykh Ahmad Ahsâ'î (voir ci-dessous), outre un grand commentaire de la sourate *Tawhîd* et une réponse à la polémique d'un missionnaire chrétien. Il eut une foule d'élèves dont on ne peut retenir ici que quelques noms : Mollâ Ismâ'îl Ispahânî (1277/1860-1861) qui a lui-même laissé d'importantes leçons sur plusieurs ouvrages de Mollâ Sadrâ; Mollâ Aghâ-ye Qazvînî, élève à la fois de Mollâ'Alî Nûrî et de Mollâ Ismâ'îl Ispahânî; Mohammad Ja'far Langarûdî, qui a donné un très ample commentaire des *Mashâ'ïr* et de la *Hikmat 'arshîya* (*La Théosophie du Trône*) de Mollâ Sadrâ (son commentaire du *Tajrîd* de Nasîroddîn Tûsî est daté de 1255/1839-1840). Elèves éminents entre tous de Mollâ 'Alî Nûrî, seront mentionnés ci-dessous 'Abdollah Zonûzî et Hâdî Sabzavârî.

Quatrièmement, l'Ecole de Téhéran. Sous le règne de Fath 'Alî Qâdjâr (1797-1834) fut fondée à Téhéran la Madrasa Khân Marvî. On fit appel à Mollâ 'Alî Nûrî pour venir y enseigner; il préféra déléguer un de ses plus brillants élèves, Mollâ 'Abdollah Zonûzî (1257/1841-1842). Cet appel fut en quelque sorte le signal du transfert d'Ispahan à Téhéran du centre des sciences islamiques. Plusieurs grandes figures de philosophes vont l'illustrer. En premier lieu, donc, 'Abdollah Zonûzî (originaire de Zonûz, près de Tabrîz) qui avait étudié à Karbalâ, puis à Qomm, puis à Ispahan, où il était devenu l'élève de Mollâ 'Alî Nûrî en philosophie. Il a laissé plusieurs grands ouvrages, tous dans l'esprit de Sohravardî et de Mollâ Sadrâ; on en espère l'édition prochaine. Il eut deux fils, dont l'un, Hosayn Zonûzî, fut expert en mathématiques et en astronomie. L'autre, Aghâ 'Alî Zonûzî (connu sous son surnom de *Modarris*, le « professeur » par excellence, mort en 1307/1889-1890), qui fut à la hauteur de la réputation de son père comme philosophe. Il a laissé plusieurs ouvrages, également dans la ligne de Mollâ Sadrâ qu'il enseigna et commenta, notamment un ouvrage en persan (*Badâyi' al-hikam*) pour répondre à sept questions obscures que lui avait posées le prince Emâdoddawleh Badî'ol-Molk Mîrzâ, lui-même traducteur de Mollâ Sadrâ en persan. Mohammad Rezâ Qomshâhî (1306/1888-1889) fut un métaphysicien, fervent disciple de Mollâ Sadrâ, en même temps qu'une très noble figure morale. Il avait été, à Ispahan, l'élève de Mollâ 'Alî Nûrî et de Mohammad Ja'far Langarûdî, puis il se fixa à Téhéran où il enseignait à la Madrasa Sadr, principalement les *Asfâr* de Mollâ Sadrâ et les *Fosûs* d'Ibn 'Arabî. Sayyed Abû'l-Hasan Jalveh (1315-1896), professeur réputé lui aussi, dans la même ligne, enseigna pendant quarante ans à Téhéran à la Madrasa Dâr al-Shifâ. Il a laissé un traité sur le mouvement intrasubstantiel, un grand nombre de leçons sur les *Asfâr* de Sadrâ, le *Shifâ* d'Avicenne, la *Hidâyat* d'Abharî, etc.

Impossible de citer seulement les noms des élèves de ces maîtres. De génération en génération, sans même mentionner leurs œuvres, on retiendra les noms de Mîrzâ Tâher Tonkabonî, Mîrzâ Mahdî Ashtiyânî, Mîrzâ Mohammad 'Alî Shâhâbâdî, Sayyed Hosayn Bâkûbehî. Ce dernier, professeur à Najaf, fut le maître de deux éminents philosophes traditionnels contemporains : Sayyed Kâzem 'Assâr, professeur à la Faculté de théologie de Téhéran, et Shaykh 'Allâmeh Mohammad Hosayn Tabâtabâ'î, professeur à l'Université théologique de Qomm, à qui l'on doit, entre autres, une nouvelle édition des *Asfâr* de Mollâ Sadrâ et un commentaire philosophique du *Qorân.*

13. *Shaykh Ahmad Ahsâ'î et l'école shaykhie à Kerman.*

Contemporaine des philosophes qui viennent d'être mentionnés, l'école shaykhie occupe une place tout à fait à part. Quant aux noms de « shaykhisme » et de « shaykhis », ce n'est point l'école qui les a choisis pour se désigner elle-même; ce sont « les autres » qui les lui ont donnés, pour en caractériser les adeptes comme disciples du « shaykh » tout court, c'est-à-dire Shaykh Ahmad Ahsâ'î. Celui-ci ne projeta même jamais de fonder une école; il entendait ne se distinguer des « autres » que par une stricte fidélité à l'enseignement théosophique intégral des Imâms du shî'isme duodécimain. Cet enseignement, il l'avait approfondi par la méditation personnelle de toute une vie; il en avait la garantie par une expérience intérieure, favorisée d'entretiens visionnaires avec ces Imâms qu'il considérait comme étant ses seuls maîtres. Cet imâmisme intégral s'est heurté à une incompréhension tenace, dont l'histoire n'est pas spécialement édifiante. Il n'y en a pas moins lieu de dire qu'il a la portée d'une re-formation métaphysique, visant à tout autre chose que les mouvements « réformistes » éclos par ailleurs dans le monde de l'Islam.

Noble figure spirituelle, manifestant tous ces caractères de l' « homme de Dieu » que personne ne lui a jamais contestés, Shaykh Ahmad Ahsâ'î était né en 1166/1753, à al-Ahsâ, sur le territoire de Bahrayn. Originaire de cette partie de l'Arabie riveraine du golfe Persique (où les Qarmates, au xe siècle, avaient fondé un petit Etat idéal que visita Nâsir-e Khosraw), Shaykh Ahmad apparaît de pure ascendance arabe. Mais il passa environ quinze ans en Iran, et sans l'écho et l'enthousiasme que sa personne et son enseignement suscitèrent en Iran, il n'y aurait sans doute pas eu de « shaykhisme ». Ses débuts dans la voie spirituelle nous sont connus par son autobiographie. La tradition shaykhie ne lui connaît aucun maître envers qui il aurait revendiqué la qualité de disciple. Tout se passe comme s'il n'avait eu d'autre maître que cet *ostâd-e ghaybî*, ce maître intérieur revendiqué déjà par d'autres spirituels, mais qui dans son cas désigne expressément tour à tour l'un des « Quatorze Immaculés ». Néanmoins, on connaît les noms de quelques maîtres dont il écouta les leçons. Après une vie extraordinairement remplie, ayant suscité l'attachement de disciples fervents, et malheureusement aussi la jalousie trop humaine de quelques collègues, le shaykh mourut, à trois étapes de Médine, en 1241/1826; il avait l'intention de se fixer avec sa famille à La Mekke. Son œuvre est considérable : plus de cent trente-deux titres, beaucoup plus, en vérité, car certains ouvrages sont des recueils contenant plusieurs traités. Presque tout a été publié en éditions lithographiques.

Les successeurs de Shaykh Ahmad Ahsâ'î ont tous été de hautes figures de penseurs et de spirituels, ce qui ne leur a nullement épargné les tracas. Il y eut en premier lieu celui qui fut vraiment son fils spirituel, Sayyed Kâzem Reshti, né à Resht (sud-ouest de la mer Caspienne), en 1212/1798, mort à Baghdâd en 1259/1843. Doué d'une rare aptitude pour les profondes spéculations métaphysiques, Sayyed Kâzem a laissé, lui aussi, une œuvre considérable, dont une partie a malheureusement disparu (avec nombre d'autographes de Shaykh Ahmad), lors des deux pillages qui dévastèrent sa demeure à Karbala. Avec le deuxième successeur de Shaykh Ahmad, l'école fixe son centre à Kerman (dans le sud-est de l'Iran), où elle dispose d'une madrasa de théologie, d'un collège et d'une imprimerie. Shaykh Mohammad Karîm-Khân Kermânî (né à Kerman en 1225/1809, mort en 1288/1870) appartenait par son père, Ebrâhîm-Khân, à la famille impériale régnante. Il fut l'élève de Sayyed Kâzem à Karbala et a laissé une œuvre imposante (plus de deux cent soixante-dix-huit titres), couvrant tout le champ des sciences islamiques et philosophiques, y compris l'alchimie, la médecine, l'optique, la musique. Son fils, Shaykh Mohammad-Khân Kermânî (1263/1846-1324/1906) lui succéda et a laissé, lui aussi, une œuvre énorme. Il y avait entre le père et le fils une intime collaboration intellectuelle et spirituelle, qui se répéta entre Mohammad-Khân et son jeune frère, Shaykh Zaynol-'Abidîn Khân Kermânî (1276/1859-1360/1942), lequel lui succéda et dont l'œuvre également considérable est en grande partie inédite. Enfin, cinquième successeur, le Shaykh 'Abû'l-Qâsim Ebrâhîmî, dit « Sarkâr Aghâ » (1314/1896-1389/1969) a laissé lui aussi une œuvre importante, dans laquelle il eut à faire face aux questions les plus brûlantes. Il a eu pour successeur son fils 'Abdol-Rezâ Khân Ebrâhîmî, qui a déjà publié un bon nombre d'ouvrages. Mais l'ensemble des œuvres des maîtres, telles qu'elles sont conservées à Kerman, représente un millier de titres; à peine la moitié a pu en être publiée jusqu'ici.

Deux prises de position ont marqué un fort contraste entre penseurs shî'ites, surtout depuis le XVIIe siècle. Il y a, d'une part, les *Osûlîs* (ou *Osûlîyûn*) que l'on pourrait désigner en gros comme « théologiens critiques », et, d'autre part, les *Akhbârîs* (ou *Akhbârîyûn*), qui apparaissent comme des théologiens « fondamentalistes ». Les premiers appliquent à la critique de l'énorme *corpus* des traditions shî'ites des critères extrinsèques ne conduisant à aucune certitude, et que refusent les seconds, en acceptant l'intégralité du *corpus*. Ceux-ci eurent pour chef de file Mohammad Amîn Astarâbâdî (1033/1623-1624). Les « fondamentalistes » passent pour des gens simples, ne faisant intervenir aucune question de théosophie mystique. Il n'empêche que, parmi les *Akhbârîs*, il y eut des métaphysiciens de haut rang, comme Mohsen Fayz et Qâzî'Sa'îd Qommî (voir pp. 470 et 473). C'est que, si en apparence l'opposition entre les deux écoles concerne surtout le droit canonique, en fait les prémisses herméneutiques des *Akhbârîs* ont leur répercussion quant aux sources de la métaphysique traditionnelle. Ce n'est ni à l'autorité des *Mojtaheds* (chercheurs consacrés), ni à l'autorité humaine des transmetteurs de traditions, que se réfèrent les *Akhbârîs*, mais au contenu même des *hadîth*, pour décider s'ils viennent ou non des Imâms. Dans la mesure où, en raison de ces prémisses, l'akhbârisme appelle un approfondissement métaphysique et théosophique, nous pouvons comprendre et situer la position fondamentale de l'école shaykhie : une position intermédiaire, mais sans doute plus proche de celle des *Akhbârîs*.

Shaykh Ahmad Ahsâ'î et après lui ses successeurs ont poursuivi en toute rigueur les conséquences de la théologie apophatique du shî'isme. L'idée de l'être « absolu », telle qu'en usent communément les philosophes, n'est pas même initiale, puisque ce participe passif, l' « absolu », présuppose un *absolvens*, une « absolution » de l'être, mettant l'être en liberté en l'instaurant non pas à l'infinitif (*esse*), ni au participe substantif (*ens*), mais à l'impératif (*esto*). La cosmogonie se présente sous la forme d'une adamologie transcendante. La Volonté foncière prééternelle, à la fois sujet et objet, matière, forme et finalité de son acte autocréateur, apparaît comme un Adam métaphysique primordial (*Adam al-akbar*, Adam le Majeur, *Homo maximus*) et l'Eve métaphysique, égale de cet Adam, est la mise en liberté de l'être, de l'être absous du non-être, du Grand Abîme. De ce zénith qui est l'*Adam maximus*, Adam « notre père », éclos sans père ni mère, est le nadir au monde de notre histoire terrestre, troisième Adam en fait, car entre les deux il y a le « second Adam » qui est le Logos mohammadien ou la Lumière mohammadienne (*Nûr mohammadî*) aux quatorze entités de lumière. Le sens des termes de l'hylémorphisme péripatéticien est inversé; la matière, c'est la lumière, l'être même, l'exister. La forme, c'est la quiddité, la miséricorde, la dimension ombrée qui fixe et délimite cette lumière. C'est pourquoi la matière est le père, le masculin, tandis que la forme est la mère, le féminin, et c'est la « Forme imaginale » (*sûrat mithâlîya*) qui est le principe d'individuation. Ainsi se justifie le *hadîth* du VIe Imâm, Ja'far Sâdiq : « Le croyant est le frère du croyant à cause de leur père et de leur mère. Leur père est la Lumière, leur mère est la Miséricorde. »

C'est par une même fructification des *hadîth* des saints Imâms que Shaykh Ahmad a élaboré l'anthropologie caractéristique de son école; elle le conduit à ce que l'on peut appeler une « alchimie du corps de résurrection », distinguant entre un double corps de chair (*jasad*) – corps de chair périssable et corps de chair spirituelle (*caro spiritualis*) impérissable, – et un double corps subtil (*jism*) : corps astral et corps archétype originel, essentiel. Tout cela correspond, trait pour trait, au double *okhêma* chez le néoplatonicien Proclus. La modalité du corps de résurrection (formé du *jasad B* et du *jism B*) est décrite en parallèle avec l'opération alchimique, et l'on rejoint ici l'enseignement de l'ésotérisme occidental. Enfin, il est une doctrine caractéristique de l'école shaykhie, celle que ses maîtres désignent comme le « Quatrième Pilier ». En bref, elle ne fait qu'amplifier le précepte des Imâms : être en communion avec tous ceux qui sont les « Amis de Dieu » (*Awliyâ*), rompre avec tous ceux qui leur sont hostiles (en persan *tawallâ o tabarrâ*). Mais la notion d' « Amis de Dieu » entraîne avec elle l'idée de la hiérarchie ésotérique permanente, et *eo ipso* les conditions qui en statuent l'existence en la période d'occultation de l'Imâm qui est la nôtre. L'occultation (*ghaybat*) de l'Imâm, « pôle mystique » du monde, implique *eo ipso* l'occultation de celui qui serait son Seuil (*Bâb*), et par là même de toute la hiérarchie qui y aboutit. Lorsque l'on parle de cette hiérarchie en général, ou de celui qui en est le porte-parole (*Nâtiq-e wâhid*), de génération en génération, cela désigne une catégorie de personnes, mais ne suppose en aucun cas que ces personnes puissent être manifestées publiquement, individuellement désignées; leur occultation est nécessaire; personne ne peut se prévaloir de cette qualité. Elles ne sont connues que de l'Imâm seul, dont la dernière volonté, manifestée en sa dernière missive, est telle que quiconque se réclamerait publiquement d'une investiture de sa part est *eo ipso* frappé d'imposture. Il ne peut y avoir de rupture de la *ghaybat* avant la parousie de l'Imâm. C'est ce que les maîtres de l'école shaykhie ont répété inlassablement. D'où tout mouvement religieux, si intéressant soit-il en lui-même, qui opère une rupture de la *ghaybat*, est par là même en rupture avec le shî'isme et, partant, ne peut se réclamer d'une ascendance shaykhie.

Ces lignes ne sont qu'une allusion sommaire aux doctrines shaykhies; elles suggèrent que la compréhension n'en est pas à la portée du premier venu, et que jamais les discussions n'auraient dû descendre sur la place publique. Les mêmes objections ont été inlassablement répétées, sans que l'on prît garde aux réponses des shaykhîs, ni que l'on prît la peine de comprendre leur terminologie. Des orientalistes, ne connaissant peut-être d'autre modèle que l'Eglise romaine, ont écrit que Shaykh Ahmad avait été « excommunié » par les *Mojtaheds*, ce qui est faux. Aucun *Mojtahed* ne fut mêlé à l'intrigue toute personnelle et inefficace du Mollâ Barghânî, à Qazvîn, lequel n'avait aucun pouvoir pour introduire en Islam le concept d' « excommunication ». Shaykh Ahmad a écrit, entre autres, deux grands volumes d'études sur deux importants ouvrages de Mollâ Sadrâ Shîrâzî. Surpris, chagriné, désarmé, devant l'incompréhension, il demanda à l'un de ses amis, Mohammad ibn Moqîm ibn Sharîf Mazandarânî, lors de son second séjour à Ispahan, de répondre aux critiques dirigées contre son commentaire de *La Théosophie du Trône* (*Hikmat 'arshîya*). L'ouvrage (inédit) devait être signalé ici. Tout cela est en cours d'étude; on ne peut dire plus ici.

14. *Ja'far Kashfî.*

Une place à part doit également être faite à ce penseur original, qui n'est pas sans affinité avec l'école shaykhie. Son œuvre est très représentative des préoccupations des métaphysiciens-théosophes de la Perse du XIXe siècle. Sayyed Ja'far Kashfî appartenait à une famille dont l'ascendance remontait au VIIe Imâm, Mûsâ Kâzem (183/799). Il naquit à Dârâbgard dans le Fârs (la Perside), vécut à demeure à Borûjard et mourut en 1267/1850-1851, laissant une œuvre que récapitule une douzaine de titres, tant en persan qu'en arabe (en cours d'étude). Nous ne pouvons ici que faire mention de son grand ouvrage en persan intitulé *Tohfat al-Molûk* (*Présent offert aux souverains*), composé à la demande d'un prince qâjar, fils de Fath 'Alî-Shâh, le Shâh-Zâdeh Mohammad-Taqî Mîrzâ. L'ouvrage comprend deux tomes. Le premier est ordonné en trois livres traitant respectivement : primo, de l'essence de l'Intelligence (*Aql,* le *Noûs*), la première hypostase, identifiée avec le *Rûh mohammadî*, l'Esprit-Saint mohammadique; secundo, des épiphanies (*mazâhir*) de l'Intelligence, de ses rapports et points d'attache avec les êtres; tertio, des vestiges, effets, vertus et marques de l'Intelligence. Le second tome est une vaste systématisation encyclopédique de la philosophie spéculative et de l'historiosophie, l'ensemble formant ainsi une Somme, dont la rédaction en persan est d'autant plus significative.

L'ensemble du système de Ja'far Kashfî s'appuie sur les textes shî'ites traditionnels concernant l'Intelligence, avant tout les *hadîth* I et XIV du *Livre de l'Intelligence* du grand recueil de Kolaynî (le *Kafî*). 1) A l'origine des origines, il y a l'impératif qui enjoint à l'Intelligence de se détourner de son Principe pour se tourner vers les créatures, « descendre dans le monde ». De ce mouvement éclot la face exotérique de l'Intelligence, correspondant à la mission prophétique (*nobowwat*) et à la révélation littérale (*tanzîl*). 2) Un second impératif lui enjoint de se retourner vers son Principe. Ce mouvement de conversion « reploie » la face exotérique de l'Intelligence sur sa face ésotérique, laquelle correspond à la *walâyat* ou charisme de l'Imâm et au *ta'wîl* qui reconduit la lettre révélée à son sens caché, à son archétype spirituel. La cognoscibilité de quelque réalité que ce soit présuppose la manifestation et la cognoscibilité de son contraire. L'Essence divine, n'ayant ni semblable ni contraire, est inconnaissable. Ce qui en est connaissable relativement à l'intellect de l'homme, éclôt au niveau de la théophanie initiale, à savoir celle qui est cette Intelligence-Lumière et, comme telle, l'Esprit-Saint mohammadique (*Rûh mohammadî*), la Réalité mohammadique éternelle. La manifestation de cette Intelligence-Lumière entraîne la manifestation de son contraire : l'ombre, la ténèbre, l'ignorance, l'agnosie, non point que celle-ci soit l'ombre de l'Intelligence, car un être de lumière n'a point d'ombre, mais il en va comme dans le cas du mur caché dans les ténèbres, et qui, au lever du soleil, manifeste son ombre. Ainsi l'épiphanie de l'être révèle le non-être. Ce n'est pas que le non-être se mette à être; le contre-être ne reçoit pas l'être. Mais il y a de la négativité, du néant, antagoniste de l'être, c'est-à-dire de la Lumière.

A l'épopée métaphysique de l'Intelligence s'oppose ainsi la contre-épopée de son antagoniste : deux univers descendent et montent à la rencontre l'un de l'autre, opérant leur mélange au niveau du monde de l'homme, entre les « fils de la Lumière » et les « fils des Ténèbres ». Il est remarquable que la tonalité de cette métaphysique soit régie par la préoccupation que l'on retrouve aux origines mêmes de la pensée iranienne : l'affrontement de la Lumière et des Ténèbres que dénoue l'eschatologie, la « séparation » qui sera l'œuvre du XIIe Imâm au temps de sa parousie, de même que dans le zoroastrisme elle sera l'œuvre du *Saoshyant.* Les temps de conversion et de réversion de l'Intelligence constituent les Ages du monde. Le temps de la *walâyat,* succédant au temps de la *nobowwat,* conduit Ja'far Kashfî à une historiosophie paraclétique dont les périodes peuvent être mises en correspondance, comme nous en avons déjà rencontré le cas, avec les trois règnes de l'historiosophie instituée par Joachim de Flore. La métaphysique shî'ite atteint ici un de ses sommets. Or l'œuvre de ce penseur iranien est contemporaine des grands « systèmes » métaphysiques éclos en Occident dans la première moitié du XIXe siècle.

15. *Les écoles du Khorassan.*

a) *Hâdî Sabzavârî et l'école de Sabzavâr*

La haute figure du « Sage de Sabzavâr » domine la période qui correspond en Iran au cœur de notre XIXe siècle. On a dit de lui qu'il était le « Platon de son temps », et pour faire bonne mesure on a dit aussi qu'il en était l'Aristote. Il fut en tout cas pour la philosophie sous le règne de Nasîroddîn Shâh Qâdjâr (1848-1896) ce que Mollâ Sadrâ Shîrâzî avait été sous le règne de Shâh 'Abbâs le Grand. Aussi bien fut-il le fidèle interprète de Mollâ Sadrâ et contribua-t-il à faire de celui-ci le « maître à penser » des philosophes iraniens. On peut même ajouter que les circonstances lui permirent, mieux qu'à Mollâ Sadrâ, de donner libre cours à son génie de philosophe mystique, parce qu'il y avait liberté de s'exprimer plus ouvertement qu'à l'époque safavide.

Mollâ Hâdî Sabzavârî est né en 1212/1797-1798 à Sabzavâr, petite ville du Khorassan (entre Shâhrûd et Neyshâpour, dans le nord-est de l'Iran), dont son père, Mohammad Mahdî Sabzavârî, était un notable. Il y reçut sa première formation, qu'il compléta en étudiant à Mashhad jusqu'à l'âge de vingt ans. En 1232/1816-1817, par désir d'approfondir ses études philosophiques, il se rend à Ispahan, qui, bien que sur son déclin, était encore le centre où affluaient les plus grands maîtres en sciences philosophiques et théologiques. Il y eut pour maîtres Mollâ Ismâ'îl Ispahânî et Mollâ 'Alî ibn Jamshîd Nûrî (voir plus haut). Au bout de dix ans il retourna au Khorassan, où il enseigna pendant cinq ans, puis il se rendit en pèlerinage à La Mekke. Après trois ans d'absence, il revient en Iran; il séjourne quelque temps à Kerman, où il enseigne et se marie. Finalement il revient s'établir définitivement à Sabzavâr, qui fut dès lors, à son tour, un foyer d'enseignement philosophique et de vie spirituelle où les disciples affluèrent des contrées les plus lointaines : des pays arabes, du Caucase et de l'Azerbaïdjan, de l'Inde. Après une vie toute remplie par son enseignement et la composition d'une œuvre considérable, Mollâ Hâdî Sabzavârî mourut en 1295/1878 (ou, selon certaines sources, en 1289-1290/1872-1873).

L'originalité du penseur est avant tout sensible dans la tonalité personnelle de ses œuvres, le style qui en organise les matériaux, puisés avant tout dans l'œuvre de Mollâ Sadrâ, dans la *Théosophie orientale* de Sohravardî, dans l'œuvre d'Ibn 'Arabî et dans les *hadîth* et traditions des Imâms du shî'isme. Hâdî Sabzavârî typifie par excellence cette catégorie de sages que Sohravardî, dans le prologue de sa *Théosophie orientale*, met au rang suprême : ceux qui sont des maîtres aussi bien en philosophie spéculative qu'en expérience spirituelle, possédant à la fois le savoir exotérique et les hautes sciences ésotériques. C'est un théosophe *ishrâqî* par excellence. Cela permet de comprendre d'emblée le choc émotif que produisit sur certains de ses élèves l'enseignement du maître. Hâdî Sabzavârî est aussi bien à l'aise pour traiter des problèmes les plus ardus de la métaphysique de l'être chez Mollâ Sadrâ, que pour commenter le *Mathnawî* de Jalâloddîn Rûmî. Et c'est dans cette direction que l'école de Sabzavâr a prolongé l'enseignement de Mollâ Sadrâ. Hâdî Sabzavârî accepte la priorité originelle de l'être, de l' « exister », sur la quiddité; l'unité transcendante de l'être, dont les degrés d'intensification ou d'affaiblissement déterminent le mode d'être des quiddités : dans le monde des Intelligences pures, dans le *mundus imaginalis* (*'âlam al-mithâl*), dans le monde physique. Il accepte le principe du mouvement intrasubstantiel, rendant compte des métamorphoses de l'être et du devenir posthume de l'être humain.

L'œuvre du maître de Sabzavâr est considérable : une trentaine d'ouvrages. Un des plus lus est le *Sharh-e Manzûmeh*. A l'origine, une pièce de vers (*manzûmeh*) traitant de la logique et de la philosophie. L'auteur en donne lui-même un commentaire (*sharh*) qu'il surcharge de notes et d'observations. Finalement, le tout forme sept livres : métaphysique générale; traité de la substance et de l'accident; métaphysique spéciale ou théologie philosophique (*ilâhîyât*); la physique; la philosophie de la prophétie et l'imâmologie; l'eschatologie; morale et science des mœurs. Sur ce commentaire personnel de l'auteur, les élèves et leurs propres élèves ont beaucoup médité et travaillé : Akhûnd Hidajî, Shaykh Mohammad-Taqî Amolî, Aghâ Mîrzâ Mahdî Ashtiyânî (mort en 1372/1952-1953) ont travaillé de telle sorte que l'ouvrage est devenu, de nos jours, un *text-book* pour tout étudiant en philosophie traditionnelle.

On groupera quatre grands ouvrages qui se présentent sous la forme de commentaires des œuvres de Mollâ Sadrâ, mais qui, en fait, recueillent la doctrine et l'enseignement personnels de Hâdî Sabzavârî. Il y a le commentaire sur les *Asfâr* (*Les Quatre Voyages spirituels*) qui, à lui seul, forme une œuvre compacte; il y a le commentaire sur les *Shawâhid al-robûbîya* (*Les Témoins des épiphanies divines*); sur le *Kitâb al-mabda' wa'l-ma'âd* (*De l'origine et du retour de l'être*); sur les *Mafâtîh al-ghayb* (*Les Clefs du monde suprasensible*). Ces quatre commentaires forment le *corpus* sabzavârien dans lequel on peut étudier la fructification de la pensée de Mollâ Sâdra, l'affrontement des difficultés qu'elle ne laisse pas de susciter. Mollâ Hâdî a également composé un commentaire sur les passages les plus obscurs ou les plus difficiles contenus dans les six livres du *Mathnawî* de Jalâloddîn Rûmî (l'ensemble forme un in-folio de cinq cents pages, dans la lithographie de Téhéran 1285/1868-1869). Ce serait totalement se méprendre que d'y soupçonner une entreprise de philosophie, tendant à rationaliser les paraboles des mystiques. Ici encore, pour couper court à toute équivoque sur le mot « philosophie », disons que c'est bien l'œuvre d'un métaphysicien *ishrâqî*, qui se trouve lui-même, en face des philosophes rationalistes, dans la même situation que la métaphysique du soufisme devant les théologiens rationalistes du *Kalâm*.

Un autre grand ouvrage, *Asrâr al-hikam* (*Les Philosophèmes ésotériques*), traite de l'ensemble des questions concernant la genèse de l'être et l'eschatologie, et expose le sens ésotérique des pratiques liturgiques. L'auteur en a donné un résumé sous le titre de *Hidâyat al-tâlibîn* (*Orientation des chercheurs*), à la demande de Nasîroddîn Shâh Qâdjâr qui était venu lui rendre visite à Sabzavâr. Comme Mollâ Sadrâ, Mohsen Fayz, Qâzî Sa'îd Qommî, le maître de Sabzavâr excelle à dégager l'enseignement théosophique proposé dans les textes des Imâms. La grande étude sur les Noms divins (*Sharh-e Asmâ'*) est en fait le commentaire d'une prière shî'ite. Les Noms divins (voir Ibn 'Arabî) ont à la fois une fonction cosmogonique et une fonction liturgique; par cette dernière, ils sont les organes du retour de l'être au *Malakût* et au Principe. Enfin, il faut mentionner un très important recueil de seize traités, en persan et en arabe; la composition en fut provoquée par des questions que posèrent des élèves ou des correspondants. On ne peut que signaler ici, avec la densité des réponses approfondies, l'extrême intérêt de ces questions, dont la diversité nous permet de saisir les préoccupations à l'ordre du jour pour les contemporains de Mollâ Hâdî Sabzavârî.

Pour se représenter ce que fut à l'époque la ferveur qui anima le foyer philosophique de Sabzavâr, il faut mentionner quelques noms d'élèves, venus, nous l'avons dit, de toutes les régions de l'Iran et d'ailleurs. Trois d'entre eux ont été déjà nommés ci-dessus. A leur tour, on les retrouvera dans les principaux centres d'enseignement de la philosophie traditionnelle en Iran : Téhéran, Tabrîz, Qomm, Ispahan, Shîrâz, Mashhad. Malheureusement l'état des recherches ne nous permet que de citer les noms les mieux connus; le rassemblement des œuvres est loin encore d'avoir été mené à bien. On citera ici Mollâ 'Abdol-Karîm Qûtchânî, qui enseigna lui-même à Mashhad et a laissé des gloses sur le *Sharh-e Manzûmeh*. Shaykh 'Alî Fâzel Tabbatî (Tibetî), dont le nom décèle une origine tibétaine, et que Hâdî Sabzavârî tenait en haute estime; un traité du « recueil des seize » cité ci-dessus répond à une question posée par lui; c'est une belle et subtile apologie de la méditation philosophique en réponse aux alarmes et aux doutes suscités par les exotéristes. Mîrzâ 'Abbâs Hakîm Dârâbî Shîrâzî (mort en 1300/1882-1883), qui enseigna à son tour la philosophie à Shîrâz et eut de nombreux élèves. Mollâ Kâzem Khorâsânî (mort en 1329/1911), parfait théosophe shî'ite, professant que quiconque n'a pas une connaissance suffisante de la philosophie et de la métaphysique ne peut pas comprendre les *hadîth* et traditions des saints Imâms. Aghâ Mîrzâ Mohammad Yazdî (Fâzel Yazdî) qui, ayant écrit une réponse aux critiques adressées par Shaykh Ahmad Ahsâ'î à Mohsen Fayz Kâshânî (voir ci-dessus) à propos de son *Traité de la connaissance*, demanda à son maître de prendre parti sur ce point; la réponse de Hâdî Sabzavârî est également contenue dans le « recueil des seize traités ». Mîrzâ Sayyed Abû Tâlib Zenjânî a laissé, entre autres traités, un livre sur la qualification des *Mojtaheds* (*Ijtihâd o taqlîd*), la grande question qui divise les *Osûlîs* et les *Akhbârîs* dans la controverse rappelée ci-dessus. Mollâ Ismâ'îl 'Arif Bojnûrdî suivait les leçons de Hâdî Sabzavârî, quand celui-ci enseignait à Mashhad. Mîrzâ Hosayn Sabzavârî enseigna à Téhéran, où il fut le collègue des maîtres de l'école de Téhéran précédemment cités ici. Il eut comme élèves Mîrzâ Ibrâhîm Zenjânî, Akhûnd Hidajî (voir ci-dessus), Mîrzâ 'Alî Yazdî qui enseigna à l'Université théologique de Qomm.

b) *L'école de Mashhad*

Mashhad, la ville sainte du Khorassan, conservant le sanctuaire du VIIIe Imâm, l'Imâm 'Alî Rezâ (203/818), lieu de pèlerinage pour tous les shî'ites, eut de siècle en siècle des *madrasa* où fut représenté l'enseignement de la *hikmat ilâhîya.* On ne l'envisage cependant ici que dans le prolongement de l'impulsion donnée à la vie intellectuelle et spirituelle du Khorassan par Mollâ Hâdî Sabzavârî et son école. On mentionnera spécialement deux personnalités : Aghâ Mîrzâ Mohammad Sarûqadî, qui avait étudié la philosophie à Sabzavâr, et Mollâ Gholâm Hosayn (1318/1900-1901) qui fut pendant six ans, à Sabzavâr, l'élève de Mollâ Hâdî Sabzavârî, et fut ensuite *Shaykh al-Islâm* à Mashhad. De ces deux maîtres sont issus deux autres maîtres donnant sa physionomie propre à ce que nous désignons ici comme l'école de Mashhad. D'une part, Hâjjî Fâzel Khorâsânî (mort en 1342/1923-1924) qui enseigna longtemps à Mashhad et fut un maître réputé aussi bien en philosophie qu'en sciences religieuses (il était reconnu comme *Mojtahed*). D'autre part, Aghâ Bozorg Hakîm (mort en 1355/1936-1937) qui enseigna également la philosophie à Mashhad et était tout à fait dans la ligne de Mollâ Sadrâ. Malheureusement les critiques des exotéristes, renouvelant le perpétuel drame intérieur du shî'isme, le contraignirent à renoncer à son enseignement. Sa mort laissa un grand vide dans l'enseignement de la philosophie au Khorassan. Ces deux éminents personnages formèrent des élèves, parmi lesquels Aghâ Mîrzâ Hasan Bojnûrdî se distingua par son aptitude à cumuler l'enseignement des sciences canoniques et des sciences philosophiques.

Intervient alors ici un fait capital dans la vie intellectuelle de l'Iran : la multiplication des universités iraniennes sous l'impulsion du souverain régnant, Mohammad Rezâ Shâh Pahlavi. Deux des universités d'Etat, Téhéran et Mashhad, comportent des facultés de théologie, dont le rôle n'est nullement de former simplement des Mollâs, mais de diffuser largement les sciences islamiques, y compris ce qui concerne la philosophie traditionnelle. Nous conclurons cette trop brève évocation de l'école de Mashhad en mentionnant l'œuvre d'un jeune maître en philosophie, professeur à la Faculté de théologie de l'université de Mashhad, Sayyed Jalâloddîn Ashtiyânî dont nous ne saurions mieux caractériser l'orientation, l'activité et la productivité qu'en le désignant comme un Mollâ Sadrâ *redivivus.* Issu de l'enseignement traditionnel représenté par les maîtres cités ci-dessus, son œuvre est déjà considérable : un grand traité sur l'être du point de vue métaphysique et du point de vue mystique; une ample étude sur les prolégomènes de Dâwûd Qaysarî à son commentaire des *Fosûs* d'Ibn 'Arabî, dont le premier volume (de sept cents pages) approfondit et renouvelle les problèmes connexes; plusieurs éditions de textes, munies de notes et d'observations d'une densité exceptionnelle : celle du commentaire de Langarûdî sur le *Kitâb al-Mashâ'ïr* de Mollâ Sadrâ; celle des *Shawâhid* du même Sadrâ avec le commentaire de Sabzavârî; celle des « seize traités » mentionnés ci-dessus, etc. Enfin, la grande entreprise sans précédent (et à laquelle est associé le soussigné pour la partie française) : une *Anthologie des philosophes iraniens depuis le* XVIIe *siècle jusqu'à nos jours.* Un volume est déjà paru; elle devrait en comprendre cinq et redonner vie aux œuvres d'une quarantaine de penseurs iraniens. Elle veut être non pas un bilan, mais un point de départ.

PERSPECTIVE

La présentation de la grande famille de penseurs, esquissée ici pour la première fois, n'appelle pas de conclusion. Nous ne croyons pas, en effet, que la philosophie traditionnelle islamique, nommément celle de la tradition shî'ite, soit close. C'est cette philosophie traditionnelle que l'on a seule envisagée ici. L'œuvre de personnalités telles que Mohammad Iqbâl, par exemple, nous apparaît comme ressortissant à un autre chapitre de l'histoire de la philosophie. Quant à l'avenir de la philosophie traditionnelle, on ne peut en parler qu'en diagnostiquant les dangers et les espoirs. Peut-être fera-t-on observer que jusqu'à la généralisation des transports aériens, l'Iran était demeuré très lointain, et que la philosophie traditionnelle y fut longtemps préservée des contacts destructifs. En tout cas, cette période est finie. Aujourd'hui dangers et espoirs ont leur source à la fois du côté de l'Orient et du côté de l'Occident.

Trop nombreux ont été, du côté oriental, les essayistes plus ou moins réformistes qui, n'ayant assimilé en profondeur ni leur philosophie traditionnelle ni les philosophies de l'Occident moderne, ont esquissé des synthèses hâtives dont la bonne volonté ne compense pas la nature très précaire. Leur œuvre est le pendant oriental des pseudo-ésotérismes qui foisonnent en Occident.

Les uns et les autres ne font qu'aggraver la confusion et le désarroi. La situation revient en bref à ceci : il y a, en pays d'Islam, d'une part une catégorie d'intellectuels chez qui l'occidentalisation à outrance, conjointe à la technologie envahissante, semble avoir extirpé les racines spirituelles traditionnelles. En revanche, d'autre part, en Iran nommément, il y a encore un vaste ensemble de personnalités de tout âge, qualifiées par leur dignité morale et leur formation intellectuelle pour représenter la culture spirituelle traditionnelle. Malheureusement, le plus souvent ces personnalités, qui sont à même d'assurer la *traditio lampadis*, ignorent à peu près tout des grandes traditions spirituelles de l'Occident. Il y a les difficultés de langues et de vocabulaires; les traductions de textes philosophiques sont trop souvent faites de deuxième ou troisième main. Le problème de l'avenir est celui-ci : une philosophie n'est-elle que l'expression de l'état social d'une époque, et dans ce cas, ce que l'on appelle philosophie traditionnelle doit-il être volatilisé sous la pression des idéologies socio-politiques du moment ? Ou bien la philosophie reconnaît-elle que sa justification consiste non pas dans l'agnosticisme qui paralyse tant de penseurs occidentaux depuis des générations, mais dans le maintien de la métaphysique sans laquelle elle tourne à tous les vents de l'histoire ? La métaphysique n'est point conditionnée par les mutations sociales, mais par l'objet même qu'elle atteint, à savoir les univers spirituels qu'elle a pour vocation de découvrir et de scruter.

Peut-être mesurera-t-on de ce point de vue ce que signifie la perte de ce *mundus imaginalis* qui a tant occupé nos penseurs en Islam. On parle avec raison de l'impact occidental qui a ruiné les structures des civilisations traditionnelles. Il y aurait aussi à parler de ce qui pourrait être le contrepoids. Pour la première fois, après tant de siècles, les moyens dont on dispose permettent de mettre en communication les chercheurs travaillant chacun dans l'une des trois voies de la tradition abrahamique. A l'isolement doit se substituer la réciprocité, car seule cette tradition dans son intégralité peut faire face aux problèmes gigantesques posés de nos jours. Mais la leçon de nos métaphysiciens d'Islam, c'est qu'ils n'ont jamais envisagé que leur ésotérisme, c'est-à-dire leur intériorisme, fût possible sans une nouvelle naissance intérieure. Une *tradition* n'est vivante et ne transmet du vivant qu'à la condition d'être une perpétuelle *renaissance*.

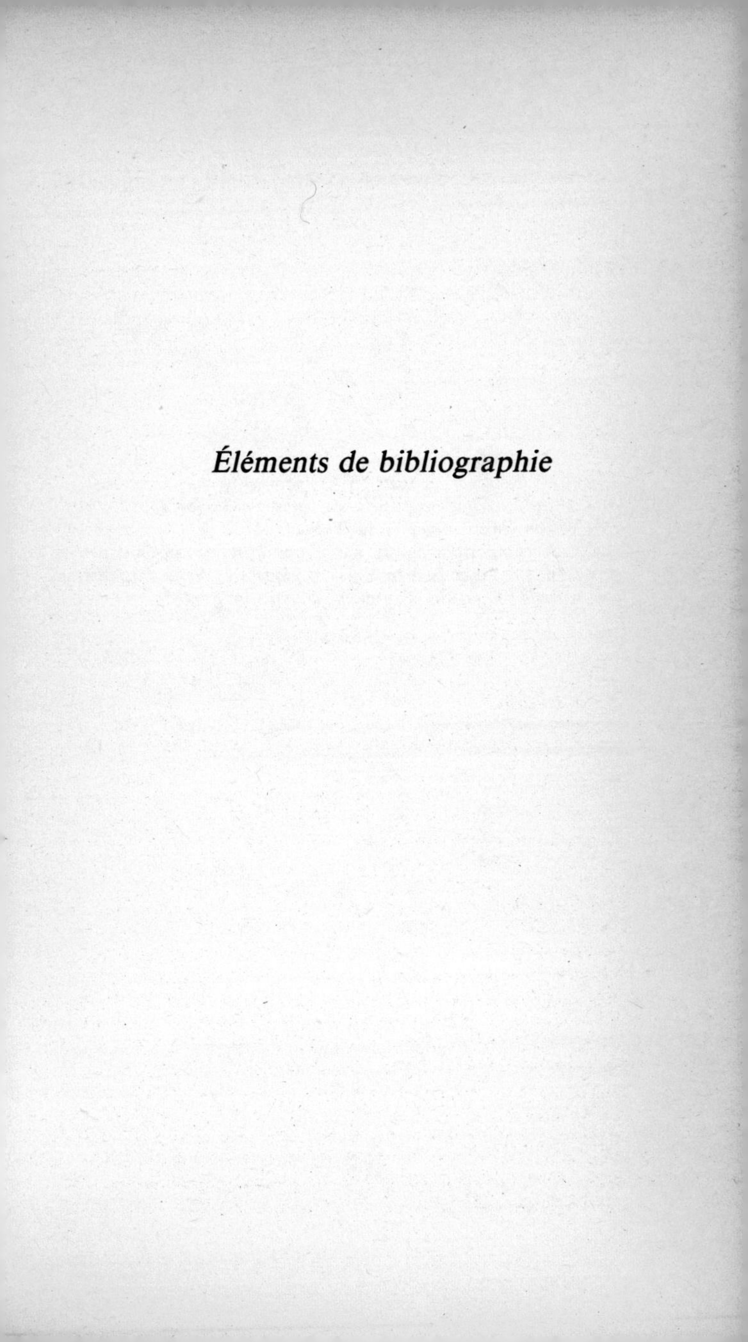

Éléments de bibliographie

Par nécessité d'abréger, et pour en faciliter l'usage aux chercheurs non orientalistes, ne figurent pas dans la présente bibliographie, sauf exception, les ouvrages orientaux ou les publications de textes, arabes ou persans, ne comportant pas au moins une introduction dans une langue occidentale. Le classement chronologique est adopté dans chaque section, mais les travaux d'un même auteur sont groupés.

PREMIÈRE PARTIE

I, 1.

I. GOLDZIHER, *Die Richtungen der islamischen Koranauslegung.* Neudruck. Leiden, 1952. – F. SCHUON, *Comprendre l'Islam.* Paris, Gallimard, 1962. – P. NWYIA, *Exégèse coranique et langage mystique.* Beyrouth, 1970. – H. CORBIN, *En Islam iranien, aspects spirituels et philosophiques* (4 vol.). Paris, Gallimard, 1971-1972 (rééd. 1978). – W.A. GRAHAM, *Divine Word and Prophetic Word in Early Islam.* La Haye-Paris, Mouton, 1977. – H. LAOUST, *Les Schismes en Islam.* Paris, Payot (rééd. 1984).

I, 2.

A. MÜLLER, *Die griechische Philosophie und die arabische Ueberlieferung.* Halle, s. d. – *Die sogenannte Theologie des Aristoteles aus dem Arabischen übersetzt...* von F. Dieterici. Leipzig, 1882 (rééd. A. Badawî, Le Caire, 1955, avec éléments de vocabulaire arabe-grec et arabe-latin). – O. BARDENHEWER, *Die pseudo-aristotelische Schrift über das reine Gute, bekannt unter dem Namen Liber de Causis.* Freiburg im Breisgau, 1882. – M. STEINSCHNEIDER, *Die arabischen Uebersetzungen aus dem Griechischen* (XII. Beiheft z. Centralblatt f. Bibliothekwesen). Leipzig, 1893. – A. BAUMSTARK, *Aristoteles bei den Syrern von V. bis VIII. Jahrh.* Leipzig, 1900. – S. HOROWITZ, *Ueber den Einfluss des Stoizismus auf die Entwicklung der Philosophie im Islam* (Zeitsch. d. Deutschen Morgenl. Ges. LVII), 1903. – C. SAUTER, *Die peripatetische Philosophie bei den Syrern und den Arabern* (Archiv. f. d. Geschichte der Philosophie XVII), 1904. – F. GABRIELI, *La Risâlah di Qustâ ben Lûqâ sulla differenza tra lo spirito e l'anima* (Rendic. d. R. Accad. dei Lincei, XIX). Roma, 1910. – J. RUSKA, *Das Steinbuch des Aristoteles.* Heidelberg. 1912. – C. BERGSTRAESSER, *Hunain ibn Ishaq und seine Schule.* Leiden, 1913. – I. POLLAK, *Die Hermeneutik des Aristoteles in der arabischen Uebersetzung des Ishak ibn Honain.* Leipzig, 1913. – C.A. NALLINO, *Tracce di opere greche giunte agli Arabi per trafica pehlevica.* (Orient. Studies pres. to

E.G. Browne). Cambridge, 1922. – I. TKATSCH, *Die arabische Uebersetzung der Poetik des Aristoteles und die Grundlage der Kritik des griechischen Textes.* Wien, 1928-1932. – M. MEYERHOF, *Von Alexandrien nach Baghdad* (Stzber. d. Preuss. Akad. d. Wiss. phil. hist. Klasse, XXIII, 1930). – I. MADKOUR, *L'Organon d'Aristote dans le monde arabe.* Paris, 1934. – A. MINGANA, *Encyclopædia of philosophical and natural sciences, as taught in Baghdad about A.D. 817, or Book of Treasuries, by Jof of Edessa,* syr. text. ed. and transl. Cambridge, 1935. – P. KRAUS, *Plotin chez les Arabes* (Bull. de l'Institut d'Egypte, XXIII). Le Caire, 1941. – A. BADAWI, *Aristû 'inda'l-'Arab,* Le Caire, 1947 (contient, entre autres, la version arabe de dix traités d'Alexandre d'Aphrodise); – *Neoplatonici apud Arabes :* Procli *Liber (Pseudo-Aristotelis) de Expositione bonitatis puræ (Liber de Causis).* Procli *de Aernitate mundi.* Procli *Quæstiones naturales.* Hermetis *de Castigatione animæ.* Pseudo-Platonis *Liber Quartus* (sic pour *Quartorum,* ou Livre des Tétralogies). Le Caire, 1955 (avec éléments d'un vocabulaire arabe-latin) – Kh. GEORR, *Les Catégories d'Aristote dans leurs versions syro-arabes.* Beyrouth, 1948. – Plotini *Opera* ediderunt P. Henry et H.R. Schwyser. Paris, Desclée de Brouwer, 1950-1959 (le vol. II contient une traduction, en anglais, par G. Lewis, de la *Théologie* dite d'*Aristote*). – Galeni *Compendium Timæi Platonis aliorumque Dialogorum synopsis* quæ extant fragmenta ediderunt P. Kraus et R. Walzer (Præfatio. Pars latina. Pars arabica). Londini, in ædibus Instituti Warburgiani, 1951 (Plato Arabus, vol. I). – F. ROSENTHAL, *Al-Shaykh al-Yûnânî and the Arabic Plotinus Sources* (*in* Orientalia 1952-1953, 1955); – *The Classical Heritage in Islam.* London, Kegan Paul, 1975. – R. WALZER, *New Light on the Arabic Translations of Aristotle* (revue *Oriens,* 1953). – S. PINÈS, *Une version arabe de trois propositions de la « Stoicheiosis Theologikè » de Proclus* (revue *Oriens,* 1955); – *La longue recension de la « Théologie d'Aristote » dans ses rapports avec la doctrine ismaélienne* (Rev. des études islamiques, 1955); – *Un texte inconnu d'Aristote en version arabe* (Archives d'hist. doctr. et litt. du Moyen Age, année 1956). Paris, 1957. – G.C. ANAWATI, *Prolégomènes à une nouvelle édition du « De Causis » arabe* (Mélanges Louis Massignon, I). Damas, 1956. – F.E. PETERS, *Aristotle and the Arabs.* New York University Press, 1968. – G. ENDRESS, *Proclus Arabus.* Beyrouth, 1973.

II, A.

Aucune traduction en langue occidentale n'a encore été publiée pour les œuvres auxquelles réfère notre exposé : *corpus* des *hadîth* des Imâms constitué par Kolaynî (éd. Téhéran, 1955), commentaires de Mîr Dâmâd, Mollâ Sadrâ Shîrâzî (lith. Téhéran s. d.), œuvres de Haydar Amolî, etc. (public. en préparation). – R. STROTHMANN, *Die Zwölfer-Schî'a. Zwei religionsgeschichtliche Charakterbilder aus der Mongolenzeit* (Nasîroddîn Tûsî et Radîoddîn Tâ'ûsî). Leipzig, 1926. –

L. MASSIGNON, *Salmân Pâk et les prémices spirituelles de l'Islam iranien* (Public. de la Soc. des Etudes iraniennes, 7). Paris, 1934. – IBN BABUYEH de Qomm (Shaykh Sadûq), *A Shî'ite Creed, a translation of « Risâlatu'l-I'tiqîdât »* by A.A. Fyzee. London, 1952. – J.N. HOLLISTER, *The Shî'a of India.* London, 1953 (Aperçu sommaire, historique et doctrinal, sur le shî'isme duodécimain et l'ismaélisme). – H. CORBIN, *Ueber die philosophische Situation der Shî'itischen Religion,* uebers. v. H. Landolt (Antaios, V, 2). Stuttgart, 1963; – *En Islam iranien* (*supra* I, 1), t. I et IV; – *Corps spirituel et Terre céleste : de l'Iran mazdéen à l'Iran shî'ite.* Paris, Buchet-Chastel, 1979. – *Le Shî'isme imâmite* (Actes du colloque de Strasbourg, 1968). Paris, P.U.F., 1970. – M.J. MCDERMOTT, *The Theology of al-Shaikh al-Mufîd.* Beyrouth, 1978. – W.C. CHITTICK, *A Shî'ite Anthology.* Albany, SUNY, 1981.

II, B1.

W. IVANOW, *Ismaili Literature, a Bibliographical Survey* (A second amplified edition of « A Guide of Ismaili Literature ». London, 1933). Téhéran, 1963; – *Ismaili Tradition concerning the Rise of the Fâtimids* (Islamic Research Association, 10). London, 1942; – *Studies in Early Persian Ismailism.* Bombay 1955; – R. STROTHMANN, *Gnosis-Texte der Ismailiten.* Göttingen, 1943. – ABU YA'QUB SEJESTANI, *Kashf al-Mahjûb (Le Dévoilement des choses cachées).* Traité ismaélien en persan du IVe s. de l'hégire, éd. et introd. H. Corbin (Bibl. Iranienne, vol. 1). Paris, Adrien-Maisonneuve, 1949. – NASIR-E KHOSRAW, *Le « Livre réunissant les deux sagesses » ou harmonie de la philosophie grecque et de la théosophie ismaélienne,* texte persan et introd. en français par H. Corbin et Moh. Mo'in (Bibl. Iranienne, vol. 3). Ibid. 1953; – *Il Libro dello scioglimento e della liberazione* (Introd. et trad. du texte original persan du *Kitâb-e Goshâyesh wa Rahâyesh,* par P. Filippani-Ronconi). Napoli, 1959. – *Commentaire de la Qasîda ismaélienne d'Abû'l-Haytham Jorjânî,* texte persan, éd. et introd. par H. Corbin et Moh. Mo'in (Bibl. Iranienne, vol. 6). Paris, Adrien-Maisonneuve, 1955. – W. MADELUNG, « Fatimiden und Bahrainqarmaten » in *Der Islam,* 34, 1959. – H. CORBIN, *Trilogie ismaélienne :* 1. Abû Ya'qûb Sejestânî, *Le Livre des Sources* (IV/Xe s.) 2. Sayyid-nâ al-Hosayn ibn 'Alî, *Cosmogonie et eschatologie* (VIIe/XIIIe s.); 3. *Symboles choisis de la « Roseraie du Mystère »* de Mahmûd Shabestarî (VIIIe/XIVe s.). Ed. trad. et comment. par H. Corbin (Bibl. Iranienne, vol. 9). Paris, Adrien-Maisonneuve, 1961 (textes appartenant à trois époques de l'ismaélisme; esquisse comparative entre shî'isme duodécimain, ismaélisme, soufisme); – *Temps cyclique et gnose ismaélienne.* Paris, Berg International, 1982; – *Cyclical Time and Ismaili Gnosis,* transl. by R. Manheim and J. Morris. London, Kegan Paul, 1983; – *Face de Dieu et face de l'homme.* Paris, Flammarion, 1983; – *L'Homme et son Ange.* Paris, Fayard, 1983. – *Ummu'l-Kitâb,* introd., trad. e note di Pio Filippani-Ronconi. Napoli, 1966. –

E. F. TIJDENS, « Der Mythologisch-Gnostiche Hintergrund des Umm al-Kitâb », *Acta Iranica,* vol. VII, 1977. – *Isma'ili Contributions to Islamic Culture,* ed. by S.H. Nasr. Tehran, 1977. – K. POONAWALA, *Biobibliography of Isma'ili Literature.* Los Angeles, U.C.L.A., 1977. – H. HALM, *Kosmologie und Heilslehre der frühen Isma'ilîya.* Wiesbaden, 1978. – S.M. STERN, *Studies in Early Isma'ilism.* Leiden, Brill, 1983.

II, B2.

Kalâmi Pîr, a Treatise on Ismaili Doctrine (texte persan et trad. anglaise par W. IVANOW). Bombay, 1935. – L. MASSIGNON, *Die Ursprünge und die Bedeutung des Gnostizismus im Islam* (Eranos-Jahrbuch V, 1937). Zürich, 1938. – KHAYR-KHWAH-e HERATI, *On the Recognition of the Imâm* (engl. transl. by W. Ivanow). Bombay, 1947. – NASIRODDIN TUSI, *The Rawdatu't-Taslîm* commonly called *Tasawwurât* (texte persan et trad. anglaise par W. Ivanow). Leiden, 1950. – ABU ISHAQ QUHISTANI, *Haft Bâb or « Seven Chapters »* (texte persan et trad. anglaise par W. Ivanow). Bombay, 1959. – *Works of Khayr-Khwâh-e Herâtî* (texte persan et introd. par W. Ivanow). Téhéran, 1961. – SAYYED SOHRAB WALI BADAKHSHANI. *Thirty six epistles* (texte persan éd. par H. Ujaqi, introd. par W. Ivanow). Téhéran 1961. – H. CORBIN, *Trilogie ismaélienne,* 3e partie, cf. *supra* II B1.

III, A.

STEINER, *Die Mu'taziliten oder die Freidenker im Islam.* Leipzig, 1865. – M. GUTTMANN, *Das religionsphilosophische System der Mutakallimûn nach dem Berichte des Maimonides.* Leipzig, 1885. – W. PATTON, *Ahmad ibn Hanbal and the Mihna.* Leiden, 1897. – D.B. MACDONALD, *Development of Muslim theology, jurisprudence and constitutional theory.* New York, 1903. – GALLAND, *Essai sur les Mo'tazilites.* Paris, 1906. – S. HOROWITZ, *Ueber den Einfluss der griechischen Philosophie auf die Entwicklung des Kalâm.* Breslau, 1909. – I. GOLDZIHER, *Le dogme et la loi de l'Islam,* trad. par A. Arin. Paris, 1920. Nouveau tirage, Paris, 1958; – *Introduction to Islamic Theology and Law,* transl. by A. and R. HAMORI. Princeton, 1981. – ABU'L HASAN al-ASH'ARI, *Maqâlât al-Islâmîyîn. Die dogmatischen Lehren der Anhaenger des Islam,* hrsgb. v. H. Ritter (Bibl. Islamica, 1). Istanbul-Leipzig, 1929-1930. – A.J. WENSINCK, *The Muslim Creed, its genesis and historical Development.* Cambrigde, 1932. – L. GARDET et M.-M. ANAWATI, *Introduction à la théologie musulmane.* Paris, 1948. – A.N. NADER, *Le système philosophique des Mo'tazilites.* Beyrouth, 1956. – ABU'L-HOSAYN al-KHAYYAT. *Kitâb al-Intisâr. Le Livre du triomphe et de la réfutation d'Ibn al-Râwandî l'hérétique* (éd. et trad. par A.N. Nader). Beyrouth, 1957. (L'édition *princeps* fut donnée par H.S. Nyberg, Le Caire, 1925. Cet important ouvrage est la réfutation de la réfutation d'un livre mo'tazilite). – A.J. ARBERRY, *Revelation and reason in Islam*. London, 1957. – Abû Sa'id 'Othmân al-DARIMI, *Kitâb al-radd 'alâ'l-Jahmîya* (éd. introd. et comment. par G. Vitestam). Leiden, 1960 (Polémique « orthodoxe » antimo'tazilite). – F. ROSENTHAL, *The Muslin Concept of Freedom*. Leiden, 1960. – IBN QUDAMA'S, *Censure of speculative theology*, by G. Makdisî (Gibb Memorial Series N.S. XXII). London, 1962 (critique hanbalite du *Kalâm* par un précurseur d'Ibn Tavmîva). – R.M. FRANCK, *The Metaphysics of Created Being According to Abû'l-Hudhayl al-'Allâf, a philosophical Study of the Earliest Kalâm*. Istanbul, 1966. – G. F. HOURANI, *Islamic Rationalism, the Ethics of 'Abd al-Jabbâr*. Oxford, 1971. – G. MONNOT, *Penseurs musulmans et religions iraniennes*. Paris, Vrin, 1974. – J. VAN ESS, *Zwischen Hadît und Theologie. Stüdien zum Entstehen prädestinatianischer Uberlieferung*. Berlin-New York, 1975. – J.R.T.M. PETERS, *God's Created Speech*. Leiden, Brill, 1976. – D. GIMARET, *Théorie de l'acte humain en théologie musulmane*. Paris, Vrin, 1980.

III, B.

W. SPITTA, *Zur Geschichte... al'Ash'arî's*. Leipzig, 1876. – A.F. MEHREN, *Exposé de la réforme de l'Islamisme* (texte partiel et trad. abrégée du *Tabyîn*, ou Apologie d'al-Ash'arî, par Ibn 'Asâkir), *in* Travaux du IIIe Congrès internat. des Orientalistes, vol. II, Saint-Pétersbourg, 1879. – D.B. MACDONALD, *Continuous recreation and atomic time in Muslim Scholastic Theology* (Isis, IX, 1927). – IMAM al-HARAMAYN (al-Jowaynî), *El-Irshâd, éd. et trad. par J. Luciani*. Paris, 1938. – W.C. KLEIN, *The Elucidation of Islam's Foundation* (American Oriental Series, 19). New Haven, 1940 (trad. anglaise du *K. al-Ibâna* d'al-Ash'arî). – A.S. TRITTON, *Muslim Theology*, London, 1947. – W.M. WATT, *Free Will and Predestination in Early Islam*. London, 1948. – R.J. MAC-CARTHY, *The Theology of al-Ash'arî...* Beyrouth, 1953 (Texte arabe de deux traités. Traductions : *Highlights of the polemic against deviators and innovators*, a transl. of the *Kitâb al-Luma'. 2) A vindication of the science of Kalâm*, a transl. of the *Risâla...* En appendice : *Ibn 'Asâkir's Apology*). – G. MAKDISI, « Ash'arî and the Ash'arites in Islamic Religious History » in *Studia Islamica*, 17-18, 1962-1963. – M. ALLARD, *Le Problème des attributs divins dans la doctrine d'al-Ash'arî et de ses premiers grands disciples*. Beyrouth, 1965.

IV.

S.H. NASR, *Introduction to Islamic Cosmological Doctrines*. Cambridge, Harvard Univ. Press, 1963; – *Science and Civilisation in Islam* (Mentor History of Science, II). New York, 1963; – *Sciences et savoir en Islam*, trad. de l'anglais par J. P. Guinhut. Paris, Sindbad, 1979. – F. SEZGIN, *Geschichte des arabischen Schrifttums*, IV. Leiden, Brill,

1971. – M. ULLMANN, *Die Natur – und Geheimwissenschaften im Islam.* Leiden, Brill, 1972.

IV,1.

D. CHWOLSOHN, *Die Ssabier und der Ssabismus.* St-Petersburg, 1856. – O. BARDENHEWER, *Hermetis Trismegisti qui apud Arabes fertur de Castigatione animæ libellus* (texte et trad. latine). Bonnae, 1873. – H. RITTER, *Picatrix, ein arabisches Handbuch hellenistischer Magie* (Vorträge der Bibl. Warburg, 1921-1922). – J. RUSKA, *Tabula Smaragdina, ein Beitrag zur Geschichte der hermetischen Literatur.* Heidelberg, 1926. – Pseudo-MAJRITI, *Das Ziel des Weisen.* I. Arab. Text hrsgb. von H. Ritter (Studien der Bibliothek Warburg). Leipzig, 1933. – L. MASSIGNON, *Inventaire de la littérature hermétique arabe* (Appendice III à Festugière, *La Révélation d'Hermès Trismégiste,* vol. I). Paris, 1944. – H. CORBIN, *L'Homme et son Ange* cf. *supra* II B1.

IV,2.

IBN al-NADIM, *Kitâb al-Fihrist* (Catalogue) éd. Fluegel, 1871. – J. RUSKA, *Arabische Alchemisten,* I. II : *Ja'far al-Sâdiq, der sechste Imâm.* Heidelberg, 1924; – *Turba philosophorum, ein Beitrag zur Geschichte der Alchemie.* Breslau, 1931. – P. KRAUS, *Jâbir ibn Hayyân, contribution à l'histoire des idées scientifiques dans l'Islam* (Mémoires de l'Institut d'Egypte, vol. 44 et 45). Le Caire, 1942-1943 (rééd. Paris, Les Belles Lettres, 1985). – H. CORBIN, *Le « Livre du Glorieux » de Jâbir ibn Hayyân* (Eranos-Jahrbuch, XVIII), rééd. in *L'Alchimie comme art hiératique.* Paris, Herne, 1986. – R. HALLEUX, *Les Textes alchimiques* (un chapitre consacré à l'alchimie islamique). Turnhout, Brepols, 1979. – JABIR IBN HAYYAN, *Dix Traités d'alchimie,* trad. et présentation par P. Lory. Paris, Sindbad. 1983.

IV,3.

F. DIETERICI, *Die Anthropologie der Araber.* Leipzig, 1781; – *Die Lehere von der Weltseele bei den Arabern im X. Jahrhundert,* Leipzig, 1872; – *Die Naturanschauung und Naturphilosophie der Araber im X. Jahrhundert.* Leipzig, 1876. – M. PLESSNER, *Der Oikonomikos des Neupythagoreers Bryson und sein Einfluss auf die islamische Wissenschaft* (Orient und Antike, 5). Heidelberg, 1928. – A. AWA, *L'esprit critique des « Frères de la Pureté », encyclopédie arabe du* IVe/Xe *siècle.* Beyrouth, 1948. – Y. MARQUET, *La Philosophie des Ikhwân al-Safâ'.* Paris, Vrin, 1975. – H. CORBIN, *Temple et Contemplation.* Paris, Flammarion, 1981; – *Temple and Contemplation,* transl. by Ph. Sherrard. London, Kegan Paul, 1985.

IV,4.

J. Ruska, *Al-Bîrûnî als Quelle für das Leben und die Schriften al-Râzîs* (Isis, V). Bruxelles, 1922; – *Al-Râzî's Buch Geheimnis der Geheimnisse,* Berlin, 1937. – S. Pinès, *Beitraege zur islamischen Atomenlehre,* Berlin, 1936. – H. Corbin, *Etude préliminaire pour le « Livre réunissant les deux sagesses » de Nâsir-e Khosraw* (Bibl. Iranienne, 3a). Paris, Adrien-Maisonneuve, 1953 (V, 6 : *Nâsir-e Khosraw et Rhazès).*

IV,5.

Abû'l-Barakât Ibn al-Anbari, *Die grammatischen Streitfragen der Basrer und Kûfer,* hrsgb., erklärt und eingeleitet von Gotthold Weil. Leiden, 1913.

IV,6.

Biruni, *Chronology of the Ancient Nations,* ed. and transl. by E.C. Sachau. London, 1879; – *An Account of the religion, philosophy, literature, chronology, astronomy, customs, laws and astrology in India about 1030,* éd. E.C. Sachau. London, 1887 (English Transl. London, 1910); – *The Book of Instructions in the Elements of the Art of Astrology,* ed. Ramsay Wright. London, 1934. – *Bîrûnî Commemoration Volume.* Calcutta, 1951.

IV,7.

Khwarezmi, *Liber Mafâtih al-'Olûm* (les Clefs des Sciences) explicans vocabula technica scientiarum tum arabum quam peregrinorum, ed. G. van Vloten. Leiden, 1895.

IV,8.

(Ibn al-Haytham = Alhacen) *Perspectiva* (trad. latine de Riesner in *Opticæ Thesaurus,* Basileæ 1572); – *Ueber das Licht* (texte et trad. allemande de Baarman, in Zeitschr. d. Deutschen Morgenl. Ges. XXXVI, 1882). – P. Duhem, *Le Système du monde... de Platon à Copernic,* vol. II (chap. XI). Paris, 1914. – H. Bauer, *Die Psychologie Alhacens auf Grund von Alhacens Optik* (Beitraege z. Geschichte d. Philos. d. Mittelalters X, 5). – C.A. Nallino, *Raccolta di scritti editi ed inediti...* vol. V. Roma, 1944.

V.

S. Munk, *Mélanges de philosophie juive et arabe.* Paris, 1859. Nouv. éd. Paris, 1955 (pour V, 1, 2, 4, 7 et VIII, 3, 5, 6). – T.J. de Boer, *Geschichte der Philosophie im Islam.* Stuttgart, 1901. – *The History of Philosophy in Islam,* 3rd ed., transl. by E.J. Jones. London, 1961 (Aperçu d'ensemble, clair mais très sommaire; s'arrête à Ibn Khaldûn, XIVe s.). – M. Horten, *Die philosophischen Systemen der spekulativen Theologie im Islam,* 2te Ausg. Bonn, 1912. – E. Gilson, *Histoire de la philosophie au Moyen Age.* 2e éd. Paris, Payot, 1947 (le chap. VI, 1). – G. QUADRI, *La Philosophie arabe dans l'Europe médiévale,* trad. R. Huret. Paris, Payot, 1947 (Ces deux derniers ouvrages concernent ceux des philosophes de l'Islam qui ont été connus de la Scolastique latine). – M.M. SHARIF, *History of Muslim Philosophy.* Wiesbaden, 1963-1966. – *Medieval Political Philosophy, A Sourcebook,* ed. by R. Lerner and M. Mahdi (trad. de Al-Fârâbî, Avicenne, Avempace, Ibn Tofayl et Averroës). Cornell Univ. Press, 1972. – Al-SHAHRASTANI, *Livre des religions et des sectes,* vol. I : « Islam et autres religions scripturaires », introd., trad. et notes par D. Gimaret et G. Monnot. Leuven, Peeters/Unesco, 1986.

V, 1.

Die philosophischen Abhandlungen des Ja'qûb ben Ishaq al-Kindî, éd. A. Nagy (Beitraege z. Gesch. d. Philos. d. Mittelalters II). Münster, 1897. – T.J. DE BOER, *Zu Kindî und seiner Schule* (Archiv. f. d. Gesch. d. Philos. XIII, 1900). – Sur les traités d'al-Kindî redécouverts depuis trente ans : H. RITTER, in *Archiv Orientalni* IV (1932), et P. SBATH, *Al-Fihris,* Catalogue de manuscrits arabes, Le Caire, 1938. Quinze ont été édités par M. Abû Rîdah, *Rasâ'il al-Kindî al-falsafîya,* Le Caire, 1950. – H. RITTER et R. WALZER, *Uno scritto morale di al-Kindî* (Epître sur l'art de repousser les tristesses) *in* Mem. R. Accad. Naz. dei Lincei ser. VI, vol. 3, fasc. 1. Roma, 1938. – F. ROSENTHAL, *Ahmad ibn at-Tayyib as-Sarakhshî* (American Oriental Series, vol. 26). New Haven (Connecticut), 1943. – J. JOLIVET, *L'Intellect selon Kindî.* Leiden, Brill, 1971. – A.L. IVRY, *Al-Kindî's Metaphysics.* Albany, SUNY, 1974. – AL-KINDI, *Cinq Traités.* Paris, C.N.R.S., 1976.

V, 2.

F. DIETERICI, *al-Fârâbî's philosophische Abhandlungen* (texte arabe, Leiden, 1890. Trad. allemande, Leiden, 1892. Recueil de huit traités dont le premier est le traité sur l'accord d'Aristote avec Platon); – *al-Fârâbî's Abhandlung Der Musterstaat* (texte arabe, Leiden, 1895. Trad. allemande, Leiden, 1900). – M. HORTEN, *Das Buch der Ringsteine Fârâbî's mit dem Kommentare des Emîr Isma'îl al-Hoseinî al-Fârânî,* uebersetzt und erlaeutert (Beitraege z. Gesch. d. Philos. d. Mittelalters, V). Münster i. W., 1906. – P. DUHEM, *Le Système du monde...* vol. IV (3e partie, chap. II), Paris, 1916. – C. BAEUMKER, *Alfârâbî Ueber den Ursprung der Wissenschaften (De ortu scientiarum).* Münster i. W., 1916. – E. GILSON, *Les sources gréco-arabes de l'augustinisme avicennissant* (Archives d'hist. doctr. et litt. du Moyen Age IV, 1930. Contient la trad. latine médiévale du traité *De intellectu et intellecto*). – A. GONZALEZ PALENCIA, *Alfârâbî. Catalogo de los ciencias.* Madrid, 1932. – I. MADKOUR, *La place d'al-Fârâbî dans l'école philosophique musulmane.* Paris, 1934. – *Liber exercitationis ad viam felicitatis* ed. H. Salman, *in* Rech. de Théol. ancienne et médiévale XII, 1940. (Trad. du *Kitâb al-tanbîh 'alâ tahsîl sabîl al-sa'âda*, Haydarabad, 1345-1927). – Alfarabius *de Platonis philosophia*, ed. F. Rosenthal et R. Walzer. Londini, 1943 (Plato Arabus, vol. II). – AL-FARABI, *Talkhîs Nawâmîs Aflâtûn. Compendium Legum Platonis* ed. et latine vertit F. Gabrieli (Plato Arabus, vol. III). – Article *on Vacuum.*, ed. and transl. by N. Lugal and A. Sayili (Türk. Tar. Kur. Yay. XV, 1). Ankara, 1951 (texte arabe, trad. anglaise et turque). – *Commentary in Aristotle's Peri hermeneias (De interpretatione)* ed. with introd. by W. Kutsch and S. Marrow. Beyrouth, 1960 (Rech. Inst. Lettres orient., 13). – *Idées des habitants de la cité vertueuse*, texte, trad., introd. et notes par Y. Karam, J. Shlala, A. Jaussen. Beyrouth, 1980; – *Tahsîl al-Sa'âda*, ed., introd. et notes par J. al-Yasin. Beyrouth, 1981. – Al-Fârâbî's, *Philosophy of Aristotle (Falsafat Aristûtâlis)*. Arabic Text ed. with an introd. by Muhsin Mahdî. Beirut, Dâr Majallat al-Shi'r, 1961. – *The Fusul al-Madanî. Aphorisms of the Statesman of al-Fârâbî*, ed. with an english transl., introd. and notes by D. M. Dunlop. Cambridge, Univ. Press, 1961. – Al-Fârâbî's *Philosophy of Plato and Aristotle*, transl. with an introd. by Muhsin Madhi. New York, The Free Press of Glencoe, 1962 (rééd. Cornell Univ. Press, 1969). – A. PERIER, *Yahyâ ben Adî, un philosophe arabe chrétien du Xe siècle*. Paris 1920. – S. PINÈS, *A Tenth Century philosophical correspondence* (in Proc. of the Amer. Acad. for Jewish Res. XXIV). New York, 1955 (correspondance entre Yahyâ ben 'Adî et Ibn Abî Sa'îd Mawsilî); – *La doctrine de l'intellect selon Bakr al-Mawsilî* (Stud. orient. in on. di G. Levi della Vida, II). Roma, 1956. – *La Loi naturelle et la société : la doctrine théologico-politique d'Ibn Zur'a, philosophe chrétien de Bagdad* (Scripta hierosolymitana, vol. IX). Jérusalem, 1961 (Ibn Zur'a est un disciple de Yahyâ ben 'Adî et, comme lui, chrétien jacobite et philosophe).

V,3.

Abû'l-Hasan al-'AMIRI, *Kitâb al-sa'ada wa'l is'âd*, éd. Mojtaba Minovi. Wiesbaden-Teheran, 1957-1958.

V,4.

Avicennæ *Opera... Logyca. Sufficiencia. De cælo et mundo. De Anima. De Animalibus. Philosophia prima*. Venetiis 1495; 1508; 1546. – *Die Metaphysik Avicennas enthaltend die Metaphysik, Theologie, Kosmologie und Ethik*, uebersetzt und erlaeutert von Max Horten. Halle, 1907-1909 (trad. d'une partie du *Kitâb al-Shifâ'*, Le livre de la Guérison de l'âme). – Dj. SALIBA, *Etude sur la métaphysique d'Avicenne*. Paris, 1926. – N. CARAME, *Avicennæ Metaphysices compendium*. Roma, 1926. – E. GILSON, *Avicenne et le point de départ de Duns Scot* (Archives d'hist. doctr. et litt. du Moyen Age, vol. II, 1927). – A.M. GOICHON, *Lexique de la langue philosophique d'Ibn Sînâ* (Avicenne). Paris, Desclée de Brouwer, 1938. – G.C. ANAWATI, *Essai de bibliographie avicennienne* (Ligue arabe. Direction culturelle. Millénaire d'Avicenne). Le Caire. 1950. – L. GARDET, *La pensée religieuse d'Avicenne,* Paris, Vrin, 1951. – G. VAJDA, *Les Notes d'Avicenne sur la « Théologie d'Aristote », in* Revue thomiste, 1951, II. – *Ibn Sînâ (Avicenne) Livre des directives et remarques (Kitâb al-ishârât wa'l-tanbîhât),* trad. avec introd. et notes par A. M. Goichon. Paris, Vrin, 1951. – F. RAHMAN, *Avicenna's psychology,* Oxford, 1952. – S. PINÈS, *La « philosophie orientale d'Avicenne » et sa polémique contre les Bagdadiens* (*in* Archives d'hist. doct. et litt. du Moyen Age, 1952). Paris, Vrin, 1953; – *La conception de la conscience de soi chez Avicenne et chez Abû'l-Barakât al-Bagdâdî* (ibid. 1954). Ibid. 1955. – *Le Livre du millénaire d'Avicenne,* vol. I, par Z. Safâ, S. Naficy. Vol. IV. Conférences des membres du Congrès d'Avicenne (prononcées en langues occidentales). Téhéran, 1954-1956 (Société des Monuments nationaux de l'Iran. Collection du millénaire d'Avicenne, n°s 27 et 33). – Y. MAHDAVI, *Bibliographie d'Ibn Sînâ* (Public. de l'Univ. de Téhéran, n° 206). Téhéran, 1954; – H. CORBIN, *Avicenne et le Récit visionnaire.* T. I. *Etude sur le cycle des Récits avicenniens.* T. II. *Le Récit de Hayy ibn Yaqzân,* texte arabe, version et commentaire en persan attribués à Jûzjânî, trad. française, notes et gloses (Bibl. Iranienne, vol. 4 et 5). Paris, Adrien-Maisonneuve, 1954; – *Avicenna and the Visionary Recital,* transl. by Willard R. Trask (Bollingen Series LXVI). New York, Pantheon Books, 1960 (reprint, Dallas, Spring Books, 1980); – *Avicenne et le Récit visionnaire* (rééd. du T. I.). Paris, Berg International, 1979. – Avicenne. *Le Livre de science (Dânesh-Nâmeh)* trad. du persan par M. Achena et H. Massé. I. *Logique, Métaphysique.* II. *Physique, Mathématiques.* Paris, Les Belles-Lettres, 1955-1958 (rééd. 1985); – *Psychologie d'Ibn Sînâ (Avicenne),* texte arabe et trad. française par J. Bakos (Travaux de l'Acad. tchécoslovaque des sciences). Prague, 1956. 2 vol. – *Kitâb al-Shifâ : al-Ilâhîyât (La Métaphysique).* T. I. éd. par G. C. Anawati et S. Zâyed. T. II. éd. par M. Y. Mûsâ, S. Donyâ et S. Zâyed. Introd. par I. Madkour. Le Caire, 1960; – *La Métaphysique du Shifa', Livres I à X,* trad. de l'arabe par G. C. Anawati. Paris, Vrin, 1978-1985. – S. H. NASR, *Three Muslim Sages* (Avicenne, Sohrawardî, Ibn 'Arabî). Cambridge, Harward Univ. Press, 1963. – P. MOREWEDGE, *The Metaphysica of Avicenna.* Columbia Univ. Press, 1973. – W. E. GOHLMAN (éd. and trad.), *The Life of Ibn Sina.* Albany, 1974.

V, 5.

IBN FATIX, *Mokhtar al-hikam wa mahâsin al-kalim (Los Bocados de oro),* éd., introd. et notes par A. Badawî. Madrid, 1958. – MISKAWAYH, *The Refinement of Character (Tahdhîb al-Akhlâq),* transl. by C. Zurayk. Beyrouth, 1968; – *Traité d'Ethique (Tahdhîb al-Akhlâq),* trad. et notes par M. Arkoun. Damas, 1969. – M. ARKOUN, *Contribution à l'étude de l'humanisme arabe au IVe/Xe siècle : Miskawayh, philosophe et historien.* Paris, Vrin, 1970 (rééd. 1982).

V, 6.

S. PINÈS, *Etudes sur Awhad al-Zamân, Abû'l-Barakât al-Baghdâdî* (*in* Revue des études juives III, 1938); – *Nouvelles études...* (Mémoires de la Société des études juives, 1). Paris, 1955; – *La Conception de la conscience de soi...* (cf. *supra* V, 4); – *Studies in Abû'l-Barakât al-Baghdâdîs Poetics and Metaphysics* (Scripta hierosolymitana, VI). Jérusalem, 1960.

V, 7.

D. B. MACDONALD, *The Life of Ghazâlî, with special reference to his religious experience and opinion* (Journ. of the Amer. Orient. Soc. XX). 1899. – M. ASIN PALACIOS, *Algazel, dogmatica, moral, ascetica.* Zaragoza, 1901; – *Algazel. El justo medio en la creencia* (trad. du *K. al-Iqtisâd fî'l-I'tiqâd*). Madrid, 1929; – *La Espiritualidad de Algazel y su sentido cristiano.* Madrid, 1934-1941. 5 vol. – I. GOLDZIHER, *Streitschrift des Ghazâlî gegen die Bâtiniyya Sekte.* Leiden, 1916. Neudruck, 1956. – J. OBERMANN, *Der philosophische und religiöse Subjektivismus Ghazâlîs.* Wien-Leipzig, 1921. – W. H. T. GAIRDNER, *al-Ghazâlî's Mishkât al-anwâr (The Niche for lights),* transl. and introd. London, 1924. – O. PRETZL, *Die Streitschrift des Ghazâlî gegen die Ibâhîya* (Stzber. d. Bayer. Akad. d. Wiss, ph.-h. Abt. 1933, Heft 7). – R. CHIDIAC, *Réfutation excellente de la divinité de Jésus-Christ d'après les Evangiles,* texte trad. et comment. (Bibl. de l'Ecole des Hautes-Etudes, Sc. relig., LVI). Paris, 1939. – A. J. WENSINCK, *La Pensée de Ghazzâlî.* Paris, 1940. – Al-Ghazâlî. *Lettre au disciple* (*Ayyuhâl'-walad*) trad. fr. par T. Sabbagh. Beyrouth-Paris, 1969; – *Ihyâ' 'olûm al-Dîn,* Livres I à VI, trad. par N. A. Faris. Lahore 1962-1968; – *Le Tabernacle des Lumières (Mishkât al-Anwâr),* trad. et introd. par R. Deladrière. Paris, Le Seuil, 1981; – *The Jewels of the Qur'an (K. Jawâkir al-Qur'ân),* transl. and introd. by M. Abul Quasem. London, Kegan Paul, 1983. – M. A. H. ABU RIDAH, *Al-Ghazâlî und seine Widerlegung der griechischen Philosophie (Tahâfut al-Falâsifa)* (Inaug. Diss. Basel). Madrid, 1952. – W. M. WATT, *The Faith and practice of al-Ghazâlî.* London, 1953; – *The Study of Ghazâlî* (revue *Oriens,* vol. 13-14, 1960). – F. JABRE, *La Notion de certitude selon Ghazâlî, dans ses origines psychologiques et historiques.* Paris, Vrin, 1958. – M. BOUYGES, *Essai de chronologie des œuvres de al-Ghazâlî.* Beyrouth, 1959. – G. VAJDA, *Isaac Albalag, Averroïste juif traducteur et annotateur d'al-Ghazâlî.* Paris, Vrin, 1960. – MAC-KANE, *al-Ghazâlî's Book of Fear and Hope,* transl. and introd. London, 1962. – L. ZOLONDEK, *al-Ghazâlî's Ihyâ 'Ulûm al-Dîn, Book XX,* transl. and annot. London, 1963. – F. A. SHEHADI, *Ghazâlî's Unique and Unknowable God.* Leiden, Brill, 1964. – H. LAOUST, *La Politique de Ghazâlî.* Paris, Geuthner, 1970. – H. CORBIN, « The Ismaili Response to the Polemic of Ghazâlî », transl. by J. Morris, in *Ismaili Contributions to Islamic Culture,* cf. *supra* II, B1. – R. J. MCCARTHY, *Freedom and*

Fulfillment (annotated transl. of Al-Ghazâlî's *al-Munqidh min al-Dalâl, K. al-Mostazhirî* and others). Boston, 1980.

VI.

R. A. NICHOLSON, *Studies in Islamic Mysticism.* Cambridge, 1921. – L. MASSIGNON, *La Passion d'al-Hallâj.* Paris, 1922 (rééd. Gallimard, 1975, 4 vol.); – *Essai sur les origines du lexique technique de la mystique musulmane.* Paris, 1922. Nouv. éd. 1954; – Al-Hallâj. *Dîwân,* trad. fr. (Documents spirituels. 10). Paris, 1955 (rééd. Le Seuil, 1981). – Margareth SMITH, *Rabî'a the Mystic ans her Fellow-Saints in Islam.* Cambridge, 1928; – *An Early Mystic of Baghdâd, a Study of the Life and Teaching of Hârith ibn Asad al-Muhâsibî* (781-857 *A. D.*). London, 1935. – HUJWIRI, *The Kashf al-Mahjûb, the oldest Persian treatise on Sufismus,* transl. by R. A. Nicholson. New ed. London, 1936. – Hellmut RITTER, *Das Meer der Seele, Mensch, Welt und Gott in den Geschichten des Fariduddîn 'Attâr.* Leiden, 1955. – Fritz MEIER, *Die Fawâ'ih al-jamâl wa Fawâtih al-jalâl des Najmad-Dîn al-Kubrâ, eine Darstellung mystischer Erfahrung im Islam aus der Zeit um 1200 n. Chr.* Weisbaden, 1957. – RUZBEHAN Baqlî Shîrazî. *Le Jasmin des Fidèles d'amour (K. 'Abhar al-'Ashiqîn). Traité de soufisme en persan,* éd. introd. et trad. par H. Corbin et M. Mo'in (Bibl. Iranienne, vol. 8). Paris, Adrien-Maisonneuve, 1958; – H. CORBIN, *L'Imagination créatrice dans le soufisme d'Ibn 'Arabî.* Paris, Flammarion, 1958 (rééd. 1971); – *Creative Imagination in the Sufism of Ibn 'Arabî,* transl. by R. Manheim (Bolligen Series XCI). Princeton Univ. Press, 1969; – *L'Homme de lumière dans le soufisme iranien.* Présence, 1971 (rééd. 1984); – *The Man of Light in Iranian Sufism,* transl. by N. Pearson. London, Shambhala, 1978; – *En Islam iranien,* III, cf. *supra* I, 1. – SULAMI, *Kitâb Tabaqât al-sûfiyya,* texte arabe avec introd. par J. Pedersen. Leiden, 1960 (Notices sur 105 soufis, du IIe/VIIIe s. au IVe/Xe s.). – 'Alî Hassan 'ABDEL-KADER, *The Life, Personality and Writings of al-Junayd* (Gibb Mem. Series N. S. XXII). London, 1962. – 'Abdullâh ANSARI, *Les Etapes des itinéraires vers Dieu,* éd. critique, introd. et trad. par S. de Laugier de Beaurecueil. Le Caire, 1962; – *The Intimate Conversations (Munajât),* transl. by W. M. Thackston. New York, 1978. – HAKIM TIRMIDHI, *Kitâb Khatm al-Awliyâ,* éd. par O. Yahya. Beyrouth, 1965. – S. DE LAUGIER DE BEAURECUEIL, *Khwâdja 'Abdullâh Ansârî.* Beyrouth, 1965. – M. MOLE, *Les Mystiques musulmans.* Paris, P.U.F., 1965. – AL-KALABADHI, *The Doctrines of the Sufis (Kitâb al-Ta'arruf),* transl. by A. J. Arberry. Lahore, 1966. – A. J. ARBERRY (transl.), *The Apologia of 'Ain al-Qudât al-Hamadhânî.* London, 1969. – M. EBN E. MONAWWAR, *Les Etapes mystiques du shaykh Abu Sa'id.* Paris, Desclée de Brouwer, 1974. – A. SCHIMMEL, *Mystical Dimensions of Islam.* Univ. of North Carolina Press, 1975. – Ahmad GHAZALI, *Gedanken über die Liebe (Sawânih al-'Oshshâq),* übers. v. R. Gramlich. Wiesbaden, 1976. – G. C. ANAWATI et L. GAR-

DET, *Mystique musulmane.* Paris, Vrin, 1976. – R.A. NICHOLSON, *The Mystics of Islam.* Rééd. London, Kegan Paul, 1979. – G. BOWERING, *The Mystical Vision of Existence in Classical Islam, The Qur'anic hermeneutics of the Sufi Sahl at-Tustari.* Walter de Gruyter, 1980. – JUNAYD, *Enseignement spirituel,* trad. et présenté par R. Deladrière. Paris, Sindbad. 1983.

VII.

SOHRAVARDI, shaykh al-Ishrâq, *Opera metaphysica et mystica I,* edidit H. Corbin (Bibliotheca Islamica, 16). Istanbul, 1945; rééd. anastatique : *Œuvres philosophiques et mystiques,* t. 1 (*La Métaphysique :* 1. *Kitâb al-Talwîhât.* 2. *Kitâb al-Moqâwamât.* 3. *Kitâb al-Mashârî' wa'l-Motârahât.*) Textes arabes édités avec prolégomènes en français par H. Corbin, nouvelle préface et index (Bibliothèque Iranienne, nouvelle série, 1). Téhéran-Paris, Adrien-Maisonneuve, 1976; – *Œuvres philosophiques et mystiques,* t. II (*Opera metaphysica et mystica II :* 1. Le Livre de la théosophie orientale. 2. Le Symbole de foi des philosophes. 3. Le Récit de l'Exil occidental.) Edition critique avec prolégomènes en français par H. Corbin (Bibliothèque Iranienne, 2). Téhéran-Paris, Adrien-Maisonneuve, 1952 (rééd. 1976 augmentée d'une nouvelle préface); – *Œuvres philosophiques et mystiques,* t. III (*Opera metaphysica et mystica III).* Œuvres en persan éditées avec une introd. par S.H. Nasr, Prolégomènes, analyses et commentaires par H. Corbin (Bibliothèque Iranienne, 17). Téhéran-Paris, Adrien-Maisonneuve, 1970 (rééd. 1977); – *L'Archange empourpré, quinze traités et récits mystiques,* trad. et annotés par H. Corbin, Paris, Fayard, 1976. – H. CORBIN, *En Islam iranien,* II, cf. *supra* I, 1; *Corps spirituel et Terre céleste,* cf. *supra* II, A (textes traduits de Sohravardî). – M. HA'IRI YAZDI, *Knowledge by Presence.* Tehran, 1982.

VIII, 1.

Miguel ASIN PALACIOS, *Ibn Masarra y su escuela, origenes de la filosofía hispano-musulmana.* Madrid, 1914. 2ᵉ éd. Madrid, 1946 (in *Obras escogidas* I); – *El místico Abû'l-'Abbâs Ibn al-'Arif y su Mahâsin al-Majâlis (Obras escogidas,* I); – Ibn al-'Arif (ob. 536/1141). *Mahâsin al-Majâlis.* Texte arabe, trad. et comment. Paris, 1933. – I. GOLDZIHER, *Le Livre de Mohammed ibn Toumert, Mahdî des Almohades,* texte arabe accompagné de notes biographiques et d'une introd., trad. par M. Gaudefroy-Demombynes. Alger, 1903. – P. NWYIA, *Ibn 'Abbâd de Ronda.* Beyrouth, 1961. – S.M. STERN, « Ibn Masarra, Follower of Pseudo-Empedocles – an Illusion », in *Medieval Arabic and Hebrew Thought.* London, 1983.

VIII, 2.

I. GOLDZIHER, *Die Zâhiriten, ihr Lehrsystem und ihre Geschichte.* Leipzig, 1884. – M. ASIN PALACIOS, *Los caracteres y la conducta, tratado de moral práctica por Abenhazam de Córdoba.* Madrid, 1916; – *Abenhazam de Córdoba y su historia crítica de las ideas religiosas.* Madrid, 1927-1932 (trad. espagnole du grand ouvrage d'Ibn Hazm, *al-Fisal fî'l milal*). – A.R. NYKL, *A Book Containing the Risâla Known as « The Dove's Neck-Ring about Love and Lovers ».* Paris, 1932 (trad. anglaise du *Tawq al-Hamâma.* Trad. française par L. Bercher, Bibliothèque arabe-française, VIII. Alger, 1949. A comparer avec Rûzbehân, *supra* VI); – *Hispano-arabic poetry and its relations with the old provençal Troubadours.* Baltimore, 1946. – SA'ID al-Andalusî, *Tabaqât al-umam,* texte arabe par L. Cheikho, Beyrouth, 1912; trad. française par R. Blachère (Public de l'Inst. des Hautes-Etudes marocaines). Paris, 1935. – H. PÉRÈS, *La Poésie andalouse en arabe classique au XIe siècle, ses aspects généraux, ses principaux thèmes et sa valeur documentaire.* 2e éd. Paris, Adrien-Maisonneuve, 1953. – R. ARNALDEZ, *Grammaire et théologie chez Ibn Hazm de Cordoue.* Paris, Vrin, 1956 (rééd. 1984).

VIII, 3.

S. MUNK, *Mélanges...* (*supra* V). – P. DUHEM, *Le système du monde...* vol. II (*supra* IV, 8). – M. ASIN PALACIOS, *El filósofo zaragozano Avempace* (Revista de Aragón, août 1900); – *Avempace, El régimen del solitario,* édición y traducción de Miguel Asin Palacios. Madrid-Granada, 1946. – IBN BAJJA (Avempace), *Opera Metaphysica,* ed. and introd. by M. Fakhry. Beyrouth, 1968; – *'Ilm al-nafs,* English transl. by M.S.H. Ma'sumî. Karachi, s. d.

VIII, 4.

M. ASIN PALACIOS. *Ibn al-Sîd de Badajoz y su « Libro de los cercos » (Kitâb al-Hadâ'iq)* in al-Andalus V, 1, 1940 (2e éd. de la trad. seule in *Obras escogidas* II, Madrid, 1946).

VIII, 5.

Ed. POCOCKE, *Philosophus autodidactus sive Epistola Abi Jaafar ibn Thofail de Hai ebn Yoqdhan* (sic), in qua ostenditur quomodo ex Inferiorum contemplatione ad Superiorum notitiam Ratio humana ascendere possit, ex arabica in linguam latinam versa. Oxonii, 1671. – J. EICHHORN, *Der Naturmensch oder Geschichte des Haï Ebn Yoktan* (sic). Berlin, 1783. – L. GAUTHIER, *Ibn Thofaïl, sa vie, ses œuvres.* Paris, 1909 (rééd. Vrin, 1983). – *Hayy ben Yaqdhân, roman philosophique d'Ibn Thofaïl, texte arabe et trad. française,* 2e éd. Paris, 1936 (Sur le récit d'Avicenne portant le même titre, cf. *supra* V, 4). – A. GONZALEZ PALENCIA, *El filósofo autodidacto* (trad. espagnole du texte arabe). Madrid, 1934. – P. BRONNLE, *Ibn Tufail. The Awakening of the Soul,* rendering from the arabic with introd., s. d. – S.S. HAWI, *Islamic Naturalism and Mysticism, a Philosophic Study of Ibn Tufayl's Hayy bin Yaqzân.* Leiden, Brill, 1974.

VIII, 6.

Il y a eu plusieurs éd. de la trad. latine des comment. d'Averroës jusqu'à l'éd. de Venise, 1560 en 11 vol. E. GILSON, *Histoire...* (*supra* V). – E. RENAN, *Averroës et l'averroïsme*, Paris, 1852. 8e éd. Paris, 1925. – M.J. MULLER, *Philosophie und Theologie von Averroes*. München, 1851-1875 (éd. et trad. allemande du *Fasl al-Maqâl*). – J. HERCZ, *Drei Abhandlungen über die Conjunktion des separaten Intellektes mit dem Menschen*. Berlin, 1869. – F. LASINIO, *Il commento medio di Averroes a la Poetica di Aristotele*. Pisa, 1872. – L. HANNES, *Des Averroes Abhandlungen Ueber die Möglichkeit der Conjunktion und Ueber den materiellen Intellekt*. Halle, 1892. – M. ASIN PALACIOS, *El averroismo teológico de Santo Tomas de Aquina* (*in* Homenaje a Don Fr. Codera). Zaragoza, 1904. – L. GAUTHIER, *Accord de la religion et de la philosophie*, traité d'Ibn Rochd (Averroës) trad. et annot. Alger. 1905. (2e et 3e éd. sous le titre : *Traité décisif* (*Façl al-maqât*) sur l'accord de la religion et de la philosophie. Alger, 1942 et 1948 (rééd. Vrin, 1983); – *La Théorie d'Ibn Rochd sur les rapports de la religion et de la philosophie*. Paris, 1909. – M. HORTEN, *Die Metaphysik des Averroes*. Halle, 1912; – *Die Hauptlehren des Averroes nach seiner Schrift « Die Widerlegung des Gazâlî »*. Bonn, 1913. – C. QUIRO RODRIGUEZ, *Averroes. Compendio de Metafísica*. Madrid, 1919. – S. VAN DEN BERG, *Die Epitome der Metaphysik des Averroes*. Leiden, 1924; – *Averroes' Tahâfut al-Tahâfut (The Incoherence of the Incoherence)*, transl. from the arabic with an introd. and notes (Unesco Coll. of Great Works, Arabic series). Oxford, 1954, 2 vol. – Averroës. *Tafsîr mâ ba'd al-Tabî'at* (Commentaire de la Métaphysique d'Aristote). Texte arabe inédit, établi par M. Bouyges (Bibliotheca Arabica Scholasticorum). Beyrouth, 1938-1948. – M. ALONSO, *Teología de Averroes (estudios y documentos)*. Madrid-Granada, 1947. – F. ROSENTHAL, *Averroes' Commentary on Plato's Republic*, ed., introd. et annot. Cambridge, 1956. – G.F. HOURANI, *Ibn Rushd (Averroes) Kitâb Fasl al-Maqâl...* Arabic text. Leiden, 1959; – *Averroes On the Harmony of religion and philosophy*, a transl. with introd. and notes of *K. Fasl al-Maqâl* (Gibb Mem. Series N.S. XXI). London, 1961. – R. LERNER, *Averroes on Plato's « Republic »*, transl. with notes. Cornell Univ. Press, 1974. – C.E. BUTTERWORTH, *Averroes' Three Short Commentaries on Aristotle's « Topics », « Rhetoric » and « Poetics »*, transl. Albany, 1977. – *Multiple Averroës*, Actes du Colloque tenu à Paris pour le 850e anniversaire de la naissance d'Averroës. Paris, Les Belles Lettres, 1979. – Ch. GENEQUAND, *Ibn Rushd's Metaphysics*, transl. with an introd. of Ibn Rushd's Commentary on Aristotle's Metaphysics, Book Lâm. Leiden, Brill, 1984. – A. MARTIN, *Averroës : Grand Commentaire de la Métaphysique d'Aristote, Livre Lambda*. Paris, Les Belles Lettres, 1984.

DEUXIÈME PARTIE

I.

M. HORTEN, *Die spekulative und positive Theologie des Islams nach Razi und ihre Kritik nach Tusi.* Leipzig, 1912. – H. LAOUST, *Essai sur les doctrines sociales et politiques de Takiddîn Ahmad Ibn Taymîya.* Le Caire, 1939. – IBN SAB'IN, *Correspondance philosophique avec l'Empereur Frédéric II de Hohenstaufen,* éd. par Sh. Yaltkaya, introduction par H. Corbin. Istanbul-Paris, 1943. – IBN KHALDUN, *The Muqaddimah, an Introduction to History,* transl. from the Arabic by F. Rosenthal (Bollingen Series XLIII). New York, 1958; – *Discours sur l'histoire universelle* (*al-Muqaddima*), trad. par V. Monteil (3 vol.). Paris, Sindbad, 1967; – *Le Voyage d'Occident en Orient,* trad. et présenté par A. Cheddadi. Paris, Sindbad, 1980. – R. ARNALDEZ, *L'Œuvre de Fakhr al-Dîn Râzî, commentateur du Qorân et philosophe* (Cahiers de civilisation médiévale, III/3). Poitiers, 1960. – M. MAHDI, *Ibn Khaldûn's Philosophy of History.* Chicago, 1964. – F. KHOLEIF, *A Study on Fakhr al-Dîn Râzî and his Controversies in Transoxiana* (Recherches publiées sous la direction de l'Institut de lettres orientales de Beyrouth. Série I, t. XXXI). Beyrouth, 1966. – J. VAN ESS, *Die Erkenntnislehre des 'Adudoddîn al-Ici* (al-Ijî), *Ubersetzung und Kommentar des ersten Buches seiner Mawâqif.* Wiesbaden, 1966. – A. BALYANI (disciple d'Ibn Sab'în), *Epître sur l'Unicité Absolue,* trad. par M. Chodkiewicz. Paris, Les Deux Océans, 1982.

II, 1.

RUZBEHAN BAQLI SHIRAZI, *Le Jasmin des Fidèles d'Amour,* traité de soufisme en persan, publié avec la traduction du chapitre Ier par H. Corbin et M. Mo'in. Bibliothèque Iranienne, vol. 8. Téhéran-Paris, 1958; – *Commentaire sur les paradoxes des soufis,* texte persan publié avec une introd. en français par H. Corbin. Bibl. Iranienne, vol. 12. Téhéran-Paris, 1966. – H. CORBIN, *En Islam iranien, aspects spirituels et philosophiques,* t. III, Livre III. Paris, Gallimard, 1971-1972 (rééd. 1978).

II,2.

H. RITTER, *Das Meer der Seele : Mensch, Welt und Gott in den Geschichten des Farîduddîn 'Attâr.* Brill, 1955. – F. 'ATTAR, *Le Livre divin* (*Elahi-Nameh*), trad. par F. Rouhani. Paris, Albin Michel, 1961 ; – *Le Livre de l'Epreuve* (*Musibatnama*), trad. par I. de Gastines. Paris, Fayard, 1981.

II,3.

Traité des compagnons-chevaliers (*Rasâ'il-e Javânmardân*), recueil de sept « Fotowwat-Nâmeh » publié par M. Sarraf. Introd. analytique par H. Corbin. Bibl. Iranienne, vol. 20. Téhéran-Paris, Adrien-Maisonneuve, 1973. – Abû al-Najîb SOHRAVARDI, *A Sufi Rule for Novices* (*K. Adâb al-Murîdîn*), transl. and introd. by M. Milson. Harvard, 1975. – 'Omar SOHRAVARDI, *The 'Awârif al-Ma'ârif,* partial transl. by W. Clarke. Lahore (reprint 1979).

II,4.

H. CORBIN, *L'Imagination créatrice dans le soufisme d'Ibn 'Arabî.* Paris, Flammarion, 1958 (2e éd. 1977); – *Creative Imagination in the Sufism of Ibn 'Arabî,* transl. by R. Mannheim. Bollingen Series XCI. Princeton, 1969. – O. YAHIA, *Histoire et classification de l'œuvre d'Ibn 'Arabî.* Institut français de Damas, 1964. – IBN 'ARABI, *Sufis of Andalusia* (*Rûh al-quds* and *al-Durrat al-Fâkhirah*), transl. by R.W.J. Austin. London, 1971 ; – *Les Soufis d'Andalousie,* version française du précédent par G. Leconte. Paris, Sindbad, 1979 ; – *The Bezels of Wisdom* (*Fosûs al-Hikam*), transl. by R.W.J. Austin. Paulist Press, 1980 ; – *L'Alchimie du Bonheur Parfait* (chap. 167 des *Fotûhât*), trad. par S. Ruspoli. Paris, Berg International, 1981 ; – *L'Arbre du Monde* (*Shajarat al-Kawn*), trad. par M. Gloton. Paris, Les Deux Océans, 1982 ; – *Le Livre de l'Arbre et des quatre Oiseaux* (*K. al-ittihâd al-kawnî*), trad. par D. Gril. Paris, Les Deux Océans, 1984 ; – EMIR ABD EL-KADER, *Ecrits spirituels,* présentés et traduits par M. Chodkiewicz, Paris, Le Seuil, 1982 ; – P. LORY, *Les Commentaires ésotériques du Coran d'après 'Abd ar-Razzâq al-Qâshânî.* Paris, Les Deux Océans, 1980. – T. IZUTSU, *Sufism and Taoism, a Comparative Study of Key Philosophical Concepts.* Tokyo, Iwanami Shoten, revised edition 1983.

II,5.

F. MEIER, « Das Problem der Natur im esoterischen Monismus des Islams », *Eranos-Jahrbuch* XIV. Zurich, 1946. – NAJMODDIN KOBRA, *Die Fawâ'ih al-Jamâl wa-Fawâtih al-Jalâl... eine Darstellung Mystischer Erfahrungen im Islam...,* herausg. und erläutert von F. Meier, F. Steiner. Wiesbaden, 1957. – 'Azizoddîn NASAFI, *Le Livre de l'Homme Parfait* (*K. al-Insân al-Kamil*), recueil de traités de soufisme en persan publiés avec une introd. par M. Molé. Bibl. Iranienne, vol. 11. Téhéran-Paris, 1962; – *Le Livre de l'Homme Parfait*, trad. par I. de Gastines. Paris, Fayard, 1984. – H. CORBIN, *L'Homme de Lumière dans le soufisme iranien.* Ed. « Présence », 1971 (rééd. 1984); – *The Man of Light in Iranian Sufism*, transl. by N. Pearson. London, Shambala, 1978.

II, 6.

H. LANDOLT, *Correspondance spirituelle* échangée entre Nûroddîn Esfarâyenî et son disciple 'Alaoddawleh Semnânî, texte persan publié avec une introd. en français. Bibl. Iranienne, vol. 21. Téhéran-Paris, Adrien-Maisonneuve, 1972; – *Nuruddîn Abdurrahmân-i Isfarayinî* (*1242-1317*) (ed. et trad.). Paris, Verdier, 1986.

II, 7.

F. MEIER, « Das Problem der Natur im esoterischen Monismus des Islams », *Eranos-Jahrbuch* XVIII. Zurich, 1950. – J.K. TEUFEL, *Eine Lebensbeschreibung des Scheichs 'Alî-e Hamadânî* (*1385*). Leyde, 1962.

II, 8.

JALALODDIN RUMI, *The Mathnawî*, ed. with critical notes, transl. and comment. by R.A. Nicholson, 8 vol. Cambridge University Press, 1925-1940 (rééd. in 3 vol., Luzac, 1977); – *Discourses* (*Fîhi mâ fîhi*), transl. by A.J. Arberry. New York, 1972; – *Dîvâni Shamsi Tabrîz* (selected poems), transl. by R.A. Nicholson. Cambridge Univ. Press (reprint 1977); – *Mystical Poems* (selected from *Dîvân Shamsî Tabrîz*), transl. by A.J. Arberry. Chicago Univ. Press, 1968 (rééd. Westview Press, 1978); *Le Livre du Dedans*, trad. française du *Fîhi mâ fîhi* par E. de Vitray-Meyerovitch. Paris, Sindbad, 1978. – E. de VITRAY-MEYEROVITCH, *Anthologie du soufisme.* Paris, Sindbad, 1978; – A. SCHIMMEL, *The Triumphal Sun.* London, East West Publ., 1978. – W.C. CHITTICK, *The Sufi Path of Love, The Spiritual Teachings of Rumi.* Albany, SUNY Press, 1983.

II, 9.

H. CORBIN, « Symboles choisis de la Roseraie du Mystère de Mahmûd Shabestarî » in *Trilogie Ismaélienne.* Bibl. Iranienne, vol. 9. Téhéran-Paris, Adrien-Maisonneuve, 1961. – M. SHABESTARI, *The Secret Garden* (*Golshan-e Râz*), transl. by J. Pasha. New York, Dutton, 1974.

II, 10.

R.A. NICHOLSON, *Studies in Islamic Mysticism*, Cambridge Univ. Press, 1921 (important chapitre sur 'Abdol-Karim Gîlî).

II, 11.

N. POURJAVADY and P.L. WILSON, *Kings of Love, The Poetry and History of the Ni'matullâhî Sufi Order.* Téhéran, 1978.

II, 13.

JAMI, *Salâman va Absâl,* trad. par A. Bricteux. Paris-Bruxelles, 1911; – *Bahârestan,* trad. par H. Massé. Paris, 1925; – *Youssouf et Zoleikha,* trad. par A. Bricteux. Paris, 1927; – *The Precious Pearl* (*al-Durrah al-Fakhirah*), transl. by N. Heer. Albany, 1979; – *Les Jaillissements de Lumière* (*Lavâyeh*), trad. et introd. par Y. Richard. Paris, Les Deux Océans, 1982. – F. 'IRAQI, *Divine Flashes* (*Lama'ât*), transl. by W.C. Chittick and P.L. Wilson. Paulist Press, 1982.

II, 16.

M. DE MIRAS, *La Méthode spirituelle d'un Maître du Soufisme iranien : Nûr 'Alî-Shâh.* Paris, 1974 (préface par H. Corbin).

III.

R. STROTHMANN, *Die Zwölfer-Schî'a, zwei religionsgeschichtliche Charakterbilder aus der Mongolenzeit.* Leipzig, Harrassowitz, 1926 (important chapitre sur Nasîroddîn Tûsî); – *Gnosis-Texte der Ismailiten.* Göttingen, 1943. – Shihâboddîn Shâh HOSAYNI, *True Meaning of Religion* (*Risâla dar Haqiqati Dîn*), Persian text and English transl. by W. Ivanow. Bombay, 1933. – W. IVANOW, *Kalâmi Pîr, a Treatise on Ismaili Doctrine, Also* (*Wrongly*) *Called Haft-Babi Shâh Sayyid Nasir.* Bombay, 1935; – *Ismaili Literature, a Bibliographical Survey.* Téhéran, Ismaili Society Series, n° 15, 1963. – Nasîroddîn TUSI, *The Rawdatu't-Taslim Commonly Called Tasawworat,* Persian text, ed. and transl. into English by W. Ivanow. Leiden, Ismaili Society Series, n° 4, 1950. – Allâmeh Al-HILLI, *Al-Bâbu'l-Hâdî 'Ashar* (*A Treatise on the Principles of Shi'ite Theology*), transl. by W. McElwee Miller. London, Royal Asiatic Society, 1958. – H. CORBIN, *Trilogie ismaélienne* (Abû Ya'qûb Sejestânî, Sayyid-nâ al-Hosayn ibn 'Alî, Mahmûd Shabestârî), textes édités avec traduction française et commentaire (Bibliothèque Iranienne, vol. 9). Téhéran-Paris, Adrien-Maisonneuve, 1961; – *L'Ecole shaykhie en théologie shî'ite,* avec traduction persane de F. Bahmanyar. Téhéran, 1967; – *En Islam iranien* (*supra* II, 1), t. IV (l'école d'Ispahan, l'école shaykhie, le Douzième Imâm); – *La Philosophie iranienne islamique aux XVIIe et XVIIIe siècles.* Paris, Buchet-Chastel, 1981. – *Anthologie des philosophes iraniens depuis le XVIIe siècle jusqu'à nos jours, en trois volumes* : I. de Mîr Dâmâd à Shamsâ Gîlânî; II. de Sayyed Ahmad 'Alawî à Mohammad-Bâqir Sabzavârî; III. de Qâzî Sa'îd Qommî à 'Abdorrahîm Damâvandî. Textes arabes et persans choisis et présentés par S.J. Ashtivânî, introductions analytiques par

H. Corbin (Bibliothèque Iranienne). Téhéran-Paris, Adrien-Maisonneuve, 1972-1976. – Mollâ Sadrâ SHIRAZI, *Le Livre des Pénétrations métaphysiques* (*Kitâb al-Mashâ'ir*), texte arabe publié avec la version persane de B.-M. Mîrza 'Emâdoddawleh, traduction française et annotations par H. Corbin (Bibliothèque Iranienne, vol. 10). Téhéran-Paris, Adrien-Maisonneuve, 1964 (rééd. 1984); – *The Wisdom of the Throne* (*al-Hikmat al-'Arshîya*), transl. by J.W. Morris. Princeton, 1981. – Hâdî SABZAWARI, *Sharh-i Ghurar al-Farâ'id or Sharh-i Manzumah.* Part one : *Metaphysics.* Ed. by M. Mohaghegh and T. Izutsu, with English Introduction by T. Izutsu. Téhéran, 1969; – *The Metaphysics,* transl. by M. Mohaghegh and T. Izutsu. Téhéran-Montréal, 1977. – Haydar AMOLI, *La Philosophie shî'ite* (*Jâmi' al-asrâr* et *Fî ma'rifat al-wojûd*), textes publiés avec une double introduction par H. Corbin et O. Yahia (Bibliothèque Iranienne, vol. 16). Téhéran-Paris, Adrien-Maisonneuve, 1969; – *Le Texte des Textes* (*Nass al-Nosûs*), *commentaire des Fosûs al-Hikam d'Ibn 'Arabî,* prolégomènes publiés avec une double introduction par H. Corbin et O. Yahia (Bibliothèque Iranienne, vol. 22). Téhéran-Paris, Adrien-Maisonneuve, 1974. – P. ANTES, *Zur Theologie der Schî'a, eine Untersuchung des Jâmi' al-asrâr... von Sayyed Haidar Amolî.* Fribourg-en-Brisgau, 1971. – IBN KAMMUNA, *Examination of the Three Faiths,* transl. from the Arabic with introd. and notes by M. Perlmann. Los Angeles, U.C.L.A., 1971. – MIR DAMAD, *Kitâb al-Qabasât,* ed. by M. Mohaghegh with an English Introduction by T. Izutsu. Téhéran, 1977. – S.H. NASR, *Sadr al-Dîn Shîrâzî and his Transcendent Theosophy.* Téhéran, 1978. – D. SHAYEGAN, *Hindouisme et soufisme.* Paris, éd. de la Différence, 1979. – J.P. DUCASSE, « Sadrâ Shîrâzî (Mollâ Sadrâ) », in *Encyclopædia Universalis,* vol. 14. Paris, 1980.

Index

Table des matières

PREMIÈRE PARTIE : DES ORIGINES
JUSQU'À LA MORT D'AVERROËS (595/1198)

V. LES PHILOSOPHES HELLÉNISANTS.

VI. LE SOUFISME.

VII. SOHRAVARDI ET LA PHILOSOPHIE DE LA LUMIÈRE.

VIII. EN ANDALOUSIE.

DEUXIÈME PARTIE : DEPUIS LA MORT D'AVERROËS JUSQU'À NOS JOURS

DU MÊME AUTEUR

M. Heidegger, QU'EST-CE QUE LA MÉTAPHYSIQUE?, traduit de l'allemand par H. Corbin, Gallimard, 1938 (épuisé). Cette traduction, ainsi que celle de CE QUI FAIT L'ÊTRE ESSENTIEL D'UN FONDEMENT OU « RAISON », a été reprise dans M. Heidegger, QUESTIONS I, Gallimard, 1968.

AVICENNE ET LE RÉCIT VISIONNAIRE, Bibliothèque Iranienne, vol. 4 et 5, 1954 (rééd. Berg International, 1979).

L'IMAGINATION CRÉATRICE DANS LE SOUFISME D'IBN 'ARABÎ, Flammarion 1958 (rééd. 1977).

CORPS SPIRITUEL ET TERRE CÉLESTE : DE L'IRAN MAZDÉEN À L'IRAN SHÎ'ITE, Buchet-Chastel, 1961 (rééd. 1979).

EN ISLAM IRANIEN : ASPECTS SPIRITUELS ET PHILOSOPHIQUES, 4 vol., Gallimard (Bibl. des Idées), 1971-1972 (rééd. 1978).

L'HOMME DE LUMIÈRE DANS LE SOUFISME IRANIEN, Éditions Présence, 1971 (rééd. 1984).

L'ARCHANGE EMPOURPRÉ. *Quinze traités et récits mystiques de Sohravardî,* trad. du persan et de l'arabe, Fayard, 1976.

PHILOSOPHIE IRANIENNE ET PHILOSOPHIE COMPARÉE, Téhéran, 1977 (rééd. Buchet-Chastel, 1985).

LA PHILOSOPHIE IRANIENNE ISLAMIQUE AUX XVIIe ET XVIIIe SIÈCLES, Buchet-Chastel, 1981.

LE PARADOXE DU MONOTHÉISME, Éditions de l'Herne, 1981.

CAHIER DE L'HERNE, n° 39. Consacré à Henry Corbin; 1981, nombreux inédits.

TEMPLE ET CONTEMPLATION, Flammarion, 1981.

TEMPS CYCLIQUE ET GNOSE ISMAÉLIENNE, Berg International, 1982.

FACE DE DIEU, FACE DE L'HOMME, Flammarion, 1983.

L'HOMME ET SON ANGE, Fayard, 1983.

Impression Brodard et Taupin
à La Flèche (Sarthe),
le 22 avril 1986.
Dépôt légal : avril 1986.
Numéro d'imprimeur : 6378-5.
ISBN 2-07-032353-6 / Imprimé en France
37699